태백산맥 외

전광용문학전집 2

태백산맥 외

초판 제1쇄 인쇄 2011년 11월 20일
초판 제1쇄 발행 2011년 12월 15일
지은이 | 전광용
엮은이 | 전광용문학전집 간행위원회 편
펴낸이 | 지현구
편집장 | 박종훈
편　집 | 김수영 김보미
디자인 | 이보아 이효정
펴낸곳 | 태학사
등록 | 제406-2006-00008호
주소 | 경기도 파주시 문발동 파주출판도시 498-8
전화 | 마케팅부 (031) 955-7580~82 편집부 (031) 955-7585~89
전송 | (031) 955-0910
전자우편 | thaehak4@chol.com
홈페이지 | www.thaehaksa.com

전6권 150,000원

ISBN　978-89-5966-463-4　04810
　　　　978-89-5966-461-0 (세트)

전광용 문학전집

2

태백산맥 외

태학사

『전광용문학전집』을 내면서

소설가이며 국문학자이셨던 백사(白史) 전광용(全光鏞) 선생의 모든 저작을 한데 모아『전광용문학전집』전6권을 새로 펴낸다. 1권, 2권, 3권에는 선생이 발표한 소설들을 수록하였고, 4권과 5권은 단행본으로 발간된 바 있는『한국현대문학논고』와『신소설연구』를 각각 수록하였다. 그리고 6권은 선생이 생전에 발표한 수필과 산문들을 찾아 한 권의 책으로 꾸몄다.

전광용 선생은 호적부에 1919년 3월 1일 출생으로 기록되어 있지만 실제로는 1918년 음 9월 5일 함경남도 북청군 거산면(居山面) 하입석리(下立石里) 1011번지에서 태어났다. 성천촌(城川村)이라는 작은 마을의 과수원집에서 성장한 선생은 부친 전주협(全周協)과 모친 이녹춘(李彔春)의 2남 4녀 가운데 장남이었다. 고향인 북청에서 북청공립농업학교을 졸업한 후 경성경제전문학교에 입학하였는데, 해방 직후 이 학교가 서울대학교 상과대학으로 바뀌자 2년을 수료한 후 진로를 바꾸었다. 1947년 9월 서울대학교 문리과대학 국어국문학과에 입학하면서 문학에 뜻을 두게 된 것이다.

전광용 선생의 글쓰기 작업은 소설가로서의 창작활동을 통해 그 특징이 잘 드러나고 있다. 선생은 1948년 11월 정한숙(鄭漢淑), 정한모(鄭漢模), 남상규(南相圭), 김봉혁(金鳳赫) 등과 함께 《주막(酒幕)》 동인을 결성하고 창작활동을 시작하였고, 1955년 1월 조선일보 신춘문예에 단편소설 「흑산도(黑山島)」가 당선되면서 정식으로 소설문단에 등단한다. 비록 다작은 아니었지만 열정을 담은 많은 문제작을 내놓았다. 선생의 작품은 주로 냉철한 현실적 시각으로 인간의 삶을 그려놓고 있기 때문에, 현실에 대한 비판적 의미가 두드러지게 나타나고 있다. 선생은 생전에 『흑산도』, 『꺼삐딴 리』, 『동혈인간』, 『목단강행 열차』 등의 작품집과 장편소설 『태백산맥』, 『나신(裸身)』, 『창과 벽』, 『젊은 소용돌이』 등을 발표하였다. 이러한 소설적 작업은 '동인문학상', '대한민국문학상' 등의 수상으로 더욱 그 권위를 인정받게 되었다. 선생의 소설은 대부분 인간의 삶과 현실에 대한 진실 탐구에 그 목표를 둔 것이었고, 엄격한 윤리적 가치관에 의해 그 주제가 표출되곤 하였다. 선생은 창작활동 후반기에 이르면서 망향의 정을 그린 소설을 자주 발표하였다. 북에 두고 온 가족과 고향에 대한 사무친 그리움이 단편집 『목단강행 열차』에 감동적으로 스며들어 있다.

전광용 선생은 국문학자로서 모교인 서울대학교 국어국문학과에서 교육과 연구에 평생을 바쳤다. 선생이 주로 관심을 두었던 학문영역은 우리 근대문학의 성립 단계에 형성된 신소설에 대한 연구이다. 6·25전쟁 직후 한국현대문학 연구가 대학에서 학문적 기반을 제대로 갖추고 있지 못한 상태에 놓여 있을 때, 선생은 아무도 거들떠보지 않는 신소설 연구에 몰두하였다. 처음으로 서울대학교 문리과대학 국어국문학과 전임교수가 되어 한국현대문학 강의를 맡으면서 그 학문적 체계화를 위해 힘을 기울였다. 선생의 신소설 연구는 철저한 자료조사, 정밀한 해독, 엄격한 가치평가로 이미 널리 알려져 있거니와, 그 성과에 힘입어 한국현대문학의 첫머리에서 서술되게 마련인 신소설에 대한 설명이 명확한 소설사적 체계를 갖출 수 있게 되었다. 이러한 학문적 성과는 '사상계논문상'으로 높이 평가되기도 하였다. 선생은 모교에서 정년퇴임을 맞이할 무렵에 제자들의 권유에 따라 그동안 발표한 연구논문들을 모아 『한국현대문학논고』와 『신소설연구』를 발간하였다. 선생의 「이인직연구」를 서두에 싣고 제자들이 논문을 모아 한국현대소설사를 정리한 정년퇴임 기념논문집인 『한국현대소설사연구』가 만들어지자 당신의 저작을 책으로 묶는 것을 허락하였다. 이 두 권의 책은 선생의 학문적 열정과 태도를 확인할 수 있는 중요한 업적이라고 할 수 있거니와 『한국현대소설사연구』와 더불어 현대문학 연구의 학문적 토대가 쌓여진 과정을 그대로 드러내고 있는 것이라고 하겠다.

전광용 선생은 고향인 함경도 북청을 떠나 문학 공부를 위해 서울로 올라 왔고, 분단 후 다시 고향을 찾을 수 없었다. 그렇기 때문에 단신으로 온갖 어려움 속에서 문학과 학문의 꿈을 키워야만 하였다. 문학이 유일한 길이었고 삶의 전부였던 것이다. 선생은 문학에 대한 열정을 강조하면서도 이것을 생업으로 삼기에는 너무 고달픈 일이라고 하였다. 창작이든 문학 연구든 간에 각별한 사랑과 열정이 없이 문학을 한다는 것은 잘못이며, 거기서 물질적인 것을 구한다는 것도 기대할 수 없는 일이라는 거였다. 아마도 이러한 충고와 훈계는 모두 개인적 경험에서 비롯된 것이 아닌가 생각된다.

전광용 선생은 언제나 학문의 성과에 대한 엄격한 평가를 강조하였지만, 다른 학자들의 연구업적에 대해 결코 무시하는 법이 없었다. 학위논문을 쓰면서, 선배들의 연구업적에 대한 소개를 소홀히 하거나, 자기주장에만 매달린 학생에게는 몹시 꾸중을 하였다. 이는 앞서 걸어간 사람들의 고통을 생각하지 않는 경향을 훈계하기 위한 일이었다. 그러면서도 선생은 결코 당신께서 해온 연구작업을 부추겨 내세우는 법이 없었다. 1950년대 중반부터 시작된 신소설 연구가 거의 10여 년에 걸쳐 지속되었고, 그것을 함께 모아 한 권의 책으로 묶을 수 있는 분량이 훨씬 넘었을 뿐만 아니라, 국문학계에서도 그 업적의 발간을 기다렸지만 선생님께서 한사코 이를 사양하였다. 책을 간행한다는 것이 자칫 자기 학문의 불필요한 과시가 될 수도 있다는 말씀을 하신 일이 있다. 그러나 이보다도 한국현대소설사의 윤곽을 해명할 수 있을 때까지 그 간행을 미루었던 것이 아닌가 생각되기도 한다.

전광용 선생은 1988년 6월 21일 세상을 떠났다. 이제는 다시 선생의 모습을 뵈올 수 없고 그 음성을 들을 수도 없지만, 선생이 남긴 소설과 연구 논문은 한국문학의 한복판에 자리하고 있다. 선생의 가르침을 따라 한국현대문학 연구의 학풍을 이어가는 것이 우리 제자들이 선생의 뜻을 기리는 일일 것이다. 오늘 『전광용문학전집』이라는 이름으로 한데 묶여진 선생의 책과 글 속에 담긴 소중한 뜻이 조금도 헛되지 않게 이어지길 기대한다. 이 책을 엮는 데에 참여한 모든 제자들은 함께 머리 숙여 선생의 명복을 빈다. 어려운 여건 속에서 전집의 간행을 맡아준 태학사 지현구 사장께 감사드린다.

2011년 가을에 권영민

태백산맥

제1장

무엇엔가 계속 쫓기고 있는 것만 같다. 아니, 쫓겨 오고 있음에 틀림없다. 지금도 이렇게 쫓기고 있는 것이다. 사실은 스스로 쫓고 있는지도 모른다.

한철(韓哲)은 이곳까지 어떻게 왔는지 어리벙벙한 심정을 아직 평정한 상태로 가늠할 수 없다. 스스로 자진하여 온 걸음임이 분명하다. 그러나 아무래도 제 마음 아닌 것에 몰려온 것만 같은 거리낌이 맴돌고 있음을 어찌할 수 없다. 범속하게 주위의 조건에 맞춰 그대로 따르려니 나와, 하나하나의 사태를 응시하고 비판하고 꼬집으려는 나가 아직도 서로 맞서고 있는지도 모른다.

오늘은 4월 14일.

'4월은 가장 잔인한 달…….'

한철은 문득 떠오르는 자기 입버릇의 시 구절을 뇌까려 본다.

비단 사월만이었던가, 유월도 시월도 크리스마스도, 아니 춘하추동 어느 계절도, 차라리 지나간 모든 세월이라고 하여 두자. 언젠들 나에게 짐짓 잔인하지 않은 날과 달이 있었던가. 소생하는 '릴라의 꽃'도 '욕정(慾情)'을 불태우는 '추억'도 간직해 본 적이 일찍이 있었던가.

그는 발돋움하고 눈동자의 초점을 우글거리는 군상(群像)속으로 돌려, 시야의 컴퍼스에 가능한 한의 반원형을 그어 본다. 몸을 백팔십 도로 회전한 그는 다시 그 방법을 반복하여 본다.

결국 그 반지름은 확대되어 운동장 한 끝 철조망에 빨래마냥 매어달린 바깥 세계의 인파 쪽으로 퍼지자 순간 대조 의식이 섬광처럼 퍼뜩여 온다.

저 바깥 세계의 자유민과, 이 운동장 안의 이미 행동의 구속을 받고 있는 인간과를.

이리로 오기까지는 자유였는지도 모른다. 아니 여기로 오기 전 구청 뜰에 집합하여 단체 행동이 시작되었을 때부터 명령에 복종하는 이외의 행동은 이미 거세된 것이다.

차라리 그것보다는 징집장(徵集狀)을 받았을 때, 어쩌면 그 이전에 자진하여 자기 자유의사로 일단 신청을 하였을 때, 벌써 그것으로 집단에서의 자유는 자동적으로 포기 상태에 들어갔는지도 모른다.

저 철조망 건너 바깥 세계의 인간들.

아들을, 동생을, 오빠를, 남편을 그리고 사랑하는 사람을 찾는 눈동자, 그러나 그 반짝이는, 살기 띤, 울명한 애처로운 눈동자 옆에는 희멀건 냉혈동물의 눈알 같은 방관자(傍觀者)의 표정, 비스듬히 누워서 새김질 하는 쇠눈깔 같은 무표정한 연대 의식(連帶意識) 권외(圈外)에 있는 구경꾼의 속물적(俗物的)인 타성의 모습이 곁들이고 있지 않은가.

철조망 안의 운동장은!

정확한 인원의 숫자는 알 길이 없다. 그것은 그 자신이 종국적으로 가 닿을 종착지의 확실한 지명을 알 길이 없듯이……

대충 쳐서 천 명은 넘으리라는 정도의 막연하고도 신빙성이 희박한 계수.

마치 이제부터 가야 할 곳이 태백산맥이라는 엄벙한 대상과 같이, 그저 지하자원이 무진장인 자연의 보고(寶庫)를 개발하는 시금석(試金石)의 구실을 하는 역군(役軍)이라는, 국민학교 지리시간에 얻어 들은 것 같은 표고선(標高線)의 색지도(色地圖)의 막연한 인상 정도의 예비지식.

그러나 틀림없이 간다. 가지는 것이다. 휩몰리어 가는지도 모른다.

이 수다한 군상들 속에선 함께 간다는, 가야만 한다는 그 행동 이외엔 공통된 것이란 거의 찾아볼 수 없을지도 모른다. 그들의 얼굴 모습이, 옷차림이 제각기 다르듯이 걸어온 과정도, 지금 생각하고 있는 것도 각각 다를 것임에 틀림없다.

그러나 지금 이 시간은 그러한 각개의 특색이 제 마음대로 활개칠 자유를 용서하지 않는다.

명령에 따르는 집단으로의 행동이 움직여 갈 뿐이다.

단 위의 마이크는 스피커를 채찍질한다. 그래도 대열은 좀처럼 곧아지지 않고, 관계 데모의 정지상태를 연상시키는 무질서와 무기력을 나타내고 있다.

연신 비트식 머리를 쓸어올리고 있는 놈, 구두 끝으로 땅바닥을 파고 있는 놈, 멍청히 먼 산 쪽을 바라보고 있는 놈, 누구를 찾는 눈초리로 철망 쪽으로 목을 길게 빼고 있는 놈……

지휘관의 명령 용어가 반말 아닌 경어를 쓰고 있는 탓일까. 통솔된 대열이 아니라 흡사 오합지졸을 연상시킨다.

오만 가지 복장 차림새 속에서 기간 사병의 카키색은 선입감적인 위엄을 과시하고 있으나, 그 제복의 인간도 아직은 제 설 자리를 확보하지 못하고 있다.

카키색에게는 카키색이 두렵다. 기실 그 카키색은 먼발치로, 추상적으로 두려운 것이고 좀 더 가까이 그리고 구체적인 면에서는 계급장이 두려운 것이다.

트위스트를 연상시키는 홀태바지, 하이킹 타이프의 잠바, 출근형의 신사복, 전직 관리의 재건복, 철도 맞지 않는 야자수 그린 남방샤쓰, 점잖은 스프링 코트, 졸업인지 중퇴인지 모를 낡은 교복, 스키어 같은 도꾸리샤쓰, 거리에 신사용 양화를 위시하여 군화, 농구화, 뒤축이 다 나간 편상화, 심지어는 비도 안 오는데 장화까지…….

보스턴 백, 수트케이스, 노스웨스트 표지의 비행기 가방, 삼대나 내려 쓴 것 같은 가죽 트렁크, 카메라용 멜가방, 레자로 된 책가방, 무슨 신문사의 몇 십주년 기념 표지가 들어 있는 보자기, 여기에 류색까지 한몫 끼어, 흡사 하룻밤 새에 꾸며진 속성 관광단 같기도 하다.

이러한 군상에게는 대체로 카키색도 계급장도 구령도 두렵지 않은 것이다.

'제복 대 제복.'

'계급 대 계급.'

그러한 세계는 아직 상상도 안 된다. 다만 있다면 무기 그것만이 어떤 예민한 감관의 반응을 작용시킬 것이다.

군대 복무를 단 하루라도 치러 본 사람에게는 '갈매기' 하나 더 많다는 것이 하늘만큼이나 더 높이 보일 때도 있다.

능동이든 피동이든 간에 군대라는 것과 인연이 멀었던 이들의 눈에는 '다이아몬드'는 고사하고, '댓잎'이나 '별'도 대부분의 경우 두렵거나 위대하게 보인 적이 없었다.

차라리 그것보다는 무관심의 외곽지대였다고 하는 것이 옳을 것이다.

직접적인 이해관계가 없는 것처럼 느껴졌기 때문이기도 하다.

그보다는 오히려 헌병의 완장이나, 철모, 그리고 사이렌을 울리는 백차에 눈이 간 것은 계엄령 하에서의 부지불식간의 강박 관념에서였는지도 모른다.

여기 대열 사이를 활보하는 카키색 제복의 기간 사병은 대개 검은 바탕에 땅 파는 '삽' 하나가 아니면 둘은 그런 표지의 딱지를 붙이고 있다.

건설 부대의 상징은 될지언정 거기에서 계급의식은 느낄 수 없다. 무슨 제약회사의 완장을 달고 소리를 외치는 선전 광고원이나, 신문사 마크가 들어 있는 제복 배달원의 인상 정도밖에 주지 않는다. 그렇잖으면 차라리 공사판의 심장이나 감독의 표지 같은 것이라고나 할까.

그러나 거기에는 어쩔 수 없는 미지의 불안이 감돌고 있다.

종대로 늘어선 대열의 복판 줄 한가운데에 '열중 쉬어'의 자세로 궁둥이께에 한 손을 다른 한 손으로 맥없이 포개쥐고 서 있는 한철은 단상의 지휘관 쪽으로 얼굴을 돌리고 있으면서도 실상은 간밤의 일을 생각하고 있다.

취기는 아직도 완전히 가셔지지 않았다. 머리는 무겁고 흐리멍덩하다.

지금 저 가시줄 울타리에 조롱조롱 매어달린 군중 속에는 나를 초조하게 기다릴 사람은 없을 것이라는 단정을 우선 내려 본다.

집에 앉아서나 거리를 거닐면서 자기를 걱정해 줄 사람도 없을 것이다.

그러나 지금 이 시간에 경은(卿恩)의 놓여진 좌표(座標)는!

명목은 환송회건 장행회(壯行會)건 아무것으로 불리어도 좋았다.

형우(亨佑), 영혜(英惠), 경은이, 그리고 나까지 네 사람이었다.

우리는 늘 이렇게 모여 앉았기 때문에 이날 밤이라고 특별한 의의를 지니는 자리는 아니었지만, 세 사람의 시선은 줄곧 나한테로 집중되었고, 화제도 자연 나의 신상에 연관되는 것이 그 중심이 되기도 했다.

"자, 한 잔……."

형우는 또 나한테 잔을 권한다.

이 '한 잔'이 벌써 몇 차례 거듭되었는지 모른다. 단숨에 꿀꺽 마시고는 잔을 돌렸다. 좀처럼 술기운이 돌지 않고 멀뚱하던 나도 효과가 오기 시작했다.

첫 잔부터 계속 나는 수동 태세다. 반배하기 바쁘게 형우는 다시 잔을 비우고 넘기기에 내가 선수를 써서 권배할 겨를이 없다.

어쩌면 지금껏 우리 둘 사이는 쭉 이렇게 지속되어 왔는지도 모른다. 내가 가정 사정으로 한 학기 휴학했기 때문에 졸업도 형우가 빨랐다. 병역도 그가 솔선하여 먼저 치르고 나왔다.

"자, 또 한 잔……."

나는 두꺼비 파리 잡아먹듯, 받아 마시기만 한다.

"인제, 정말 떠나게 됐으니, 한 마디 하겠어. 응, 철……."

형우도 혀끝이 약간 꼬부라진 말씨다.

나와 형우가 마주 앉고, 경은과 영혜는 양쪽에 끼어 둘러앉았다.

경은은 한 잔만 들어가면 얼굴이 빨개졌고, 영혜는 몇 잔 거듭하면 창백해졌다가 다시 제 낯빛으로 돌아오는 특질을 가지고 있다.

여느 때는 나나 형우가 입에 쏟아넣다시피 억지로 권해야 겨우 드는 그들이었지만, 이날 밤은 무슨 영문인지 자진하여 순순히 잔들을 비워 주었다.

나는 그것이 나를 위해 그러는 것이라고 내 딴의 해석을 하며 사뭇 흐뭇한 기분이었다.

"나야, 언제 가라말라 하고 얘기하든? 가고프면 가고 말고프면 말라고 했지."

그는 쭉 들이키고 나에게 잔을 권했다. 나는 경은이 따라 주는 잔을 비우고는 형우에게 돌렸다.

"군대도 마찬가지야, 누가 뭐랄 수 없는 거야."

그는 단숨에 말을 하지 않고, 이번에는 경은에게 잔을 권하면서 또 다음을 이었다.

"말하자면, 죽으러 가는 거니까, 체, 이런 표현이 너무 극단이라면, 죽음을 얘기하고 가는 거니까, 누가 뭐랄 수 없다는 말이야."

그는 경은에게서 온 잔을 받아 마시고는 다시 영혜에게 넘긴다.

"죽음은 아무도 대신해 줄 수 없으니까 말이야, 부모도 가라 말라 할 수 없는 거야, 그렇잖아……."

그는 나의 반응을 기다리는 듯이, 벌써 약간 거슴츠레해진 눈으로 나를 응시하는 것이다.

나는 무어라 대답할 말이 없었다.

"어때, 안 그래?"

이번에는 전체를 휘둘러보면서 동의를 구하는 어조로 나왔다.

"참, 그럴 거예요."

모두가 가만히 있는 속에서 형우의 다음 말을 계속 시키려는 듯 경은이 맞장구를 쳤다.

"그러니까 말야, 이번 일도 말하자면 병역을 대신 치르는 거 아냐, 그게 그거란 말이야, 거의 비슷한 케이스거든."

"그렇지만……."

"아, 아냐."

경은의 말을 가로막으면서 형우는 계속했다.

"적어도 가는 사람의 심정은 말야, 이번 경우도 군에 입대하는 기분이나 다를 거 없는 거야……."

"왜요?"

옆에서 잠자코 있던 영혜가 응수했다.

"이 바보, 지금은 휴전 상태가 아닌가 말야, 죽음의 예측이라는 건, 주관적인 것이지만 객관적으로 아무것도 죽을 조건이 없잖나 말야. 그렇다면, 총탄이 오발해서 또는 지뢰가 터져서…… 그런 불의의 사태를 예기하겠지, 흥, 후방에선 교통사고로 죽지 않나, 원."

나는 듣고만 있으면서, 이것은 분명 나의 본의 아닌 병역 기피를 변호하여 주는 우정의 발로일 것이라고 호의에 찬 해석을 해 보고 있다.

"다만 어떤 기간, 자유의사나 행동이 중지된, 의무적인 복무라는 점에서는 다 공통적인 거야……. 어때 안 그래?"

형우는 나에게 잔을 건네며 대답을 촉구하는 어세였다.

"글쎄……."

나는 멋쩍은 웃음을 지으면서 그의 잔을 받았다.

"결국은 군대를 갔다 왔다고 장할 것도 없고, 간 놈이 바보고, 안 간 놈이 영리할 것도 없고, 세월이 지나면 그게 그거야."

내가 반배한 잔을 그가 비우자 나는 다시 내 잔을 그에게 권했다.

"더욱이 어떤 보상 조건을 전제로 하고 입대한다는 건 말이 안 돼. 예를 들면, 외국 가는 여권을 낼 전제라든지, 취직을 하기 위해서라든지 하는 따위 말야……. 그건 틀림없는 오산이거든. 이봐, 철, 군대는 전쟁하는 거고, 전쟁은 죽는 건데, 어떻게 죽음과 다른 것을 교환 조건으로 할 수 있단 말야."

나는 취기 속에서도 점점 심각해졌다. 우리는 누구도 그의 말에 대꾸할 자료를 가지지 못했다. 그것은 관념의 세계가 아니고 분명 체험의 세계다.

"내가 너무 궤변을 떠들었는가……."

그는 우리들을 둘러보며 흰 이빨을 드러내고 하하 웃었다.

"이것도 참고될지 몰라. 내가 한 마디만 더 할게."

그는 다시 한 잔을 들이켰다. 이쯤 되면, 우리들은 거의 안주라는 건 집지 않고 깡술만 들이키기 때문에, 주기는 더욱 속도를 가해 왔다.

나는 경은에게 잔을 권했다.

"아니, 인제 정말 못 먹겠어요. 금방 토할 것 같아요."

"이것이 마지막 밤인데……."

거절하는 경은의 손을 붙잡으면서 나는 억지로 술을 따랐다.

"자식, 재수 없는 소리 말아, 뭐이 마지막이야. 엇다, 술이나 들어."

이 밤은 틀림없이 강자와 약자의 대결인 것만 같았다. 그렇잖으면 세

상사를 모조리 겪은 대선배와 풋내기 후배의 대화 같은 것으로, 술도 나는 받는 쪽이요 말도 나는 듣는 쪽으로 일관되고 말았다.

"야, 군대는 요령이야, 이것만 알아 둬. 네가 가는 것도 군대의 연장이 아냐……."

사실 나 자신도 그 점에서는 형우와 동감이다.

처음에 병역을 고의적으로 기피한 것은 아니었다. 그것이 결국에 가선 어찌어찌하다 이렇게 되었지만.

이번 일만 해도 틀림없이 나의 선택한 방향이요, 군복무의 기분으로 나는 자원했던 것이다.

그러나 형우의, 보상을 대상으로 하는 운운의 대목은 확실히 나의 급소에 일격을 가한 것이었다.

직장에서 추방된 육개월 간, 그것은 나에게 있어서 심신으로 말할 수 없는 고역이었기 때문이다.

"야, 철, 요령. 응, 알았어?"

형우는 말끝에 힘을 주며 잔을 권했다.

"내, 한 가지만 더 참고로 얘기하지."

그는 내 잔을 받으며 말을 이었다.

"이건 수색대 일선 초소에서 내가 겪은 일이야. 양키 말이야, 그치들 전쟁도 기계적으로 하거든. 보초를 서는데 교대 시간이 되면 단 일분의 에누리도 없이 다음 보초가 오지 않아도 그 자리를 떠나는 거야. 그것은 지극히 간단하고도 단순한 해답이야. 자기 책임이 아닌 남의 일을 대신하다가, 그 일분 후에 총알이 날아와 죽을지 모른다는 거야……."

전선의 윤리나 인간관계를 체득하지 못한 나는 묵묵히 듣고만 있으나 형우의 표정은 심각했다.

"그래 한번은 자기가 늦었는데, 내가 삼분간이나 더 서 주었더니, 이치가 글쎄 아이엠쏘리와 땡큐를 연발하지 않아. 참 더러워서……."

말을 맺고 난 그는 너털웃음을 털어놓았다.

"자, 요령. 알았어⋯⋯."

형우의 잔을 받으며 나는 아직도 그 '요령'의 진미를 터득할 수 없었다.

"어이, 경은이, 영혜, 자 한 잔씩 들라우. 선수를 떠나보내는 이런 밤은 다 같이 마음껏 취하고 축하하는 거야."

형우가 잔을 들어 억지로 권하자 그네들도 순수히 받아 넘겼다.

이것도 나와 형우의 다른 점의 하나다.

나는 경은을 단둘이서 만날 때만은 그 이름을 부르나 여럿이 어울리는 경우는 꼭 미스 윤하고 가급 반말을 피하지만, 형우는 어느 경우든지, 그들의 이름을 막 불러 버리고, 또 반말을 쓰는 것이다.

"형우 씨는 너무 상스러워."

언젠가 경은이 나에게 하던 이런 말투는 형우를 나무라는 악의는 전연 없었지만, 나는 은근히, 경은이 나에게 더 호감을 가지는 비중의 표시가 아닌가 하고 혼자 끄덕인 일도 있다.

결국 형우의 허심탄회한 걸걸한 성격에 비하여, 나의 소극적이고 자기 속으로만 옴츠러들려는 개성은, 그 어느 것이 더 좋다는 우열을 따질 수는 없지만 대조적인 것임에 틀림없었다.

나와 방향이 같은 경은의 부축을 받으며 집으로 돌아오면서 나는 자꾸만 형우가 거듭 강조하던 그 '요령'을 곱씹어 보았다.

이것은 군대만의 경우, 또는 그에 준하는 경우에만 적용될 것인가, 인생 전체가 요령만으로 멋지게 통할 수 있다면, 그것은 허위나 가식이 요령의 베일에 싸여 진실이란 거의 제거될 것이 아닐까, 하고 나는 자문자답하는 것이었다.

그렇다고 보면, 군대란 진실이 없는 요령만의 이색지대일까⋯⋯.

"이러다 넘어지겠어요."

나는 돌에 채여 비틀거리다가 경은의 부축으로 겨우 몸을 가누었다.

나를 하숙방에다 눕혀 놓고 경은은 돌아섰다.

그대로 나는 고꾸라진 모양이다. 그 이상은 머리에 떠오르지 않는다.

"몸조심하세요."

경은의 가느다란 소리가 흐릿하게 떠오를 뿐이다. 그 다음 말이 내일 아침 전송 나오겠다고 했는지 못 나오겠다고 했는지 그것조차 몽롱하여 기억에 없다.

사월의 아침 햇살은 다사롭다. 교정의 벚꽃 봉오리가 금방 튀어질 듯이 부풀었고, 양지바른 현관 옆에는 한두 송이 앞질러 핀 것이 눈에 띈다.

희망, 동경, 이상, 이러한 가슴 설레는 말들로써 불려지는 계절이건만 마음속은 거미줄이 설킨 것처럼 불안이 감돌기만 한다.

"차렷!"

징병관의 일장 훈시가 끝난 것이다.

한철은 제정신으로 돌아왔다. 그러나 머릿속은 흐리멍덩하기만 하다. 이것은 간밤에 만취한 여독의 탓만은 아니다.

부동자세 속에서도 그는 꼬리를 물고 잇달아오는 착잡한 상념을 가려 낼 수 없다.

인제 가는 것은 이 출발의 행사로써 결정적으로 되었다. 모든 사태는 닥쳐지는 대로 따르면 그만일 게다.

이것은 닥쳐올 미지의 사태에 대한 불안이 막다른 골목에 처했을 때의, 어쩔 수 없는 체념일지도 모른다.

사실 그러는 수밖에 또 무슨 신통한 해결의 열쇠가 있단 말인가.

이 길밖에 더 빠져나갈 구멍수가 없지 않았는가. 기실 자기의 가슴팍을 파고드는 스스로의 대결이나 번민 외에는……

그것은 결국 자기학대로 돌아갔고, 그 결론은 으레 술로, 그것도 폭음으로 연결되었다.

대열은 다시 분산되어 건설대별로 집결되었다.

XX건설대, 제 일소대 제 삼건설반―

한철의 소속은 인제 명확해졌다. 이것은 현재의 주어진 조건 속에서는 움직일 수 없는 자신의 소재와 위치를 확인시키는 숫자다.

인간 개체로서의 한철의 의사나 행동은 이 숫자에서 해제되는 날까지는 정지 상태로 들어가는 것이다.

그는 자기의 서 있는 한계의 테두리가 점점 좁혀져 들어옴을 의식한다. 이젠 꼼짝할 수 없는 것이다. 날고뛰는 놈도 묶어 놓고 때리는 데는 별수가 없는 것이다.

몇 시간이고 서라면 서 있어야 하고, 엎드려 가라면 기어야 하고, 그 자리에서 죽으라면 죽는 시늉을 해야만 한다.

'길들지 않은 무리', 지금껏 한철은 이 오가잡탕의 군상들에 대하여 그런 생각도 해 보았다. 그러나 이제는 시간이 흐를수록 스스로의 마음과는 별개로 틀에 박히지 않을 수 없게 되는 것이다.

새로운 관성(慣性) 속에서 낡은 껍질이 하나씩 불가피하게 벗겨져 가는 것이다. 본인의 주관, 욕구, 그런 것은 아랑곳없다.

큰 물건 속에 휩싸여 흘러가는 지푸라기 같은 것이다. 그 속에서도 뒤볶이지 않고 쉽사리 흐르는 것이 있다면 그것이 '요령'일까.

한철은 간밤에 목청을 돋우어 절규하다시피 하던 형우의 말을 되새겨 본다. 그럴 법도 한 일이다.

그러나 이것만은 자기의 체질에 맞지 않는 위장품(僞裝品)일 것만 같다.

"제 일소대를 인솔할 예비역 중위 최진석입니다. 지금부터 나의 지시에 따라 움직여 주길 바랍니다."

홍조를 띤 반질반질한 얼굴에서 탄력이 느껴진다. 쇳소리 나는 쟁쟁한 구령에 비하여 첫인사는 부드럽다.

약간의 안도감을 풍겨준다. 지금 이렇게 조금씩 정해진 테두리 속으로 다가져가는 것이라고 한철은 자기의 마음속을 계산해 본다.

봄날은 길다지만 해는 하늘의 반 이상을 주름잡아 갔다. 구름 한 점 없는, 뽀얀 하늘이 오히려 얄밉다. 이럴 때는 차라리 궂은비라도 내렸으면 좋겠다고 생각하면서 한철은 멀리 백운대 쪽을 바라보고 있다. 머리에 닿는 볕이 뜨겁다. 몇 시간을 이렇게 서 있는 것인가. 힘이 빠진 다리도 후들거린다. 다른 날 같으면 어림도 없는 일이다.

벌써 저쪽 풀밭 귀퉁이에 가서 아무렇게나 뒹굴어졌을 것이다. 역시 시간의 흐름은 저절로 관습을 이룩하여 가는 것인가.

아침 하숙방을 나올 때까지만 해도 어쩐지 영 돌아오지 못할 먼 길을 떠나는 것 같은 기분이었다. 아득한 절해(絶海)의 고도(孤島)에라도 팽개쳐지는 것 같은 그런 절망감이 자꾸만 엄습해 왔었다.

그것은 어디까지나 상상의 세계였다. 현실 그것은 아니었다.

몇 시간의 단체 동작, 내가 아닌 내가 명령만으로 움직여진 한나절.

지금은 모든 것이 빨리 끝나 주었으련만 싶다. 그리고 빨리 돌아가고만 싶다. 내가 나의 의사로 자유롭게 움직일 수 있는 지대로, 그것이 어디든 간에……

소대장의 지휘 하에 삼개 건설단은 운동장 가로 이동되었다.

이 잡종 군상이 한자리에 어울린 이후 처음으로 담배 한 모금을 마음껏 빨아 큰 숨을 섞어 내뿜어 본다. 가슴속이 후련하다. 무엇인가 막혔던 것이 탁 터지는 것 같은 시원한 느낌을 준다.

다른 부대들도 운동자의 구석구석에 제자리를 차지하여 휴식하고 있다.

주위를 둘러보아야 낯익은 얼굴이라고는 하나도 없다. 혹 다른 부대에는 있을지도 모른다. 찾아보는 번거로움을 굳이 하고도 싶지 않다. 아마 그것도 벌써 허가를 얻어야 할 제약의 조목 속에 들어 있는 일일지도 모른다. 자유롭게 쉬고 있는 듯하여도 그것마저 한정된 둘레 속에서의 일이다.

대패밥에 싼 주먹밥이 배급되었다. 아침에 늦잠도 잤지만 조반도 설치었다. 그러나 시장기는 느껴지지 않는다. 소화기도 정상적인 기능에 마비를 일으키고 있는 것일까.

하지만 싫어도 먹어야 한다. 안 당긴다고 굶을 수는 없다. 그것은 배고프다고 아무 때나 마음 내키는 대로 먹을 수 없듯이, 이미 내 몸뚱이도 사사로운 소유물은 아니다.

주는 시간에 십자매처럼 받아먹어야 한다. 억지로라도 먹어 두어야 한다. 그렇지 않으면 뒤를 지탱할 수 없을 것이다.

그러다간 그것이 습관이 될 날이 기필코 올 것이다. 그때는 먹을 때가 되면 찍찍거리는 조롱(鳥籠) 속의 새처럼 정한 시간에 끼니를 찾을 것이다. 그리하여 저절로 시간에 얽매이게 될 것이다.

그러나 억지로 먹으려도 다 치우지는 못했다. 목이 멘다. 메스껍다. 아직은 낡은 자유의 잔재가 꿈틀거리는 것임에 틀림없다.

언젠가 저절로 제 곬에 들어서게 될 것이다.

한 컵의 물을 얻어 마시고 막혔던 트림을 내뿜었다. 매캐하고 뱃속이 아릿하다.

그 뒤끓는 군중 속에서도 아직은 외롭다. 그러나 그 외로움을 마음껏 음미할 겨를도 없다.

호각이 울렸다. 다시 집합이다.

삼열종대로 정거장으로 향한다. 지극히 절도 없는 걸음걸이로, 전진하는 것이 아니라, 밀려가거나 몰려가는 것 같은 대열이다.

교문을 나섰다.

어느 틈엔가 철조망에 매어달렸던 무리는 이 종렬 대열을 끼고 양 섶에서 홍수 둑처럼 흘러가는 물결을 감싸고 무엇을 찾아내려는 듯 눈동자를 도사리고 있다.

앞의 발자국을 따라 자꾸만 걸어간다. 흐르는 물결 속에서는 양쪽 가에 늘어진 얼굴들이 모두 그것이 그것으로 밖에 느껴지지 않는다. 차라리 시각을 포기한 채로 앞의 발자국을 따라 걷기만 한다.

부르는 소리, 대답하는 소리, 아우성의 도가니 기슭을 대열은 흘러만 간다.

지금 한철은 역두(驛頭) 대열 속에 서 있다. 종대는 횡대로 변하였다. 번호가 붙여진다. 다시 인원 점검이 시작되었다.

"철! 철!"

뜻밖의 외침에 한철은 흠칫하였으나 소리의 방향이 잡혀지지 않는다. 그는 앞뒤를 두리번거렸다. 씨름판을 둘러싼 것만 같은 사람들 속에서 소리의 임자를 찾아낼 수는 없다.

"철!"

자기의 눈길이 돌아가는 순간을 타서 다시 불려지는 소리.

거기 형우와 경은이 손을 흔들고 있다.

시선이 마주치자 한철은 빙그레 웃음을 터뜨렸다.

대열은 플랫폼을 향하여 다시 이동되었다.

뛰어와서 안겨 주는 보자기를 받으면서 걸어가는 자세 그대로 형우와 경은의 내미는 손을 차례로 잡았다. 가슴이 뭉클하여 온다.

이제는 참말 가는 것이다.

어제나 그저께나 매한가지로 거리를 나다니듯이 그대로의 차림으로 나온 자기에게도 보따리 하나가 새로 생겼다. 짐짝이 하나도 없다는 것보다 신경이 약간 쓰이나 그것대로 맨손보다는 허전하지 않다.

박스에 나란히 그리고 마주 앉은 얼굴들은 모두 낯선 모습들이다.

정확하게 대상을 정한 대화(對話)는 없다. 막연하게 어중으로 던지는 말이 아니면 독백조의 불평이나 푸념이 있을 뿐이다.

마주 앉은 상대를 바라보면서도, 스스로의 생각 속에서 자신에 대한 대화를 뇌까리고 있는지도 모른다.

한철은 차창 쪽에 기대어 밖을 내다보고 있다. 아직도 플랫폼에서의 출발 직전의 아우성 소리가 귓전에 남아 붙어 있는 것만 같다.

그렇게 막는데도 어느 틈으로 새어 들어온 것일까.

울면서 아들의 이름을 부르던 노파, 입술을 깨물며 눈물을 보이지 않으려고 울멍울멍 애쓰던 젊은 여인, 국제무대에 선수라도 보내듯이 쾌활한 표정으로 손을 흔들던 젊은이, 떠나가는 차를 따르면서 '오빠'를 목이 찢어지게 불러 대던 여학생, 뭇 정경이 망막 속에서 아른거린다.

형우와 경은은 역 앞에서 그대로 돌아선 것일까, 그들은 어디서 만나서 그렇게 똑같이 나타났을까, 내 탓으로 오늘은 직장들도 쉴 작정인가, 그렇다면 지금쯤은 어느 다방에서 나의 떠나는 몰골에 대한 합평을 하고 있을지도 모른다. 저들 마음대로의 궐석판결을 내리겠지. 어쩌면 나의 공석으로 거리끼지 않아 형우는 독점 기분으로 경은에게 실컷 심중의 웅변을 토하고 있을지도 모른다.

그러다 마음 내키면 극장으로, 뮤직홀로 쏘다닐지도 모른다.

벌써 서울이 아쉬워진다. 그러나 당장 돌아갈 수는 없다.

유리창을 스쳐드는 햇볕이 따갑다. 성성한 보리밭 너머 파릇파릇한 묘판. 초가집 울타리 살구꽃이 눈을 끈다.

오래간만에 타 보는 기차다. 그러나 별 감흥이 없다.

두메산골 고향, 아버지는 들일을 나갔고 어머니는 지금쯤 나뭇짐을 이고 올 것이다.

실직한 경위도, 입대하게 된 과정도 알리지 않았다. 그저 무탈하게 잘 있는 줄로만 알 것이다.

그들에게 도움이 되지 못할 일이라면 알리지 않는 것이 오히려 다행할지도 모른다.

그러나 현지에 닿으면 결과나 알리자.

"형씨들."

한철은 차창에서 얼굴을 돌렸다.

아무리 평범하거나 단조로운 분위기 속에서도 이색적인 존재란 언제나 있는 법이다.

앞에 앉은 재건복이 좌중을 향해 한 마디 던지고 있다.

"이제부터 함께 고생할 터인데 알구나 지냅시다."

아닌 밤중에 홍두깨 격이나, 둥글둥글 모나지 않게 생긴 모습이 그대로 밉지는 않다.

다른 사람들의 동의는 구하나마나 뻔한 것이라고 여겼는지, 이미 구해진 것으로 단정했는지, 그는 자기소개부터 시작한다.

"제 이름은 박건일(朴建一)입니다. 잘 봐주십시오. 하하하……."

그에게는 말끝에 호긴 띤 너털웃음을 덧붙이는 습성이 있다. 이 박스뿐만 아니라 온 차간이 떠들썩하게 외치는 웃음소리에 다른 박스에서까지도 이리로 시선을 쏠리고 있다.

한철은 선뜻 느껴지는 것이 있었다. 여기 또 인생 챔피언 하나가 나났구나 하는 생각이었다.

이쯤 되면 그렇지 않아도 메말랐던 좌석이라 저절로 어울려지기 마련이다.

자연히 옆의 사람들이 제 이름을 소개하지 않고는 못 배기게 되었다.

"저는 장윤수(張允秀)라고 합니다."

한철의 바로 옆에 앉은 젊은이다.

보기에는 이십도 채 넘지 않은 앳된 소년이다.

그의 상고머리가 고등학교 학생 같은 인상을 주는 탓일까.

그렇잖아도 한철은 처음 자리를 잡아 같이 앉을 때부터 이렇게 젊은 사람이 이단적인 대열과 어떻게 관계가 있을까 하고 생각했다.

감옥에서 체형(體刑)도 대신으로 치르는 어수룩한 세상이니 그런 사연이라도 있는 것일까, 그렇잖으면 무슨 호적상의 착오라도 있는 것일까, 제대로의 추리를 해 보는 것이었다.

"아니, 본인에 틀림없어요? 이렇게 어린 양반이……."

아니나 다를까. 건일은 벌써 그것을 간파하고, 단도직입으로 질문을 던지는 것이다.

"사실은 병종(丙種)이에요."

"병종? 그런데 왜?"

건일은 사뭇 추궁하는 어조로 되묻는 것이었지만, 무엇인가 의아심이 가지 않는 것은 아니었다.

"취직도 안 되구 해서…… 빨리 때워 버릴라구요."

"특별 케이스군, 하하!"

건일의 너털웃음에 소년은 무색해 하는 표정이다.

한철도 그제야 어느 정도의 짐작이 갔다.

"형씨는?"

건일은 재빨리 한철 쪽으로 화살을 던지고 있다.

"나 말이요, 한철이요."

한철은 덤덤히 대답했다. 그러나 그것은 가라앉은 무거운 소리였다.

"한철, 미스터 한."

건일은 손을 쑥 내밀면서 악수를 청한다.

"잘 부탁합니다."

한철은 그대로 내미는 손을 잡아 주었다.

"그럼 몇이신가요?"

건일은 말문을 소년에게로 돌린다.

"몇이라뇨?"

소년의 맑은 눈동자는 건일을 쏘아보고 있었다.

"아니, 나이가 말이에요. 좀 실례 같지만 하두 어려 뵈기에."

"스물 둘."

소년은 시선을 창 쪽으로 돌린 채 건성 대답을 한다.

한철은 소년의 옆모습을 보면서 생각에 잠겨 갔다.

대충 둘러보아야 이 부대의 평균 연령은 30세 내외다. 해당자들의 법적 연령은 따질 것도 없다. 더 나이 먹어 뵈는 축들도 있지만 대개는 자기 또래다. 그 속에서 소년은 유달리 젊어 보인다.

건일의 질문을 기다릴 것도 없이, 자기도 한번은 묻고 싶었던 일이다.

자기는 제때에 나가지 않고 요리조리 미루어 오다가, 이제 막다른 골목에서 어쩔 수 없이, 군복 아닌 이러한 모습으로 끼어 오는데, 소년은 붙잡아 오지도 않는데 앞질러 선손을 쓰다니……

그 속에는 자기의 걸어온 역정보다 더 험난하고 복잡한 곡절이 서려 있을 것만 같게 느껴졌다.

지각생(遲刻生)과 조참자(早參者).

양자 사이에는 연결될 수 없는 도랑이 패어 있으나, 결과로서는 어떤 공통점이 없지 않은 것 같다.

동기는 정반대의 경우일지도 모르나, 지금의 통과되는 지점은 엇비슷하다.

앞으로의 귀착점은 또 그 동기처럼 전연 다를지도 모른다.

그러고 보면 아까 바로 이 유리창 앞에서 눈물을 흘리고 있던 그 노파는 이 소년의 어머니였던가……

'관사(官事)는 물려 가면 덕'이라는, 이 나라 풍토의 어쭙잖은 치정(治政)에서 배어난 조상들의 속담에 조금이라도 기대어 온 것이 자기의 경우라면, '매도 먼저 맞는 놈이 낫다'는 자위적인 해석의 경우는 이 소년에 해당되는 것일까

그는 자기와 소년이 먼 거리에 있다가 한데 합쳐지는 상사형(相似形)의

환상 속에서, 결단성이 약한 스스로의 성격이 저지른 자취를 더듬어 보는
것이다.

"자, 형씨들!"

건일이 못내 애용하는 이 '형씨'라는 용어의 어감이 한철에게는 그리
달갑게 여겨지지 않았다.

가장 동지적인 것 같은 외형 속에 위압이나 군림의 자세 같은 것이 느
껴지기 때문이었다.

"목이나 축입시다."

건일은 보스턴백에서 소주병을 꺼내어 뚜껑을 떼고 있다. 컵까지 장만
해 온 용의 주도한 준비 태세에 감탄이 갈 뿐이다.

마치 어디 소풍이라도 가는 기분으로 명랑한 표정이다.

그는 잔을 순차로 돌리며 따르고 있다. 이쯤 되면 그를 환영하는 축도
생기게 되지만 굳이 회피해 낼 사람도 없다.

그는 다시 백 속에서 커피 통에 다져 넣은 장조림을 끄집어낸다.

이번에는 약속이나 한 듯이 일제히 폭소가 터져 나왔다.

"자, 드세요, 하늘이 무너져두 솟아날 구멍이 있다구, 낙관적으로 삽시다."

한철도 권하는 대로 잔을 비우고 건일에게 돌렸다.

건일은 지체없이 꿀꺽 마시고는 소년에게 잔을 내민다.

"저는 술을 못 해요."

"아니, 사내 대장부가 술을 못 하다니……."

"전연 못 해요."

"그러면 이 한 잔만……."

"정말 못해요."

"그렇다면 그것은 이것 때문인가요."

건일은 가슴에 십자가를 그어 보이는 것이다.

건일과 소년의 주고받는 대화에 주위에는 또 한번 웃음이 터졌다.

"그것도 아니라면, 자, 한 잔만."

"원래 생리적으로 받지 않아요."

"그렇지만 한 잔만……."

이치한테 걸리면 별수 없겠군, 한철은 혼자 중얼거렸다. 소년은 마지못해 얼굴을 찡그리면서 한 잔을 받아 들었다.

여럿이 어울리는 속에서 술병은 금방 바닥이 났다.

한철도 차차 이 새로운 사회질서에 어울려 감을 느꼈다. 자기의 덤덤한 표정이 오히려 모처럼 부드러워지려는 분위기를 헤살놓지나 않을까 하는 미안감마저 느껴졌다.

그는 아까 경은이 안겨 주던 보따리를 내려서 풀었다. 그 속에 무엇이 들어 있는지는 몰라도 병이 부딪치는 소리는 분명히 들었기 때문이다.

'아리랑' 담배 한 보루에, 사 홉짜리 소주 두 병이 곁들여 있다. 거기에 오징어포까지.

안주까지 마련한 술꾼의 세심한 주의는 형우의 늘 하는 관록의 소치일 것이고…… 그렇다면 담배는 경은의 정성일 것이라고 저대로의 추측을 하여 본다.

"자, 이왕 내킨 김에 이것도 하십시다."

"이거, 서울보다 잔치가 낫군요."

건일은 만면에 웃음을 띠며 받아 든다.

한철은 담배 한 갑씩을 돌렸다.

절박한 같은 운명에 처한다는 것, 그것은 평범한 오랜 우정보다 더 단시간에 접근될 수 있는 가능성을 가진 것이라는 생각마저 들었다.

지나가던 소대장 최 중위가 이 자리에 눈을 쏟고 미소를 띠며 둘러보고 있다.

"아, 소대장님, 지금 너무 갈증이 나서 목을 축이고 있습니다."

역시 건일은 기회를 놓치지 않는다. 놓치지 않는 것이 아니라 절호의 기회를 포착하는 기지와 대담성이 있다.

"자, 우선 약간 목만을…… 하하!"

이런 경우 건일의 웃음은 확실히 효과적으로 어울린다.

그는 사양하는 소대장의 손목을 한 손으로 꼭 잡은채, 새로 딴 병의 술을 컵이 넘치도록 붓는다.

이쯤 되면 소대장도 별수 없는 것이다. 그는 주위를 돌아보며 망설이다가 단숨에 쭉 들이킨다.

"자, 한 잔만 더……."

안주도 집지 않고 돌아서려는 소대장을 건일은 놓지 않고 다시 잔을 가득히 채운다.

"아니…… 공무중인데……."

"공무 위에 할애비라도 목이 마르고야 어디……."

건일의 목소리는 더욱 높아진다.

"아니, 이것 참……."

난처한 표정을 하면서도 소대장은 잔을 다시 비우고 고맙다는 시늉의 고개만 끄덕이며 박스를 물러섰다.

"박형!"

아까부터 한철은 건일에 대한 호칭(呼稱)을 생각하고 있었으나 얼결에 나온 부름이었다.

"역시 박형은 선수야……."

"예, 형씨, 뭐 말이오?"

"인생의 챔피언이란 말이오."

"아니 괜한 말씀…… 하하!"

건일은 웃지 않아도 좋을 때도 그 특유의 너털웃음을 터놓지만 그것은 그대로 어색하지 않았다.

밖은 캄캄하게 어두워졌다.

먼 데 촌가의 불빛이 깜박인다.

아까 옆의 박스에서 거나한 기분으로 '삐빠빠 룰라'를 오만상을 찌푸리며 불러 제끼던 패들도 지쳤는지 잠들었는지 한쪽으로 비스듬히 쓰러져 있다.

차속은 어느덧 조용해졌다. 레일에 긁히는 쇠바퀴 소리가 더욱 육중하게 반응의 반복을 가져올 뿐이다.

차는 지금 함백선(咸白線)을 달리고 있다.

한철은 눈을 감았으나 잠은 오지 않는다. 지금쯤 경은은 집으로 돌아갔을 것인가, 어쩌면 오늘 밤도 형우가 끄는 대로 둘이서 또는 셋이서 술자리에 마주 앉고 있을지도 모른다.

미국으로 가는 여권수속이 거의 되어 간다고 어젯밤 얘기하던 영혜는 왜 오늘 아침 나타나지 않았을까. 그의 머릿속은 벌써 우리 둘레에서 벗어나서 뉴욕이나 보스턴을 그리고 있는 것일까. 이년째 간다간다 하는 걸음이니 또 알쏭달쏭이다. 형우와는 나보다 더 접근이 되는데…… 기어이 떠난다는 것은 형우와의 사이에 그 이상의 거리를 단축시키지 못한다는 귀결이 되는 걸까.

나는 이미 떠났고 영혜마저 정말 떠나 버리는 날이면 형우와 경은만 남게 된다. 그러면 사태는 좀 다른 각도로 번져질 가능성이 짙지 않은가.

하기야 경은에게서 이렇다 할 확약을 받은 일은 없다. 그러나 경은은 내가 그에게 가지는 관심 이상을 내게 가졌고, 그건 또 행동으로 일부 표시된 바 있지 않은가.

떨어져 있다는 것은 늘 불리한 조건이다. 더욱이 나 이외의 인간을 그 옆에 가까이 있게 한다는 것은 퍽 위험한 일임에 틀림없다.

한철은 차가 정거할 때마다 눈을 뜨고 플랫폼을 내다본다. 입석리(立石里), 쌍룡(雙龍), 연당(淵堂), 하나도 귀에 익지 않은 이방 지대의 지명 같은 것이다.

영월(寧越)! 오랜만에 친하던 얼굴을 대한 것만 같다.

거리의 불빛이 환하다. 공중을 달리는 삭도(索道)의 탄차(炭車) 소리가 유달리 청각을 건드린다.

문득 어린 임금 단종(端宗)의 이야기가 뇌리를 스친다.

단종이 가여운가, 수양 대군(首陽大君)이 잔악한가. 어린 조카가 미련한가, 나이 많은 아저씨가 사나운가. 아니 미숙한 임금이 우매한가, 완강한 세조(世祖)가 현군인가. 질서 없는 생각이 꼬리를 문다.

그렇다면 반역(反逆)과 혁명(革命)의 차이는 종이 한 겹이 아닐까.

그러나 왕위의 찬탈(簒奪), 왕조(王朝)의 교체(交替), 그리고 정권의 대치(代置), 이것들과 혁명의 관계는?

한철은 머리를 내저었다. 지금 내가 처한 위치는…… 나는 지금 이 시각에 덕을 보고 있는 것인가, 손을 보고 있는 것인가.

탄 차의 공중삭도는 밤을 쉬지 않고 줄달음치고 있다.

지금쯤 서울의 도심(都心)에서는 기름진 몸집들이 술에 젖어 계집을 부둥켜 안은 채 뒹굴고 있을 것이다.

그러나 나는 지금 가고 있다. 확실히 내가 선택한 길을, 어쩌면 몰려가고 있는지도 모른다.

한철은 눈을 내리감은 채 차창에 기대었다.

"하차 준비!"

소대장의 투명한 목소리다. 다시 소란대는 차속, 기차는 멈췄다.

예미(禮美)!

난생 처음 듣는 지명이다. 한철은 태백산맥, 깊고 폭넓은 품속에 첫발을 내려디딘 것이다.

캄캄한 밤, 어느 사이엔지 날씨는 흐려 있다. 별마저 사라진 산 속에서 동서남북을 헤아릴 수 없다.

다시 대기 중의 트럭에 올랐다. 개울을 끼고 산굽이를 꼬불꼬불 올리 달린다.

헤드라이트의 종대. 가도 가도 끝이 없다.

한철은 트럭 바닥에 궁둥이를 찧으면서 문득 이런 것을 생각한다.

포로 수송, 그렇지 않으면 수인(囚人) 유형차(流刑車).

산의 고도가 높아짐에 따라 찬기가 서려 온다.

자정이 지났다. 해발 팔백 미터. 트럭은 멈췄다. 어둠 속에 천막의 막사(幕舍)가 아른거린다.

차에서 내렸다.

종착지! 지명은 모른다. 이제 정말 온 것이다. 완전히 와 닿은 것이다. 오늘 밤, 그리고 밝아 오는 날, 무엇이 나를 기다리고 있는지 모른다.

먼지투성이의 몸집을 씻을 생각도 겨를도 없다.

"제삼 건설반 반장 김 하사입니다."

또 새로운 얼굴!

반장이 인솔하는 대로 따라가면서도 한철은 아침 첫 장면부터의 의아심이 도시 가셔지지 않는다.

왜 이렇게 경어(敬語)들만을 쓰는 것일까 하고……

지휘에 따라 막사로 들어갔다. 다시 조(組)로 세분된 편성이 이루어졌다.

"제일 조장, 한철."

이건 정말 터무니없는 벼슬이다. 내가 이 미지의 생활에서 감히 열 사람의 책임자가 되다니…….

한철은 끝내 거절하였으나, 이미 계획에 따른 편성표에 의한 것이라고 막무가내다.

"절대, 명령에 복종해야 합니다."

몸집이 작은 반장은 보기보다 말투가 야무지다.

저녁식사는 끝났다.

의복 일습과 포단이라고 불리는 침구와 세면 용구가 배급되었다.

명령대로 낡은 옷을 죄다 벗어 버리고 알몸이 되어 내의에서부터 전부를 갈아입었다.

극히 순간이나마 홀가분한 기분이다. 모든 낡은 껍질을 한꺼풀 벗겨 버린 것만 같은 심정이다.

오랜 꿈에 그리던 새 집에 온 것 같은 착각이 얽힌다.

체념이 서린 안도감이 곁붙는다.

새로운 내의와 침구에서 풍기는 풀내음!

소년 윤수는 바로 한철의 옆자리, 그 옆은 건일이 누웠다.

윤수는 줄곧 말이 없다. 건일은 무엇이 그렇게 좋은지 계속 지껄여 대며 그 과장조의 너털웃음을 터뜨리고 있다.

불이 꺼졌다.

공동 운명이 주는 하루의 정분으로 끼리끼리 소곤대는 속에서 벌써 코고는 소리가 들린다.

한철은 눈을 감았다. 그러나 정신은 더욱 맑아 온다.

'내가 나에게 치르는 의무, 아니 내가 나에게 치르는 보상.'

그는 이런 것을 생각하며 천막 밖으로부터 스며드는 태백산맥의 밤소리에 귀를 기울이면서 잠을 청해 본다.

제2장

기피자(忌避者)!

그것이 어떤 종류에 속하는 것이든 간에, 이 말에서 풍겨지는 어감이나 이 어휘 속에서 추출되는 개념이란, 한철에게는 그리 유쾌한 것이 될 수는 없었다.

하물며 '병역 기피자', 이것은 아무리 뚜렷한 사유가 뒷받침되어 있고 그것을 떳떳하게 변명할 수 있는 조건이 구비되었다손 치더라도, 마음 어느 구석엔가 서려있는 것 같은 비굴감의 거리낌에서 완전히 해탈될 수 없는 것이었다.

이야기의 실마리를 더듬어 거슬러 올라가면, 우여곡절이 뒤엉킨 허다한 사연들이 저대로의 주장을 독사의 혀끝처럼 날름거리고 있지만, 그것은 자신의 일방적인 자아 변호에 지나지 않는다는 군색한 생각이 또한 곁들지 않을 수 없었다.

하나의 인간 대 사회, 개체 대 전체, 국민 대 국가, 이러한 대조 의식은, 적어도 그가 최초의 징집장을 받았을 때부터, 가슴속 깊이 상극된 대립적 위치에서 겨누어진 상념이다. 그리고 그것은 번민이나 고뇌의 꺼스럼이 되지 않을 수도 없었던 것이다.

그보다는 차라리, 대학에 입학 지원을 할 때, 집안 농사의 반몫을 하는 농우(農牛)를 팔 양으로 부자간(父子間)에 타협이 이루어지고, 그 소의 덕분으로 입학 수속을 치를 때부터 이 '징집 연기 은전(恩典)'의 계산은 자신이나 부모의 최후 결단을 판가름하는 데 중요한 구실을 한 것임은 속일 수 없는 사실이었다.

"아무렴, 몇 푼 안 되는 농토가 남았다 해도 결국은 네가 물려 가질 것인데……."

아버지는 신문지 조각을 찢어 말아 붙인 엽연초 꽁초가 입술에 불이 닿을 때까지 빨아 뱉으면서 말을 이었다.

"병정으로 나가 죽어 없어진 담에야 논밭이건, 소건 다 소용이 있겠냐……."

산가(山家)의 겨울밤 어스름한 등잔불 밑에서 아버지와 아들의 대화는 무서운 침울 속에 간헐적으로 단속되었다.

갑종(甲種) 합격!

한철에게 있어서 징병 검사의 결과는 의외였다. 병으로 누워 앓은 일은 거의 없다지만, 비교적 가냘프게 보이는 자기의 체구가 이 최상급의 등위(等位)에 해당된다고는 생각해 본 적이 없었다. 특별한 약질이나 불구자가 아닌 자기의 경우, 병종(丙種) 이하로 떨어진다 할 수는 없겠지만 을종(乙種)은 벗어나지 않을 것으로 예기했었다.

그러나 갑종이란 천만 예상외의 결과였다.

0.1의 시력(視力) 덕분에 무종(戊種)으로 떨어진 노인 같은 돋보기안경의 노뽀, 조그만 몸집에 핏기 없는 얼굴로 노상 가슴을 움켜잡고 쿨룩거리기만 하던 K는 병종, 그들은 예기했던 대로의 판정에 솔깃한 기색을 보이기도 했었다. 그러나 그 이후의 그들은, 자신의 건강에 대한 조바심보다 오히려 군대로 끌려가지 않는다는 안도감이 훨씬 그들에게 안정된 자세를 마련하여 주는 것 같게만 여겨졌다.

갑종 합격자라는 사내 대장부로서의 자기 육체에 대한 자신감, 이거와 병행하여, 불합격의 대상으로서 병역이 자동적으로 면제될 수 있다는 요행, 이러한 미묘한 심정이 얼마 동안 그의 마음속에서 서로 엇갈리기도 했다. 그러나 결국은 의식적인 적극성보다는 체념에 가까운 어쩔 수 없이 주어진 조건에 추종할 수밖에 없다는 체념이, 시간의 경과와 더불어 그의 가슴 속에 확대되어 가고 있었다.

시골 이웃집에 사는 영팔이 입대하였다는 아버지 편지 속의 구절을 읽었을 때, 한철은 재학생 징집 연기 조처에 대한 실감을 비로소 절실하게 느낄 수 있었다.

바지저고리와 양복.

그에게는 우선 이런 생각이 머리에 떠올랐다.

국민학교를 같이 나왔으면서, 핫바지는 그대로 밭을 갈고 기음을 매고 나무를 하고, 그리고도 제때에 군대에 나가지 않으면 안 되었고, 자신은 대부분의 학창생활이 가정교사를 비롯한 고학의 지질린 길이었지만, 중학교와 고등학교를 마치고, 거기에 험한 농사일이란 거의 모르고 대학까지 들어와서, 이제 병역까지도 뒷날로 연기된다는 것, 그는 충격적인 기쁨을 느끼면서도, 어쩐지 소꿉동무인 영팔에 대한 미안감 같은 것을 극히 짧은 순간이나마 느끼기까지 했었다.

"애, 철아! 오르막이 있으면 내리막이 있다고들 하지만, 그것도 다 옛날 이야기다. 지금은 세월도 바뀌어서 잘 살던 사람이 줄곧 호사하게 마련이지, 타고난 가난뱅이야 어디 기대 설 구멍이나 있냐."

시골 서당의 어깨 너머 공부로 면무식이나 한 아버지의 말이었지만, 그 속에 험상궂은 인생의 가시밭길을 몸소 걸어온 아버지대로의 삶의 철학이나 현실을 꿰뚫어보는 안목이 있는 것이라고 느껴지기도 했다.

대학 졸업만 하면, 금방 알량한 벼슬자리 하나쯤은 손쉽게 차지하게 될 것으로 믿고 있는 어머니, 손끝에 피가 나게 벌어서도 배를 주려 가며 자수성가했다고 자랑하던 텃밭 하루갈이를 아들의 학비로 팔지 않을 수 없었던 아버지의 토지에 대한 애착과 미련, 이러한 것은 그의 졸업과 더불어, 더욱더 세게 몸과 마음에 휩싸여 오는 가혹한 부담으로 바뀌었다.

자기가 대학 진학만 하지 않았더라도 동생 순희는 어떻게 해서든 중학교 정도는 마칠 수 있었는지도 모른다.

그도 벌써 열여덟, 혼담이 오고가고 한다는 것이다. 막상 혼기를 맞는 동생에게 생각이 미치면 이건 견딜 수 없는 괴로움을 안겨다 준다.

오빠 있는 서울로 꼭 와서 더 공부해야겠다고, 노트 쪽을 찢어 연필로 깨알같이 받아 놓은 피어린 하소연…….

자기 자신은 꼭 혼자의 안일과 출세만을 위하여 온 집안을 희생시킨 것만 같은 환각이 꿈자리에서까지 휩몰려오곤 했다.

단 한 번도 호화롭게 친구들과 어울려 보지 못한 채 대학 생활은 끝난 것이다.

한철의 머리에는 취직 이외의 아무것도 없었다. 한 번의 휴학만으로 비교적 순탄하게 대학을 끝마친 것만 해도 기적 같게만 여겨졌다.

가난한 두메산골의 육친들, 그들에게는 정신적인 어떠한 위로보다도, 우선 물질적인 도움이, 빈사 상태의 환자에게 주입하는 링거주사 같은 것이 필요하다고 그는 느껴 왔던 것이다.

얻어진 것이란 기껏 고등학교 교사 자리. 이건 고을 군수 자리쯤은 문제없다고 생각해 온 아버지의 기대와는 너무도 거리가 멀었다.

아니 자기 자신이 청운의 꿈을 품고, 세상의 모든 것은 자기 마음대로 될 것만 같게 느끼던 합격 당시의 흥분에 비하면 너무나 보잘 것 없는 초라한 종착점이었다.

훈장 똥은 개도 안 먹는다는, 어린 시절에 귀 익은 속담이 곧장 자신의 머리 위에서 냉소를 퍼붓고 있는 것만 같았다.

직장에까지 따라온 최초의 징집장은 의사의 진단서를 첨부하여 합법적으로 모면할 수 있었다.

도저히 자기는 직장을 떠날 수 없다. 내가 나가면 떼거지가 생긴다. 이건 정말 터무니없는 아전인수일지도 모른다고 생각하면서도 그는 굳이 그렇게 생각하는 것이었다.

둘째 번 영장부터는 적당히 하는 방법을 배웠다. 돈만 있으면 다 해결되는 것이라고 느껴졌다.

이쯤 되면 제법 뱃심도 생겨지는 것이다.

주위에, 나가지 않고 요리조리 몸을 사리는 축이 얼마든지 눈에 뜨인다. 이럴 바에야 나 하나만 고지식하게 솔선하여 시범할 필요가 어디 있느냐는 이기와 군중 심리가 한꺼번에 작용하여 자신을 더욱 대담하게 만드는 것이다.

안 나가고 배길 수 있다면, 배겨 내는 것이 득이다. 해답은 간단하게 자신을 고무하여 주는 데 박차를 가했다.

만성이 된다는 것은 그만큼 더 대담해지는 것이라고 자문 자답도 해

보았다.

세 번째의 영장을 묵살해 버린 후부터는 형사적인 정보원인지 모를 친구가 번번이 찾아와서는 손을 벌리고 집적거렸다.

이쯤 끈덕지게 덤비면 직장에서도 도저히 배겨날 도리가 없었다.

한철은 혼자 끙끙거리면서 속을 앓았다. 나갈 것인가 안 나갈 것인가, 밤새 엎치락뒤치락하다가 그는 끝내 단안을 내리고야 말았다.

내일은 나간다…….

그러나 하룻밤 사이에 마음은 몇 번이고 제 고비를 맴돌았다.

국회의원의 아들인 A는 병역을 필하지 않고도 떳떳하게 여권을 받아 미국으로 떠나지 않았는가, 여당 재벌로 자타가 공인하는 삼촌을 가진 B는 앉아서 군대 복무를 끝내고 제대증을 버젓하게 타지 않았는가, 그 밖에 C도 D도 아직은 그대로 직장에서 버티고 있지 않는가…….

자신이 지금껏 지녀 온 미안감, 자책감 같은 것은 삽시간에 막연한 적개심으로 번져감을 어쩔 수 없었다.

모든 사람이 다 같이 하나도 예외 없이 나갈 때면 나도 간다. 지극히 명쾌한 최후 단안이라고 느껴졌다.

그는 자신이 자신을 의심할 정도로 확고한 반대 위치에 부동한 자세로서 있음을 발견했다.

한철은 늘 직장 부근에 하숙을 정했다. 그것도 몇 달에 한 번씩은 옮겼다.

당분간 군대로 안 나가도 좋다는 배짱은 섰으면서도 마음은 늘 불안하기 짝이 없기 때문이기도 했다.

자기 몸뚱어리 하나를 보장하여 줄 빽이나 여건이란 아무것도 없다. 학교에서 발급하여 준 신분증 하나가 있을 뿐…….

그러나 그것은 지금 자신이 처한 위기를 방어하여 주기엔 너무도 보잘 것 없는 한 장의 쪽지에 불과하다. 교장의 관인이 하나 찍힌 정도의 신분증이란 일개 파출소 순경 앞에서 맥 못 출 정도로 너무나 무력함을 겪어 본 그는, 그것을 위기 모면의 방패로 쓸 생각은 추호도 없었다.

이롭기는커녕, 오히려 상대의 기세를 더 올리게 하는 역효과의 구실을 하는 데 불과한 종이 조각, 그는 숫제 그 거추장스러운 방해물을 서랍 속에 팽개친 채 무방비 상태로 거리에 나서는 것이었다.

그러나 결코 바깥 길에 쏠리지는 않았다. 언제나 하숙에서 학교까지의 직통 코스를 왕복할 뿐, 그 밖의 곁눈질은 아예 하지 않기로 했다.

하숙에도 오래 머물러 있기가 귀찮았다. 학교 도서실에 처박혔다가 느직해서야 집으로 돌아왔다. 가능한 한 동료들의 숙직 대직은 도맡아 주었다. 그 갚음으로 저녁은 앉아서 때기도 하고…….

토요일 오후 같은 때 일찍 파하고 나면, 번화가에도 발을 들여 놓고 싶고 영화관에도 가고픈 충동을 느꼈다. 그러나 그러한 충동은 가급, 학교 앞 대폿집에 몇몇이 어울려서 무마시켜 버렸다.

영화란, 학교에서 단체로 애들을 인솔하는 경우 외엔 이 얼마 동안 보지 않기로 마음먹었고, 그것은 어느 정도 습관화되기까지도 했다.

자주 옮기는 하숙이란 물론 아무에게도 알려서는 안되었다.

그래도 형우를 비롯한 몇몇 친구들은 용케도 알고 찾아들 왔다.

일요일이란 이를 악물고 지그시 묵살해 버렸다. 학교에서 책을 뒤적이다 뒹굴지 않으면 라디오의 중계방송으로 씨름하기 일쑤였다.

자신이 점점 보잘 것 없이 초라하게 느껴졌다. 어느 때까지란 확정된 기한이 없는 막연한 자세, 그것은 지루하기 짝이 없는 노릇이었다.

그러나 이제 새삼스럽게 군대로 뛰쳐나갈 의욕은 더욱 없었다. 다만 세월이 지나면 어떻게 되겠지 하는 막연한 기대에 한 줄기의 위안을 억지로 결부시켜 보았다.

자신의 비겁을 채찍질하는 자책이 일순 떠오르다간, 이렇게 될 수밖에 없게 한 자신 이외의 조건에 대한 반발이 더 오래 지속되다간, 정작 막 부딪칠 벽도 없이 시시하게 거품처럼 사그라졌다.

해당 연령을 간신히 넘었다고, 쾌재를 부르는 동료가 가증스러워지고, 남자가 아니라서 다행스럽다는 표정을 하면서 속없는 동정을 털어놓는 여직원이 얄미워졌다.

모든 주위의 사람들에게서 동떨어져 있는 자기, 그들의 숨은 야유와 조소를 전신에 받는 것 같은 불쾌감, 아니 그들이 모두 자신을 감시하는 눈들 같게만 여겨지는 환각마저 느끼는 찰나, 그는 묵묵히 몸을 돌리고는 도서실로 뛰어 올라가는 것이다.

그러나 책 속의 글자가 망막에 바로 비쳐 들어올 리 없었다.

부임 초기 펄펄 뛰는 생선 같던 자기의 정열과 활기는 다 어디로 사라진 것일까, 소금물에 적셔 낸 배추 이파리처럼 후줄근해진 자신, 넓은 광장에 혼자 팽개쳐진 것만 같은 허전한 심정, 참말 역겨워 견딜 수 없었다.

한철은 성적 일람표의 마지막 줄을 주판 놓고 있다.

교감이 어느 정도 진행되었느냐고 벌써 세 차례나 둘러보고 갔다. 오늘따라 왜 저렇게 건성을 부리느냐는 아니꼬운 생각이 없지 않다.

두 시간 후면 학기말 성적의 직원회가 열린다. 아직 자기보다 더 늦은 사람도 있지 않은가…….

일찍 끝낸 축들은 한데 어울려서 며칠 후면 닥쳐올 하기방학의 플랜들을 꿈꾸고 있다. 대천은 너무 혼잡하여 재미없다느니, 동해안은 물이 맑지만 가고 오기가 지루하다느니, 카운슬러 강습을 걱정하는 훈육 주임, 취직 후 첫 방학을 송도에서 보내겠다는 부산 태생의 여선생.

갖가지 이야기들이 쏟아져 나오지만 그의 마음은 주판을 놓으면서도 허공에 떠 있다.

자기 자신은 갈 곳도 오라는 데도 없지만, 그러한 낭만을 푸념할 마음의 겨를이 없다.

고삼 담임이라, 방학 중의 과외 수업 계획표에도 자기의 이름이 버젓이 들어는 있지만, 그것도 하게 될지 모를 형편에 놓여 있다.

총점 집계와 과목별 평균 점수에 석차 순위까지 끝내고 난 그는 일람표를 밀어 던지고 담배를 피워 물었다. 아직 담배가 반도 끝나지 않았을 때다.

몸집이 비대한 교감이 유난히 슬리퍼 소리를 내면서 앞으로 다가왔다.

그는 두꺼비 같은 손으로 일람표를 들어, 다 끝난 것을 확인하고는, 자기를 따라오라는 유별나게 심각한 시늉을 하며 육중한 궁둥이를 옮겨 갔다.

한철은 묵묵히 뒤를 따랐다.

교감은 곧장 교장실 문 앞에 가서, 노크를 하고 도어를 열면서 같이 들어오라는 손짓을 한다.

한철은 쥐고 있던 담배를 바로 옆에 있는 교감 테이블 위 재떨이에 끄고는 교장실로 들어섰다.

교감이 내면 성적 일람표에서 눈을 옮겨 한철을 쳐다보는 교장의 긴장된 얼굴에 비낀 억지로 지어 보이려는 웃음에, 그는 어색함을 느끼면서 올 것이 왔구나 하는 예감을 꿀꺽 삼켰다.

"한 선생, 여기 앉으시오."

상냥함을 굳이 가장하려는 교장의 말소리는 자연스럽지 못하다.

그는 권하는 대로 응접세트에 앉았다. 건너편에는 교장, 오른쪽 모서리 작은 의자에는 교감, 그는 자기가 처음 부임하던 날 직원 조례 직전에 바로 이 규격으로 앉았던 자세를 회상하면서 교장의 눈에서 입으로 서서히 시선을 옮겨 갔다.

"한 선생, 참 미안하게 됐습니다."

예측이 적중되었구나 하고 한철은 침을 꿀꺽 삼켰다.

이 환갑 가까운 노처녀 교장의 충복이라는 별칭을 가지고 있는 교감은 테 굵은 안경 속에서 두 눈을 휘둥그리고 있을 뿐이다.

"그 사이 학교 일에 수고도 많으셨는데……."

평소의 개인적인 사담에서 빨리 말하는 습성이면서, 부하 직원이나 학생의 훈시에서는 말에 토막을 내어 지루할 정도로 늑장을 부리는 교장의 말투였지만, 이날은 그것이 더 과장되는 것 같게만 느껴졌다.

"사실은 이번 당국의 지시에 따라, 병역 기피자는 일률적으로 파면시키라고 하기에……."

교장의 말은 또 잠시 중단되었다.

한철은 신문지상에 발표된 것으로 이미 각오한 일이었기에 다만 실제적인 언도만을 대기하고 있던 참이라 새삼 놀랄 것은 없었다. 그러나 그 병역 기피자라는 데 힘을 주는 교장의 어조가 아니꼬왔고, 비슷한 말이하 많은 속에서도 굳이 파면이라고 박아서 말하는 것이 귀에 거슬렸다.

"그래서 생각다 못해 본의는 아니지만……."

교장은 말끝을 맺지 않고 흐렸다. 한철은 묵연히 듣고만 있다.

"무슨 편법이라도 없을까 하고 궁리를 해 보았지만, 혁명하라서……."

오늘 말은 유난히 토막이 끊어진다고 생각하면서 그는 그 이상 견딜수 없어 입을 열었다.

"네, 잘 알겠습니다."

"글쎄, 너무 서운하게 생각 말고…… 혹 또다시 기회라도 있으면……."

입에 발린 소리가 오히려 짜증이 났다.

그렇게 생각해 줄 양이면 방학이 되는 날 자연스럽게 그만둘 수도 있을 거고, 그렇잖으면 하루 이틀 더 있었다고 발등에 불이 떨어질 것도 아닌데, 성적 일람표가 완성되자마자 불러 대는 꼴이 아무리 선의로 해석해도 얄밉게 밖에 느껴지지 않았다.

자유당 만능 시절에는 수뇌부의 집을 드나들다시피 하였고, 4·19 혁명 후에는 금방 혁명 대열로 몸을 돌려 기회를 놓치지 않고 표변하다가, 군사 혁명이 나자 금세 군대 찬양을 하며 혁명을 등에 업고 다녔다는 이여인이, 왜 이렇게 능청을 부릴까 하는 생각이 없지 않았으나, 그는 아무런 말없이 그대로 자리에서 일어섰다.

교장실을 나서면서도 그는 무엇인가 구미에 맞지 않는 음식을 그대로 삼켜 버린 것 같은 메스꺼움을 금할 길 없었다.

뒤에 바싹 다가오는 교감은 한철의 소매를 붙잡으며 아주 침통한 표정으로 말을 꺼냈다.

"한 선생, 이런 계제에 안됐습니다만, 사무 절차상 역시 사직원 한 통만 써 주었으면……."

"네, 알겠습니다."

"상부에서 결과 보고를 곧 하라고 하기에……."

교감이 변명 비슷이 덧붙이는 말을 들은 듯 마는 듯, 한철은 자기 자리로 돌아왔다. 이미 그 기미를 알아차린 다른 선생들의 시선이 자기 쪽으로 쏠리는 것을 의식하면서, 그는 담배를 피워 문 채로 열어젖힌 유리창을 거쳐 운동장 쪽을 내다보고 있다.

주위의 모든 것에서 홀로 빼돌림을 당한 것만 같은 심정이다. 자신에게 가까운 거리를 느낄 만한 것이라곤 아무것도 없다.

외로운 피해자…… 그는 혼자 뇌까려 본다. 그러나 아쉬운 일이면 개 부리듯 몰아세우거나, 간사스런 웃음을 지어 가면서까지 힘을 빌던 교장이, 이제 와서는 자기의 신변 보호책으로 상부에 환심을 사려는 꿍꿍이 속에서 헌신짝 버리듯이 내던지는 그 처사가 더욱 분했다.

교정 담 밑에 늘어선 포플러의 그림자가 길게 운동장에 그늘을 던지고 있다. 그 밑에 오순도순 모여앉아 희희낙락하는 제복의 소녀들…… 손뼉을 치며 지절대는 웃음소리가 직원실까지 들려온다.

정구 코트에서는 새하얀 유니폼에 단발머리를 흰 오라기로 질끈 동여맨 여학생과 투명한 푸른 차양의 남 선생이 오후의 햇발을 받아 가며 경쾌하게 볼을 받아넘기고 있다.

한낮이 기울었으나 사월의 뙤약볕은 살갗에 따끔하다. 그 속에서 뛰노는 모든 사람들이 싱싱하고 명랑하고 건강하게만 보인다.

그러나 자기만은 날개 떨어진 나비처럼 지금 옮겨 앉을 꽃은 고사하고, 잠시 머물러 안정할 자리도 없이 서성대고 있는 것임에 틀림없다고 생각하니 허전하기만 하다.

무엇인가가 쥐었던 보물을 놓치는 것만 같은 아쉬움이 꿀컥 치밀어 오른다.

"선생님!"

한철은 흐린 정신을 가다듬으며 흠칫 창 쪽에서 시선을 돌렸다.

삼학년 반장 은령(銀玲)이다.

"도서정리가 다 끝났어요."

"응……."

은령의 똑바로 쳐다보는 맑은 눈동자를 외면하면서 건성 대답을 했다.

"가 보시지 않으세요."

"응, 가지."

거의 기계적으로 대답하면서 자신의 마음속은 기실 딴전을 보고 있음을 깨달았을 때 그는 적이 미안한 생각이 들었다.

삼년!

그는 복도로 나와 이층 계단 쪽으로 걸어가면서 그 사이 자기 눈 언저리께까지 닿게 자란 은령의 키에 새삼 흘러간 세월을 의식하는 것이다.

자기 젊은 정열의 알맹이를 송두리째 퍼부은 직장이었다는 생각이 뭉클 가슴을 찔렀다. 뒤이어 아쉬운 미련 같은 것이 전신에 휩싸여 왔다.

지난해까지만 해도 목에 휘감기며 장난을 치던 아이들이 졸업반이 되면서부터 점잖아져 갔다. 그것은 무럭무럭 자라는 같은 또래의 그들이 하나의 여성으로 성숙하여 가는 모습인 동시에, 자신에게서는 그만큼 거리가 멀어져 가는 증좌라는 생각이 들 때도 없지 않았다. 그러면 곧 이어 그러한 생각 자체가 벌써 어떤 불순한 감정을 내포한 것만 같아 자신을 타기한 만큼 증오하기도 했었다.

방학을 앞두고, 대출되었던 도서는 전부 회수하기로 되어 있었다. 한철은 은령을 시켜 도서 대출부와 현품의 회수 상황을 확인시켰던 것이다.

은령이 여기저기 흩어져 꽂혀진 책들을 번호 순으로 제자리에 옮기고 서가까지 깔끔히 정리하여 놓은 것을 보자, 한철은 몇 권 안 되지만 귀중본이 들어 있는 책장을 열어 그 속의 책들을 점검한 다음 자물쇠를 잠갔다.

이것으로 무엇인가 일이 일단락 지어진 것만 같은 심정이었다.

재직하는 동안 해마다 바뀌어졌고 담당 과목의 학년도 달라졌었다. 그러나 이번 신학기에 졸업반 담임이자 최고 학년의 시간을 주로 맡게 되면서부터는 더욱 일에 보람을 느끼고, 이제 학교를 떠나갈 그들에게 하나라도 더 보탬이 되게 하고픈 진심에서 있는 힘을 다하여 정성을 기울여 왔었다.

눈을 살금 감으면 교실 안에 앉은 아이들의 자리 하나하나가 기억에 떠오르고, 그 하나하나의 표정이나 개성이 그대로 선명하게 머리에 떠오르는 것이다.

그들의 가정환경이나 개개의 특징이 뚜렷해질수록 그들에 대한 친밀감도 짙어 갔었다.

온순한 학생은 온순한 대로, 와일드한 그룹들은 그것대로 제각기 다른 각도에서 정이 갔다.

의식적으로 암기하려고 노력한 것도 아니건만, 출석부를 들면 일번에서 육십 몇 번까지 그대로 이름이 외워지고, 그 이름 속에서는 그대로 그 임자의 얼굴 모습이 떠올랐다.

총각 선생은 절대로 채용하지 않는다고 교장의 초지일관된 신념을 감쪽같이 속이고 취직된 후 달포 만에 그것이 탄로되어, 한때 거취가 곤란하게까지 되었던 에피소드도 인제 아득한 지난 일로 되었다.

그 바람에 학생들은 그들대로 처음 맞는 총각 선생에 여학생 특유의 관심과 호의를 기울여, 별일 아닌 것이 공연스레 주목거리가 되던 일들…….

처음 몇 시간은 시선의 초점을 안정시킬 바를 몰라 주로 뒷벽이나 유리창만을 바라보면서 수업했기에 금방 '유리창'이라는 별명이 붙던 풋내기 시절…….

그러나 얼마 안 가서 공부 잘하는 몇몇 학생에게 눈길이 저절로 가게 되어 그것이 학생간의 화젯거리가 되기도 하였었다. 나중에는 자기 자신이, 그 관심의 대상이 되는 학생이 결석했을 때 클래스 속에 큰 공동(空洞)이라도 생긴 것처럼 허전해져 자연히 수업이 맥 빠지게 되자, 다시 자기의 본래 자세로 돌아오려고 노력하던 일들이 꼬리를 물고 망막을 스쳐가는 것이다.

은령도 그러한 학생들 중의 한 사람이다. 학기 초 그가 반장으로 뽑히면서부터 자연 학급일로 담임과의 연락이 잦아, 늘 접하는 탓도 있었지만, 가난한 가정환경 속에서도 세속에 때묻지 않은 그의 순진성에 더욱 마음이 끌렸다.

교실 복판 뒤쪽에 앉은 은령은 그 하나만으로 교실 안이 가득 찬 것같이 한철에게는 느껴졌고, 어쩌다 은령이 보이지 않는 날은 온 교실이 텅비어 있는 것만 같은 착각마저 느꼈었다.

아버지 없이 자란 딸, 집안 살림, 이러한 주변의 조건은 자칫하면 아직 꽃피기 이전의 소녀를 우울하게 하지 않으면 비꼬고 괴벽으로 이끌어가는 것이 예사지만, 은령의 경우는 그런 세태에 휘몰리지 않는 제대로의 자세가 있었고, 순박하면서도 언제나 명랑한 것이 한철에게는 호의가 가져졌다.

날이 밝으면 바야흐로 활짝 피려는 그 전야의 꽃봉오리 같은 소녀들은 모두가 아름답게만 보이고 귀엽게만 느껴졌다.

큰 놈은 큰 대로 시원해 보이고, 작은 놈은 작은 대로 인형같이 소담스러웠다.

학급 안에서는 아무리 왕패라 해도, 그들 역시 자라가는 소녀의 테두리를 벗어날 수 없고, 아무리 잠자는 듯한 순진이라 해도, 그들에게는 익어 가는 젊음이 꿈틀거리고 있음을 한철은 놓치지 않았다.

용모나 그 밖의 외형에서 얻어지는 인상은 점점 어슴푸레해지고, 마음가짐에서 오는 정다움이나 부드러운 그런 인간미가 더 절실하게 자신의 가슴에 뿌듯한 감촉을 줌을 의식하게끔 되었다.

민들레나, 장미나, 라일락이나 들국화나, 모든 꽃봉오리는 아름다운 것이라고 그는 혼자 뇌까리기도 했다.

그 속에서도 은령의 존재는 가장 이채로운 것이었다.

삼학년이 되어 제일차 모의고사가 끝난 다음, 곧 상급 학교 지망 조사를 했다. 대학 입학시험을 일년이나 앞두고 너무 서두르는 것 같았지만, 한철은 무엇인가 그들의 앞날을 빛나게 하고 자기 자신의 일에 최선을 다해 소기의 성과를 내고픈 의욕에 불타고 있었다.

거의 대부분의 학생이 지망 대학과 학과명까지 기록하였고, 사, 오명은 학교명만을 썼는가 하면 몇몇은 이름만 쓰곤 백지를 그대로 제출했다.

거기에 하나 둘은 '취직' 또는 '결혼'하고 진학 포기의 명백한 의사를 표시한 것도 있었다.

한철은 다시 한 장씩 검토하며 학교와 학과별로 분류했다.

의외에도 은령의 이름은 백지를 그대로 제출한 속에 끼어있지 않은가……

한철은 이 카드를 기록시키기 이전에 상급 학교 지원에 대한 자기 딴의 주관을 거의 역설하다시피 한 것을 돌려 생각해 본다.

반드시 학교 교육까지 꼭 받아야 할 필요는 없다는 것, 여자는 가급 여자 대학을 선택하는 것이 좋겠다는 것, 자신의 소질에 알맞게 너무 무리가 안 되는 학과를 택할 것, 그리고 여자는 재학 중이라도 알맞은 상대가 있으면 결혼을 해야 한다는 것을 덧붙였다.

이야기를 하면서도 그는 아직 총각인 자신이 월권적인 설교를 하고 있구나 하는 쑥스러움이 없지 않았다.

웃음보를 터뜨리고 난 학생들은 즉각으로 이에 대한 해명을 요구하는 응수로 나왔다.

한철은 의외의 강경한 반격에 잠시 주춤하였으나 이것도 진학 지도의 하나라는 자기류의 변호로 자신에게 다짐하고는 입을 열었다.

그것은 이 땅의 경제 상태를 비롯한 사회적 여건이 반드시 대학을 꼭 나와야 할 만큼 구비되어 있지 않다는 것, 특히 한국 가족제도의 현상이 출가 후 여성의 전공을 계속 살릴 수 있는 경우가 희소하니 유능한 남자의 입학 자리를 너무 침범하지 말라는 것, 따라서 남자들과 아귀다툼을 해 가며 힘에 겨운 대학생활을 억지로 하지 말고, 고된 가정생활에 들어가기 전에 멋지고 유쾌할 수 있는 학창시절을 보내라는 것, 그리고 어차피 여자는 결혼으로 한번 팔자를 다시 고치게 되니 혼기를 놓치지 말고 시집을 잘 가라는 것, 이러한 식으로 제대로 인생관을 늘어놓았으나 역시 자기의 설명에 억지가 없지 않다는 생각도 들었다.

학생들은 한철이 실례를 들어가며 이야기하는 한마디 한마디에 심각한 표정과 책상을 치고 발을 구르는 폭소를 뒤섞으면서도, 어느 정도의 긍정을 보이는 반응을 나타냈다.

그러나 교실에서 나온 한철은 그 전체 학생들의 분위기보다는 아무 지망교도 쓰지 않은 은령의 백지에 대한 관심이 더 머리를 휩쓰는 것이었다.

자기 자신은 지금 막, 억지로 대학 진학을 할 필요는 없다고 열변을 토하지 않았는가. 그렇다면 은령의 경우는 그 가정 형편으로 너무나 당연한 귀결이 아닌가. 그러면서 나는 왜 그의 진학에 대하여 이토록 관심을 기울이고 대학으로 갈 수 없는 그의 처지를 못내 안타까워하는 것일까. 그의 마음속에는 자신의 주관에 대한 이율배반의 두 가지 상념이 한꺼번에 몰려, 스스로를 부정하기도 하고 긍정하기도 하는 혼류가 일어나고 있음을 그는 스스로 느꼈다.

그러나 결국 그는 자신의 마음속에 하나의 결론을 고집하고야 마는 것이었다.

아무튼 은령은 대학으로 가야 해, 그런 수재가 그대로 버려져야 될까. 정 할 수 없으면 야간 대학이라도…… 최후에 가서 아무 방도도 없다면 학자의 일부를 내가 부담하더라도…….

은령은 책장이며 테이블이며 선반 모서리를 다시 훔치고 있다.

"인제 그만하지, 잘됐어."

한철은 은령을 물끄러미 바라보며 부드럽게 말했다. 그러나 그 뒤에 무엇인가 계속될 말이 꼭 있는 것만 같이 혀끝이 맴돌았다.

면직의 선고는 이미 내렸다. 그러나 아직 사직서는 내지 않았다. 교감 말마따나 최후의 절차는 아직 밟지 않았다. 실질적으로 이미 떠난 사람, 한 시간 후면 형식으로도 완전히 떠나는 것이다.

그만두게 되었다는 이야기를 은령에게 할까. 그러나 마음이 내키지 않는다. 그것은 아직도 마음 한구석에 남아 있는 미련의 탓일까. 그것만도 아니다. 스스로의 의사가 아니라 어떤 이유로든 밀려난다는 것은 비굴하다. 떳떳하지 못하다. 학생들이 저절로 알게 될 때까지 버려두자.

"수고했어, 이제 가두 좋아."

일을 끝내고 머뭇거리는 은령에게 한철은 평소의 어조 그대로 말했으나, 그의 얼굴에 억지로 지어 보이려는 미소는 자연스러울 수 없었다.

은령도 한철을 쳐다보며 무엇인가 할 말이 있는 듯이 머뭇거리다가 예사로운 표정으로 돌아서고 있다.

"그럼 선생님, 가겠어요."

"응, 잘 가."

허리를 굽혀 인사를 하던 은령의 하얀 목덜미가 눈에 선하다.

이것으로 공식적인 사제 간으로서의 대화는 끝난 것이다.

은령이 사라진 도어 쪽을 바라보면서 한철은 한참동안 멍청히 서 있다.

그는 책장들이 잠겨 있나 다시 한 번 확인하여 본다. 내일부터 나올 필요가 없는, 아니 나올 수 없는 방이라고는 조금도 느껴지지 않는다.

자신이 학교에 근무하고 있는 시간 중 가장 오래 머물러 있는 방이다. 새삼스럽게 애착이 휘몰아온다.

표지가 떨어진 책 하나하나를 풀로 붙이고, 귀가 구부러지거나 접힌 책들은 제 것 마냥 손가는 대로 펴서 지질러 놓았었다. 자기 손으로 구입해 온 책 하나하나에 정이 서렸다. 가끔 언제까지나 이 방에 머물러 있을 것만 같은 환상에 휘덮이기도 했다.

야시장판 같은 소란한 직원실은 싫증이 났다. 그럴 때면 늘 이 방으로 올라왔다. 좋게 말하면 자기의 안식처이고 나쁘게 말하면 도피처이기도 했다.

한철은 도서실의 도어를 잠그고 열쇠 뭉치를 손에 쥔 채 계단을 내려오고 있다. 사방 갈 곳이 없이 꼭 막힌 것만 같다. 아래층 복도에 내려섰다. 늦게 돌아가는 학생들이 관습으로 치르는 경례가 모두 최후 결별의 전송 인사로만 느껴졌다.

한철은 직원실로 돌아왔다. 그는 책상 서랍을 열어 양면괘지를 끄집어내었다.

사직원을 쓰려는 참이다. 나서 처음 쓰는 사직원, 서식을 알 길이 없다. 아무튼 그만둔다는 의사만 표시하면 될 것이라고 생각되어 되는대로 써본다. 그러나 막상 가장 중요한 사직 이유를 쓰려 하니 글줄이 막힌다.

담배 몇 모금 빨면서 멍히 밖을 바라다본다. 모든 가까웠던 사람들이, 선생도, 학생도, 그리고 친구도, 모두 한껏 멀어져 가는 것만 같다. 참말 외톨로 내동댕이쳐진 심사다.

다시 붓을 잡았다. '병역 의무를 치르지 못하였기에……' 하고 꼭 박아 썼다.

서랍을 빼어 테이블 위에 뒤집어 쏟았다. 시시한 흔적은 남기고 싶지 않다.

낡은 편지, 메모 쪽지, 학생들 사진, 색연필 꼭다리, 수험번호가 적힌 명함 조각, 녹슨 펜촉, 학습 지도안, 진도 계획표…… 되는대로 쏟아져 나온다.

어지간한 것은 모조리 찢어서 책상 밑에 던져 버렸다. 지나간 역사의 제일 단계적인 청산이다.

언제 군대로 끌려갈지 모른다. 거추장스러운 것은 죄다 없애 버리자.

사진과 도장만을 주머니에 집어넣고 서랍을 다시 처박았다. 아무 영문도 없이 막연히 가슴 속이 홀가분하다.

사직원을 교감 테이블에 내밀었다.

콧등에 내려온 안경을 올려 밀면서 유심히 들여다보던 교감이 오물거리던 입을 열었다.

"이거, 너무 솔직하시군. '일신상의 사정' 정도로 하면 어떻겠소……."

사직 이유가 너무 노골적이라는 뜻일 게다.

"사실대로 쓰는 게 좋지 않겠어요……."

한철의 음성은 퉁명했다.

"글쎄, 그래도 후에 복직하는 경우를 생각해서라도……."

사뭇 아껴 주는 말투인 듯하였으나 한철에게는 곧게 받아들여지지 않았다.

"괜찮아요, 그대로 두지요."

한철은 교감 책상에서 돌아섰다. 악수를 청하는 사람, 위로하는 사람, 격려를 보내는 사람, 그러나 어느 한 마디도 한철의 귀에는 들어오지 않았다.

앞은 막막한 광야뿐인 것만 같았다.

아침 해가 창문을 환하게 비칠 때에야 한철은 눈을 떴다. 머리가 지끈 거리고 갈증이 심하다. 간밤의 일들이 흐리멍덩하게 떠오른다. 첫 무렵은 비교적 선명하나 뒤끝은 몽롱한 속에 토막토막이 단절되어 스쳐갈 뿐이다.

집으로 어떻게 돌아왔는지 전연 생각이 나지 않는다.

방바닥에 토하고 나서야 답답한 가슴이 다소 숨이 돌아가는 것 같던 정도 외에 아무것도 알 길이 없다.

또 냉수 한 사발을 들이켰다. 숨만 내쉬어도 술 냄새가 아직도 물씬하 게 코를 찌른다.

전직원이 한자리에 모여앉아 환영회나 송별회 같은 것을 가질 엄두란 낼 수도 없을 만큼 직장의 세대(世帶)는 커졌다.

끼리끼리 마음 맞는 축들 간에 돌라앉아 대폿잔이나 나누는 것이 예사 로운 행사의 습성처럼 돼 버리기도 했다.

교감이니 주임이니 하는 보직자리가 붙은 상전급은 깡그리 제쳐놓고, 평교원끼리 십여 명이 둘러앉았다.

이 밤의 주빈 격인 한철은 동료들에게 술잔의 집중공격을 받았다. 자 연히 화제에 떠오르는 것은 교장이나 교감에 대한 불만이 아니면 그들에 알랑방아를 찧는 동조자들에 대한 비난의 화살이었다.

그러나 그 테두리에서 벗어나 외곽 지대에 선 것만 같은 한철의 마음 속에는 그러한 이야기들이란 이미 관심의 밖이었다.

그는 잔을 받는 대로 사양하지 않고 들이켰다.

간단히 마치려던 첫 자리에서 한철은 벌써 주량의 한도를 넘었다.

주흥과 울분이 겹쳐 주석은 다시 다른 곳으로 옮겨졌고, 이차회가 삼 차회로 바뀔 무렵에는 평소 가장 가깝던 두세 사람밖에 남지 않았다.

결국은 스탠드 빠까지 발전하는 사이에 배갈, 막걸리, 정종, 맥주, 되는 대로 들이켰기에 다 녹초가 되었다.

한철 자신도 모든 것은 될 대로 되려무나 하는 정도로 곤드레가 되었었다.

그러나 지금 이 해맞이 창문을 바라보는 아침의 심정은 사뭇 다르다.

여느 날 같으면 아무리 쥐어짜게 취하여도 정각에 출근을 해야 한다. 그간의 규칙적인 직장 생활에 어느 정도 틀에 박혀 버린 그는 냉수 그릇을 밀어 놓자 시계를 들여다보았다. 열 시가 가까왔다. 아차, 늦었구나, 또 지각이다. 그는 주춤 상반신을 일으켰다. 그러나 순간 이미 모가지가 떨어져 나간 자신을 의식한다. 악몽에서 깨어난 것만 같이 뒷맛이 씁쓸하다. 이젠 아무 책임도 의무감도 없다는 것, 그것은 극히 찰나적이나마 훨훨 공중을 날 듯싶은 홀가분한 심정이기도 하지만 역시 마음속은 우울하다. 그는 몸을 내던지듯이 다시 자리에 누웠다. 머릿속은 여전히 무겁다. 한참 뒤치락거리다가 제풀에 잠이 들었다. 두서없는 잡꿈이 엇갈려 흘러갈 뿐, 깊은 잠에 떨어져 주지는 않는다. 오정 고동소리를 듣고야 그는 꿈지럭거리며 자리를 털고 일어났다.

옷을 챙겨 입고 문을 활짝 열어 젖혔다. 아무도 간섭이 없어 좋다. 그러나 계절마저 이미 자기에게서 떠나버린 것만 같은 공허감. 하늘의 푸르름도, 만발한 꽃밭의 화려함도, 정열을 쏟아 붓는 칠월의 태양도, 거리의 소음조차도, 남의 것인 양 아무 반응도 없는 것만 같다.

지나간 일들에 이끌려 드는 추억의 되풀이, 닥쳐올 앞일들에 대한 두서없는 공상, 머릿속에 착잡한 상념으로 뒤엉킨 한나절을 그는 방바닥에서 혼자 뒹굴었다.

저물녘이 되자 그는 거리로 나왔다. 인젠 아무것도 두려운 것이 없다. 거리끼는 것이라곤 전연 없다. 신분증 같은 것 하나 가지지 않아도 겁낼 것이 없다. 기분이 거뜬하다. 이대로 자유롭게 걷고만 싶다. 예전엔 자기만을 감시하는 것만 같던 모든 눈들이 어쩌면 모두들 자기에겐 무관심한 것만 같게 여겨진다.

골목길을 나섰다. 앞으로 걸어오는 짙은 색안경과 마주쳤다. 불쑥 머리에 떠오르는 것이 있다.

그 불길한 예감의 인상이 아직도 완전히 가셔지지 않았다.

형우에게서 꼭 만나자는 전화가 왔었다.

한창 가두 취체가 심한 시기였기에 꺼림칙하였으나, 얼결에 그대로 나선 걸음이었다.

옆에 스쳐가는 사람들은 보는 둥 마는 둥 자기에게만 눈길을 쏟고 있는 것만 같은 사나이…….

모르는 체하고 그대로 지나쳤다.

"잠깐만……."

뒤통수를 갈기는 소리, 주춤하다 슬며시 돌아섰다.

색안경은 한쪽으로 비키며 손짓을 하고 있다.

아차, 잘못 나섰구나. 순간 전신의 피가 거꾸로 거슬러 올라옴을 느끼면서도 태연한 자세를 취해 본다.

이러한 경우는 처음이 아니건만 좀처럼 익숙지 않고 번번이 당황해진다.

죄의식일까, 그렇잖으면 양심의 가책에서일까. 자기대로의 주관은 뚜렷이 서 있으면서도 역시 고양이 앞에 선 쥐새끼마냥 맥을 출 수 없다.

오라는 대로 뒤를 따라간다. 응당 무엇 때문인가 하고 반문했어야 할 일이다. 그러나 아무것도 묻지 못하고 그대로 죽은 듯이 따라가는 자신이 못나게 여겨지나 별도리가 없다.

으슥한 골목에 다다랐다.

색안경 속을 맞쏘아본다. 상대의 눈동자를 뚜렷이 엿보기에는 안경이 너무나 짙다.

"신분증을 내시오."

반사적으로 호주머니에 손이 갔다. 그러나 지니고 다니지 않는 신분증이 있을 리 없다.

"없습니다."

"무엇 해요?"

"학교에 있습니다."

"학교? 그런데 왜 신분증이 없어?"

말끝은 어느 사이에 반말이 섞이어 나온다.

당신 도대체 누구인가고 되묻고 싶다. 그러나 정작 말은 그대로 튀어나와 주질 않는다.

"가지고 나오지 않았습니다."

"그러면 병역 증명은?"

"……."

"증명을 내놓란 말야!"

이치의 기세가 점점 등등해진다고 느껴진다. 그러나 그것을 밀고 나갈 건덕지가 자기에게는 없다. 이 자는 대체 무엇일까? 형사일까, 정보원일까, 그렇잖으면 그런 것을 묻는다는 건 오히려 불리할는지도 모른다. 사태를 악화시켜서는 안 되겠다. 이대로 어떻게 무마해야 할 것 같다.

"응, 병역 증명을 내놔요!"

사뭇 명령적인 어조다.

"없습니다."

풀기 없는 대답은 상대를 고무하는 것밖에 되지 않는다.

"그럼, 아무 증명도 없어?"

"네, 없습니다."

"자식, 스파이인지도 모르겠군……."

색안경은 벌써 몸수색을 시작한다. 지금껏 자기의 이름이 박힌 명함 한 장 가져 본 일이 없다. '한철'이노라고 증명해 줄 아무것도 없다. 메모 해 둔 너저분한 종이 조각, 구둣주걱, 담뱃갑, 라이터, 아랫바지에서는 손수건과 휴지 부스러기, 기껏 이런 것밖에 나오지 않는다. 색안경은 사뭇 의아스러운 표정으로 열쇠 뭉치를 절그럭거려 대고 있다.

"수상하게 열쇠는 왜 이렇게 많이 가지고 다녀?"

"학교 도서실 겁니다."

"도서실…… 흥 거짓말 말고 바로 대란 말야!"

"아니 참말입니다."

"헛소리 집어쳐. 언제 월남했어?"

이건 어김없이 생사람을 잡는 거다. 이쯤 되면 도무지 참을 수 없다. 덮어놓고 뒤집어씌우는 것이다.

"자, 같이 가."

색안경은 한철의 등을 밀면서 발을 옮겨 댄다.

"어디를 갑니까?"

"글쎄, 걸으란 말이야, 가면 알아."

한철은 걷고 있다. 뒤에는 색안경이 따르고 있다.

"신분이야 학교에 전화 걸어 보면 알지 않아요."

한철은 몸을 돌려 색안경을 바라보았다.

"좋아, 가서 얘기하란 말이야."

말끝도 붙이지 못하게 한다. 한철은 입을 다물고 다시 묵묵히 걷고 있다.

대체 어디로 가는 것일까, 경찰서, 헌병대, 정보국, 머리가 섬뜩한다. 이 자는 무엇일까.

한참 걸었다. 될 대로 되려무나 하는 생각도 떠오른다. 뛸 수는 없을까. 그러나 이치한테는 위선 체력으로 당해 낼 재주가 없을 것 같다. 그러나 다시 잡히는 날이면 죄는 더 가중될 것이 아닐까.

한철은 바지 시계 포켓 속에 포개어 넣은 석 장의 지전을 생각해 본다.

일금 삼천 환! 이것으로 어떻게 되지 않을까. 그러나 상대의 기세는 너무도 당당하다. 좀처럼 날이 들 것 같지 않은 요지부동의 자세다.

"지금 몇 시야?"

색안경의 불쑥 고막을 치는 거센 목소리에 생각이 중단된 한철은 팔목을 들어 시계를 보았다.

"여섯 시 오 분 전이군요."

"그래……."

이 자가 왜 새삼스럽게 시간을 물을까.

사람의 발길이 뜸한 외진 길에 들어섰다. 왜 큰길에서 벗어났을까, 수상한 점이 없지 않다. 그러나 이치가 가자는 데까지 따라간다는 것은 이로운 일일 수는 없다. 그는 다시 삼천 환의 소지금을 생각해 본다.

"저……."

그는 걸음을 멈추며 색안경의 어깨를 잡았다. 자기로도 의외의 용기라고 생각되었다.

"좋두룩 합시다."

"뭐 말이야?"

"피차 젊은 처지에……."

"이건, 사람을 어떻게 알아."

"아니, 그런 게 아니라……."

한철은 억지로 웃음을 지었다.

색안경의 표정도 아까 처음 기세와는 다르다.

"아무튼 가요."

어세도 약간 누그러졌다.

찬스는 바로 이때로구나, 그는 엉뚱한 담력이 솟아오르는 것을 느꼈다. 막다른 골목에 닿은 최후의 발악인지도 모른다는 생각이 들었다.

그의 손가락은 벌써 시계주머니의 꼬깃꼬깃 접어진 지폐를 끄집어내고 있다. 되면 되고 안 되면 안 되고, 밑져야 본전이다. 그는 절박한 이 시각에도 스스로의 계산을 하고 있는 것이다.

두 손가락에 집어진 돈을 색안경의 손바닥에 집어넣고 손아귀를 꼭 쥐어 아물렸다.

"봐 주시오, 좀."

"이건 사람을 어떻게 보는 거야?"

그러나 지금껏 색안경의 얼굴에 서렸던 서슬은 사라지고, 참 기가 차다는 듯한 비웃음이 입가에 스치고 있다.

"아무튼, 한번만……."

색안경은 손바닥을 펴 구겨진 지전을 바라보다가 그대로 한철의 호주머니에 집어넣는다.

"이렇게는 안 돼요. 자, 갑시다."

이왕 내친걸음이라 이쯤 되면 한철도 그대로 꺾일 수는 없다. 그는 자기 호주머니의 돈을 끄집어내고 있는 색안경의 시선이 자기의 팔뚝시계 위에 머물고 있는 것을 한철은 의식하지 못했다.

"자, 그렇다면……."

색안경은 돈도 도로 넘겨주는 순간, 벌써 한 손으로는 한철의 외쪽 팔을 잡고 있다.

"이걸 내놔!"

"엥……."

"이, 시계 말야……."

"……."

한철은 너무도 의외의 역습에 어리벙벙했다. 재수없게시리 잘못 걸렸다 싶었다.

"거기 가면, 들어가는 대로 위선 반숨은 죽이게 될 지도 몰라."

'거기'라는 것이 대체 어딜는지 몰라도, 아무튼 몸서리쳐지는 경고임에 틀림없다.

"그래도 이것만은……."

"자, 그러면, 가요!"

색안경은 발을 옮겨 놓기 시작한다.

"잠깐만……."

팔을 다시 붙잡았지만 그것은 시간의 유예지, 그 이상의 묘책은 떠오르지 않는다.

"인제, 가요!'"

"……."

"다, 농담이었어."

이 자는 벌써 책임 전가의 발뺌을 하는구나 하는 생각이 들었다.

"대체 어디 계시오, 알구나 갑시다."

"이건, 따지는 거야."

"아니, 그렇지만 죽어두 알고 죽어야 할 거 아니오."

"나 원…… 자……."

색안경은 군번줄에 달린 패스포트를 끄집어낸다. 주위는 이미 어두워지기 시작했기에 신분증에 비낀 두 줄기의 굵다란 붉은 선밖에 한철의 눈에는 들어오지 않는다. 삽시간에 패스포트는 거둬들여지고 말았다.

상대가 무엇인지는 몰라도 앞일이 곰곰치 않을 것만 같은 예감이 스쳤다.

한철은 팔뚝시계를 풀었다. 색안경의 호주머니에 집어넣는 순간 그의 걸음은 옮겨지고 있다. 뒤도 돌아보지 않고 그대로 걸었다. 쫓아오는 발자국 소리는 들리지 않았다.

"더러운 자식……."

그는 가래침을 홱 내뱉으면서 큰길에 나섰다. 한참 걷고야 전신에 땀이 밴 선뜩한 감촉을 느꼈다.

"참, 더러워서……."

상대를 욕하는 것인지, 자신을 꾸짖는 것인지 모를 한마디를 계속 뇌까리면서 그는 쫓기는 듯한 걸음걸이로 줄곧 걷고 있다.

한철은 불쾌한 회상을 씻어 버리려는 듯 머리를 내저었다.

이제야 참말 자유민이 된 것인가……. 그는 가로수 엷은 그늘 밑에 길게 뻗은 포도를 걸어가며 혼자 코웃음 치는 것이다.

퇴근 시간 직후라 붐비는 속을 바쁜 걸음으로 밀려가는 사람들 틈에 끼여 자기만은 지극히 유유한 기분을 느끼고 있는 것만 같다.

오래간만에 나온 번화가……. 겨드랑이 밑까지 노출된 여인들의 몸매에서 새삼 계절의 감촉이 짙게 휘몰려옴을 느낀다.

어디로 갈까……. 그는 건널목 고우스톱의 신호를 대기하면서 생각해 본다. 우선 형우를 만나서 그간의 경과보고라도 해야만 할 것 같은 생각이 들었다.

제대 후 일년 넘겨 아무 일자리도 없어, 저녁이면 자기한테로 찾아오지 않으면 다방이나 당구장에서 세월을 보낸 형우다. 지금쯤은 벌써 거리에 나와 있는지도 모른다.

한철은 형우의 단골 다방으로 찾아들었다. 한두 개의 선풍기가 돌고 있지만, 홀 안은 바깥보다 더 후덥지근하다. 앉아있는 손님들을 휘둘러보고 난 그는 구석자리에 앉았다. 형우는 보이지 않는다. 레지에게 차를 주문하면서 물었다. 아직 나타나지 않았다는 것이다. 그러나 하루 한두 차례씩 거의 빠짐없이 들르니 기다리면 올 것이라는 희망적인 대답으로 슬그머니 붙잡아 놓는다.

그는 가져다 놓은 씁쓸한 커피를 마시면서 출입구 쪽에만 눈을 박고 있다.

바깥의 어두움이 차차 홀 안까지 스며들어 오면서 샹들리에 불빛이 더욱 밝아져 온다.

'인생 결손…….'

이것은 형우가 입버릇처럼 뇌까리던 말이다. 자기 자신은 군대를 치르고 온 것을 조금도 후회하거나 절망하지는 않는다. 잘했다거나 억울하다고 생각지 않는다. 다만 그러한 의무를 치르지 않고 살금살금 몸을 피하던 축들이 다 자리를 잡고, 자기는 일년이 넘도록 룸펜 노릇을 하게 되니 그것이 인생의 결손이라는 것이다.

그럼 형우 쪽이 결손을 먼저 치른 경우라면 자기에게는 이제야 그것이 찾아온 것일까? 한철은 복수에 깊숙이 잠긴 채 혼자 생각에 잠겼다.

자아식들!

역시 막연한 적의(敵意), 그것은 누구에게 맞바로 향하는 것도 아닌 그런 적애 의식……. 교장, 교감, 그런 단수(單數)만이 아니다. 막연한 대상, 물론 그들도 복수(複數) 개념 속에는 들어가 있는 것일지도 모른다. 누구 하나를 꼬집어 탓할 수는 없지만, 주위의 모든 것이 적으로만 보인다.

체, 더러운 자식들! 그러나 이것은 자기 홀로의 독백 속에 자기 스스로를 저주하는 푸념인지도 모른다. 최후의 도화선은 어저께의 사표 강요를 한 교장, 그리고 그 방조자인 교감에게로 돌아가지만 기실 따지고 보면 그들도 그 이상의 별수가 없었던 것인지도 모른다.

참 더러운 세대에 태어났군……. 이쯤되면 자학으로 돌아오는 것이 분명하다. 그는 연거푸 담배만 피우고 있다. 어디 벽이라도 냅다 차고 유리창이라도 두들겨 부수고만 싶은 심정이다.

경은이 들어온다. 그 뒤에 영혜가 따르고 있다. 두리번거리던 그들은 한철을 발견하자 사뭇 반가운 모습으로 다가오고 있다. 경은의 크고 동그란 눈이 더 환하게 빛난다.

앞에 나란히 앉은 두 여성을 바라보면서 한철은 무의식중에도 비굴감이 꿈틀함을 느낀다.

"한참 못 됐어요."

"참말……."

한철은 그대로 평범하게 받아넘겼지만 뒤가 거뜬하지 않다. 그러고 보면 자기에게는 확실히 병역에 대한 콤플렉스가 잠재해 있었는지도 모른다고 스스로를 따져 본다. 이젠 이런 생각에서 완전히 전환되어야 할 것만 같다.

"학교, 여전히 바쁘시죠."

"……."

"재미 많이 보실 거예요."

망설이는 한철의 대답이 나오기 전에 영혜가 경은의 뒤를 따라 자연스럽게 덧붙인다.

"재미가 다 뭐요, 인제 아주 끝났어요."

"뭐가요."

이번에는 영혜가 가느다란 눈을 치켜뜨며 내처 묻는다.

"그만두었어요."

"네?"

두 여인의 반문은 거의 동시에 터져 나왔다.

"이거 됐어요."

한철은 자기 손으로 목을 자르는 시늉을 하며 쓴웃음을 지었다.

"참말이에요?"

"그럼, 그걸 자랑이라고 거짓말을 하겠어요."

"어머나……."

영혜의 말 속에는 동정기가 어려 있다.

"참, 형우 씨 못 봤어요?"

"아직 안 나타났는데……."

"오늘 이리로 나온다구 했거든요."

"취직이 됐대요. 내일부터 출근이라나요. 그래 한턱한대요."

이들이 명랑하게 늘어놓는 이야기를 들으면서, 한철은 형우를 생각하고 있다. 오늘 자기에게도 연락이 있었음에 틀림없다. 그렇다면 형우는 벌써 내 사직을 알고 있을 것이 아닌가. 자신은 혁명 덕분에 쫓겨나고 그

대신 형우는 새바람을 맞아 이제야 취직이 되고…… 지금까지의 자세와는 정반대가 된 것만 같다.

이들이 자신의 파면에 대해서는 그 이상 캐묻지 않는 것은 하나의 에티켓일까, 그렇잖으면 소녀의 애상적인 동정에서일까. 한철은 그런 생각을 하면서도 자신도 그 문제에 대하여는 그 이상의 사실은 늘어놓고 싶지 않았다.

"어디 당구장이나 들러 봅시다. 형우 씬 틀림없이 한큐 치고 있을 거예요."

레지가 날라다 준 차를 마시고 난 경은이 먼저 자리에서 일어나며 제의했다. 영혜와 한철도 따라 일어섰다.

먼저 카운터 쪽으로 쓱쓱 걸어가 찻값을 치르는 경은을 바라보면서 전엔 누가 치르든 별로 관심을 기울이지 않던 이런 일까지에도, 자신의 마음을 비굴하게 건드리는 무엇이 있음을 느껴야만 했다.

밖을 나와 둘이 가지런히 걸어가는 바로 뒤를 따르는 한철의 눈에는, 똑같이 어깨까지 내놓은 원피스와 새하얀 하이힐이 더 으쓱하고 청신하게만 보였다.

그는 후줄근한 채로 걸치고 나온 자기의 노우타이에 새삼 관심이 가지는 것이다.

"난 내일부터 출근이야."

한철을 만난 형우는 만면에 희색을 띠며 좋아했다.

"축하한다. 어디에?"

"국영 기업체야."

"잘됐어."

한철도 지금껏 형우에게 미안했던 기분이 가셔지는 것만 같아 스스로의 일처럼 기뻤다.

"다 제대 군인 덕분이야."

"역시 새바람을 탔어."

불쑥 나온 말이지만, 그것이 비꼬이게 들리지는 않을까 하여 형우의 반응을 살폈다. 그러나 형우는 싱글벙글하고만 있다.

"인제 일 년간의 룸펜 생활도 청산이다."

"아무튼 잘됐어."

그들 넷은 뮤직홀로 들어갔다.

색채어린 희미한 광선, 자욱한 담배 연기, 속의 살내음, 공기는 짙고도 탁했다.

미꾸라지는 진흙 바닥에서만 살듯이, 이들에게는 이 흐린 공기 속에 빼곡히 차 있는 젊은이들 틈바구니 속에 자리 하나를 겨우 골라, 쐐기 박 듯이 끼어 앉는 것이, 환하고 맑은 방안의 외로움보다는 차라리 나았다.

남녀의 구별 없이 어깨와 어깨를 비벼 대고, 서로의 젊은 살내음을 맡아 가며, 광적인 재즈나 멜랑콜리에 찬 샹송을 들으며 시간을 보내는 것이, 그대로 즐거움이요, 엔조이요, 청춘의 보람이기도 한 것 같았다.

머리, 옷매무새, 얼굴의 표정, 그 어느 하나에도 이 탁류 속의 군상들에게는 공통성이 있었고, 그것은 또 서로의 공감을 불러일으키는 요소이기도 했다.

차라리 그 속에서는 개성이란 짐짓 묵살되어 있는지도 모른다.

열광적인 곡조에 신이 나면, 손뼉을 치다 못해 발을 구르고, 나중에는 광증에 가까운 환성이나 신음소리를 치고야 속이 후련해지는 이들 속에서, 한철은 자기만의 외로움을 곱씹고 있다. 좀처럼 이 분위기에 휩싸여 지지 않고 자기의 생각에만 골똘하고 있다.

그러고 보면 이 일년 동안, 형우는 늘 이런 어울리지 않는 외로움 속에서 지내온 것이나 아닐까 하는 상대적인 위치에 서 보기도 한다.

"참, 너 오늘 왜 학교에 안 나갔댔어?"

음악에 귀 기울이고 있던 형우가 한철을 건너다보며 말문을 열었다.

"응?……."

"전화를 거니까, 오늘 안 나왔다구 그래. 젊은 여선생의 목소리 같던데."

"그래."

"취직 보고 제 일호로 걸었더니 그만……."

그럼 형우는 아직 나의 사직을 모르고 있는 것일까. 다방을 나온 후 경은이나 영혜의 입에서도 그 이야기가 화제에 오르는 것을 듣지 못했으니까, 역시 기쁜 소식이 아니기에 그대로 파묻어 둔 걸까…….

"어저께 그만뒀어."

"응?……."

형우는 경악에 찬 소리를 지르며 의아스러운 표정을 나타내고 있다. 여인들은 싱글거리며 둘의 대화를 재미난다는 듯이 듣고만 있다.

"면직이야."

"참말?"

"응, 다 각오한 일이 아니야……."

"그렇지만 아직 끄집어 내 갈 태세도 안 됐겠는데……."

"나야, 그런 걸 아나 뭐…… 그만두라니까 그저 그만둔 거지."

"교대 치고는 시시한 교대로 됐구나. 네가 고만두자 내가 얻어걸렸으니……."

"당연한 귀결일지 몰라."

한철은 씁쓸히 웃었다. 형우는 싱글벙글하던 얼굴에서 웃음기를 지우고 입맛을 다시고 있다.

"참, 시시하게 됐는데……."

"하는 수 없지."

"야, 나가자, 술이나 마시자."

형우는 우뚝 자리에서 일어나면서 거의 외치다시피 소리를 친다.

세 사람은 뒤를 따라 홀을 나섰다.

밖은 그 사이 훨씬 어두워졌다.

한철은 엊저녁에 처박아 넣은 대로 둔, 바지 주머니의 마지막 월급봉투를 손가락 끝으로 조물락거리며 이들에 휘몰려 밤거리를 걸어가고 있다.

어디든지 가서 실컷 취하고 싶다. 그 밖엔 자질구레한 아무 생각도 하고 싶지 않다.

한철은 밤이 이슥해서야 집으로 돌아왔다.

"선생님! 인제 오세요."

은령이 찾아와서 기다리고 있지 않는가.

"온 지 오래……."

은령이 고개만을 끄덕인다. 한철은 그와 마주 앉았으나 쉽사리 할 말이 터져나와 주질 않는다.

"다 알았어요."

은령이 쪽에서 말문을 열어 준다.

"뭐 말이야?"

일부러 딴청을 부려 본다.

"선생님, 그만두신 거 말예요."

"응, 그거……."

그 이상 할 말이 없다. 무슨 이야기를 덧붙였으면 좋을지 모르겠다.

"어저께도 좀 이상하다고 생각했어요, 도서실에서."

"그때는 아직……."

이렇게 얼버무렸으나 역시 마음속으론 미안한 생각이 없지 않다.

불빛에 반사되는 은령의 눈언저리에는 번들거리는 눈물 자국이 있다. 그렇다면 여기 와서 울고 있었던 것일까.

"학년 중간에 이렇게 버리구 가시면 저희들은 어떻게 해요, 선생님……."

사실 대답할 말이 없다. 그렇다고 학생들 앞에서 그간의 구구한 사정을 털어놓고 싶은 생각은 더욱 없다.

다만 하던 일을 끝맺어 주지 못하고 떠나는 그런 미안한 감, 그것으로 가슴이 가득 차 있다. 그러기에 자신은 학생들에 대한 마지막 인사와 절차까지도 끝내 거부하지 않았던가. 시간이 지나면 다 알 것을 면구스럽게 변명을 하거나, 그렇잖으면 소녀들의 가냘프고 애상적인 순정에 호소하는 연극은 애초에 하고 싶지 않아서였다.

"오늘 아침, 교실에서 모두들 울었어요, 교장 선생님에게도 찾아가고……."

한철은 묵묵히 담배 연기를 허공에 날리고 있다.

"하루 종일 수업이 제대로 안 됐어요……."

은령의 구겨지지 않은 새하얀 손수건 같은 마음속에 자기 자신이 제일 먼저 때를 묻히고 떠나는 것만 같은 미안감, 그것은 얼마 동안 쉽사리 가셔지지 않을 것이라는 생각이 들기도 했다.

"내일, 반대표들이 찾아오기로 되어 있어요, 그래 제가 먼저 왔어요……."

한철은 어저께와 오늘의 일주야 사이에 자기 자신이 적잖이 변하여 간 것이라는 생각이 없지 않았다.

학생들 전체에 대한 의무감, 이런 것은 벌써 엷어져가기 시작했고, 더 절실하게 괴로운 것이 있다면 그것은 은령의 경우였다. 상대야 어떻게 생각하든 자기로서는 해 주고 싶은 것을 다 못 해 주고 떠나가는 아쉬움 같은 것이 서려 있었다.

그러나 이것도 내일이고 모레고 시간이 흘러가고, 자기 자신의 일이 절박하게 되면 될수록, 주변의 모든 것에서 관심이 흐려지고, 결국엔 자기 하나의 에고로 집중되어질 것임에 틀림없다는 것을 의식하고 있는 것이다.

자기 자신의 조건이 좋아질수록 주위를 돌보고 보살필 수 있고, 절박하여질수록 자기에게로만 구심적으로 집중되는 것일까. 그렇다면 동정이란 여유 있는 사람들의 하나의 마음의 사치일지도 모른다는 생각마저 곁들기도 했다.

종국에 가서는 자기를 위해 사는 것, 자기만을 위해 사는 것, 그러다가는 자기만으로 죽어가는 것, 그런 귀결로 되는 것일까.

한철은 연약한 비둘기 같은 은령을 앞에 놓고 자기의 무력함을 너무도 절실하게 느끼는 것이다.

지금 자신은 은령에게 아무것도 줄 말이 없고, 반응 있는 행동으로 표시할 아무런 능력도 없는 초라한 존재로밖에 되지 않는 것만 같다.

"선생님…… 가겠어요."

피차의 대화 없이 얼마 동안 앉아 있다가 은령은 일어섰다.

골목 밖 한길까지 바래다주면서도 한철은 더 내놓을 이야깃거리가 없었다.

다만 허전하기만 하다. 텅 빈 것 같은 가슴속 구석구석을 채워 줄 아무 것도 지금의 자기 주변에는 없는 것 같았다.

한철은 매일같이 거리를 쏘다녔다. 그러나 지루하기만 한 나날이었다.

다리 부러진 노루가 한데 모인다는 격으로, 자기와 같은 경우를 당한 친구들을 만나면 한데 어울리는 대로 매일 거의 같은 코스를 반복했다.

다방, 뮤직홀, 당구장, 그렇잖으면 대폿집, 어떤 의미에서 자포자기인지도 모를 생활의 연속, 그것은 견딜 수 없는 질식을 가져오는 단조로운 삶이기도 했다.

자기가 지니고 있는 줏대가 자꾸만 허물어져 가는 것만 같은 동요, 그것은 또 자기 불신일지도 몰랐다.

이제는 자신의 주체성에서 결단 지어질 문제보다는 외부에서 휘몰려오는 정책에 더 의지할 수밖에 없는 오뚝이 같은 신세라고 느껴지기도 했다.

매일매일 신문에 발표되는 병역에 대한 정부 시책의 변동만을 주시해 갔다.

전부 논산에 데려가 훈련을 시키느니, 사방 공사에 동원하느니, 밤을 자고 나면 풍설에 아무리 외면하려고 해도, 끼리끼리 두셋이 모여앉으면 자연히 화제는 그것으로 돌아가기 마련이었다.

될 대로 되려무나 하고, 집에서 책을 펴 놓아야 몇 페이지 넘기지 못하고 조바심에 겨워 또 거리로 뛰어 나오곤 했다.

추방된 군상!

한철은 이렇게 불러 본다. 대체 어떻게 하자는 건가, 죽이겠으면 죽이고 살리겠으면 살리고, 무슨 결말이 나야 할 것이 아닌가. 쫓겨나온 뒷구멍은 모두 이리떼처럼 으르렁대며 노리고 있던 대기 부대들로써 다 채워지고 송곳 박을 틈새도 없게 되었다.

이제는 이대로 풀어놓아 준대도 갈 곳이라곤 없다. 기왕 이렇게 된 바에는 무엇이라도 치르고 나야만 견디어 낼 것만 같다. 옷을 벗어 버리고 알몸뚱이가 되어 목욕탕에 뛰어들었다가 정작 물속에는 들어가 보지도 못하고 나체 그대로 허둥대고 있는 것만 같다.

삼복더위도 마지막 고비에 들어선 무더운 날씨다.

한철은 친구들과 어울려 개장에다 소주를 겹치고 번화한 거리에 나섰다. 지나가는 석간을 사 들었다.

국토 건설군(國土建設軍)!

그는 지면에 눈을 박았다. 내각 수반이 기자 회견에서 언명한, 말하자면 자기 처지로 보면 선전 포고를 듣는 거나 진배없는 중대 발표 기사다.

만 이십팔세 이상의 병역 미필자를 동원하여 국토 건설군을 창설한다……. 이건 정말 발등에 불이 떨어진 거다. 모든 직장에서 일단 축출당한 병역 미필자의 병역 충당 조처로, 혁명 정부의 경제 개발 오개년 계획에 호응하여 집중적인 건설 사업을 추진한다. 그는 한 자 한 자 놓치지 않을세라 읽어 내려가고 있다. 국토 건설군은 일년 내지 일년 반 복무하면 병역 의무를 마친 것과 동일한 조처를 받게 된다. 동원은 자원이나 또는 법력에 따라 될 것이다.

아직도 알쏭달쏭이다. 자원이란 말인가, 징집이란 말인가, 그는 혼자 생각을 이어가면서 시선은 역시 지면에서 떼지 않고 있다.

사업 내용은 1962년 일월부터 태백산, 섬진강, 영산강, 남강, 낙동강 지역에 종합적인 전원(電源) 개발을 한다는 것이다. 현재의 자신의 거취에 대하여 직접 자극을 줄 만한 구체적인 보도는 이것이 처음이다.

그렇다면 이건 이름이 군(軍)이지, 실지에 있어서는 노역(勞役) 동원이 아닌가.

그는 댐 공사에 개미떼처럼 밀려 오르고 내리는 날인부들의 모습을 연상해 본다.

그러나 그것은 젊은 장정에 대한 너무나 굴욕적인 처사이다. 그는 우선 이렇게 단정을 내려 본다. 아무튼 캄캄한 방황 지대에서 그것이 천사이건 악마이건 어떤 지표가 될 등불이 어렴풋이 비쳐진 것만은 틀림없는 일인 것 같다고.

군(軍)과 인부(人夫), 이것은 너무나 거리가 멀다. 대상자에 대한 굴욕뿐이 아니라 보복적인 조치 같게만 여겨진다.

죽는다는 문제! 전쟁이 일어난다, 군대는 싸움터로 나간다, 인부는 남아 있다. 군인은 죽어간다, 인부는 살아남는다. 그러나 이런 논리는 너무나도 기계적인 계산이다. 군대가 죽으면 인부도 죽을 수밖에 없다. 아니 인부 아닌 모든 사람들도 죽음을 강요당하게 되는 것이다. 그렇다면 이런 조치는 굴욕 이외에 또 무엇이 있을까.

자신이 괭이를 들고, 삽을 들고, 등짐을 지고 일해 본 일이 있던가. 모든 미필자들이란 자기와 대동소이한 것이다. 머리의 구조가 이미 소극적이어서 갈팡질팡하고, 거기에 육체도 그 일에 감당되지 못할 그들, 아니 나 같은 것이 대체 그런 어느 모퉁이에 쓸모가 있을 것인가.

한철은 생각을 계속하고 있다. 안다는 것은 약하다는 것과 다름없다. 그렇다면 무지는 만용(蠻勇)과도 통할 수 있을는지도 모른다. 이 약삭빠르고 약한 것들을 어디에 데려다 능률을 낼 수 있을까. 병역 그것은 다르다. 의무다. 자기의 적응성 여부가 문제가 될 수 없다. 세금을 내라면 가장 집물을 팔아서라도 내야만 할지도 모른다. 그러나 인부가 그것에 대치될 수 있을까.

며칠이 가도 그는 자신에게 단안을 내리지 못했다.

시간이 흘러간다는 것은 냉정할 수 있다는 전제인 동시에, 만성이 된다는 독소를 아울러 가지게 하는 일이다. 한철은 차차 이일에 그리 신경을 쓰지 않아도 좋았다. 닥쳐오는 다음 단계의 절차를 기다리는 수밖에 없었다.

계절의 감각과 단절된 속에서, 그리고 외부의 단조로운 반복에 싸여, 스스로의 내적갈등을 씹으면서 가을을 흘려보냈다.

십이월에 접어들면 종교에야 관련이 있건 없건, 서울 거리는 덩달아서 크리스마스 기분에 휩싸이게 마련이다. 그것이 젊은이에게 오는 증세는 더욱 민감하다.

한철은 모든 외적 자극에서 벗어나 점차로 자기의 주체적인 자세로 복귀되고 있었다. 억측을 겸한 여하한 풍설에도 귀를 기울이지 않았다.

끌려가든 자진해 가든, 우선 안정된 자기 자세를 가져야만 하겠다고 자신을 채찍질해 갔다. 병역에 그리 구애를 받지 않는 개인 기업체라도 들어갈 양으로 교섭을 진행하고 있었다.

그간의 들떴던 몇 개월, 그것은 자신에게도 보탬이 안 되는 기간이었지만, 국가나 사회에도 그리 이로울 수는 없는 시기였다고 생각되었다.

그런데 여기 또 새로운 사태가 벌어졌다.

국토 건설단!

그 동안의 몇 개월을 사이에 두고 국토 건설군은 국토 건설단으로 바뀌어 태생되었다. 사업 내용도 달라졌다. 태백산 지역 종합 개발, 특정 지역의 종합 개발, 대 간척 사업, 천재 또는 지변에 의한 긴급 복구 사업 등,

그러면 앞으로 또 어떻게 변할 것인가. 한철은 신문지 조각을 밀어 그 무엇인가를······.

제3장

어슴푸레 잠이 깨었다. 아직 어린 시절 철들 무렵의 일 같기만 하다. 어머니와 처음 떨어져 혼자 외갓집에 남았었다. 잠결에 소스라쳐 눈을 뜨고 어리벙벙하던 그런 새벽을 연상시킨다. 베갯속으로 넣은 생나무 톱밥의 짙은 송진 냄새가 습기와 함께 아직도 코를 역하게 찌른다.

어젯밤 천막 속으로 들어오던 생각······ 그러니 낯익은 자기 방은 아니다.

한철은 새우처럼 오그렸던 사지를 펴면서 눈을 똑바로 뜨고 천장 쪽을 바라본다. 주위는 캄캄하다. 숨소리 이외엔 아무것도 늘리는 것이 없다. 보이는 것도 없다. 등에 닿은 널빤지가 체온을 앗아가 오히려 온기가 남아 있다. 서울의 온돌방이 그리워진다.

방안은 꽤 싸늘하다. 산 속의 새벽, 멀리 떨어져 있다는 거리감만이 밀려온다.

어저께 하루의 일들이 꿈속 같게 단속적으로 번득여온다.

구청 뜰로 들어서기 전만 해도 자기는 전연 관계가 없는 남의 일만 같은 방관적인 자세의 여유가 있었다.

앞으로 십오 분의 유예······. 한철은 다방 입구에 발을 들여놓았다. 그것은 아무 계획도 없었던 반사적인 행동이다. 층층대로 올라가 도어를 열고 창가에 자리를 잡았다. 유리창으로 구청 뜰이 환히 내려다보인다.

공교롭게도 청소차의 집결 시간이다. 밤일을 끝내고 돌아오는 것인지, 이제 막 떠나려는 출동 시간인지 몰라도, 무개차와 시트를 덮은 트럭을 섞여 제자리를 찾아 어정대고들 있다.

그 사이를 누비듯이 사람들이 줄달아 들어오고 저 앞쪽 광장에는 떼지어 웅성거리는 패들이 보인다.

쓰레기나 인분뇨 같이 배설되어 쓸모없이 밀려나온 군상들…… 한철은 이런 생각을 해 본다. 그러나 자기로 돌아온 순간 그것은 쓰디쓴 자조(自嘲)로 변하여 감을 느끼지 않을 수 없다.

시계는 이분 전, 다방을 나왔다. 아우성으로 고아 대는 가족들의 혼잡 속을 헤치고 구청 정문에 접어들었다.

지난 날 몇 차례의 입학시험을 치르던 그런 아침의 긴장감이 되살아온다. 무엇인가 보이지 않는 것에 얽매이려고 스스로 이렇게 들어가는 것이다.

시험장에선 자기 이외의 모든 상대에 대하여 적대적인 경쟁의식이 앞섰으나, 이 경우는 같은 피해자의 동류나 동지적인 유대 의식이 막연히 휘감겨 온다. 하나하나의 개성적인 특징이란 아랑곳없이 모두가 물에 빠져 허우적거리는 것만 같은 빈사 상태의 무더기들로만 보인다. 버티어 보아야 결국 별수 없었던 창백한 얼굴들, 이 무기력한 더미 속에 분명 자기도 보잘것없는 한 자리를 꾸역꾸역 비집고 서 있는 것이다.

버스를 탔다. 차는 창문에 달라붙는 군중들의 애원과 원한에 찬 눈동자의 도가니를 헤치고 밀려나가고 있다. 화려하게 장식한 관광버스는 이 초라하고 비굴한 대열에는 너무도 어울리지 않는 역설적인 인상을 준다. 그것은 차라리 사형수에게 주어지는 마지막 선물의 만찬회 같은 것일지도 모른다.

거리의 간판들이 뒤로 뒤로 비껴 달아나는 속에서 한철은 수학여행의 출발 같은 환상을 맛보기도 한다.

웃으며 뺨치는 강자 앞에 선 약자, 그는 쓰디쓴 웃음을 뱉어버린다. 아무튼 지금의 자기 행방을 버스의 행선지에 맡기듯이 자기의 행동 일체는 주어진 외부 조건에 굴복시킬 수밖에 없는 것이다. 그 속에서도 만일 자기의 자발적인 행동이 능동적으로 덧붙여지는 부분이 있다면, 그것은 자신이 스스로에 대한 의무감의 충족에 있다면, 그것은 자신이 스스로에 대한 의무감의 충족에 일루의 희망을 걸고 있다는 점일 것이다.

제 876번!

따라지다. 주어진 번호에 대한 운명적인 점괘를 슬쩍 건드려 보는 습성, 아무 소용이 없는 미신 같은 것이라고 부정하면서도 이런 자기 몫의 번호를 대하는 경우마다 으레 한번은 무의식적으로 끗수를 맞추어 보는 부질없는 주술(呪術), 그것이 이 마당에도 느닷없이 되살아온다.

지원 신고필증(志願申告畢證)은 신상 신고필증(身上申告畢證)으로 바뀌어졌다. 숫자란 기억하기 쉬운 것 같으면서 기실 고유 명사보다 더 혼동을 가져오는 것만 같다. 지원 신고 번호, 신상 신고 번호, 그리고 도열(堵列) 순서 번호, 이 몇 개의 번호를 순차로 기억하여야만 하는 머릿속의 엉클어진 올가미 속에서 행동의 실천이 되풀이되고만 있다. 한철은 지루함을 스스로 느낄 사이도 없이 소비되어만 간다.

최종으로 남은 신상 신고 번호인 제876번, 그것은 한철이라는 판에 박힌 이름을 대신하여 앞으로의 행동의 대상물이 되어야만 할 고정된 숫자다.

876! 876! 한철은 수인(囚人)의 가슴에 붙여진 숫자를 연상시키는 이 자기 아닌 자기의 번호에 혀끝을 차며 혐오를 곱씹는 것이다.

그 번호 위에 자기의 흘러간 뭇 조각난 영상과 형우, 경은, 영혜 그리고 은령의 모습들이 뒤엉켜 겹쳐 뽀얗게 회색으로 변하여 가는 현기증을 느낀다.

시민증을 비롯한 일체의 증명서는 반환되었다. 이 큰 무리의 모든 행동은 번호 하나를 거점으로 하여 소하물처럼 다루어져야만 하게 바뀌어졌다.

대열이 이동되기 직전의 간단한 신체검사, 그 어쭙잖은 장면…….

시키는 대로 손을 들어 보이고, 다리를 움직이고, 허리를 굽혔다 폈다 하고, 손가락을 세어 보이고…… 허수아비만 같은 시늉들…….

"불구자 손들어라."

서로들 의미 있는 표정으로 맞보고 있다.

주위에서 두세 사람이 대열 밖으로 나간다. 그들이 그대로 이 집단에서 제외 되었는지, 그렇잖으면 다시 돌아왔는지 그런 것은 알 필요도 없었지만 알아보지도 않았다.

자기 이외의 것은 대체로 무관심하여진다. 이제 예까지 온 바에야 그런 요행 속에 끼고 싶지도 않거니와, 더 다른 무엇을 바라거나 생각하고 싶지도 않다. 다만 주어진 코스를 그대로 가야만 할 뿐이다. 그리하여 그 결과의 최종 결산서를 자신에게 증언하고 싶을 따름이다.

불쑥 나타난 신문 기자들의 인터뷰 법석……

최고 회의의 무슨 부문 전문 위원이 있는가 하면, 회사 사장, 교회 목사, 대학 강사인 경제학 박사 등등 그 틈새에 한철도 끼어 불리었다.

하나하나로 세우면 각개의 특색을 지니고 자기 딴에는 주관이 어느 정도 뚜렷한 이 축들의 답변이란 천편일률적인 관제 대답의 범위를 넘지 못했다. 무엇인가 할 말이 있는 것 같으면서도 정작 자기에게 화살이 던져졌을 때는, 한철도 그대로 모나지 않는 말로 얼버무리고 말았다. 현재의 자기 위치를 선명히 보여 줄 비겁을 넘어선 자기대로의 주장, 그것이 쉽게 입 밖으로 나와 주질 않았다. 또한 그것이 무슨 소용이 있으랴 싶었다. 그러나 그러한 결과는 일주야 가까이 지난 지금까지도 목에 걸리어 꺼림칙하기만 하다.

못난 것, 끝끝내 못나기는…… 자기를 헐뜯는 울부짖음이 소용돌이쳐 온다. 그러나 허울 좋은 변설보다는 그것은 차라리 자기의 이제부터의 행동으로 자기 자신에게 갚아져야만 할 부채로 돌리고 싶다.

누구에게 보란 듯이 나타내거나 변명하려고 나선 걸음은 애초에 아니기에……

그는 아전인수격(我田引水格)의 자위로 스스로의 감정을 달래어 본다.

정적을 깨뜨리고 호각 소리가 천막 위로 파동쳐 흘러간다.

"기상!"

구령 소리가 앞뒤에서 계속되다가 내무반 문이 열리면서 고막을 찌르듯이 방안으로 퍼져 온다.

한철은 포단을 걸친 채 일어나 앉아 주위를 휘둘러보았다.

천막 안은 차차 훤해 온다. 여기저기서 부스럭거리며 머리들을 치켜든다. 내무반 안이 웅성거리기 시작한다. 아랫배가 쓰려서 견딜 수 없다. 한철은 옷을 주워 입고 막사 밖으로 거무튀튀한 높은 산이 우뚝 가로막고 있다. 산, 산, 아무 쪽으로 돌아서도 고산준봉(高山峻峰), 그 위에 회색 하늘이 주위의 산봉우리에 펼쳐져 있는 것만 같이 낮게 드리우고 있다.

그 병풍의 둘레 속에 간신히 자리 잡은 듯한 평지, 자신은 그 한복판에 서 있는 느낌이다.

두 줄로 나란히 늘어앉은 카키색 천막으로 덮인 십여 채의 막사. 그 안에서 흘러나오는 중얼거림. 산과 산이 이마를 맞댈 듯 겹겹이 싸인 산골짜기의 고요는 순시에 부서진다.

막사들 한끝 가장자리에 유달리 높이 쌓은 흙벽 건물의 굴뚝에서는 바람기 한 점 없는 대기 속으로 엷은 연기가 몇 줄기 퍼져 오르고 있다.

막사 앞의 닦다가 만 두툴두툴한 연병장, 옥수수 그루가 아직 덜 뽑혀진 채 자갈 섞인 검붉은 흙은 이슬에 축축이 젖어 있다.

이방 지대에라도 버려진 것같이 모든 것이 서먹하고 신기하기만 하다.

한철은 어젯밤 이 자리에서 홈이 진 밭고랑에 빠졌다간 다시 그루터기에 걸려 넘어질 뻔하던 일들을 생각하고 있다.

짚을 묶어 횃불을 만들어 들고 나와 함성을 치며 환영하여 주던 마을 사람들…….

불빛에 비낀 소박한 얼굴 속에 유난히 휑뎅그렁해 보이던 눈알들, 태고연히 깊은 잠에 빠졌던 이들의 평범화를 깨뜨리고 불시에 밀려들어온 낯선 젊은이들의 집단을 그들은 호기와 의아에 찬 시선으로 보았는지도 모른다.

그들의 집들은 대체 어디에 있는 것일까.

점점 환하게 윤곽을 드러내는 산들은 온통 거무스름한 바위로 뒤덮여 있는 것만 같다. 그 가파른 경사면의 사이사이에 고양이의 이마빡같이 밭들이 점점이 끼어 있다. 큰 골짜기에서 갈라져 들어간 샛골짜기, 그 언덕진 어귀에 초가집 몇 채가 사람이 살고 있다는 숨소리라도 들려주려는 듯이 아침 연기를 흩날리고 있다.

어느 조상 때부터 이렇게 두메산골에 기어들어와 끈질긴 목숨을 이어 갈 삶의 터전을 마련하였는지 모르지만, 산다는 보람보다 생명을 부지해 가려는 악착한 몸부림이 더 앞서 다가오는 것만 같게 보인다.

화전지대(火田地帶)!

아름드리 거목이 긴 세월의 흐름 속에 선 대로 말라 촉루처럼 거꾸러진 원시림, 그곳에 불을 질러 잿더미를 헤치고 밭을 갈아 씨앗을 넣고 모진 목숨들을 지탱해 왔을 화전민들…….

그리고 그 후예들은 몇 십 년이고 아니 몇 백 년이고, 여위어진 땅은 버리고 알맞은 자리를 다시 골라 옮기면서 소중한 유산처럼 선대의 그 방법을 눈 감고 되풀이하여 왔는지도 모를 일이다.

일체의 문화와는 등진 산간벽지, 여기에 새로운 철로가 부설된다. 산줄기를 꿰뚫고 계곡을 가로질러 꿈에도 생각해 본 적이 없던 시꺼먼 기차가 달린다.

기적, 기적이다.

마을 사람들로선 참말 기상천외의 허황한 이야기같이 들릴 일일지도 모른다.

산이고 개울이고 온통 검은 잿빛으로 덮여 있다. 저것도 다 석탄 탓일까.

석탄, 그 석탄이 이 두더지와 같이 외계와 단절되어 사는 것만 같은 원시의 골짜기에 천지개벽의 불을 지르려는 것이다. 한철은 두서없는 생각을 이어 가면서 문득 자신에게로 돌아왔다.

괭이나 삽자루 한번 제대로 들어 보지 못하던 가냘픈 몸집으로, 저 험준한 산맥의 배를 가로질러 철길을 만들다니, 이건 참말로 어림도 없는 일만 같다.

꼭 무슨 착각이 으스대며 기적이나 나타날 길목을 지키고 있는 것만 같게 여겨진다. 오산(誤算), 오산이라도 이건 이만저만한 오산이 아니다.

그는 혼자 중얼거리면서 변소의 화살 표지가 붙은 푯말 쪽으로 걸어가고 있다. 학교 시절에 갔던 설악산 캠프의 아침이 연결되어 온다. 뒤쪽 뾰족뾰족한 톱니의 바위 능선은 더욱 그러한 환각을 머릿속에 밀착시켜 주는 것이다.

하반신이 보이지 않게 아랫도리에 거적을 둘러선 소변소, 그 옆에 아직 생나무 냄새를 풍기는 송판이 건성건성 박혀있는 대변소, 그는 두리번거리다가 문을 열고 안으로 들어섰다.

좋으나 궂으나 역시 새것은 새로운 기분이 난다. 아직 별로 쓰지 않는 것이기에 그렇게 상이 찡그러지게 냄새를 풍기지 않는 것만도 다행이다.

쪼그리고 앉은 한철은 송판 틈새로 내다보이는 바깥 세계에 눈을 팔고 있다.

막사에서 하나 둘씩 연병장으로 튀어나오는 대원들은 제각기 신기한 표정들을 하며 주위의 산들을 둘러보고 있다. 모두들 자기처럼 갑자기 바뀌어진 환경에 어리둥절해지는 모양이다. 아무리 보아도 노동판엔 어울리지 않는 뜨내기 구경꾼들 같기만 하다. 육체적인 조건도, 정신 무장도 갖추어지지 못한 말썽꾸러기들. 이대로 놀고먹으며 일년이나 일년 반 동안 묵혀 두어도 지루해 견디어 낼 것 같지 않다. 거기에 철길을 닦는 중노동으로 휘몰아 넣으면 끝까지 견디어 낼 놈이 대체 몇이나 될 것인가……

변소에서 나오면서도 한철은 앞일이 막연하게 느껴지기만 했다. 제간에는 자기대로의 각오가 서서 온 길이지만, 현장에 다다르고 보니 첫날부터 도무지 자신이 가지 않는다.

그러나 이제는 우리 속에 닫힌 새나 다름없다. 여기에서 무슨 적응성을 발견하는 수밖에 별도리가 없다는 체념 비슷한 감정이 치솟기도 한다.

"여러분을 진심으로 환영합니다."

어제 저녁 햇불이 흔들리는 어스름 속에서 총책임자인 건설대장이 환영사에 겸하여 일장의 훈시로 기염을 토하던 것이 되살아온다.

대체 무엇으로 환영거리가 된단 말인가. 이런 산골에 갖다 팽개쳐진 인간들에게 무슨 신통한 수가 있겠다고 그토록 축복의 미사여구를 나열해야만 했던 것일까.

말끝의 경어(敬語)조는 순순했지만, 그 속엔 기필코 무슨 가시가 숨겨져 의장(擬裝)되어 있는 것만 같게 여겨졌다.

"군대의 규율은 엄격합니다. 절대 복종해야 합니다."

아니나 다를까, 이것은 당부나 훈시가 아니라 단호한 명령이다. 행동의 강요를 이미 공공연히 선언하고 있는 것이다.

이 잘난 인부 주제에 무슨 규율이니 복종이니 하는 군대식 용어가 필요하단 말인가, 인부면 인부 취급을 하고 인부 대접만 받으면 그만이지…….

한철은 자기 자신이 벌써 조금씩 꼬여져 가는 것이라는 의식이 들었다.

"지금까지 사회에서의 일전의 지위나 신분은 백지로 돌리고 하나의 건설대원으로서 명령에 무조건 복종하고 맡은 바 직무에 충실해야 합니다."

"일절, 흥!"

그때 한철은 확실히 콧소리를 쳤었다.

명령에의 복종, 그것은 좋다고 하자. 그러나 일체의 직위나 신분의 백지 운운…… 이것은 협박적인 선고임에 틀림없다.

대상은 한 개의 날인부에 지나지 않으면서 규율은 군대식.

한철은 닥쳐올 앞일에 불길한 예감이 앞질러옴을 막을 길 없었다. 불안과 공포가 점차 자신의 주위로 절박하게 휘감겨져 오는 것만 같았다.

그러나 내친 걸음…… 오던 길은 그대로 지속해야만 한다. 묶어 놓고 때리는 데는 피해 낼 도리도 없는 노릇이다. 바보같이 모든 것을 달게 받고 가는 대로 가보자……

그는 서서히 막사 쪽으로 걸어가고 있다.

내무반 문이 열린 채로 안에서 싸움 소리가 소란하게 울려 나온다.

한두 사람은 막사 문 밖에서 기웃거리고 있다.

웬일들일까, 한철은 주저하면서 내무반 안으로 들어섰다.

"이 새끼, 너, 장충동 곰이라고 하문 알 텐데……."

그 뚱뚱한 몸집에 얼굴이 검은 사나이가 옆구리에 양손을 짚고 가슴팍을 앞으로 내젖히며 저음의 굵은 목소리로 외치고 있다.

"흥 자식이…… 너 명동 깍두기 여태 몰라?"

가늘고 날래게 생긴 말쑥한 얼굴의 대원이 옆에서 사람들의 말리는 손을 뿌리치고 손가락으로 삿대질을 하면서 날카로운 목소리로 응수하고 있다.

"알문 어쩌란 말야."

때 아닌 돌발적인 사태에 대원들은 주위에 삥 둘러 서 있다.

"예까지 와서 왜들 이래."

"해라 해, 붙은 김에."

두 사람을 갈라 떼어 놓으며 말리는 축들이 있는가 하면, 슬그머니 불을 질러가며 싸움을 선동하는 패들도 있다.

"이거, 거저, 한 대……."

깍두기는 주먹을 내두르며 붙잡고 있는 대원들의 손에서 빠지려고 얄개질을 하고 있다.

"어디, 한 대 갈겨 봐."

곰은 한 발짝 나서며 불룩한 가슴을 더욱 내민다.

크고 검은 눈망울이 더욱 튀어나와 보인다.

"옛다, 먹어라!"

어느 사이에 몸을 비틀어 뺐는지 깍두기의 주먹은 곰의 턱을 올려치고야 말았다.

"자식, 짜게 군다."

입술에서 터진 피를 질근질근 씹으며 곰은 깍두기의 어깻죽지를 부서지라는 듯이 내려갈긴다.

참말 눈 깜빡할 순간의 일이다.

대원들은 막 밀려들어 둘의 몸집을 에워싸고 갈라놓았다.

깍두기는 살기 띤 눈을 흘겨 대며 달려들려고 계속 악을 쓰고 있다. 곰은 연신 입술의 피를 빨며 독기어린 눈으로 깍두기를 노려보고 있다.

깍두기는 깍두기대로 곰은 곰대로 만만치 않다.

처음에는 그들이 힘을 내어 뿌리치면 붙잡고 있던 사람들이 오히려 마룻바닥으로 나뒹굴기도 했지만 이제는 원체 여럿이 울타리처럼 둘러쳤기 때문에 그들은 서로 마주보며 헐떡이고 있을 뿐이다.

한철도 말리는 속에 끼어들어 곰의 쇠붙이같이 단단한 팔을 붙잡고 있으면서도 도무지 영문을 알 길이 없다.

왜 이치들은 예까지 와서도 첫날부터 싸우지 않고는 못 배기는 것일까……

"모든 것을 참으시오. 하느님께서는 왼뺨을 맞으면 바른쪽 뺨을 내 대라고 하셨는데……"

방안에는 폭소가 터졌다.

옆에 서서 보고만 있던 목사가 아주 나직하고 엄숙한 말씨로 타이르듯이 나섰기 때문이다. 그는 인상부터가 나이에 비하여 더 숙성하고 반내(班內)의 어느 누구보다도 점잖아 보였다.

어젯밤 내무반으로 들어온 이후 다른 사람들은 무엇인가 제각기 한 마디씩 불평이 아니면 신세타령들을 늘어놓았지만, 침묵만으로 일관하던 그가 입을 열었기에 모두들 웃으면서도 비꼬거나 야유적인 표정들을 짓지 않았다.

"목사님 말씀이 옳아요. 형씨들!"

건일이 가로막고 나섰다. 여전히 '형씨'는 그의 전유물로 되고 있다. 그는 목사에게서 눈을 돌려 방금 싸우다 떨어진 두 사람을 번갈아보다간 방안의 전원을 휘둘러보는 것이다.

"좋두룩 하고 살아갑시다. 이 감자 바위 막바지에까지 쫓겨와서 원 이럴 수야 있소 하하하……."

그의 너털웃음에 뒤이어 방안은 다시 한바탕 웃음이 터졌다.

이쯤 되면 성이 머리끝까지 올랐던 두 사람도 다시 맞붙기엔 분위기가 좀 어색하게 될 수밖에 없다.

"인제 서로들 화해하시오."

"그래요 그래……."

건일의 뒤를 따르는 여러 사람의 웅성대는 말에도 정작 싸우던 둘은 아무 반응도 보이지 않는다.

"점호……."

밖에서 아침 점호의 구령이 들려 왔다. 문가에 선 축들은 벌써 뛰어나가기 시작하고 싸움꾼을 붙잡고 있던 사람들은 손을 놓고 나갈 차비를 하고 있다.

한철은 침구며 소지품을 대충 정리한 다음 밖으로 뛰어나왔다.

그제야 싸움통에 단추도 제대로 끼지 않고 열 중에 끼어들고 있는 것을 깨달으며 옷깃을 바로잡았다.

천막마다 터질 듯이 대원들이 쏟아져 나온다. 너무 서두르다가 옥수수 그루터기에 걸려 넘어지는 사람이 있는가 하면, 아침 산보라도 나온 듯이 유유히 걸어나오는 안하무인격의 인간, 각인각색이다.

"빨리, 빨리……."

기간요원의 외치는 소리가 천막 주위를 뒤흔들고 산에 메아리를 친다. 어제 아침, 청량리 교정에서의 대열과는 사뭇 다르다.

우선 제 나름의 빛깔을 전시하던 그 옷 몰골이 완전히 없어지고 국방색 단복으로 통일이 된 것만 해도, 벌써 새로운 질서가 모르는 사이에 서서히 잡혀 가는 것을 느끼게 한다.

같은 색깔의 균일한 빛, 그것은 짐짓 각 개인의 취미나 기호는 물론 개성마저도 말살해 버린 것 같아 낯익지 않은 얼굴들은 바로 그놈이 그놈 같게만 여겨진다.

대열 속으로 뛰어오는 깍두기의 뒤에서 뚱뚱한 체구를 느릿느릿 움직여 오는 곰은 흡사 인솔자를 방불케 하고 있다.

"빨리, 빨리,……."

기간요원의 재촉에도 불구하고 아직 성이 가시지 않은 것 같은 곰의 동작에는 늠름한 기풍마저 엿보인다.

"빨리 뛰라니까 뭘 해요."

그제야 곰은 약간 뛰는 시늉의 빠른 걸음걸이로 대열 속으로 끼어들었다.

구령에 따라 번호를 붙이면서도 한철은 깍두기와 곰의 싸움을 연상하고 있는 것이다.

저들은 예까지 쫓겨와서 하필이면 첫 아침부터 싸울 것은 무엇인가. 무엇 때문에 그렇게 주먹질까지 했어야만 속 시원했을 것인가……

"아무 일도 아니야요. 포단을 가리다가 서로 슬쩍 부딪친 것이 결국 그렇게 됐어요. 서로 첫 시위를 하는 거지 뭐겠소. 본시 깡패라니까요…… 형씨……."

아까 텐트에서 나오며 지껄여 대던 건일의 말을 되새겨 본다.

둘이 싸우면서 주고받던 말들 속에서도 그런 부류에 속하는 인간들이라는 짐작이 가는 대목도 없지 않았다.

그러나 주먹질까지 할 거야, 사람들두 원…… 한철은 혼자 뇌까리며 자신에게 반문해 본다.

사실 어저께 이후, 대원들은 지친 몸뚱이에 감정은 날카로울 대로 날카로워져 있다. 다만 그것이 맞부닥칠 대상이 눈앞에 선뜻 나서지 않아 밑바닥에 잠재해 있을 뿐이다.

한철 자신은 얼마나 오만 가지 생각을 뒤범벅하여 아니꼬움을 곱씹어야 했던 것인가.

그 복잡한 감정이 우연히 아무 데고 폭발구를 발견했을 따름일 것이라고 스스로에 긍정을 보내 본다.

그러나 건일의 견해에도 그대로의 일리가 있는 것이라고 생각되었다.

낯선 무리 속에서 최초로 자기의 존재를 과시하고 싶어하는 속물적인 근성, 그것은 건일에게서도 이미 어저께 차중에서 발견된 일이 아닌가. 어쩌면 건일은 두 사람의 싸움을 자기의 잠재한 심정에 반사시켜 대변하고 있었는지도 모른다.

다만 그것이 곰이나 깍두기의 경우는 체력으로 과신하려는 것이라면, 건일의 경우는 지능적으로 표현된 것이 다른 점이 아닐까 하는 생각이 겹쳐 왔다.

건설단, 이건 지금까지는 한번도 있어 본 일이 없던 사생아 같은 새로운 조직체다. 과거의 전통도, 관례도, 습벽도, 아무것도 없는 새로운 파생체다.

새로운 파생물에는 역시 기존 사회의 권위나 습성이 그대로 옮겨져서 그 새로운 기구에 적용될 수 있게 변형되어 가는 것임에 틀림없는 것만 같다.

그렇다면 건일의 관점은 너무도 이로정연(理路整然)한, 사회의 혼탁한 물결을 용케 헤엄쳐 건너온 달관의 견해일지도 모른다. 목사의 태도도 그런 경우의 한 단면일까…… 한철은 머리를 끄덕거려 보며 아무튼 앞으로의 자기 내무반에서의 깍두기, 곰, 그리고 건일과 목사의 움직임은 심심치 않을 것이라는 생각을 하면서 입술을 스며나오는 뜻 모를 웃음을 지워 버리는 것이었다.

"열 중에서 부동자세에 웃고 있는 사람은 누구요."

대열을 정돈하고 있던 기간요원이 건설반장의 불호령이다.

"이쪽을 주목해요, 이쪽을⋯⋯."

한철은 건설반장 쪽으로 눈길을 돌렸다. 그는 자기를 뚫어질 듯이 쏘아보고 있다. 아차 하는 생각이 들었으나 이미 저질러진 지나간 일이다.

"대열 중에서는 헛눈질을 하지 말고, 모두들 자기 눈높이의 전방을 주목하시오!"

한철은 선뜩하여 앞만을 내다보고 있다.

아까 연기가 나던 취사장 굴뚝에서는 엷은 김 같은 것이 오르고 있다. 그 뒤쪽엔 돌각담으로 울타리가 둘러쳐져 지붕만 간신히 내놓은 몇 채의 초가가 보인다.

아 저기에도 인가가 있었구나 하고 그는 중얼거렸다.

하늘을 찌를 듯이 높이 솟은 산봉우리 끝에는 엷은 아침 해가 비끼고 있다. 회색의 하늘에는 연한 구름이 서서히 움직여 가고 있다.

점호가 끝나자 곧 내무반 청소가 시작되었다.

아직 자리가 잡히지 않은 내무반 안은 그저 술렁대고만 있다. 건설반장 김 하사 이외에는 직접 명령을 하달할 사람이 없다.

명령 계통도 완전히 서 있지 않은 천막 속에서, 선머슴 같은 대원들은 짜이지 않은 생활에 어쩔 바를 모르고 있다. 그저 솔선하여 일하는 놈은 일하고 그렇지 않은 축은 자리를 피해 멍청히 서 있기 마련이다.

소지품도 제대로 정리되지 않아 양말, 비누, 식기 등이 들쑥날쑥 늘어놓였는가 하면, 포단과 내복 등속도 되는대로 가려져 제멋대로 나열되어 있는 것이, 꼭 구제품을 갓 배급받고 난 피난민 합숙소만 같다.

"차츰 식사며 청소 당번을 정할 터이니, 우선 손 나는 대로 일을 하시오."

건설반장의 지시는 다분히 명령조다. 곧 한 귀퉁이에서 냉소어린 홍소리가 반사적으로 들려온다.

한철은 빗자루로 마룻바닥을 쓸고 있으면서, 그 명령이 달갑게 들리지 않음을 스스로 느꼈다. 역시 누구에겐가 정확한 적중 대상이 없는 막연한 반감이 가슴속에 깔려 있구나 하는 생각을 하면서 묵묵히 일을 계속하고 있다.

제일 나이 어린 윤수가 바께쓰에 물을 떠 가지고 왔다. 그가 입은 단복은 남의 것을 빌어 걸친 것처럼 유달리 커서, 그 몸집을 더욱 작게 보이게 하는 것만 같다.

"자, 걸레를 칠 터이니 비키세요."

건일은 무슨 일이나 행동을 개시할 때에는 반드시 자기의 소재를 알리려는 듯한 그 큼지막한 소리를 한마디 치고야 중인환시 속에 착수하는 것이다. 건일의 뒤를 따라 소년도 말없이 널빤지의 끝에서 끝으로 물걸레를 밀어 가고 있다.

아까 난투극을 벌이던 깍두기와 곰은 어디에 가 있는지 막사 안에는 보이지 않는다.

검은 테 안경을 코허리에 내려오게 쓰고 있는 목사는 두 손을 앞으로 포개어 쥔 채 막사 출입문 앞에 서서 멀거니 내려다보고만 있다. 그는 아무것도 하고 있지 않을 때는 늘 기도의 자세인지 손을 합장하고 시선을 아래로 떨구고 있는 것이다.

"자, 끝났다. 하하하⋯⋯."

건일의 큰 목소리는 일의 단락을 선포하는 데는 요긴한 것인지도 모른다. 그 너털웃음도 제 틀에 맞아들어 아주 어색하지는 않다고 한철은 다시금 느꼈다.

"형씨, 이런 데선 그저 처음 며칠만 부지런하면 다 되는 겁니다."

세수하러 같이 나오며 건일이 건네는 말이 무슨 뜻을 나타내는 것인지 한철은 얼른 알아듣지 못하여 어리벙벙했다.

"아니 첫인상만 단단히 좋게 보여 놓으면 다음은 놀구 먹어도 저절로 된단 말이야요. 요령, 요령 말이야요. 알겠어요, 하하하……."

그제야 한철은 그의 속셈을 알아차릴 것 같았다.

서울을 떠나기 전날 밤 술자리에서 형우가 하던 말이 되겹쳐 왔다.

'야, 군대는 요령이야 이것만 알아 둬. 네가 가는 것도 군대의 연장이 아냐.'

형우는 그 요령을 몇 번이고 다짐하여 반복하였지만 한철은 끝내 실감을 느끼지 못했었다.

그렇다면 건일의 그 요령과 형우의 그것은 동질적인 것일까…… 아니 형우의 그 요령이 성실 뒤에 담길 요령이라면, 건일의 그것은 엄두만 떼어 놓고 다음은 적당히 땜질하는 요령이 아닐는지…….

한철은 아직도 그 요령의 진미를 깨닫지 못한 채 성큼성큼 기운차게 앞으로 걸어가는 건일의 뒷모습을 물끄러미 바라보면서 천천히 제 생각을 가다듬고 있다.

개울가에 파 놓은 웅덩이에서는 한쪽에서 쌀을 비롯한 식료품을 씻고 바로 그 아래쪽에서는 양치질을 하고 세수들을 하고 있다.

개울 속이 들여다보이지 않는 까만 물에 비하면, 웅덩이에 갇힌 물은 좀 연하기는 하지만 역시 검은빛이 퍼져 있다. 그 물들은 그대로 음료수로 된다. 순간 매스꺼움이 꿀꺽 치밀어 오른다. 그러나 하는 수 없다. 환경에 재빨리 적응한다는 것도 요령의 초보에 접어드는 것이나 아닐지, 그는 쓴웃음을 뱉어 본다. 탄맥(炭脈)이 이렇게 온 산에 펼쳐져 있는 것일까, 개울의 아래위를 훑어보아도 검정물만 흐르고 있다. 목을 치켜들고 다시 눈여겨 돌아보아야 역시 거무튀튀한 그 산들뿐이다.

자연의 보고(寶庫)! 한철은 몇 번이고 곱씹으며 입맛을 다신다.

아무튼 주어진 조건이다. 여기서 버티어 이겨내야 한다. 그리고 꼭 살아서 돌아가야만 한다. 이 판국에 병이 나서 쓰러지면 그것은 그대로 개죽음이 된다.

자신이 스스로를 시험하는 마지막 단계, 그것을 극복해야만 한다. 그리하여 나 스스로에게 떳떳하면 그만이다.

그는 둥그렇게 구멍 뚫린 것만 같은 하늘을 쳐다보며 숨을 크게 들이쉬었다.

연병장 저쪽 끝에서 누군가 힘껏 소리치는 야－소리가 주위의 산에 몇 겹의 메아리를 반복하여 울리고 있다.

저 메아리의 임자도 자기처럼 숨가쁜 속을 달래다 못해 저렇게 발광할 듯한 기성을 발하고 있는 것이나 아닐까 하고 소리나는 쪽을 바라보고 있다.

생각하여 보면 어저께 서울에서의 점심 도시락도 예상외로 호화로운 것이었다. 관광버스나 특별 열차의 깔끔한 차량들도 모두 분에 넘치는 대접 같게만 여겨졌다.

한철에게는 그러한 과분한 후대가 오히려 불안하기만 했다. 무엇인가 앞으로 닥쳐올 고역의 전초전 같게만 생각되었다. 마치 폭풍 전야의 평온을 예감하는 것 같은 그러한 저기압에 감싸인 기상 통보 같은 감이었다.

지금 반합에 담겨 분배되는 식사 또한 그러한 느낌이 없지 않다. 식기도 또한 그렇다. 그릇이 넘치도록 담겨진, 보리가 섞일락 말락한 흰밥, 고깃국, 거기에 날계란 하나씩, 디저트 코스로 비철에 귀한 사과까지 한 알씩, 도무지 알 수가 없다. 이렇게 먹여 가지고 대체 어떻게 써먹자는 꿍꿍이 속들일까.

하기야 처음의 일이니 환영겸, 사기를 돋우자는 신의가 작용하지 않은 바도 아니겠지만…… 아무튼 단 한 끼라도 오히려 미안감이 느껴질 정도이니 말이다. 물론 매일 이럴 수야 없는 일일 것이고 또 바라지도 않겠지만.

"야, 호화판이다. 이거 정말 생일날 같은데, 하하하······."

역시 건일은 가만히 있지 않는다. 바쁜 목엔 기어코 한 마디 하고야 배겨 내는 성미다.

그런데 지금 막 기간 사병은 밥그릇을 앞에 놓고 싱글벙글하는 대원들을 돌아보며 그 자신도 웃어 가며 덧붙이지 않았던가.

적어도 일주일에 한 번씩은 이렇게 대접하기로 되어있다고······.

한철은 자신이 너무 자질구레하다고 느끼면서도 떠오르는 이러한 생각들을 덮어놓고 지워버리고 싶지는 않은 심정이었다.

서울을 떠난 지 일주야, 아직 그렇게 시장기를 느낄 정도는 아니다. 오히려 어저께부터의 두서없는 상념이 머릿속을 비좁게 헤집고 지나가는 서슬에 입맛이 없다는 편이 옳을 것이다.

그는 그릇을 다 비우지 못한 채 숟갈을 놓았다.

내무반 안에 두 줄로 쭉 마주 늘어앉아 식사를 하고 있는 대원을 둘러보아야 반 이상은 벌써 그릇 바닥을 핥듯이 깡그리 치워 버리고 있지 않은가.

건너편에 앉은 목사는 기도를 올린다음 한번도 두리번거리는 일이 없이 식기만을 바라보며 천천히 식사를 하고 있으나 아직 반도 치우지 못하고 있다. 바로 왼쪽에 자리 잡은 윤수는 아침 일어날 때부터 뱃속이 시원치 않다고 하더니 몇 숟갈 뜨다 말고 그대로 밥그릇을 밀어 놓는다.

이미 바닥을 낸 축들은 남은 밥그릇을 당기어다가 계속 볼이 매어지게 퍼놓고들 있다.

아까 다투고 있던 깍두기와 곰은 끝으로 떨어져 앉아 가끔 건너다보다 눈이 마주치면, 서로 눈길을 피하면서도 연신 퍼넣기에 열중하고 있다.

건일은 무엇이 그렇게 좋은지 여전히 싱글벙글하며 익살을 부려 가면서 제 몫을 다 찾아 났았다.

한철은 오히려 그렇게 아무 걱정 없이, 나중에 닥쳐올 일이야 어떻든 현재에 만족하는 것 같은 건일이 부러운 생각이 들었다.

남들이 훑어 간 빈 반합을 들고 바께쓰로 물을 떴다. 음료수마저 약간 검은빛으로 흐려 있다. 꺼림칙하여도 마시는 수밖에 없다. 이 물밖에는 따로 먹는 물로 장만된 것은 없다니 하는 수 없다. 물맛이 짭짤하다. 꼭 바닷가 짠물 곁에 파 놓은 우물물을 마시는 맛만 같다.

속이 메스껍다. 물을 떠 한 모금 마신 사람마다 상을 찡그리며 제각기 불평들을 늘어놓는다.

한철은 사과를 쓱쓱 문질러 베어 물고 입속을 가셨다. 한결 낫지만 역시 기분은 그대로 개운하지 않다.

빈 식기를 들고 나가 아까 식료품을 씻던 물에서 닦았다. 대원들이 밀려와서 끼어들 틈새도 없을 정도다. 늦게 온 축들은 그 세수하던 웅덩이 물에서 씻고 있다.

"음료수에 그릇을 씻으면 어떻게 해요?"

외치는 소리가 등 뒤에서 귀가 따갑게 울려온다.

한철은 쪼그리고 앉은 채 상반신을 돌렸다. 기간요원이 눈을 부라리고 이쪽을 내려다보고 있다.

"저쪽 물에서 씻어요."

엉거주춤 궁둥이를 들고 있던 음료수 둘레의 사람들은 아랫물 웅덩이 쪽으로 옮겨가고 있다.

한철은 씻다 만 식기를 든 채 멍하니 섰다가, 호주머니에서 휴지를 꺼내어 가장자리를 대강 닦았다.

왜 음료수 하나도 제대로 마련하지 못하였을까······.

그는 혼자 중얼거리며 막사 쪽으로 발을 옮겼다. 가슴속은 터질 것만 같게 우울하다. 여기에도 형우가 말했던 것처럼 그 요령이 절실하게 필요한 대목이었을까.

그의 머릿속에는 형우, 경은, 영혜 그리고 은령의 모습들이 한데 겹쳐 휘몰려 왔다.

서울을 떠나온 후 아득한 시간이 흘러간 것만 같다.

구름은 자꾸만 북쪽으로 흘러 산봉우리 뒤로 사라져가고 있다.

앞으로 무슨 일을 할는지 아직 구체적으로 시달린 바는 없다. 다만 철길을 닦는다는 막연한 이야기를 연줄로 얻어들었을 뿐이다.

우선 각 단원이 명찰과 지단 마크를 만들어 붙이라는 것이 긴급 명령으로 하달되었다.

갑작스레 아무 재료도 구할 길이 없다. 흰 천에 먹으로 써 붙여야 비를 맞아도 지워지지 않고 그대로 붙어 있다지만 그런 것을 장만해 가지고 온 사람은 아무도 없다.

흰 손수건을 찢어 밥풀을 붙여 가며 정성들여 만드는 대원도 있다. 내무반 안은 물건 빌러 왔다갔다하는 사람으로 야단법석이다.

한철은 생각하다 못해 메모용으로 사 들고 온 노트의 표지를 찢어 내었다.

정해진 규격대로 가장자리를 끊어 버리고 거기에 볼펜으로 번호 아래에 '한철'이라고 큼지막하게 썼다. 그리곤 배급받은 보수대 속에 들어 있는 바늘과 실을 꺼내어 왼쪽 지정된 곳에 가로 꿰매었다.

그러나 아직 지단 숫자가 들어 있는 마크가 남아있다. 그는 다시 하트 비슷한 둘레 바탕 속에 선명하게 숫자가 비치는 딱지 같은 것을 오른쪽 팔에 붙였다.

옷을 다시 주워 입고 새로운 두 개의 표지를 내려다보면서, 군인도 아니고 그렇다고 진짜 노무자도 아닌 자신의 처지를 곰곰 캐어 보는 것이다.

'중도 아니고, 속도 아니고……'

그는 한 마디를 내뱉고야 말았다.

점점 앞으로 일년이 될지 일년 반이 될지 모를 시간이 어쩐지 불투명하고 불안하게만 여겨져 견딜 수 없는 강박감으로 휩싸여 옴을 느낀다.

"집합!"

호각과 구령 소리가 뒤섞여 막사의 안팎으로 들볶아대고 있다. 앞으로 해야 할 일을 바로 그 직전에도 예측할 수조차 없는 것, 그것은 체념해 버리기에는 너무도 궁금증이 더치기만 하는 일들이다.

건설대원 전원은 연병장에 집합되었다. 두툴두툴한 바닥에 발을 바로 놓지 못해 밭이랑에 두 발을 벌려 놓고 섰다.

건설대장(建設隊長)의 위엄 있는 몸집을 처음으로 뚜렷이 볼 수 있었다. 간밤에 희미한 불빛 속에서 그 윤곽밖에 짐작이 안 갔었다.

그러나 짙은 색안경을 썼기에 얼굴 모습을 뚜렷이 알아낼 수는 없다.

그의 음성은 간밤의 환영사에서 듣던 부드러움은 가셔지고 권위만이 넘쳐흐르고 있다.

"에헴! 여러분이 앞으로의 할 일은 철도 부설 공사의 기초 작업입니다. 에헴……."

건설대 책임자로부터 직접 철도 공사에 동원된다는 이야기를 듣는 것은 이것이 처음이다.

조용하던 장내에 일제히 긴 숨소리가 터져 나왔다.

예기는 하고 있던 일이지만, 정작 이렇게 듣고 보니 모두들 한심한 생각이 드는 모양이다.

건설대장은 유달리 말머리에 '에헴'소리를 삽입하는 습성을 갖고 있다. 한철은 그 느릿한 위엄조의 말씨에, 자기가 사직하던 날 교장의 갑갑증 나게 늑장을 부리던 변명조의 말들을 연상하고 있다.

"에헴, 오늘은 결단식으로 지단 본부까지 가야 합니다. 예행연습 후 즉시 출발, 이상."

예비역 대령이라는 건설대장의 거수경례는 어느 사이에 손이 올라갔다가 내려오는지 모를 정도로 빠르다고 한철은 생각하면서 터져 나오는 웃음을 입술로 꼭 깨물면서 참아야만 했다.

두 차례의 연습은 끝났다. 자기 가슴에 붙여 있는 명찰과 팔의 지단 마크를 다시 한 번 훑어보며 트럭이 대기하고 있는 정문 쪽으로 대열을 지어 걸어가고 있다.

지금쯤 밀려가고 밀려오고 있을 것만 같은 서울 번화가의 인파를 머릿속에 그리면서……

계곡을 끼고 트럭의 대열은 내리막길을 달리고 있다. 간밤에 실려온 같은 길이지만 깜깜한 속을 헤드라이트의 불빛만을 의지하고 휘몰려 왔기에 기억이란 거의 없다.

울퉁불퉁한 돌멩이 위로 차바퀴가 뛸 대마다 궁둥이가 덜컥 솟구쳤다간 내려앉는다. 차체를 붙잡고 허리체에 바싹 힘을 주어 버티고 있어야만 겨우 지탱할 수 있다.

앞이 가로막혔다간 트이고 트였다간 다시 막히는 꼬불꼬불한 계곡을 누벼 나가는 강안 도로, 양쪽의 산비탈이 운하마냥 하늘을 이고 치솟은 낭떠러지엔 진달래꽃이 암벽의 검은 바탕을 점점이 수놓아 한창인 제철을 뽐내고 있는 양 싶다.

한철은 온 산을 빨갛게 물들인 진달래꽃을 바라보며 경은을 생각하고 있다.

서울에 있을 때는 경은이나 영혜에 대한 자기감정의 거리에는 어떻다 할 차이가 없었다고 단정을 하여본다. 그러나 이렇게 떨어져 보이지 않는 곳에서 하나하나의 모습을 따로따로 떼어 더듬으면, 자신도 미처 깨닫지 못한 속에 정에 대한 농담(濃淡)의 차가 없지 않았던 것을 느끼게 된다.

아마도 자기는 영혜보다는 경은에게 더 관심이 갔었는지는 모른다는 생각이 들자 곧 그 뒤를 따라 형우의 큼지막한 얼굴이 떠오르는 것이다. 한철, 암만해도 경은은 내 거야…… 꼭 이러한 표정으로 형우가 자기를 응시하고 있는 것만 같은 환영이 겹쳐 온다. 그것은 자기는 이미 그 둘레에서 멀리 떨어져 있고, 형우는 그녀들과 여전히 매일 만나고 있으리라는 예측이 앞지르는 데서 오는 아쉬움의 탓인지도 모른다. 현재의 이러한 조건 속에 갇힌 자기에게, 그런 일들이 무슨 그렇게 소중한 관심거리인가 하고 일소에 붙여 보지만 역시 백지처럼 말끔히 지워지지는 않는다.

"야, 저기 깔치 온다!"

누군가 기성을 띠며 외치는 서슬에 차중의 시선들은 한쪽으로 쏠리고 말았다.

바구니를 든 소녀 둘이 계곡의 외나무다리를 건너고 있다. 사람 그림자란 별로 눈에 띄지 않는 산골길에서는 색다른 광경일지도 모른다. 번화한 도심지에선 물결처럼 밀려가고 밀려오는 뭇 여인들에게 별다른 관심 없이 스쳐 보내던 눈에도, 위압되는 자연의 배경 속에 홀연히 나타난 야성적인 소녀들의 모습은 잠자던 감정을 깨워 일으키는 것만 같았다.

대원들의 입술은 거의 경이에 찬웃음을 머금고 있다. 제멋대로 한두 마디씩 내뱉는 소리가 건너편 산비탈에 메아리를 남기는 속에 차는 모처럼의 장면에서 멀어져 가고만 있다. 대원들의 흔드는 손길에 답하여 번쩍 들어 보이는 바구니가 산모퉁이 저쪽으로 아득히 사라져 간다.

누가 시작하였는지 모르지만 민요의 첫머리가 시작되자, 대원들은 약속이나 한 듯이 일제히 목청을 돋우어 노래를 부르는 것이다.

가락은 트럭에서 트럭으로 연결되고 후렴은 더욱 기세를 올려 봄 아침의 산골은 메아리로 뒤덮여 가고 있다.

어쩌면 그것은 막히고 지질렸던 심정의 배설 작용인지도 모른다고 생각하면서, 한철은 시종 입을 다물고만 있는 목사 편을 건너다보는 것이다.

지단 앞 넓은 연병장에는, 이미 도착하여 대열을 정돈하고 있는 건설대가 있는가 하면, 도보로 행진하여 오고 있는 부대도 있다.

트럭에서 뛰어내리는 가냘픈 몸집의 윤수와, 기우뚱 나무토막이 내려 구르듯이 떨어지는 뚱뚱보 곰의 체격은 너무나 대조적이다. 윤수는 단복이 너무 커서 헐렁한 우장 같은 데 비하여, 곰은 특호 대짜의 옷도 단추 구멍이 터질 듯이 빽빽하게 죄어져 있다. 한철에게는 그들이, 꼭 아버지와 아들이 아니면 지휘관과 부하의 관계 같게만 여겨졌다. 그러면서도 앞으로 닥쳐질 중노동에 이 두 개의 몸집은 대체 어떻게 제각기의 방법으로 버티어 갈 것인가 하고 터무니없는 생각마저 덧붙여 보는 것이다.

정식으로 입단식이 거행되기 전에 한 차례의 예행연습이 있었다. 아침에 건설대에서 첫 훈련을 받을 때보다는 좀 나아졌다고는 하지만, 아직도 제 주제에 완전히 맞아들지는 않는다.

몇 번이고 같은 동작을 되풀이하여 시키고 있던 건설반장의 표정은 심각치 않다. 얼굴이 붉으락푸르락하고 눈에 독기가 서려 있다.

"학교 교육을 받았다는 것들이 무식한 사람보다 더 못하지 않아!"

대열 속에서는 쉬쉬 하는 야유조의 음향이 번져 갔다. 이 최초의 모욕적인 언사에 적잖이 불쾌한 감정을 느끼면서도 아랫배에 힘을 주며 지그시 참아야만 했다.

식이 시작되었을 때는 축축해진 몸집이 어지간히 지쳐 있었다. 바람 한 점 없는 정오의 햇볕은 머리에서부터 전신에 거센 열기를 내뿜고 있다.

아직 가사조차 완전히 기억하지 못한 〈건설의 노래〉는 입을 우물우물하는 사이에 끝나고야 말았다.

한철은 눈에 새어 들어가는 땀방울의 따가움을 피하려는 듯 눈을 깜박이며 지단장의 식사에 귀를 기울이고 있다. 입술을 스치는 땀의 짭짤한 맛을 느끼면서도 움직이지 않고 그대로 서서 한눈도 팔지 않고 앞을 주시하고 있다.

귀에 거슬리는 한 마디가 스친다. 여러분은 과거의 명예롭지 못한 기피자의 오명을 씻고, 나라에 충성할 기회를 얻게 한 혁명 정부에 목숨을 바쳐 봉사하겠다는 결의를 가지라는 요지의 말…….

장내는 웅성웅성 불평어린 잡음이 물결치고 있다.

그 기피자라는 말이 도시 언짢게 들려 견딜 수 없는 것이다. 이미 신문 지상에서도 떳떳한 마음으로 떠나게 하라고 건설청의 의도를 반영시켰고, 어저께의 출발 직전의 훈시에서도 그 용어는 쓰지 않겠다고 다짐한 일이 아닌가. 이렇게 현지에 몰아다 놓고는 이젠 날고뛰는 놈도 별수 없겠으니, 첫마디부터 그 치욕적인 용어로 내리누르려는 방법……

한철은 아차 속았구나 하는 생각이 거슬러 솟구침을 느꼈다. 대상에게 속았다는 생각에 겹쳐 스스로 택한 길이기에 자신이 자신의 판단에 속았다는 자기 힐책이 함께 덮쳐 왔다.

군수니 재건 운동 촉진회장이니 하는 감투 붙은 이름들의 천편일률적인 환영사나 격려사 따위도 제대로 귀에 들어오지 않았다. 침을 발라 가며 정부를 찬양하거나 국토 개발의 중요성을 강조하지 않으면, 오개년 계획을 새삼스럽게 열거하려 드는 아무 특징 없는 웅변조들이, 기껏 하나의 자기 아첨으로밖에 보이지 않았다.

어저께 차중에서 지명 받은 한 대원의 선서문이 낭독되고 있는 도중이다.

줄 앞쪽에서 철석하고 물체가 떨어지는 듯한 소리가 들려 왔다. 기간 요원들이 사각을 들고 나가는 것은 분명히 축 늘어진 송장 같은 것이다. 장내는 또 약간의 동요를 일으키고 있다.

한철은 대열 옆으로 목을 쭉 빼어 앞쪽을 기웃거리고 있다.

맨 앞에 서서 있던 윤수의 자리가 비어있다. 아침부터 속이 좋지 않아 변소로 들락거리고 있던 그다. 폭양 속에서 버티다 못해 빈혈로 쓰러졌음이 틀림없었다.

그 속에 무슨 이야기가 담겨 있었는지도 알아듣지 못한 채로, 이 의식에선 가장 중요할지도 모를 선서는 어수선하게 끝났다.

한철은 이마로 흘러내리는 식은땀을 느끼면서도 이 마당에 쓰러져서는 안되겠다고 아찔해 오는 정신을 가다듬으면서 전신에 힘을 주고 있다.

앞에 선 대원의 등에서도 옷 겉까지 지도처럼 땀이 번져 내배고 있는 것을 바라보며, 그는 내리감기는 눈꺼풀을 억지로 부릅뜨고 눈동자에 초점을 모으고 있다.

무슨 재간을 부리든지 다급한 경우를 모면하고 용케 피하여 빠져나간 축들이 슬그머니 부러운 생각이 든다.

기피자인 자신이 스스로 기피자가 아니라고 자신에게 우겨대며 자기 합리화를 그 방패인 양 내걸고, 용약 자진 지원하던 스스로의 행동이 오히려 나약하고 가증스럽게만 여겨진다.

건설대가 돌아온 후 곧 점심 식사를 끝냈다.

윤수는 핏기가 가신 창백한 얼굴로 내무반 한쪽 구석에 누워 있다. 머리에 냉수를 퍼붓고 풀밭 나무 그늘에서 흙냄새를 맡으며 안정했기에 다소 회복은 되었으나 아직 완전하지는 않다.

한철은 윤수의 머리를 짚어 보며 생각하는 것이다. 자기가 꼭 치러야 할 일들을 재간 좋게 피해 다니거나 빽을 써 가면서까지 갖가지 계교를 부려서는 모면해 가는 현실 속에서, 아직 그런 의무가 자신에게 부닥쳐지지도 않았는데 스스로 치르겠다고 나선 그의 의지가 부럽기도 했다.

그러나 남들은 그를 우둔하고 미련하고 고지식하다고 해석할지도 모른다. 차라리 윤수의 경우는 본인의 의지보다 환경적인 조건이 그의 사전 입대를 더 강요했는지도 모른다는 가여움이 더 짙게 물결쳐 왔다. 그렇다면 윤수도 그 요령이란 것을 전연 터득하지 못할 뿐만 아니라, 순진한 인간미가 세속의 아무 더러움에도 물들지 않은 그대로의 순수성을 지니고 있는 경우가 아닐까. 한철은 목말라하는 윤수를 위하여 물을 뜨러 가며 다시금 곰곰이 생각하고 있는 것이다.

날씨는 더욱 무덥고 하늘엔 회색 구름이 엷게 덮여왔다. 비가 올 징조인지 미풍조차 없는 산 속의 오후는 후텁지근하기만 하다.

또 신체검사다. 4백 명의 대원을 불과 몇 시간에 해치우는 것이다.

신장, 체중, 흉위 등을 재고, 성병과 치질 검사를 한다. 그것으로 다 끝나는 것이다. 의사는 병의 유무를 당사자에게만 묻는다. 없다면 그대로 오케이가 기록된다. 없다고 해야 간단한 진단의 절차가 밟아진다. 이러한 과정 속에서 A, B, C의 체격 등위가 붙어 나오게 되고 C만은 며칠 후 재검사를 받아야 한다는 것이다.

한철은 B를 맞았다. A도 아니고, C도 아닌 자기 몸뚱어리의 중간 등위에 수긍이 가지 않는 바는 아니지만, A보다는 어쩐지 서운한 감이 없지 않았다. 어저께부터 오늘 하루를 겪고 난 심정은 서울을 떠날 때의 각오 그것과는 사뭇 다르다. 무슨 조건이든 있어 돌아갈 수만 있다면 그 길을 택하고 싶은 마음뿐이다. 그러나 아무것도 징후가 없는 병을 꾸며대고 싶지는 않다.

윤수는 비틀거리면서도 신체 검사장에 나왔다. 그러나 입단식에서 돌발된 빈혈 이외의 증상은 나타나지 않는다는 것이다. 한철은 윤수가 C등위를 맞아 재검사를 받은 후 집으로 돌아갔으면 싶었다. 그러나 윤수는, 그대로 집으로 돌아간댔자 취직이 안 될 바에는 꼭 기간을 채우고 가야겠다는 순진스런 고집을 버리지 않는다. 곁에서 보고 있는 한철 쪽이 오히려 민망하기만 했다.

이렇게 간단하게 형식적으로 치러 버릴 신체검사를 왜 자주 거듭하는 것일까 하고 한철은 의아심이 가지 않을 수 없었다. 하려면 단 한 번이라도 좀 더 철저히 하든지, 그렇잖으면 아주 그만두던가, 도시 하는 일들이 흐리터분하게만 보이는 것이 더욱 불쾌했다.

앞으로 일년이고 얼마고 치러 나가는 사이에 꼭 무슨 사고가 날 것만 같은 불안감이 앞서기만 했다.

치밀한 계획 밑에 조직적으로 시행되는 일이란 하나도 없이, 그때그때

마음 내키는 대로 즉흥적으로 처리되어지는 것만 같게 여겨졌다.

아직 아무것도 이렇다 할 작업은 한 일이 없이 하루가 끝나 가고 있다. 산골짜기의 저물녘은 재빨리 어둠을 몰아오는 것만 같다.

어젯밤보다 더 많은 횃불들이 이 새로운 막사촌을 환하게 비추고 있다. 그러나 좀 떨어진 저쪽 얼굴들은 잘 분간해 낼 수가 없다.

연병장 한복판에서는 생나무 장작불이 검은 연기를 뿜으며 타오르고 있다. 그 둘레에 원을 그려 대원들이 쭉 둘러앉았다.

막걸리를 담은 십여 개의 바께쓰가 그 속으로 운반되었고, 대원들은 각자의 반합들을 제각기 앞에 내어 놓고 있다.

건설대장을 대리한 소대장의 간단한 인사로 막걸리 파티는 박수와 환호성 속에서 시작되었다. 신통한 안주도 없이 몇 잔씩 연거푸 들이킨 대원들은 금방 주기가 돌기 시작했다. 장내는 끼리끼리의 대화로 소란하여 어지간한 말은 전체에 통하지도 않을 정도다.

한철은 자기 차례로 따라진 막걸린 한 사발을 쭉 들이켰다. 하루 종일 무엇인가 걸려 있는 것 같던 가슴 속이 쑥 훑어 내려지는 것만 같게 시원함을 느낀다. 뱃속에서 쪼르륵 소리가 나면서 후끈해 온다. 다른 어느 음식보다도 술은 효과가 빠른 것이라고 새삼 느껴진다. 그는 주어지는 대로 계속 두 사발을 별로 숨 돌릴 사이도 없이 꿀꺽 마셔 버렸다. 기분이 혼곤하면서 하루의 피로가 서려온다.

형우의 모습이 머리를 스쳐간다. 그도 어쩌면 지금쯤 명동 어느 대폿집에서 잔을 기울이고 있을지도 모른다. 아니 경은이나 영혜를 앞에 놓고 그들에게 억지로 술을 쏟아 부으며, 그 자기류의 인생철학을 기고만장하여 토로하고 있을는지도 모른다. 그들이 적어도 그 많은 대화 속에서 자기의 이야기를 화제 속에 올리고 있을 것이 분명하다. 생각은 어둠을 타고 아득히 비상하고만 있다.

"이거 한 잔 더 드세요."

앞에 첫잔을 받아 놓은 대로 입술에 가져가지도 않고 바라보고만 있던 목사가 한철에게 자기 잔을 권하는 바람에 그의 줄달음치던 생각은 중단되고 말았다.

"아니 드세요?"

"난 못 하니까요."

그제야 한철은 참 목사였지, 하는 생각을 더듬어 올리며 굳이 농 한마디를 걸고 싶어졌다.

"이거, 한 잔쯤이야……."

"원래, 생리적으로 받지 않아요."

이쯤 되면 이 승부에서는 한철 자기가 졌다는 생각이 들 뿐이다.

"나도 잘은 못 합니다만……."

그러나, 아차 거짓말을 했구나 하는 뒷맛이 씁쓸했다.

"쭉쭉 잘하시던데요, 뭐……."

한철은 웃음으로 대답할 수밖에 없었다. 별로 말수가 없던 목사가 이렇게 농담까지 하다니, 차게만 보여졌던 목사에게서 한철은 인간적인 따뜻한 맛을 새로 느끼는 것만 같았다. 그는 목사가 권하는 대로 다시 한 사발을 들이켰다.

기분은 더욱 거나해 온다.

누가 지명하고, 어느 사이에 일어섰는지 몰라도, 건일이 사회자가 되어 여흥을 진행하고 있다.

'역시 잘난 놈이군, 저렇게 해서 자기의 존재를 알리고 있으니까…….'

한철은 기회를 놓치지 않고 적극적으로 나서는 건일의 생활 방법에 다시 한 번 혼자만의 감탄을 보내는 것이다. 그러나 이제까지의 긍정이 냉소 어린 비꼬인 찬의였다면 이번만은 좀 더 솔직한 공명이었는지도 모른다.

그것은 건일의 성격을 그렇게 단정 짓고 난 결론에서 오는 극히 자연스러운 추리이기도 했다. 아무튼 건일은 용타. 아직 이 속에서 서로의 이름을 그처럼 많이 기억하고 있는 대원은 없다. 다만 가슴에 달고 있는 명찰에서 주위의 하나 둘을 알고 있을 정도에 불과하다.

그러나 건일은 예사로운 솜씨가 아니다. 이름을 불러 지명하는 횟수도 많거니와, 제 몇 소대, 몇 건설반의 숫자를 교묘히 이용하여 대원에 섞여, 대부분의 기간요원들을 거의 다 일으켜 세워 재주를 부리게 하고 있지 않은가.

그 말썽꾸러기의 곰과 깍두기도 건일의 명령 일하에는 꼼짝 못 하고 한가운데로 나와 각자의 장기를 보여주고 있는 것이다. 결국 여흥은 건설반별의 시합으로 돌아가 개인 지명을 하지 않아도, 저희끼리 선수를 뽑아서 내어보내는 자연스러운 분위기로 발전했다.

명곡은 물론, 유행가, 재즈, 샹송, 끝장에는 어거지 떼거지가 몰려 나와 박수와 반주 속에 트위스트의 수라장으로 화하고 말았다.

태고 이래 천둥이나 맹수의 포효 이외엔 정적을 깨뜨려 본 일이 없었던 것만 같은 심산유곡의 밤은, 현대 첨단의 노래와 춤으로 골짜기 끝까지 끝없는 메아리를 울리고 있다.

연병장에서 미흡했던 축들은 다시 내무반에 돌아와서 제이차의 술상을 폈다.

대원들은 제각기 자기소개로 인사를 치르고는 한 마디씩 노래를 불렀다. 몇 년을 사귀어 온 것만 같은 인간과 다사로운 정다움 속에서 흥겨운 밤은 깊어만 갔다.

"오늘 저녁만은 취침 시간을 한 시간 연장한답니다."

밖에 나갔던 건일이 개선 장군마냥 소리 높이 외치며 들어왔다. 환성 속에 대원들의 흥은 더욱 절정에 달했다.

"자, 이쯤 되면 곰씨와 깍두기도 화해를 하시지, 일년 내내 앙심을 먹고 지낼 수는 없으니. 하⋯⋯."

"옳소……."

대원들의 찬동 소리가 뒤를 따랐다.

건일은 역시 명수라고 한철은 다시금 감탄하면서 그 너털웃음 소리의 마술을 생각하는 것이다.

"자, 이렇게 서로 악수를 해요. 하하하……."

건일은 곰과 깍두기의 손을 끌어다 억지로 서로 마주 잡아 쥐우고 있다. 두 사람도 벌겋게 취기를 띤 얼굴로 하는 수 없다는 듯이 웃음을 헤벌리며 악수를 하면서 서로의 어깨를 치고 있다.

호주머니들에서는 계속 돈이 나오고, 막걸리 병은 뒤를 이어 들어오고 있다. 누구든 아무런 간격 없이 마시고 노래 부르고 춤을 출 뿐이다.

"형씨들, 다음은 곰씨의 꼽새춤이 있겠습니다. 자, 박수로 환영해 주세요."

건일은 곰의 특기까지도 조사하여 둔 것일까.

참말 곰은 그 큰 몸집을 들어 어기뚱 일어나더니, 반합 하나를 타월에 싸전 등허리에 집어넣는다. 그리곤 나무젓가락을 분질러 콧구멍과 입술을 연결하여 두 개를 꽂아 놓는다. 모자를 돌려쓰고 나뭇잎으로 콧수염까지 만들어 붙였다.

거대한 몸집에 그 몰골만 보아도 웃음이 터지지 않을 수 없다.

건일이 치는 굿거리장단에 맞추어 엉기적엉기적 다리를 들었다 놓았다 하며 춤추는 모습은 그대로 곰의 동작 그것만 같다. 별로 표정을 나타내지 않던 목사도 기어코 입을 씰룩거리며 웃음을 터뜨리고야 말다.

아무에게도 악의나 적의가 없는 즐거운 밤이다.

이 순간만은 앞으로 닥쳐올 일들이 얼마나 험난하고 고된 것이라 할지라도 아무도 그런 것에 괘념하는 사람은 없는 것만 같이 보였다.

취침 점호가 끝난 뒤 모두들 자리에 들었다. 만취가 되어 눕자마자 곯아떨어지는 축들이 적지 않았다.

불은 이미 꺼졌다.

건일은 아직도 속의 것을 다 풀지 못하였는지 옆 사람하고 자리 속에서 무엇인가 소곤거리며 이야기하고 있다.

한철은 눈을 지그시 감고 잠을 청하여 본다. 그러나 술이 어지간히 취하였는데도 쉬 잠은 와 주지 않는다.

오늘 하루는 무사히 갔다. 그러나 복잡한 하루였다. 아침부터 계속 조금도 안정될 사이 없이 마음이 몰려왔지만 밤의 막걸리 파티에서 그 짓눌렸던 기분이 어지간히 누그러지기는 했다. 그러나 아무것도 자신에게 보람을 느낄 것이란 없는 하루 같기만 하다. 다만 있다면 대원들이 가지는, 아직 서로 몰랐던 개성이나 특징이 솔직하게 노출될 수 있는 계기가 마련되었다는 것, 그리고 서로가 오랜 지기와 같이 서먹한 감을 없애고 가까워질 수 있었다는 것, 그것이라고 생각되었다.

건일은 건일대로, 곰이나 깍두기는 그것대로, 그리고 목사, 모두들 서로 아끼고 싶은 생각이 들었다.

그러고 보면, 이들이 우연히도 모두들 기피자였다는 것, 그것은 조금도 탈법이나 이기적인 기피의식에서가 아니라, 자기처럼 주위의 불공평한 병역조건에 자극되어 망설이던 끝에 어찌어찌하다가 그렇게 되고야만 측들이라는 자기변호를 겸친 선의적인 해석을 하고 싶은 것이다.

이들과의 새로운 인간관계에서, 언제나 내성적으로 오그라들기 쉬운 자신에게, 무엇인가 플러스될 수 있는 계기를 마련해야겠다는 새로운 관심이 싹터 오기도 했다.

그런 각도에서 해석된다면, 이번 일은 자기 자신에 대한 충실 외에, 따로 하나의 새로운 수확을 얻는 절호의 찬스가 될지도 모른다는 희망적인 생각이 겹쳐왔다.

고요한 천막 속으로 이름 모를 밤새의 울음소리가 스며 들려왔다.

옆에 누워 있는 윤수는 완전히 회복되었는지 깊은 잠에 떨어져 있다.

밤은 다시 끝없는 정적 속에 더욱 깊어만 가고 있다.

내일을 위하여 억지로라도 잠을 자야겠다. 한철은 눈을 감고 포단 속으로 쭉 두 다리를 뻗었다.

제4장

한철은 삽을 들고 연병장으로 나왔다. 본격적 작업은 아직 시작되지 않았지만 오늘부터는 우선 막사 주변의 미화 작업에 착수하기로 되었다.

그런데 아까 아침 점호 시간에 들은 건설대장의 훈시가 도무지 잘 납득이 가지 않는다.

"……나는 웅변가도 아닌데 여러분에게 자주 이야기하게 됩니다."

이 허두는 예절적인 언사로 덮어두기로 하자. 그 다음 단기 확립이니, 솔선 궁행이니, 인내력 발휘니 하는 슬로건 같은 것, 이건 구체적인 것 같으면서 기실 가장 상식적인 이야기니 학교의 예사로운 교훈쯤으로 알아두고 그대로 넘길 수 있다.

그런데 그 '필요악(必要惡)'이라는 한 마디가 도무지 투명하게 공감이 가지지 않으니 말이다.

한철은 삽을 짚고 선 채 계속 생각을 이어 가고 있다.

그 필요악에 대한 예, 이를테면 체질적으로 약한 사람이 튼튼한 사람들과 같이 일할 때 받는 희생, 그것은 인도적으로 악일지 몰라도 국가나 집단 전체의 목표로 필요할 땐 악을 알면서도 실천해야만 한다던 바로 그 이야기…….

이 이론은 참으로 알쏭달쏭하다. 무슨 깊은 철학이 들어 있는 것 같기도 하고 정치적인 군건한 이념이 서려 있는 것 같으면서 완전히 해명은 안 된다.

다만 좋은 의미로 해석한다면 공(公)은 사(私)에 선행한다는 공익 우선의 이론이 될는지는 모른다. 그러나 이것은 그런 단순한 상식적인 이론이나 윤리관하고는 다른 것이 분명하다. 그는 틀림없이 전체는 개체에 우선해야 한다고 말했다. 지금 인간의 모든 지향은 민주주의를 위하여 싸우고 있지 않는가, 개성의 존중은 인간이 자각하고 쟁취한 가장 큰 지표요, 정치 이념이기도한 것이 아닌가……. 필요악이란 차라리 개체나 개성을 무시한 전체주의의 이념에 더 통할 수 있는 슬로건이 아닐까…….

한철은 건설대장의 다분히 웅변적이고도 유식한 투의 말씨로 표현된 그 훈시를 앞에 놓고 자신에게 자문자답하면서 스스로의 적응성을 발견하려고 애써 보는 것이다.

그렇다면 내가 여기 온 것은 나를 희생하고 이 공사의 실적을 올리기 위해서 온 것일까……. 아니다. 분명히 나는 나 자신 스스로의 의무를 늦으나마 다하여 자신에게 떳떳하려는 신념에서 온 것이다. 우선 이 사업의 성과를 올려놓고 그 파생된 결과로 나 자신이 자기 의무를 수행한 것으로 된다는 것, 그것은 결과에서는 마찬가지일지 몰라도 확실히 본말이 전도되는 경우만 같다. 그러나 이것은 나 자신이 앞으로 치러야 할 일에 대한 태만이나 불충실을 전제로 한 논법은 결코 아니다. 각 개체가 양심적으로 객관적인 면에서 자신에 충실할 때, 전체는 좋아진다는 것과, 전체를 위하여 개체가 희생되어야 각 개인이 충실할 수 있다는 것은 근본적으로 논리가 다르다. 나는 아무래도 전자에 속할 수밖에 없고 또 그러기 위해서 고민 끝에 자진하여 온 걸음이 아닌가…….

한철은 자신에게 합리화된 단정을 내리면서도 그 '필요악'의 수수께끼를 완전히 풀지 못한 채 일자리에 서고 있는 자신을 발견하는 것이다.

첫 작업은 연병장을 평탄하게 닦는 일이다.

대원들은 반별로 할당된 구역으로 나뉘어 건설반장의 지휘에 따라 일을 시작했다.

한철은 삽으로 밭이랑의 옥수수 그루터기를 파 갔다. 봄가뭄에 굳어진 돌밭은 삽날이 제대로 들이박히지 않는다. 곡괭이로 하면 좀 쉽겠지만 그것은 한 내무반에 세 자루씩밖에 배당되어 있지 않아 벌써 다른 대원들이 쓰고 있다.

약삭빠른 건일은 곡괭이를 들고 부지런히 큰 바윗돌을 파내고 있다.

한철은 발바닥에 힘을 주어 삽을 박아서는 뿌리를 뒤집어 흙을 떨어내고 있다. 여태껏 이런 일이란 해 본 경험이 없기에 힘만 들고 능률은 오르지 않는다. 얼마 안 되어 땀만 줄지어 흘러내릴 뿐이다. 삽 끝이 돌멩이에 걸리면 아무리 힘을 주어 내리밟아도 그 이상 들어가질 않는다.

목사는 삽을 들고 부지런히 파고는 있으나 서투른 솜씨는 자기나 매한가진 것 같다. 윤수는 억지로 일어나 작업장으로 나오기는 했으나 그대로 맥없이 서 있을 뿐이다. 곰과 건일은 함께 바위를 파내서 굴려 놓고는 한 개씩 끝날 때마다 건일의 그 너털웃음이 연병장 전체에 울리기라도 할 듯이 터져 나오곤 한다.

다른 대원들을 둘러보아야 참말 일 솜씨 좋게 걷어붙이고 신명이 나게 하는 축들은 드물다. 익숙지 않은 일에 지쳐서 멍청히 삽자루를 짚고 남의 하는 양을 구경하는 축들이 더 많다.

"아니 대학을 나왔다는 양반들이 그래 국민학교 나온 사람보다 일할 줄 몰라……."

건설반장의 순탄치 않은 목소리다.

반장의 욕설은 벌써 두 번째다. 이 치는 툭하면 대학을 물고 든다. 몇몇 대원의 심상치 않은 눈길이 반장을 치켜보고 있다. 하필이면 왜 하고 많은 말에, 번번이 대학만을 걸고 드는 것일까. 한철은 이 대학이 앞으로 꼭 무슨 변고를 내고야 말 것이라는 생각을 하면서 서투른 솜씨로 꾸준히 그대로 계속해 가고 있다.

한 시간 안에 벌써 손바닥은 부르터 왔다. 콩알같이 부푼 몸집이 꼭 누르면 금방 터질 것만 같게 투명하다. 억지로 일을 계속 할래도 물집이 쓰려서 견딜 수 없다. 여기저기서 손을 후후 불며 비명이 터져 나온다.

땀을 흠뻑 흘리고 난 한철은 갈증이 났다. 물을 먹어야겠다고 주위를 두리번거렸다. 그러나 가까운 곳에 음료수 준비는 되어 있지 않다.

하는 수 없이 개울가 웅덩이로 뛰어갔다. 벌써 몇몇이 와서 땅에 두 팔을 벌려 짚고 궁둥이를 하늘로 치솟구면서 입을 수면에 대고 물을 쭉쭉 들이키고 있다.

한철도 같은 시늉을 하며 물을 양껏 마셨다. 땀발이 잦아들며 한결 시원해 온다. 그는 얼굴을 닦으며 제자리로 돌아왔다.

벌겋게 익은 서로의 얼굴들을 바라보면, 모두들 일에 자신이 가지 않는 표정들을 짓고 있다.

한나절이 거의 다 갈 때까지 부지런히 일들을 하고 있으나 실적은 그렇게 오르지 않는다. 광장 여기저기 튀어져 나와 있는 바윗돌은 몇 개가 빠졌을 뿐 아직도 많은 수가 제대로 남아 있다.

어느 사이엔가 하늘은 검은 구름이 짙게 덮여 산골짜기를 무겁게 내리누르고 있다.

"비라도 한바탕 퍼부었으면……."

한철은 이마의 땀을 문지르며 하늘을 쳐다보고 있다. 생각할수록 닥쳐올 앞일이 아득할 뿐이다.

그러나 어떻게 하든 그것을 이겨 나가야만 하겠다고 그는 다시금 스스로에게 다짐하는 것이다.

점심 후에도 같은 작업이 계속되었다. 음료수의 탓인지 설사하는 대원이 한둘씩 늘어 가고 있다. 몇 차례씩 변소에 드나들던 사람은 본부에 가약을 타 먹고 막사 앞에 앉아서 후줄근한 얼굴로 남들이 일하는 것을 바라보고만 있다. 본부에 의료반이 배치되어 있다지만 간단한 치료밖에는 손을 쓰지 못하는 형편이다.

한철은 부르튼 손으로 일을 하고 있으면서도 아직 작업에는 전념하지 못하고 헷갈리는 생각에만 이끌리고 있다.

이 두메산골에서 병만 나면 꼼짝 못 하고 죽는 것이다. 지단 본부에 있는 병원에 이송된다지만, 임시로 마련된 의료시설이라 거기라고 신통할 리가 없다. 결국 도시의 큰 병원까지 옮겨지는 수밖에 없다. 급성 병환에 걸린다면 이송 도중에 이미 일은 끝나고 말지 모른다.

한철은 오싹하는 소름이 느껴졌다. 아무튼 끝까지 튼튼한 몸으로 버티어 나가야만 할 것 같았다.

사백 명의 대원, 아니 한 텐트의 삼십여 명의 내무반원이라 할지라도 모두가 새로 만나는 남과 남이다. 누구에게 의지하거나 도움을 받을 수는 없는 허황한 지대다. 남은 것은 자기 하나밖에 없다. 자기에게 주어진 짐은 자기 스스로의 힘으로 감당해야 하고, 자기 자신의 일은 스스로가 처리해야만 한다.

아무것도 믿을 것이 없고, 허허벌판에 혼자 내던져진 거나 마찬가지다.

거기다 기간요원들은 첫날부터 무슨 죄인이나, 적군의 포로를 다루듯이 반목과 적의를 나타내고 있는 것이 아닌가. 모든 의무와 책임은 자신에게로 돌아오고, 자기 자신밖엔 믿고 의지할 아무것도 없다. 그는 엉클어진 생각의 조각들을 포개어 가고 있다.

"야, 비가 온다……."

기승을 올린 대원의 외침 소리다. 한철은 제정신으로 돌아왔다.

참말 굵은 빗방울이 머리에 어깨에 떨어지고 파헤쳐 놓은 돌에 물기의 반점이 번져 가고 있다. 이마에 선뜻한 시원함을 느끼며 앞산을 바라다보았다. 보얗게 빗발이 시선을 그리며 밀어닥쳐 오고 있지 않은가…….

"비야, 비……."

"야 - 됐다!"

앞뒤에서 희열에 찬 함성이 터져 나온다.

삽시간에 빗발은 앞을 가릴 정도로 퍼부어지고 있다.

대원들은 신이 나서 쟁기를 팽개친 채 천막 속으로 뛰어 들어가고 있다.

한철은 비를 맞으며 막사 쪽으로 천천히 걸었다. 흠뻑 젖어도 즐거웠다. 우선 작업에 휴식이 오는 것만도 좋았다. 그러나 그것보다는 체증처럼 덩어리져 엉켜 있는 가슴속에 쌓여진 상념들을 깡그리 씻어가는 것만 같은 그 쾌감이 더 좋았다.

비는 시원스럽게 계속 내리고 있다. 파헤쳐 놓은 연병장을 축축이 축이고는 낮은 곳에 괴기 시작한다.

대원들은 막사 창문이 미어지게 머리들을 비벼 내밀고 얼굴에 빗방울을 맞아 가며 기쁨에 찬 얼굴로 히히덕거리고 있다.

빗발에 잠긴 골짜기 한 끝은 마치 한 폭의 동양화를 펼쳐 놓은 것 같은 감흥을 자아낸다. 줄기차게 퍼붓는 비는 좀처럼 멈출 성싶지 않다. 금방 다시 출동이라도 할 듯이 대기 태세로 있던 대원들도 내무반 널바닥에 주저앉고 말았다.

누구의 처방으로 시작된 것인지 모르지만, 대원들은 성냥의 화약으로 손바닥 물집에 딱총을 놓아 물을 빼고 있다. 앞뒤에서 화약이 폭발하는 픽 소리가 들리고는 매캐한 화약 냄새가 풍겨 온다.

건일은 한가운데 앉아 대원들의 내미는 손바닥을 붙잡고 주치의의 구실을 하고 있다.

한철은 선 채로 이 광경을 물끄러미 내려다보다가 자기 손바닥에 눈을 옮겼다. 물집 하나는 일을 계속하는 동안에 삽자루에 지질려 물이 터졌다. 부풀었던 것이 납작 내려앉기는 하였으나, 가죽이 한쪽으로 밀리고 아직도 물기가 침침하게 배어 있다. 그 자리는 아직도 쓰리다. 그는 그 옆의 아직 물이 통통 괴어있는 것을 손가락 끝으로 살금 눌러 보았다. 망글망글한 것이 금방 터질 것만 같다.

한철은 손바닥을 쭉 펴 건일의 앞에 내대었다. 호콩알같이 도드라진 것이 가죽 빛깔이 엷어져 가고 있다.

"이거, 신장개업 초에 대만원인데, 하……."

건일은 주위를 둘러보며 너털웃음을 터뜨린다. 한철은 건일이 하는 양을 넌지시 보고만 있다.

건일은 성냥 두 개비를 끄집어내어 화약 머리를 물집 위에 얹고는 한철에게 붙잡고 있으라고 한다. 한철은 시키는 대로 할 따름이다. 건일은 다른 성냥개비로 불을 켜서, 멈칫할 여유도 없이 한철의 손을 꽉 붙잡고 물집의 화약 머리에 갖다 대는 것이다. 순간 픽 소리가 났다. 한철은 깜짝 놀라며 손을 빼었으나 물집이 터지는 순간 수분은 없어져 버리고 검은 화약재만 그 자리에 까맣게 남아 있다. 뜨겁고 쓰리고 하여 손을 허공에 내젓다가 입김으로 후후 불었다.

"조금만 참아요, 곧 완치되니까."

건일은 태연했으나 한철은 한참 어쩔 바를 몰랐다. 그러나 시간이 흐름에 따라 아픔은 점점 가셔져 갔다. 아까 저절로 터진 쪽이 아직도 수분이 구질구질한데 비해, 딱총을 맞은 쪽은 오히려 재빨리 꺼풀이 굳어져 갔다.

한철은 속으로 또 한번 끄덕이는 것이다. 아무래도 자기의 살아 온 과거는 건일이 겪은 노정보다는 단순한 것이라는 생각이 들기도 했다.

"예끼, 이놈의 비, 며칠이구 실컷 퍼부어라."

창밖에 머리를 내밀고 있던 깍두기가 속 시원하다는 듯이 큰 소리로 중얼대고 있다.

연병장에 질펀하게 물이 괴었다. 천막 지붕에 떨어지는 빗소리는 마치 우박이라도 내리치는 것처럼 요란스럽다. 건너편 개울엔 거무스름한 흙탕물이 소리를 내며 넘쳐흐르고 있다.

저녁 후 담배의 첫 배급이 나와 한 사람 앞에 일곱 개비씩 분배되어다. 건일은 재빨리 목사의 몫을 양보 받아 가지고 돌아서며 그 너털웃음을 털어놓는다.

가랑비로 변한 바깥을 내다보며 잡담들이 시작되었다.

이날 저녁 식사에 대한 불평이 그 태반이었다. 이틀사이에 사뭇 달라진 식사, 보리가 쌀보다 한결 많이 섞이고 거기에 멀건 된장국, 그 밖에는 아무것도 없었다. 첫 작업을 치르고 난 대원들은 불평을 하면서도 거의 다 그릇을 비웠다. 한철은 또 속았구나 하는 생각을 하면서도 처음으로 제 몫을 다 처분했다.

"그, 냉면, 곱빼기로 한 그릇 처리했으면 속이 시원하겠는데……."

"불고기에 진로 소주는 어때."

제각기 구미를 돋우게 하는 먹는 이야기에 마른 입들만 다시며 꽃을 피우고 있다.

건설반장 김 하사가 트랜지스터 라디오를 들고 들어온다. 이야기에 쏠렸던 눈들은 그쪽으로 돌려졌다.

"이 라디오, 각 반에서 일주일 교대로 듣는 겁니다."

대원들은 제각기 기성을 올리며, 라디오 주위에 쭉 모여 섰다.

김 하사는 반원들을 둘러보며 다시 말을 계속한다.

"그리곤 앞으론 선거가 되겠지만 위선 제3건설반의 내무반장을 박건일 대원이 맡게 되었습니다."

대원들은 어리둥절하여 건일의 얼굴을 쳐다보고 있다.

건일은 미리 알고라도 있었는지 태연한 표정으로 비위 좋게 만면에 웃음을 띠기까지 한다.

"여러분은 의견이나 희망사항이 있으면 내무반장을 통하여 저에게 알려 주기를 바랍니다. 그러면, 오늘부터 이 라디오도 내무반장이 책임져야합니다."

건설반장은 총총히 나가 버렸다.

"형씨들, 아무것도 모르는 제가 의외의 직책을 맡게 됐습니다. 모든 것을 잘 부탁합니다. 하······."

건일은 취임 인사라도 하는 격식으로 의젓한 한 마디를 던지고는 웃음으로 끝을 맺는 것이다.

"수고 많겠소, 박형."

곰이 제일 먼저 나와 건일의 손을 잡는다.

건일은 자기 앞으로 다가오는 대원에게 악수를 보내면서 잘 부탁한다는 말을 몇 번이고 되풀이하고 있다.

천막 용마루에서 내려드리운 철사 끝에 걸려 있는 남포등에 불이 켜졌다. 전등불만 보던 눈들엔 첫날밤은 아주 어둠침침하기만 하던 불빛이 그 사이에 익숙해져 방안이 환해 보였다.

라디오에서는 경음악의 선율이 흘러나오고 있다. 목말랐던 고기가 물속에라도 들어간 것처럼 내무반 안은 명랑한 분위기로 바뀌었다.

술 한 잔 걸치지 않은 맨숭맨숭한 기분이지만 방안은 점차 흥겨워만 갔다. 맘보, 트위스트 등 귀에 익은 곡이 나오자, 하나 둘 앞으로 뛰어나와 쌍쌍을 이루어 궁둥이를 뒤흔들고 있다.

메마른 산골의 단조로운 환경 속에서 그렇게라도 해야 이들의 감정은 무마되어 가는 것이었다.

잠시라도 현실적인 불만에서 외면할 수 있다는 것, 그것은 이들에게 있어선 지극히 다행스러운 시간이기도 했다.

가랑비는 아직도 내리고 있다.

한철은 불침번 교대로, 비옷을 걸치고 막사 앞에 서있다.

내무반의 등불들은 모조리 꺼졌다. 정문 입구 보초막의 불빛이 유리창을 거쳐 희미하게 비치고 있을 뿐이다.

주위는 캄캄하여 아무것도 보이지 않는다. 다만 개울물 흐르는 소리가 속삭임 같은 빗소리 속을 거처 더 크게 들려 올 뿐이다.

한철은 내무반장 박건일을 생각하고 있다. 처음엔 충실하면 된다던 그 위선, 자기의 존재를 알려야 한다던 그의 주관, 어쩌면 그것은 이 같은 현실 사회에선 가장 알맞은 처세술일지도 모른다. 단 사흘밖에 되지 않지만 내무반 속에서 건일을 모르는 반원은 거의 없을 것이다. 아니 어제 저녁 막걸리 파티의 사회자였던 박건일, 설령 이름은 기억 못 한다 하더라도 그 얼굴은 이 건설대의 대원으로선 모르는 사람이 없을 것 같다. 그리고 기간요원들 간에도 그의 존재는 확인되었음에 틀림없다. 내무반장 제1호로 임명된 과정은 건일의 측정한 그 처세관이 가장 정확하게 적중된 경우의 한 예에 지나지 않을 것이다. 그렇다면 형우가 말한 요령도 바로 그것이었던가. 그러나 암만해도 형우와 건일을 같은 자리에 놓고 비교하고 싶지는 않았다. 역시 형우에게는 계산을 떠난 성실성의 바탕이 있었다고 보아지는 것이다.

한철은 엇갈려 오는 건일과 형우의 모습 위에 다시 경은과 영혜를 겹쳐 보는 것이다. 그는 자기가 맡은 책임 시간이 어떻게 경과되어 가는지도 모르고 가랑비 속에 장승마냥 우뚝 서서 자기의 생각에만 몰려 가고 있다.

마실 갔던 사람들이 흩어지는지 마을 쪽에서 개 짖는 소리가 들려온다. 나타났다 사라지는 인간들의 온갖 이야기를 끝없는 품속에 삼킨 채 태백산의 밤은 칠흑 속에 깊어만 간다.

막사 안의 새벽 공기는 싸늘하다. 한기 때문에 눈이 뜨였는지도 모른다. 머리가 흐리터분하기에 다시 눈을 감았다. 그러나 잠은 와 주지 않는다. 창문은 환해 오나 아직 시계판은 잘 보이지 않는다. 몇 시쯤인지 알 길이 없다.

천막 위에 떨어지는 음향의 반응이란 전연 없다. 간밤의 비는 완전히 그쳤는가 보다. 밖은 고요하고 개울물 소리가 들려 올 뿐이다.

이따금 뻐꾸기 울음소리가 여운을 남기며 천막에 진동해 온다. 깊은 산 속의 그윽한 새벽 맛을 한결 돋우어 주는 것만 같다. 그 뒤를 이어 이름 모를 산새들의 지저귀는 소리가 단속적으로 파문을 던지며 밀려온다.

오늘은 또 어떤 고역이 닥쳐올 것인가. 생각이 여기에 미치자 멈춰진 비가 오히려 아쉽게만 여겨진다.

일요일, 참말, 일요이이지.

한철은 자리에서 불끈 일어났다. 마음속은 백팔십도로 전환되고 있다. 그것을 모르고 쓸데없는 생각에 골몰하다니……

첫 일요일, 작업이 없는 휴식의 날이다. 몸이 둥둥 뜨는 것만 같게 신이 난다. 그대로 자리 속에서 꾸무럭거리고만 있을 수 없는 경쾌한 기분이다.

한철은 옷을 걸어 입고 밖으로 나왔다. 예상 외로 기온은 차다. 천막 끝에 어린애 손가락 같은 고드름이 달려 있다. 머리를 들어 건너편 능선을 쳐다보았다. 높은 봉우리 이마에 흰눈이 푸른 하늘을 등에 지고 선명하게 도드라져 있다. 길게 내뿜은 입김이 허옇게 성에를 이룬다. 계속 비 오기를 슬그머니 바라던 얄궂은 생각은 제풀에 꺼져 갔다.

무엇인가 막연한 기대가 부풀어 오르는 아침, 한철은 돌멩이 하나를 쥐어 건너편 검푸른 산을 향하여 힘껏 팔매질을 했다. 가슴속이 탁 트여 오는 것만 같은 시원함을 느낀다.

아직 기상 신호가 울리기 전이건만 여기저기 막사에서 하나둘씩 밖으로 튀어나온다. 갓 파헤쳐진 울퉁불퉁한 땅에 엉긴 살얼음은 밟으면 바삭바삭 소리를 내며 발자국을 남기어 가고 있다.

사월도 중순, 창경원에는 벚꽃이 제법 만발했을 것이라고 생각하며, 한철은 흰눈을 이고 있는 봉우리께에 시선을 던진 채로 바라만 보고 있다.

예기조차 하지 못하였던 준령의 골짜기, 그 속에서 일어나는 하나하나의 변화가 기이하게만 느껴진다. 그 변화가 신기하게 느껴질 기간만은 그래도 지루하지 않을지도 모른다. 그러한 주위의 변화마저 단조로운 것으로 만성이 되는 날에는 견딜 수 없는 권태가 밀려올 것이 틀림없는 일일 것만 같게 여겨진다.

차라리 무엇이든, 자기 자신이 몸 가눌 바를 모를 정도로, 주변에 계속 변화가 일어 주었으면 하는 터무니없는 생각마저 드는 것이다.

봄, 여름, 가을, 그리고 겨울, 그래도 아직 약속의 십팔개월은 아득하다.

아무것도 생각할 여유를 주지 않고 뒤바뀌는 변화 속에서 끝내 버티다가, 무엇인가 자신에게 얻어지는 것이 있어 떳떳이 돌아갈 수 있다면 그것으로 족할 것만 같은 심정이기도 하다.

그러나 삼사일밖에 되지 않은 것이 벌써 몇 달이나 지난 것 같은 시각의 경과에 대한 착각이 앞을 가로막기만 한다.

대체 이제부터 내가 줄 것은 무엇이고 얻을 것은 무엇일까. 한철은 자신이 다져먹고 떠나온 의지의 계획표가 자꾸만 백지로 화하여 가는 것 같은 허탈감을 느끼며 자기가 부딪쳐야 할 벽이 끝까지 완강히 버티어 주지 못하고 스르르 무너질 것만 같은 불안에 쫓겨감을 부인할 수 없다.

참말 대적도 안 되는 싸움을 자기 혼자만 전력을 다하여 애를 박박 쓰며 치르고 있는 것이나 아닐까 하는 허황한 심정에 사로잡히기도 한다.

그러나 가는 대로 가보는 수밖에 없다. 이제 초입에서 그대로 돌아설 수는 없는 일이다.

어떠한 난관이라도 뚫고 나가는 것, 그것은 그대로 스스로에 대한 보상이라고도 생각되었다.

그 사이 며칠 되지도 않지만, 오랫동안 감금이라도 당한 것만 같게 느껴 왔던 대원들은 저마다 색다른 플랜을 가지고 외출 시간만을 대기하고 있다.

자유 외출…… 그것은 말만 들어도 둥우리에서 벗어나는 새 마냥 날고도 싶은 마음의 충동을 불러일으키는 것이다.

건설대를 벗어난 바깥 세계에는 꼭 무슨 큰 변화라도 일어나 자기들을 기다리고 있는 것만 같은 흥분마저 느끼기도 하는 것이다.

한철은 막상 외출하면 자기의 갈 곳은 어디일까, 그것을 생각하고 있다.

우선 몇 시간 동안이라도 이 얽매인 것 같은 둘레를 벗어나고는 싶다. 그러나 정작 가려도 갈 곳이 없다.

건일은 벌써 곰, 깍두기를 비롯한 몇몇이 어울려 지단 본부가 있는 새 거리로 내려갈 공론들을 하고 있다. 다방이 어떠니, 당구장도 보이더라느니, 제법 이야기들이 주위 사람들의 구미를 당기게 하고 있다. 필경 모든 대원들이 그쪽으로 쏠려갈 것만 같은 기세도 보인다.

목사는 한쪽 구석에 앉아, 코허리로 내려오는 검은테 안경을 연신 올려 밀면서 그러한 이야기들에는 아랑곳없이 조반 이후로 줄곧 성경책만을 뒤적이고 있다. 소리는 들리지 않지만 무엇을 외는 것인지 계속 입만을 오물거리고 있다. 처음에는 대원들의 시선이 목사쪽으로 흘긋 스쳐가기도 했지만 이제는 그런 일에는 모두들 관심이 없는 모양이다.

손바닥만한 거울을 내놓고 면도를 하는 사람, 바느질꾸러미를 펼쳐 놓고 비에 젖어 쪼그라든 명찰을 고치는 사람, 들뜬 분위기 속에서도 제대로의 알심들을 차리고 있다.

한철은 개울가 숲속에라도 가서 혼자 누워 쉬었으면 하는 생각을 해 본다. 아직은 정깊게 사귄 친구도 없거니와 엄벙덤벙 어울려 떼거리로 쏘다니고 싶은 심정도 일어나지 않는다.

윤수는 설사가 멈추기는 했으나 아직 해쓱한 얼굴 그대로 비스듬히 벽에 기대어 목사의 성경책을 옆에서 들여다보고 있다.

다가올 일을 기다린다는 것은 일이 끝나고 난 종말의 허전함보다는 확실히 기대를 주는 일이기는 한 것 같다.

한철은 자기 호주머니 속에 남아 있을 돈을 머릿속으로 계산해 본다. 떠나기 전날 밤 있는 대로 거의 다 털어 썼으니, 얼마 남아 있을 턱이 없다. 사람이 움직인다는 것은 돈이 필요하다는 것을 전제하고 있다. 어디 먼 데로 외출하려 해도 우선 주먹이 비어서는 꼼작도 할 도리가 없는 것이다. 부스러기 돈을 가지고 불안하게 시골 거리를 쏠려다니고는 싶지 않다. 그러나 돈이 얼마 없다는 것이 그렇게 아쉽게는 생각되지 않는다. 차라리 잘됐다는 체념이 오히려 그 자신을 안정시켜 주기도 한다.

하지만 최소한 빨래비누와 우표값은 간직하고 있어야만 할 것 같다.

다들 밀려나간 뒤에 혼자 남아서 형우나 경은에게 편지나 쓸까 하는 생각을 해 본다. 그것은 그렇지만 며칠 되지도 않았는데 땀이 밴 내복에서는 퀴퀴한 냄새가 코를 찌른다. 무료한 시간을 보내기 위해서 빨래라도 해야겠다는 생각이 겹쳐 온다. 아무튼 장판같이 아우성치는 소란 속에서 자기대로의 호젓한 분위기를 가지고만 싶다. 제발 빨리 외출 명령이 내렸으면 하고 한철은 제 궁리를 그대로 이끌어가고 있다.

문이 열리며 건설반장 김 하사가 황급히 들어섰다.

"주목!"

난데없이 불쑥 튀어나오는 호령에 제멋대로 웅성대던 대원들의 시선은 소리나는 쪽으로 집중되었다.

김 하사는 날카로운 눈초리로 둘러선 대원들을 훑어보며 입을 열었다.

"긴급 통보를 알립니다."

그는 조금 간격을 두었다가 말을 이었다.

"4·19 비상계엄으로 예정했던 자유 외출은 중지하기로 되었습니다."

대원들의 입에서는 약속이나 한 듯이 일제히 김빠진 한숨 소리가 터져 나왔다.

"다른 지시가 있을 때까지 한 사람도 영외로 무단 외출을 해서는 안 됩니다."

그는 언도 후의 법관의 모습처럼 긴장된 표정 그대로 문을 휙 닫고 나가는 것이다.

그 뒤를 재빨리 내무반장인 건일이 쫓아나가고 있다.

저마다 불평으로 막사 안은 한동안 웅성대고 있다.

깍두기는 악에 바친 소리를 치며 날뛰고 있고 곰은 큰 육신을 헐떡이며 마룻바닥에 주저앉는다.

목사는 여전히 아무 표정의 움직임도 없이 성경에서 눈을 떼지 않고 있다.

한철은 이렇다 하게 끄집어낼 특별한 이유도 없이 막연한 실망감이 번져 옴을 느끼면서, 자꾸만 번번이 속아만 가는 것 같은 배신감을 짓씹는 것이다.

텐트에 내리쬐는 열기가 점점 막사 안을 후텁지근하게 달구어 가고 있다. 그대로 앉아 있기엔 심신 양면으로 질식할 것 같다.

한철은 막사 밖으로 나왔다. 담배를 피워 물고 숨을 길게 들이켰다 내뿜었다. 그래도 가슴속은 여전히 답답하기만 하다.

한철은 개울가로 나왔다.

어제의 비로 개울이 흥건하게 넘쳐흐르는 물은 검은 빛이 엷어졌으나 흙물은 완전히 가라앉지 않았다.

그는 갓 벗어 들고 온 내복을 물속에 담그고 떠내려가지 않게 돌로 지질러 놓았다. 단복을 훌훌 벗어던지고 팬티 바람으로 정강이를 물속에 담갔다. 등골이 오싹하게 시원하다 못해 약간 저려 올 정도로 산골 물은 아직도 차다. 새순이 파릇파릇 움터나는 산 나무들은 비에 씻겨 유난히 싱싱하게 보인다.

새싹에서 풍기는 풀잎과 나무 향기가 미풍에 쓸려 코끝을 향긋하게 적셔 준다.

'—뻐꾹, 뻑뻐꾹—'

한낮에 접어드는 산골짜기에서 냇물에 발을 적시며 듣는 뻐꾸기 울음소리는 새벽 막사 안에서 잠결에 듣던 그것보다는 훨씬 경쾌하고 유장한 기분을 자아낸다. 아무 마음의 부담 없이 저 마음 내키는 대로 누구의 간섭도 없이 그저 이대로 언제까지든 있고만 싶다. 하늘은 푸르고 햇볕은 어깨에 따갑다. 문득 건설대가 아닌 혼자의 등산만 같은 착각을 맛보기도 한다.

지난 가을 단풍이 한고비를 넘어 낙엽이 질 때의 일이다. 형우, 경은, 영혜 넷이서 관악산(冠岳山)에 갔던 일이 생각난다.

그것은 직장에서 떨어져 나와 아무 지표도 없이 빈둥빈둥 놀고만 있는 자신에 대한 형우의 우정의 발로이기도 했었다.

갈 곳도 없고, 오라는 데도 없는 나날, 그저 다방과 대폿집을 드나들고, 병역 미필자에 대한 정부 성명이나 신문 기사에만 신경을 쏟고 있던 시절, 자신에게 무슨 변화를 주기 위한 벗의 간곡한 배려이기도 했다.

노량진(鷺梁津)에서 차를 내려 연주암(戀主庵)으로 통하는 직통길을 버리고, 굳이 등산객이 적은 삼막사(三幕寺) 코스를 택했었다.

식료품과 냄비, 식기 등이 들어 있는 육중한 륙색은 형우와 자기가 번갈아 가며 졌고, 경은과 영혜는 짐 없는 알몸으로 뒤떨어지기 일쑤였다.

이런 경우도 형우의 통솔력은 폭넓고도 출중한 것이었다. 그가 앞장을 서는 일이면 언제든지 순조롭게 진행되었다.

삼막사에서 짐을 풀고 땀에 젖은 몸뚱이를 찬물에 씻었다. 그때는 벌써 발이 시려 오래 담글 수조차 없었다. 그날의 감회가 되살아온다. 자기와 형우는 돌을 모아 냄비를 걸고, 나무를 주워 왔다. 경은과 영혜는 쌀을 씻어 밥을 짓고 국을 끓여 반찬을 장만했다. 그날 공교롭게도 자기의 실수로 국냄비를 엎질러 경은의 한쪽 발등을 데었다. 경은은 부풀어 오른 발등이 아려서 울상이 되면서도, 그러나 그것으로 조금도 분위기는 깨뜨려지지 않았다.

삼막사에서 연주암으로 넘어와 과천(果川) 길로 빠지는 계곡을 내려오는 동안, 한철과 형우는 교대로 경은의 팔을 끼고 부축하여 겨우 찻길까지 내려올 수 있었다. 걸음은 느리고 밤은 늦었으나 누구 하나 불평하는 사람 없이 마음들은 더욱 부풀어만 갔다.

한철은 지금 물속에 담가진 발을 바라보며 경은의 발등에 남았을지도 모를 상처의 흔적을 생각하고 있는 것이다.

지금쯤, 이렇게 화창한 공휴일 날, 그들은 대체 무엇을 하고 있을 것인 가, 마음은 줄달음쳐 서울 쪽으로 날고 있는 것이다.

개울가가 왁자지껄 법석을 이루고 있다. 한철은 제 정신으로 돌아왔다. 그 사이에 개울 섶에는 짬이 없을 정도로 대원들의 빨래꾼이 줄을 지어 늘어앉고 있다. 아래도 위쪽도 끝이 없이 계속되고 있다.

아직도 자유 외출의 미련이 가시지 않아 그들의 이야기들은 태반 돌발 적인 중지에 대한 불평들이다.

성급한 친구는 앞뒤를 돌아볼 사이도 없이 옷을 죄다 벗어 버리고 알몸 뚱이가 되어 풍덩 개울물에 뛰어들고 있다. 보기만 해도 시원하다. 아무 도 어린이 같은 이런 장면을 면괴스러워하는 사람은 없고, 모두들 바라보 며 벙글벙글 웃고만 있다. 이 친구는 신이 나서 물속에서 물장구를 치며 주위 사람들에게 물방울을 튀기고 있다. 비켜 앉으면서 누구 하나 쓴얼굴 하는 사람은 없다.

한철은 꿈에서라도 깬 듯이 정신을 가다듬고 물속에 담가 두었던 내복 을 끄집어내어 납작한 돌 위에 올려놓았다. 비누칠을 하여 뭉개 가면서도 마음은 두둥실 허공에 뜨고 있는 것만 같다.

관악산으로 갈 때만 해도, 분명 자기는 막연한 심정에서 방황하고 있 었다. 그러나 지금은 어떤 기간으로 종결되는 하나의 지표가 서 있지 않 은가. 자신에 대한 보상, 그 결과로 회피해 온 의무에 대한 복무가 자유 롭게 새로운 자기의 자세로 돌아갈 수 있게 하지 않는가.

어떤 정해진 목표가 있다는 것만으로도 한철은 새삼 마음 든든함을 느 끼는 것이다.

닥쳐올 앞날의 자신이 어떤 것이 되어 돌아가든 간에, 하나의 방향으로 정진할 수 있다는 것, 그것은 확실히 의의 있는 일이라고 생각되기도 했다.

한철은 빨래를 나뭇가지에 걸어 놓고 일광 소독이 된 담요를 그늘진 바위 위에 깔고 누웠다. 머리에 깍지를 끼고 하늘을 우러러 쳐다보았다.

둘러싸인 산봉우리 위에 우물처럼 뽕 뚫린 파란 하늘, 그 파란 구멍은 어디론가 연결될 수 있는 탈출구 같게만 여겨지기도 한다.

닷새째 되었다.

대체 그 사이에 얻어진 것이란 무엇일까? 한철은 머리를 가로저었다. 대상에서 무엇을 얻겠다는 것, 그것은 이러한 조건 속에서는 이미 이루어지기 힘든 일일 것만 같다. 다만 자기 자신이 부딪혀진 대상을 어떠한 자세로 대하고, 그 과정이나 결과를 어떻게 해석하는가에 달린 것일 수밖에 없다는 지극히 막연한 결론에 이끌려가기도 한다. 그는 논산 훈련소를 생각해 본다. 군에 입대를 시켜 주었으면 이번은 이미 각오하고 나선 걸음이니 어차피 그리로 갔을 것은 아닌가. 그렇다면 지금쯤 고된 훈련을 받고 있을지도 모른다. 이렇게 한가하게 나무 밑에 누워서 제멋대로 생각의 날개를 펼 수 있는 여유란 있을 리 없다. 그러나 지금 이러한 결과가 된 것이 그 군대의 훈련보다 조금이라도 나은 것 같은 그런 심정은 들지 않는다.

군대, 그것은 그것대로 떳떳한 보람을 느낄 수 있는 정도(正道)일 것만 같다. 우선 대상이 정확하고 거센 탄력의 반응이 있을 수밖에 없는 정통적인 코스다. 그러나 이것은 꼭 사도(邪道)에 들어온 것만 같다. 어느 쪽이 쉽고 어렵고가 문제가 아니다.

건설대, 그것은 군대보다는 대결할 수 있는 상대로는 너무나 취약하게 느껴지는 대상인 것만 같다. 스스로는 너무나 취약하게 느껴지는 대상인 것만 같다. 스스로도 대상이 얕보여진다. 군대에선 꿈에라도 그런 생각이 있을 수 없을 것이다. 탄력성 있는 저항력이 없는 대상, 그것은 꼭 송장하고 씨름하고 있는 것이나 매한가지다. 그 속에서 굳이 자기 스스로에 대한 의의를 발견하기란 억지요, 궤변으로밖에 되지 않을 것만 같다.

한낱 인부의 대가를 치르고 스스로의 낡은 꺼풀을 벗는다는 것, 그것으로 밀려 온 자신에 대한 부채를 갚는다는 것, 그것은 아무래도 미흡한 감이 없지 않다.

한철은 불끈 일어나 앉았다. 볼펜을 끼워 둔 노트를 집어들었다. 그간의 메모에 대한 한 장 한 장의 기록을 넘겨본다. '不安' '不滿' '不平' '背信' '敵意' 이러한 문구나 그와 비슷한 숙어가 기록되어 있지 않은 페이지가 별로 없다.

이것은 분명 자기 개조에 대한 대상의 선택이 잘못된 결과임에 틀림없다. 그렇잖으면 자신의 신념이나 태도에 처음부터 결함이 배태되어, 저도 모르게 비꼬인 자세에서 대상을 대하고 있는 메울 수 없는 균열일지도 모른다.

아무튼 첫 시작에서부터 이미 금은 간 것이다. 그렇다고 이제 와서 덮어놓고 포기할 수는 없다. 원상복구에 힘써야 한다. 그렇잖으면 가능한 한도의 땜질이라도 해야 한다. 이대로 방기된 자세로 앞으로의 까마득한 기간을 버려지나 송장처럼 채워 가는 수는 없다. 대상은 고정된 것이지만 유동성이 전연 없는 것은 아니다. 그러나 그 모든 오류나 왜곡을 자기 하나의 힘으로 고쳐 낼 수는 도저히 없는 일이다. 어느 정도의 정당화로의 가능성, 그것이 있을 뿐이다.

그렇다면 하는 수 없다. 자신 속에서 그 대상에 대한 적응성을 발견하는 길밖에 없다. 그 이외에는 아무 방도도 없다. 이미 자신은 독 안에 갇힌 쥐새끼나 다를 바 없다. 무단 탈영할 수도 없다. 실질은 일개 인부에 불과하면서 둘레에는 군법(軍法)의 적용이 위협하고 있다.

적응성…….

그것은 어쩌면 형우가 말하던 요령 그것과 통할는지도 모른다. 그러나

이 경우는 오히려 건일의 요령이 더 적절한 기성복이 될지도 모를 일이다.

한철은 자리를 떨고 일어났다. 형우에게 편지를 써야만 할 강한 충격을 느껴서였다.

그의 가슴은 흥분에 젖었다. 꼭 마음속을 배설하고야만 견딜 것 같은 심정이기도 했다.

그는 새로 생긴 영내 주보가 있는 쪽으로 걸어가고 있다. 봉투와 우표를 사야만 했다.

펜을 들고 앉았으나 착잡한 마음은 어디서부터 풀어야 할지 도무지 실마리가 잡혀지지 않는다.

첫날부터 생생한 인상을 그대로 적기란 거의 불가능한 일이다. 이 며칠 동안의 경과를 알리기 위해선, 그 시간만큼 형우와 같이 앉아 이야기를 해야 거의 다 풀릴 것만 같다. 거기다 실지로 있었던 일에 자기 자신의 심리적인 반응을 덧붙인다면 그 실지의 경과 시간보다 이야기의 시간이 더 길어질 것만 같게 느껴지기도 했다. 한철은 펜을 쥐었다 놓았다 망설이다가 하는 수 없이 무사히 도착하였다는 두세 줄의 사연으로 끝맺을 수 있는, 경은과 영혜에게 보내는 편지를 먼저 끝내었다.

그리고 내친 김에 형우에 대한 편지도, 거두절미하고 극히 사무적인 간략한 안부 정도에 멈출 것으로 마음먹었다.

……當日 夜半 太白山中 無名地 무사 도착. 예상 외의 新天地, 여기서 '大學'은 未曾有의 敵愾心의 對象. 意外의 敬語는 점차 卑語化하고 待遇는 急降下. 人夫로서의 第一作業 開始. 背信, 對象에서 오는 背信, 스스로에 대한 背信, 앞길은 一刻千秋…… '요령' 納得 過程. 용돈 좀 보내고, 機會 있으면 꼭 한 번 와 볼 事. 첫 日曜日 自由 外出 中止되고 目下 빨래中…….

한철은 다시 읽어 보지도 않고 접어 봉투 속에 집어넣었다. 속 시원한 것이 아니라 오히려 가슴속이 메스껍기만 하다.

주보 옆 천막 속에서 찬송가 소리가 들려온다. 하늘을 찌를 듯한 십자가의 첨탑(尖塔) 밑에서, 파이프 오르간의 반주로 울려 나오는 직업적인 인상보다는 차라리 소박하게 들려온다.

그렇게 많은 대원들이 모인 것은 아니지만 앞에서 기도를 울리는 목사의 모습은 어저께 연병장에서 돌을 파내는 데도 힘겨워하던 그 속된 인상은 깡그리 사라지고 훨씬 경건하게 보이는 것만 같다.

역시 고기는 물에서 놀아야 하는 것인가 보다 하고 한철은 혼자 중얼거리고 있다.

호랑이는 심산에 가야하고 토끼는 야산으로 내려오기 마련인가⋯⋯. 짠물고기와 민물고기도 역시 같은 고기이면서 서식처가 다르니까⋯⋯.

그런데 이 건설대란 오가잡탕의 비빔밥이 아닌가⋯⋯.

한철은 생각을 이어 가고 있다.

그것이 군대라면 하는 수 없다. 그러나 그것도 체질과 재능과 경험에 따라 대체로 적재적소의 병과(兵科)로 나누어지지 않는가, 이건 목사도 훈장도 깡패도 목수도 다 한데 집어넣고 똑같은 중노동으로 때다니⋯⋯. 거기에 식자우환(識字憂患)이라고 처음부터 다짜고짜 필요악(必要惡)을 갖다 붙이니 갈수록 심산유곡이라는 생각밖에 들지 않는다.

윤수는 맨 앞에 앉아 눈을 감은 채로 기도를 올리고 있다. 저 어리고 약한 소년은 대체 지금 무엇을 생각하고 있는 것일까. 한철은 다시 한 번 윤수 쪽으로 눈을 돌렸다. 윤수는 미동도 하지 않고 눈을 감은 채로 입만을 중얼거리고 있다. 건설대 속의 윤수, 그것은 맹수 앞에 선 어린 양 같게만 한철에게는 여겨졌다.

개울가 나뭇가지엔 하얗게 빨래가 걸려있다. 해는 둥그런 하늘 복판에 매어달려 내리쬐고 있다.

한철은 서서히 개울가로 발을 옮기었다.

제5장

한철은 이리로 온 후 능동(能動)과 피동(被動), 이런 점에 적잖은 관심이 가지는 자신을 은연중에 느끼지 않을 수 없었다.

그것은 건일과 자신의 대조적인 위치에서, 잠자코 있던 의식이 외면으로 더 두드러져 나타나는 계기가 되었는지도 모른다는 생각이 곁들기도 했다.

아무튼 자기가 살아 온 삼십 년의 과거를 돌이켜 볼 때 자기 의지로 어느 정도 자신의 행동을 제어하고 스스로 책임을 져야 할 후반의 기간에 있어서 자기 혼자의 생각으로 결단을 내려 능동적으로 행동에 옮긴 것이, 대체 어느 만큼의 비중을 차지할 것인가. 그보다는 차라리 외부로부터의 명령이나 지시에 복종하거나, 뒤늦게 슬그머니 남이 하는 대로 그 뒤를 따르지 않으면, 터무니없이 부화뇌동(附和雷同)하는 무의지의 행동이 더 많지 않았던가……. 경우에 따라서 자유의사로 결정할 여유가 있었음에도 불구하고, 체면이나 값싼 의리에 사로잡혀 자신을 가누지 못하고, 때로는 마땅히 거부해야 할 것을 본의 아니게 수긍하고는 사후에 후회한 일은 얼마나 빈번했던가…….

그러나 이번 건설단의 입대만은, 틀림없이 자신의 의지가 일관되어 스스로 선택하고 그대로 행동으로 옮겨진, 뚜렷한 표본의 하나라고 버젓하게 내세우고 싶은 경우라고 생각되었다. 그 결과는 아직 묻지 않아도 좋다. 다만 스스로의 생각으로 죽고 사는 문제, 즉 생명에 관계있을지도 모르는 일을 실천에 옮겼다는 그 자체만으로도 족했다. 따라서 이 기회는 자기 자신의 의지나 행동에 대한 커다란 전환점을 가져오기에 다시없는 계기라고 생각되기도 했다.

그런데 자기는 이곳에 온 후 현재까지 자신의 행동에 대한 뉘우침 비슷한 감정을 수 없이 되풀이하고 있지 않은가. 자신의 의사로 정하고 자기 손으로 박아 놓은 푯말을 스스로 흔들어 버리려고 하고 있는 것이 아닌가. 그뿐인가, 건설대의 초입에서부터 건일을 알게 된 이후, 부지불식간에 그를 추종하게 되는 것, 그의 처세술에 대하여 타기할 만한 혐오를 느끼면서도 간혹 긍정적인 찬탄을 보내게 되는 것이, 또한 자신의 소극적이요 피동적인 의지의 자연 발생적인 발로라고 생각되지 않을 수 없었다.

그러나 그것은 칼로 물을 베는 거나 매한가지의 결과를 가져오기 일쑤다. 그런 생각이 꿈틀할 때는 주먹을 불끈 쥐고 자신에게 다짐하지만, 막상 건일을 대하고 보면 멸시와 부정이 머릿속을 휘저으면서도, 그것이 외곽으로 나타나지 못하고 속에 없는 행동으로 번번이 동조하거나, 거부 없는 방관이 되게 마련이니, 이 또한 자신이 익고 굳어져 가는 어떤 기간을 기다릴 수밖에 없는 것 같기도 했다.

사실 자유 외출의 예고를 일방적으로 중지당한 첫 일요일, 이날은 하루 종일 기분이 울적하기만 했다. 그는 술이라도 양껏 취해보고 싶은 마음의 충동마저 느끼고 있었다. 때마침 건일과 마주친 것이다.

"한형, 한잔 합시다."

이 치는 번번이 꼭 사람의 마음속을 들여다보고 그 과녁을 겨누어 화살은 던지는 것만 같다.

그러나 맞대놓고 거부할 아무 근거도 없다. 차라리 자기의 현재의 심정과 어쩌면 그렇게도 잘 맞아떨어지는 것인가고 감탄할 지경이니 말이다.

건일은 이런 경우도 말을 떼어놓고는 상대의 확답을 기다리기 전에, 응당 따라올 것으로 예측하고 자신이 먼저 선수를 써서 행동으로 옮기는 것이다. 그는 벌써 주보가 있는 쪽으로 발걸음을 옮기고 있다.

한철은 항상 능동적으로 앞에는 서지 못하고 뒤에 따르기만 하는 자신의 몰골이 오죽잖게 느껴지면서도 그대로 건일의 뒤를 따르고 있는 것이다.

새로 차려진 영내 주보는 개업 초부터 대원들의 관심을 끌고 있다. 칫솔, 치약, 비누, 타월 등 내무반에서의 필수품은 물론 캐러멜, 캔디,

통조림, 사이다, 소주 등의 음식물을 비롯하여 몇 가지의 잡지까지도 갖추어 놓았다.

두메산골이라서 돈 쓸 곳이란 아무 데도 없을 것으로만 생각했던 대원은 제각기 호주머니 속을 다져 보기 시작했다.

새로 세운 천막의 한쪽 구석엔 물품을 진열해 놓고, 나머지 장소는 송판으로 짠 간단한 걸상이며, 테이블이 마련되어 있다.

자유시간만 되면 대원들은 이리로 밀려들어온다. 군대에 준하는 영내 규율이라고 하지만 아직 자리가 꽉 잡히지 않아, 바깥 세계에서 젖은 타성이 완전히 거세되어지지 않은 탓도 있었다.

그보다는 서울서 내려오기 전에 이미 하청부를 맡았다는 장사꾼의 상술이, 은연중에 건설대 간부와 결탁된 여파로, 이 지대만은 비교적 완화된 특수 지역으로 묵인되어 있는지도 모른다는 평판도 없지 않았다.

아직 마르지 않아 송진 냄새를 풍기는 생나무 걸상에 걸터앉으려는데 깍두기가 들어섰다. 그는 주위를 휘둘러 보고는 건일과 마주치자, 위쪽으로 째진 한쪽 눈귀를 쨍긋 맞부딪치며 빙그레 웃음을 짓는다.

"벌써 와 있군."

그리 크지 않은 체구에 비하여 목소리는 알맹이져 또렷하다.

"이리 와 앉지."

깍두기는 한철에게 힐끔 눈길을 돌리면서 건일이 권하는 대로 옆에 와서 앉는다.

저녁 식사를 치른 지 얼마 되지 않건만 산 속의 저물녘은 어물어물하는 사이에 쉬 어두워 온다.

어디서 벌써 한 차례 치렀는지 깍두기의 입에서는 술냄새가 뭉클 풍겨온다.

"벌써 한잔 걸쳤군."

"응, 좋은 데가 있어."

건일의 물음에 깍두기는 신발견이라도 한 듯이 활기를 띠며 으스대고 있다.

"어딘데?"

건일이도 사뭇 호기심에 찬 말투다.

"바로 저 개울가 큰 바위 옆에 하꼬방이 하나 생겼어. 내 이따 안내할게."

"그래, 역시 최형의 눈은 빈틈없군 그래…… 하하하……."

난데없는 너털웃음 소리에 다른 대원들의 시선도 잠시 이쪽으로 모인다.

"나보다야 그걸 생각해 낸 장사치가 더 빠르지……."

사실 옆에서 듣고 있는 한철도 놀라지 않을 수 없었다. 입대한 다음날 아침, 벌써 정문 옆에 판자대를 놓고 소녀가 과자 부스러기를 팔고 있는 것은 보았지만, 술집이 이렇게 빨리 생길 줄은 몰랐다. 어느 때 어느 곳에든 기회를 포착하는 장사꾼의 눈은 빠른 것이라는 감탄밖에 들지 않았다.

찡긋 눈짓을 하고 난 건일은 진열대 쪽으로 가서 소주병과 오징어를 들고 온다. 병마개를 떼려고 두리번거리는 것을 보던 깍두기가 술병을 낚아챈다.

"이리 줘요."

그는 선뜻 병을 입에 갖다 대더니 재빠르게 이빨로 마개를 빼어서는 병을 테이블 위에 털썩 놓는다.

"역시 두목급은 다르군."

건일은 잔마다 철철 넘치게 술을 따르면서 상대의 두 사람을 힐끔 쳐다보고 웃음을 짓는다.

"자, 피차의 건강을 위해서……."

건일의 뒤를 따라 셋은 컵을 소리 나게 부딪치며 첫 잔을 들었다.

"한형, 왜 이래, 첫 잔이야, 시원스럽게 건배해야지……."

한철은 또 건일이 시키는 대로, 반밖에 마시지 않은 자기 잔의 나머지를 비우고야 말았다. 어쩐지 아직 자기는 건일과 깍두기의 사이처럼 탁 트여지지 않고, 마음 어느 구석엔가 서먹한 기분이 감돌고 있음이 느껴졌다. 그것은 결코 자존도 우월도 아닌 내향적인 소극성에서 오는 것인지도 몰랐다.

사 홉짜리 술 한 병이라야 큰 컵에 한 잔씩만 따르면 남는 것이 얼마 되지 않았다. 남은 것을 따르고 난 건일은 다시 한 병을 들고 왔다.

"한형은 왜 말이 없이 뚱하고만 있소. 낡은 까풀들은 다 벗어 버리고 알몸뚱이가 됩시다. 노동자 판에 별수가 있소."

한철은 꼭 자기의 생각을 건일이 대변하고 있는 것만 같게 느껴졌다. 다만 자기는 그것을 속으로 생각하고만 있고 건일은 곧장 그것을 행동으로 실천하고 있는 차이뿐이다.

"별수 있어, 헌다하는 깍두기도 요 모양 요 꼴인데, 자, 브라보!"

셋은 또다시 잔을 비웠다.

"역시 이런 때엔 술밖에 없다니까, 거저 이게 제일이야."

건일은 오징어다리를 씹으며 벌개진 얼굴에 미소를 띠고 있다.

한철은 계속하여 쏟아 넣은 소주 두 잔에 뱃속이 짜릿해 왔다. 차차 자기 자신이 대담해지는 심정이 들기도 했다.

"한형은 여기 들어오기 전에 무얼 했댔소?"

병에 남은 술을 따르며 건일이 말을 건넨다.

"나요, 학교에 좀 있었지요."

"글쎄, 어딘가 훈장 냄새가 풍기더라니까, 꼭 꽁생원 타입이야. 하하하……."

건일은 남의 심정에 좀 거슬리지 않았느냐 싶은 말끝엔 틈을 줄 사이도 없이 그 너털웃음을 덧붙여 마지막 어감을 흐려 버리는 것이다.

"아니, 훈장이라고 꼭 고지식한 것만도 아니야."

"대개 그렇지 뭐."

"왜, 예외가 있어."

깍두기는 건일의 말을 막으며 자기 이야기를 계속한다.

"내가 고등학교 3학년 때야. 담임에 김 선생이라고 있었어. 그런데 이 양반은 학생들을 매로 길을 들인단 말이야, 그래 별명을 스파르타라고 했지."

깍두기는 술 한 잔을 쭉 들이키고 다시 말을 잇는다.

"그런데 그 때리는 것엔 자기간의 어떤 원칙이 있다는 거야, 그것도 후에 안 일이지만, 절대 한 대밖엔 때리지 않어. 그 한 대가 아무튼 뺨이 날아갈 것 같단 말이야. 나도 물론 얻어맞았지. 국민 학교에서부터 쭉 우등을 하고 한번도 맞아 본 일이 없다던 반장도 얻어맞았으니까. 그것은 이기적이고 연대 책임감이 없다는 이유였어. 그것도 교단 앞에 불러 내세우고 전 학급생이 보는 데서 때린단 말이야, 반장은 못나게 눈물을 흘렸지만 나는 어디 두고 보자 하고 적개심을 가졌었지. 아무튼 그땐 이미 깍두기라고 소문이 났었으니까……."

"어, 그따위 낡은 집에서 엿 먹다 사발 깨뜨린 케케묵은 이야기는 집어치우고 술이나 듬세."

건일은 깍두기의 말을 잘라 가로막았다.

한철은 자기 직장과 연관됐던 이야기라서 그런지 슬그머니 흥미가 끌렸다.

"그래, 계속해요."

한창 열기를 띠고 이야기하던 깍두기는 기세가 좀 주춤해졌으나 다시 말을 이었다.

"글쎄, 들어봐요, 재미있는 에피소드가 있다니까, 그런데 내가 졸업을 얼마 남기지 않고 사고를 저질렀단 말야."

"무슨 사고 말이야?"

별로 관심이 없는 듯하던 건일이 이번엔 다그쳐 물었다.

"봐요, 얘기가 재미있다니까……."

이번엔 깍두기 쪽이 오히려 기세를 올렸다.

남폿불이 켜지면서 이들의 얼굴은 서로 더 두드러져 보였다.

"내가 술을 처먹고 깡패와 싸웠단 말이야. 하기야 나도 지금은 깡패 두목이지만. 하하하. 제일 센 놈을 넉아웃 시키고 파출소까지 불려갔지."

"그래, 퇴학이 되겠군."

"아니야, 그러니까, 이야깃거리가 된단 말이야. 나는 버젓이 졸업장을 탔으니까…… 고것이 바로 스파르타 선생의 덕분이란 말이야."

"그 스파르타가?"

"웅. 그 선생이 직원회에서 끝까지 나를 변호하고 자기가 전 책임을 지겠다고 버티어서 퇴학만은 면했지. 그 먼저도 몇 번이나 사고를 일으켰으니까……."

"그래, 그 스파르타는 지금 어디 있어?"

"대학으로 옮기셨어."

"그럼, 지금도 만나겠군?"

건일이 쪽이 오히려 궁금증이 나 심문이나 하듯이 추궁하고 있다.

"만나구 말구. 가끔 명동 비어홀이나 빠에서 만나면 내 쪽에서 술병을 들구 먼저 그 자리로 뛰어가지."

한철은 깍두기의 말을 들으면서 자기의 교직 생활을 회상하고 자기는 학생들의 신분 문제에 대하여 그렇게 발벗고 나선 적이 있었던가. 기껏 직원회에 나가서는 한쪽 구석에 처박혀 앉았다간, 대의명분으로 꼭 발언해야 할 중대한 단계에도, 부당한 가결의 결과를 그대로 방관하면서 끝까지 몸을 사리지 않았던가. 그저 아무것에도 참견 말고 내 할 일만 하면 그만이 아닌가, 이런 태도로 시종 일관한 무사주의의 자신이 아니었던가. 순간 부끄러운 위축감이 전신을 흘러내렸다.

"스파르타 선생은 만날 때마다 늘 고지식한 우등생보다는 좀 거친 사고덩어리가 인간성이 낫다는 거야……."

"자, 한 병만 더 하지."

"여기선 그만해. 내가 그곳으로 안내할 테니까……."

건일이 진열대 쪽으로 가는 것을 깍두기가 소매를 붙잡는다. 한철은 약간 취해 얼근해 왔다.

"점호 시간에 늦어지지 않을까?"

건일은 시계를 보며 망설였다.

"그까짓 거 좀 늦어지문 어때."

"그래도 지킬 것은 또박또박 지키면서 요령껏 사보타주 해야지."

한철은 그 요령이란 말에 문득 자극되면서도 이 분위기에서는 자기의 줏대보다 이들이 하는 대로 따르는 수밖에 없다고 생각되었다.

"형씨, 부탁하오."

건일은 벌써 어느 사이에 주보 책임자와 통했는지, 외상 거래를 트고 있다.

"아, 알았어요."

주보 주인은 웃음까지 띠며 고개를 끄덕이고 있는 것이 아닌가.

역시 건일은 난놈이다. 아니 날고뛰는 놈이다. 한철은 감탄할 뿐만 아니라 그 앞에서는 자기 자신이 자꾸만 쪼그라드는 것만 같은 위압감마저 느껴지는 것이다.

"이렇게 비교적 자유가 허용되는 것도 며칠 남지 않았을 거요, 점점 올가미로 묶어 놓을 테니까. 어디 두고 봐요, 호주머니에 아직 돈푼이라도 남았을 때 그 사이에 실컷 야료를 부려야지."

앞에서 깍두기와 어깨를 나란히 하고 걸어가는 건일은 의기양양하게 외치고 있다. 그 말대로 날이 갈수록 어수룩한 것은 가셔지고, 규율은 점점 더 엄해질 것이라고 뒤를 따르는 한철에게도 예측되었다.

"바로 저기야."

깍두기가 깜박이는 불빛 쪽을 가리키고 있다.

"아직 때는 벗지 않았지만, 처녀도 있다니까……."

"처녀가?"

건일은 귀를 솔긋해서 곧장 반문하고 있다.

"응, 주인영감의 딸이라나……."

큰기침을 하고 건일이 먼저 들어섰다.

네 귀에 통나무 기둥을 세우고, 가는 오리대로 하방만 엮어 중방 위는 문짝도 없이 그대로 밖이 다 내다보이는 판잣집이 아니라 통나무집이다. 지붕에는 가는 참나무 가지를 가로질러 그 위에 옥수수 대를 엮어 얹은 그야말로 간이 점방이다.

깍두기는 한번 다녀간 고객이라서, 주인은 깊은 주름이 진 얼굴에 히죽이 웃음을 드러낸다.

토방 바닥 양쪽에 통나무 두 개를 묻어 세우고 그 위에 나무판자 하나를 가로 못을 박아 고정시킨 테이블과, 그 모양으로 양쪽에 낮게 만든 걸상, 그들은 등불을 가운데 두고 마주 앉았다.

한철은 꼭 그림에서 보는 호반(湖畔)의 통나무집을 연상하고 있다. 그렇잖으면 무대 위에 세워 놓은 화전민 주택에 들어앉은 것만 같은 심정이다. 밖에는 검은 산이 둘러쳐 머리를 쑥 내밀어야 겨우 하늘의 별을 볼 수 있다.

"인제, 막 거두려는 참이어서 안주도 없고……."

"괜찮아요. 아까 그 막걸리를 한 되만 주소."

"좋으시다면 그렇게 하지요."

주인의 말소리는 목쉰 것처럼 갈해 있다.

"진짜 밀주야, 아주 맛이 좋아."

깍두기는 입에 손을 대고 주인 쪽을 곁눈질하며, 들릴락 말락 소곤댄다.

"사람 가는 데마다 살 구멍은 있단 말야, 죽으란 법은 없는 거야, 하하하……."

건일의 웃음소리는 고요한 밤공기를 헤치고 통나무집이 흔들릴 듯이 퍼진다.

"자, 맛이 어떤가 한 잔 들어 봐요."

깍두기는 자기가 먼저 쭉 들이키고 잔을 놓으면서 아직 든 대로 있는 한철에게 권한다.

"그 참, 맛 좋군."

건일은 금방 맞장구를 친다.

한철도 단숨에 잔을 냈지만, 금방 소주 먹던 입엔 오히려 싱거운 맛이었다.

"어때요?"

"아주 좋아요."

깍두기가 묻는 바람에 한철은 얼결에 인사조의 한마디를 무심코 내뱉었다.

"아까 그 처녀라던 건, 대체 어디에 있어?"

"글쎄……."

건일의 물음에 깍두기는 통나무 집안을 두리번거린다. 이쪽 등불 때문에 바깥쪽은 더 어둡게만 보였다.

"영감님, 마누라랑 따님은 어데 갔어요?"

아까 선전하다시피 떠들썩했던 것이 미안쩍었던지, 깍두기가 주인 쪽을 흘끗 쳐다보며 물었다.

"인젠 그만 파하려구, 한쪽으로 그릇들을 집으로 옮기고 있소이다."

"그럼 여기서는 자지 않구요?"

"비바람이라도 막아 놓아야 잘 수 있지, 이대로야 어디 되겠소."

듣고 보니 사실 그렇다. 사월도 중순이라지만 산속의 새벽은 아직 차다. 거기다 밤중에 비라도 내리면 한데나 다름없는 이 속에선 견뎌 낼 도리가 없을 것이 분명하다.

"산에 나무도 많을 텐데 좀 단단히 짓지요."

건일이 사이에 끼어들었다.

"산이라구 이름뿐이지 변변한 나무 하나 있는 줄 아시우."

"왜요?"

"군인들이 후생 사업인지 뭔지 하느라구 도락구를 들이대구 막 쪼개 내서, 쓸 만한 나무가 있어야죠. 저 산들이 탄 때문에 검게 보이니까 그렇지, 발갛게 발가 냈는걸요."

그것은 그럴 법한 이야기라고 들렸다. 한철도 첫날밤을 자고 아침에 밖으로 나왔을 때, 속이 들여다보이지 않게 거목으로만 울창한 것으로 생각했던 산이 온통 검은 바위로만 덮여 있는 데는 실망하지 않을 수 없었다. 그러나 그것은 본래의 산세가 그러려니 하고만 여겨 왔었다.

"이게 마을까지 호랑이 내려오게 빽빽했던 산들인데, 요 몇 해 사이에 이렇게 발가숭이가 됐수다."

"영감님은 대대로 이 마을에 사셨는가요?"

건일은 주인에게 담배를 권하며 사뭇 호기심에 찬 표정으로 말을 주고받는다.

"웬걸요, 영월서 살다가 할 수 없이 산전이라두 파먹으려구 이리루 들어왔죠, 그럭저럭 한 십 년 됐죠."

"그럼 세 식구뿐이신가요?"

"아뇨, 아들놈은 군대에 가 있소이다."

"그럼 이 집 택호는 영월집이라고 합시다. 알기 쉽게……."

"그렇잖아도 마을에선 그렇게들 부른답니다."

건일은 자기 잔을 비우고 영월집 주인에게 권한다.

"아니, 그만둬요. 안 하기로 했수다."

"그래도 조금만 드시지요."

건일에게 걸려들면 주인도 배겨 내는 도리가 없다. 영월집 주인은 건일이 철철 넘치게 따른 잔을 처음엔 사양하다가 그대로 쭉 들이키곤 손등으로 입언저리를 훔치고 있다.

"건데, 왜 술을 안 들기로 했소?"

"하하하, 이것 땜에 이 꼴이 됐소이다."

"술을 많이 마셨기 때문에……."

"예, 그렇수다."

"하하하……."

이번엔 건일의 웃음소리가 또다시 집안을 휘저었다.

"선생님들은 어디서 오셨소?"

"서울서 왔어요."

"그럼 이 건설대에 온 사람은 다 서울선가요?"

"그래요."

"고생들 하시우."

"자, 그럼 점호 시간두 됐으니 그만 갈까?"

건일이 시계를 보며 자리에서 일어서려고 한다.

"가만있어요. 있는 거나 다 들고 가지."

깍두기는 주전자의 술을 돌려 가며 부었다. 한철은 주춤 일어서려는 자세로 가득히 따라 놓은 잔을 들었다.

"너 엄마는 안 오나?"

"옥수수 그루에 걸려 넘어지셨어요."

세 사람의 시선은 일제히 말소리 나는 쪽으로 몰렸다.

"저런, 조심을 하지 않고……."

"그래 집에 계셔요."

별로 가꾸지 않고 되는대로 차린 모습이지만 귀엽게 생긴 얼굴이다. 여럿의 눈총을 한꺼번에 맞은 소녀는 얼굴이 빨개져서 아버지 쪽만 바라보고 있다.

"어때, 이거 하나만 더 하지……."

둘의 눈치를 살피며 깍두기는 벌써 주전자를 주인 쪽으로 내밀고 있다.

"한 되만 더 주슈."

"점호 시간인데……."

"그럼, 반장님만 가서 적절히 하고 오시면 되지 않을까?"

건일이 서두르는 것을 보고 깍두기는 비꼬임을 섞어가며 여유 있는 대꾸로 응수한다.

"그럼, 내가 가서 건설반장에게 사바사바하고 오지."

한철은 자신도 일어나 가야 되겠다는 생각을 하면서도 이쯤 분위기가 익어가는 판에 차마 용단이 내려지지 않았다.

건일은 소녀를 빤히 쳐다보다가 둘 쪽에 눈짓을 껌벅 하고는 부대 쪽으로 뛰어나간다. 한철은 깍두기가 권하는 대로 술잔을 비우고는 계속 다시 들었다.

소녀는 손님들 쪽엔 별로 얼굴을 돌리지 않고 싸리 광주리에 그릇들을 주워 담고 있다. 어스름한 등불 아래 비치는 그 옆모습에서 한철은 문득 은령의 윤곽을 더듬고 있는 것이다.

기후 관계로 건설대의 출발 일정이 연기되는 바람에 은령에게 알릴 겨를도 없이 서울을 떠나고 만 것이 미안쩍기 짝이 없다.

졸업식 날짜도 알고 있었지만 사직하고 나온 학교에 다시 발을 들여놓는 것조차 멋쩍은 생각이 들어 망설이면서도 끝내 나타나지 않았었다. 주위의 대부분의 친구들이 상급 학교 입학시험을 목전에 두고 조바심하는 속에서도, 희망에 부풀어 있는 틈바구니에서, 갈 곳 없이 외로이 남겨져 있는 것만 같은, 그 화려한 날의 풀기 없는 모습을 똑바로 보아 낼 수도 없을 것만 같아서였다.

주간 대학의 합격자 발표가 거의 끝난 3월 하순, 은령이 찾아왔다. 한철은 반갑게 맞으면서도, 그의 얼굴에 비낀 쓸쓸한 표정을 흘려버릴 수 없었다.

"선생님, 저 취직됐어요."

은령의 얼굴은 조금 전의 표정과는 달리 환하게 밝음을 머금었다.

"어떤 데?"

"조그만 출판사예요."

"그거 참 잘됐군 그래."

"하지만, 교정을 보는 하급 직원이에요."

"처음 취직이야 그럴 수밖에……."

위로의 뜻으로 대꾸하면서도 한철은 고등학교 졸업생이라야 기껏 급사 자리 정도밖에 대상으로 생각하지 않는 취직난 속에서, 그것만도 다행이 라는 심정이 없지 않았다.

"아무튼 잘됐어. 우선 그렇게 해 놓고 차차 타개해 나가는 거지."

교복 스커트에 윗옷만 스웨터로 바꾸어 입은 은령의 차림새는 머리가 어깨 위로 흩어져 내린 탓인지 더욱 성숙해 보이기까지 했다.

"선생님……."

"응."

말끄러미 쳐다보는 은령의 눈동자는 더욱 맑게 반짝였다.

"전 인제, 진학하는 건 포기했어요."

한철은 곧 이어받아 대답할 말이 없었다.

학교 복도에서 도어를 열고 교실에 들어서면 첫눈에 그가 하나 앉아 있는 것만으로도 방안은 가득 차 보이는 것만 같게 여겨지던 존재다. 그 것은 비단 재질이 뛰어난 학생이라는 것만으로 얻어지는 풍만감만은 아 니었다. 꾸밈새 없이 소박하게 느껴지는 외모나, 아직 때묻지 않은 순진 한 성품이나 모두가 호감이 갔다. 거기에 가정형편이 궁핍하다는 데 대한 연민의 정이 덧붙여졌는지도 모를 일이다.

최악의 경우에는 야간 대학에 입학시켜 학자의 일부라도 부담할 각오 를 가졌던 자신이 아닌가. 그러나 지금의 한철 자신으로선, 어떤 구체적 인 방안이 설 수 있는 처지가 아니다. 오히려 자기 스스로를 추스려 갈

지표마저 흐려 가는 현재의 자신이 더 처량해 보이기까지 한다. 군대에 준하는 건설대, 어쩌면 그 보복적인 처사라고 해석하고도 싶은 치욕의 대열, 돌아올 기간은 어렴풋이 정해져 있다지만, 만기 제대의 기한조차 알지 못하는 현재의 여건에서 사실 그것조차도 믿을 길 없다. 이 마당에 그 자리만의 모면으로 허세나 변명을 은령이 앞에 늘어놓고 싶지 않다.

한철은 피우던 담배꽁초를 불이 붙은 채로 내던지며 걸터앉았던 툇마루에서 벌떡 일어났다.

또다시 연기되지 않는다면 출발 날짜도 며칠 남지 않았다. 가든지 있든지 어서 빨리 결단이 났으면 싶으면서도, 다시 돌아오기 힘든 먼 길의 출발을 앞둔 것 같이 허황하고 서글프기만 하다.

"은령이!"

"네?"

"우리, 오래간만에 큰거리에나 나가 볼까?"

은령이는 입술을 다문 채 엷은 웃음을 머금고 있다. 이것은 그의 묵묵히 찬의를 표하는 때의 특징 있는 표정 그것이다.

앞에서 걷고 있던 한철은 머리를 돌려 따라오는 은령이를 물끄러미 바라보고 있다. 어쩐지 진학을 깨끗이 포기하고 직장을 구해 나서는 은령이 쪽이, 자기보다 훨씬 삶의 자세가 뚜렷한 행동을 스스로 결단내려 실천에 옮기는 것만 같게 느껴지기도 했다.

나란히 포도 위로 발을 옮기면서도 은령에게 줄 말이 없다. 이렇게 화제가 빈곤할 수가 있을까……. 학교에서 지낸 일들은 교복을 벗은 은령이에게는 이미 흘러간 이야기들이다. 자기도 새삼, 유종의 미를 거두지 못하고 떠나 버린 직장을 이야깃거리의 대상으로 삼고 싶지는 않다. 졸업식 광경이나 소감을 물을래도 꼭 무슨 부채를 지고 있는 상대를 대하는 것만 같아 머리가 트여지질 않는다.

그보다도 은령의 외롭고 서글픈 추억의 상처를 건드리는 결과가 될지

도 모르는 일이기도 해서이다. 앞은 더욱 막막하다. 돌아올 길이나 돌아
온 후의 채산은 아예 계산해 보지 않기로 한 일이다. 은령의 앞날, 그것
도 잔뜩 비굴함을 가지는 그 하찮은 직장을 말끝에 올리고는 싶지 않다.

이들은 그저 말없이 나란히 새싹이 움트나는 가로수 밑을 걸어가고 있다.

한철은 백화점의 육중한 문을 들어서면서 어리둥절 하는 은령이 따라
오기를 기다려, 제자리로 돌아가려는 도어의 탄력을 받치고 있던 손을 떼
었다.

무엇인가 엉기고 있는 것 같은 가슴속의 덩어리를 풀어 흩어 버리지
않고는 견딜 수 없는 심정이다. 참말 밖으론 거의 매일 스쳐 지나가지만
백화점 안으로 들어와 보는 것도 오래간만이다. 헤아릴 수 없이 갖가지로
늘어놓은 화장품에서 풍겨 오는 짙은 향기가 코끝에 거센 자극을 준다.

"아직, 본격적인 화장은 안 할 거구……."

한철은 혼잣소리처럼 중얼거리며 뚜벅뚜벅 안쪽으로 걸어가다가 만년
필 진열장 앞에서 멈췄다. 뒤를 돌아보는 그의 눈에 은령의 의아에 찬 눈
동자가 반짝였다.

한철은 아무 말도 없이 만년필 하나를 골랐다. 값을 치르고 케이스에
넣어 포장지에 싸진 것을 받아 들고 백화점을 나왔다.

밖은 가로등이 켜졌지만 갑자기 더 어두워진 것만 같게 느껴졌다. 이
른 봄 밤이 아직 싸늘하건만 사람들은 길 가득히 밀려오고 밀려가고 있
다. 쌍쌍이가 유달리 눈에 뜬다. 옆에 다가서서 걷고 있는 은령이를 흘긋
바라보면서 불현듯 의젓하고 흐뭇한 감정이 감돌아 옴을 느낀다.

"은령이, 우리 어디 가 저녁이나 간단히 먹을까?"

"전 늦게 점심을 먹어서 당기질 않아요."

"그래……."

"하지만 선생님 잡수세요."

"나두, 사실은 그렇게 먹구 싶지는 않은데……. 그럼 저기로 들어갈까?"

잠깐 서서 머뭇거리던 한철은 다과점으로 들어섰다.

자리에 마주 앉으며 그는 저도 모르게 웃으며 은령이를 건너다보았다. 그것이 기쁨에서인지, 자신에 대한 실소인지, 스스로 분간할 길이 없었다. 은령이도 웃음 띤 얼굴에 눈동자를 깜박이며 한철을 쳐다보고 있다. 그 웃음의 의미도 알 길이 없으면서 자연스럽게 느껴지기만 했다.

"우리 뭘 할까?"

"선생님 좋으신 대로 하세요."

"어디 내 구미와 은령의 구미가 같은가?"

"같을 수도 있지 않아요."

"그래도 오늘은 은령이를 위한 밤이니까, 자유롭게 선택해 봐."

"전, 아이스크림을 먹겠어요."

"이렇게 쌀쌀한데……."

"하지만 봄이 아니에요?"

"참 그렇기도 하군. 사실 난 이 몇 달 동안 계절의 변화에도 거의 감각이 없어졌단 말이야."

"그건, 선생님이 너무 민감하신 때문인가봐요."

둘은 약속이나 한 듯이 웃음을 터뜨렸다.

한철은 호주머니에서 포장한 만년필을 끄집어내어, 식탁 위에 놓았다.

"이거 은령이게 주는 선물이야."

"어머나, 저를요?"

다 눈치채면서도 이럴 때의 은령이에게는 깜찍한 데가 있다. 그러나 그것이 얄밉지 않게 어울려 보이는 것은 바닥에 뿌리박은 진실성 그것 때문이라고 한철에게는 느껴졌던 것이다.

"응, 뒤늦었지만, 졸업 축하, 취직 축하…… 그리구 앞으로 있을 입학 축하 겸……."

이번엔 은령이의 얼굴이 흐려갔다. 그도 앞으로의 입학에 어떤 결의를 다짐하는지도 모른다고 한철에게는 느껴졌다.

"자, 받아요."

"선생님, 감사합니다."

두 손으로 받아 쥐고 일부러 일어서서 굽신 인사를 하는 은령이의 모습은 이런 때에는 아직 학생티가 벗겨지지 않은, 교실 안에서의 자세 그대로다.

"변변치는 않지만, 나의 진심의 선물이야."

"오래오래 간직하겠어요."

숙인 머리를 쳐들지 못하는 건 눈시울에 저려 오는 뜨거움을 참는 것이리라 생각하며 한철은 담배를 피워 물었다.

힘껏 빨았다 내뱉은 연기가 훨훨 퍼져 오르듯이 가슴속은 후련하고 즐거웠다.

건일이 숨을 헐떡이며 영월집 술 좌석으로 돌아왔다.

한철은 깍두기와 잔을 주고받으면서, 무슨 사태라도 벌어지지 않았나 싶어, 불안한 심정으로 출입구 쪽에 간간이 시선을 던지고 있던 참이다.

"큰일났어!"

"왜?"

파리해진 건일에 비하여 깍두기는 태연히 반문하고 있다.

"건설반장이 끝까지 고집을 부리지 않아, 즉각 찾아오라구……."

"그렇게 융통성들이 없담."

"연대 기합으로 반원 전부가 취침하지 못하고 대기하고 있어."

건일은 자리에 앉지도 않고 서성대고 있다.

"박형의 솜씨도 신통치 않구면, 그거 하나쯤 구슬리지 못하는 걸 보니……."

깍두기는 빈정대는 어조에 웃음을 서렸다.

"그럼 가 봅시다. 다른 대원들에게 폐가 될 테니까……."

한철은 궁둥이를 들면서 제의했다.

영월집 주인과 소녀는 어리벙벙한 시선으로 손님들 쪽을 지키고 있다.

"젠장, 엎질러진 물인데, 이거나 다 마시고 가지……."

깍두기는 빈 잔에 술을 따라 건일이와 한철에게 하나씩 돌리고 자기도 잔을 들며 소리를 높인다.

"어때, 닥치는 대로 하는 수밖에 더 있어?"

"공기가 심상치 않아요. 상부에 보고되었는지도 모르겠고……."

"하문 어때, 될 대로 되라구 하지."

깍두기는 끝까지 못마땅한 기세다.

"내일 또 올게요."

흥분이 가셔진 건일은 소녀나 주인에게 웃음진 시선을 돌리며 끝장을 아물리는 데는 빈틈이 없다.

그러나 이번엔 그의 너털웃음은 터져 나오지 않는다.

영월집의 깜박이는 등불이 등 뒤로 멀어져 간다.

한철은 둘의 뒤를 따르면서, 대체 연대 기합이란 어떤 처벌일까 하고 닥쳐올 사태를 예기해 본다. 그러나 부대에 가까워질수록 아까의 불안은 점점 엷어지고, 될대로 되려무나 하는 체념이 그 위를 가리워 감을 느낀다. 폭음한 취기도 점차 가셔지는 것만 같다.

셋은 막사 쪽으로 다가가고 있다.

대원들은 막사 앞에 삼열횡대로 늘어서 있다. 한철은 으스름 달빛 속에 비치는 적의에 찬 건설반장의 눈초리보다는, 자기들 쪽으로 일제히 시선을 돌린 대원들에게 대한 미안감을 더욱 금할 길 없었다.

건일은 점호 시간에 나타났으니, 죄목의 대상이 되는 것은 자기와 깍두기 둘뿐이라고 생각하며, 한철은 대열 앞에 멍청히 서 어정대고 있다. 얼굴이 화끈 달아오르는 것은 취기의 탓만은 아닌 것 같다.

"점호에 빠진 사람, 누구야?"

반말에 신경을 쓸 여유가 없다.

"한철입니다."

"그 옆은?"

"최일."

깍두기의 대답이 뒤를 이었다.

건일 자신의 의사가 아니라, 셋이 공동 의견으로 그만을 점호에 참석케 했지만, 바쁜 목에서 빠지게 된 것은 역시 건일 뿐이라고 생각하며 한철은 건일의 뒷덜미를 바라보고 있다.

"전원 그 자리에 엎드려뻗쳐!"

건설반장의 악에 바친 구령이다.

구령이 떨어지자 금방 땅 위에 엎드려뻗쳐의 자세를 취하는 대원도 있지만, 대부분은 다름 사람의 거동을 두리번거리고 있다.

"뭘 해, 단체 훈련에선 전원이 연대 책임인 거야."

건설반장은 서 있는 대원들의 허리를 손바닥으로 쳐가며, 노기 띤 명령에 대한 복종을 강요하고 있다.

한철은 엎드린 자세로 고개를 들어 옆을 바라보았다. 대부분 궁둥이를 높이 솟구고 엉거주춤한 자세로 엎드려 있지만, 이제 선 채로 버티는 사람은 없다. 자기나 깍두기는 응당 받아야 할 처벌을 받고 있는 것이지만, 딴 대원들에게는 무어라 사과를 했으면 좋을지 괴로운 심정을 억누를 수 없다.

쉬쉬 하며 불만을 표시하는 대원이 있는가 하면, 야유조의 웃음을 터트리는 사람도 있다.

"무슨 불평이야!"

그러나 건설반장은 그들 불평을 자기에게 견주는 화살로 여기는지 즉석에서 응수하고 있다. 자기들 두 사람에게 던져지는 불평이라고 생각하

면서도, 한철은 반장이 자기에 대한 것으로만 오인하는 것이 오히려 다행
스럽기도 했다.

"앞으로의 모든 처벌은 연대 책임으로 처리할 터이니 그리 알아!"

한참 엎드렸다 일어난 대원들은, 손의 흙을 털면서 후 한숨을 내쉬고
있다.

찬 밤공기 속에서도 등허리에 땀 기운이 번져 옴을 느낀다. 한철과 깍
두기는 건설반장에게 불려가 내무반장인 건일의 입회하에서 시말서를 쓰
고야 자기 반으로 돌아왔다.

"어때, 그 처녀 괜찮지?"

"응, 이 산골에 두긴 아까워……. 내일 저녁 다시 가지……."

이 판국에도 깍두기와 건일의 대화는 명랑하다.

한철도 그 이야기에 공감이 가지 않는 바는 아니었다.

침구 속으로 들어간 몇몇 대원을 제외하고는, 대부분이 자리 위에 앉
아 담배를 피우며 불만인지 욕설인지 언성을 높여 이야기들을 하고 있다.

목사는 입구 쪽을 거들떠보지도 안고 성경에 눈을 박고 있다.

"형씨들 미안했소, 하하하……."

선두에 서 실내에 들어선 건일이 참았던 너털웃음을 털어놓아, 우선 방
안의 굳어진 분위기에 유화 정책의 제일탄을 보내고 있다.

"그 정도쯤 괜찮아."

곰이 들어서는 사람들을 보며 히쭉 웃는다.

"술 먹는 놈은 거저 그런 때도 있는 거지 뭐."

깍두기는 예사롭게 한 마디 던지고는 웃음으로 끝을 얼버무린다.

맨 끝으로 들어선 한철은 어떻게 사죄해야 할지 적당한 말이 찾아지지
않았다.

"참말 미안했습니다."

그는 정식으로 머리를 숙여 사과의 뜻을 표했으나, 그것만으론 도무지

마음속이 개운해지지 않았다. 어느 정도 대담해질 수 있었던 주기도 거의 다 날아가 버린 것만 같다.

말없이 앉았다가 소등 후 자리에 들어갔지만, 도무지 잠은 오지 않았다.

오늘 밤의 일도 자신의 소극성에서 저질러진 결과라고밖에는 생각되지 않았다. 밝은 낮에 반원들을 똑바로 쳐다볼 용기가 있을 것 같지 않았다. 새로운 출발이라지만 첫머리에서부터 실수로 시작되나보다 하는 자책감이 겹쳐 오기만 했다.

내일부터는 자신을 좀 더 도사려 보자. 그는 몇 번이고 스스로에게 타일러 보는 것이다.

달이 어지간히 높아졌다. 창문이 환히 비쳐 온다. 뭇 얼굴들이 망막을 스쳐가고 스쳐오기만 한다.

그는 이어 오는 생각을 지우며 눈을 지그시 감았다.

옆에 누워 깊은 잠에 떨어진 윤수의 코고는 소리가 오히려 평화롭게만 들렸다.

한철의 소대는 지단 본부의 지원 작업 출동 명령을 받았다.

아직 싸늘한 아침 공기를 타고, 직접 소속된 건설대를 잠시라도 떠난다는 그것 자체가, 무언지 모를 해방감을 안겨다 주는 일이기도 했다.

그러기에 영내 작업에 배정된 축들은 부러운 얼굴들을 하고, 떠나는 부대를 물끄러미 바라보고 있지 않는가…….

첩첩이 싸인 산 속의 아침은 며칠 되지 않아 벌써 변화 없는 극히 평범한 것으로 느껴져, 경이와 환희에 찬 처음의 인상은 흐려져 가기만 한다. 지난 비 뒤에 얼어붙어 움직이지 않는 개울가의 물레방아 바퀴에서 새삼 해발의 고도를 느낄 뿐이다.

지단 본부에 닿자, 기다리고 있었다는 듯이 금방 일이 배당되었다.

울퉁불퉁한 돌로만 된 운동장 정지 작업, 삽자루에 닿는 손가락이 시리다.

반별로 일자리가 책임 분담되어, 진행되어 가는 능률이 빤히 들여다보인다.

처음 얼마 동안은 대원들 누구나가 힘 자라는 대로 열심히 일하고 있다. 추위를 느끼던 몸뚱이에서 땀이 흐르고 축축한 내의에서는 김이 번져오른다.

산과 산이 이마를 맞대었지만 골짜기를 누비고 세 갈래로 큰길이 빠지는 평평한 분지(盆地), 석탄 덕으로 이루어진 새 거리로 닿는 신작로에는 오고가는 사람들이 끊이지 않는다. 자기 건설대가 있는 두메산골보다는 한결 대처에 나온 것만 같은 기분이다.

지단 본부의 익지 않은 간부 얼굴들이 작업장으로 오가는 뒤에는, 반드시 한두 마디의 잔소리가 덧붙고야마는 것이 한철에게는 처음부터 귀에 거슬렸다. 친근감이란 눈곱만큼도 느낄 수 없는 표정들, 마치 적군의 포로라도 감시하는 것만 같은 증오와 적의에 찬 모습, 꼭 이방 지대에 끌려온 것만 같다.

한철은 그들과 시선이 마주치는 것을 가급 피하면서 꾸준히 돌덩이를 파내고 있다.

고된 일에 익숙지 않은 대원들, 이들에게는 건설대 연병장에서 일할 때보다 더 빨리 지치는 것만 같게 느껴졌다. 아마도 첫 무렵은 집에서 축적된 영양이 제 몸을 지탱할 수 있었지만 이곳에 와서 그 동안에 벌써 쇠약해진 탓인지 모른다는 생각도 들었다.

하나 둘씩 삽을 짚고 선 자리에서 쉬거나, 아예 쟁기마저 팽개치고 돌에 걸터앉아 한숨 돌리는 사람들이 늘어 가고 있다.

한철은 예상 외로 빨리 지쳐 옴을 느꼈다. 간밤에 과음한 탓도 있을 법하다고 생각하며, 그는 정해진 휴식시간이 올 때까지 작업을 정지하지 않으려고 애를 박박 쓰고 있다. 어쩌면 그는 자신에게 대한 충실을 뇌까리고 있는지도 모른다. 그러나 그 이상 버티어 낼 도리가 없다. 그는 이마의 땀을 훔치며 땅바닥에 주저앉았다. 그늘에 가서 한숨 돌리고 싶도록 사맥이 나른하게 지쳐 왔다.

"제 마음대로 앉아 쉬는 것이 누구야?"

잠깐 사이가 흘렀을 뿐이다.

선 채로 쉬던 사람은 다시 삽을 움직이고, 돌에 걸터앉아 쉬던 축들은 하나 둘씩 일어나기 시작했다.

한철은 맥빠진 사람처럼 멍하니 앉은 채로 소리나는 쪽을 바라보다가 눈이 마주쳤다.

"이놈의 자식들, 사회에서 농땡이나 부리다가 와서 일은 안 하고……."

입에 담지 못할 욕설이 계속되고 있다.

그쪽을 직시하는 대원들의 표정은 굳어 갔으나 대항하는 발언은 한 마디도 없다.

한철은 서서히 일어나 다시 삽자루를 들었다.

죽은 송장 같은 것들……. 이러한 부르짖음이 먼 데서 머릿속으로 울려오는 것만 같다.

그러나 일손은 전연 나가지질 않는다.

몸이 지쳐 있는 탓만은 아니라고 생각되었다. 그 욕설이 자꾸만 귀에 거슬려 울려온다. 저건 대체 어떤 자식이야……. 대원들은 서로 얼굴을 마주보며 수군거리고 있다. 폭언의 당사자가 제대 군인인 지단 본부의 Y 국장이라는 이야기가 쉬쉬 하는 속에 퍼져 가고 있다.

한철은 삽을 짚고 선 채로 생각에 휩싸여 가고 있다. 순응과 복종, 그것은 인간 사회의 가장 선한 미덕일지도 모른다. 그러나 그것이 굴종이나 맹종일 때에는 차라리 악덕이 될지도 모를 일이다. 정당한 일에 대한 거부와 항거…… 그는 가슴속에 뭉클하는 충동을 느끼며 삽자루에 힘을 주어 바로 잡았다.

"이 자식, 일은 안하구 뭘 하구 있어."

고막이 찢어지는 듯한 소리에 한철은 뒤를 돌아보았다. 서로의 눈은 마주쳤다. 아까의 Y국장이다. 한철의 눈은 상대의 적의를 누르는 살기가 가득 차 있다.

"이렇게 일하구 있지 않아요?"

자신도 모르게 입술을 새어 나온 말이다.

"이 자식이, 반항할 테야?"

한철은 한 손에 삽자루를 잡은 채로 상대를 쏘아보고 있다. 그 이상 참을 수 없는 모욕이라 느껴졌다.

"그렇게 노리고 보면 어쩔 테야?"

한철은 분노에 찬 눈을 대상에서 떼지 않고 있다.

그는 지금 머릿속에서 형우가 이야기하던 '요령'을 생각하고 있는 것이다. 그 요령이란 이 마당에서는 도저히 적용될 성질의 것이 되지 못한 것만 같다.

이 이상 복종, 아니 굴종으로 참아내는 도리는 없다.

"내가 무어 잘못한 게 있소……."

한철은 한걸음 내디디며 불티가 튀는 눈동자로 상대를 겨누고 있다.

"정말 반항할 테야, 이 자식이……."

한철은 뺨에 철썩 하는 소리를 느끼며 비틀거렸다. 거세게 뺨 한 대를 맞은 것이다.

"한형, 왜 이러우. 상관에겐 절대 복종하는 것이요. 반항해서는 안 돼요."

어느 틈엔가 건일이 사이에 끼어들고 있다.

한철은 눈을 돌려 건일을 흘기고 있다. 어처구니 없는 일이다. 이 자식은 또 여기까지 선수를 써서 끼어드는 것인가…….

"이 자식 너는 뭐냐?"

순간 한철은 자신의 못난 뉘우침을 뱉어 내고야 말았다.

지금 자기의 대상은 Y국장이 아닌가. 그와의 대결의 막고비에서 더 적극적으로 대항하지 못하고, 옆에서 끼어든 송사리에 화살을 던진 것만 같은 미흡한 감이 분노에 겹쳐 휩싸여 옴을 느꼈다.

못난 자식 같으니라구, 그는 혼자 중얼거리고 있다. 그것은 자신을 책하는 뉘우침인지, 건일에게 던지는 모멸인지, 분간할 수 없는 한 마디였다.

"너는 상관에 대한 반항죄로 처벌할 테다. 자, 이 삽자루를 두 손으로 들어……."

한철은 말이 없다. 어쩌면 건일의 중간 개재로 자기는 더욱 풀이 꺾였는지 모른다는 생각이 들기도 했다.

"들어!"

"……."

"안 들겠어, 명령이다."

Y국장은 삽을 들어 평행으로 한철의 두 손에 쥐이고 손을 머리 위까지 추켜올린다.

한철은 맥 빠진 팔을 그대로 쳐들고 있는 자신이 못난 줄 알면서도 내릴 염은 하지 못하고 있다.

"든 채로 만세를 불러."

한철의 눈에는 아무것도 보이지 않는다.

그는 아예 눈을 감고 있는 것이다. 모든 것을 의식적으로 시야에서 차단하고 싶었는지도 모른다.

"눈을 뜨고 만세를 부르란 말이야."

한철은 다시 눈을 떴다. 건일이 앞에 서 있다. Y국장의 성난 이리 같은 눈동자와 마주쳤다. 그는 다시 눈을 감았다.

"이대로는 끝나지 않을 테니, 만세를 부르란 말야. 자, 만세."

"만세……."

꺼질 듯한 목소리가 한철의 입에서 스며나왔다.

순간 한철은 삽을 떨어뜨리며 그 자리에 쓰러졌다.

"아, 이 개새끼들, 왜 일은 안 하고 모여드는 거야."

상대는 더욱 의기양양하여 주위를 둘러친 대원들을 휘둘러보며 포효하듯이 고함을 치고 있다.

"야, 그 자식 죽여라……."

갑자기 대원들의 함성이 울려 나오고 잠자던 분노가 터지기 시작했다. 지단 간부와 기간요원이 출동하여 Y국장은 간신히 위기를 모면했다. 그러나 대원들은 그대로 물러나지 않았다.

비록 직접 폭력으로 대결하기에는 그들은 너무나 개개의 의무에 약삭빨랐었지만, 전체에 대한 그 폭언의 모욕은 넘겨 버릴 수는 없는 모양이었다. 하지만 그 이상은 더 나가지 못했다.

당사자는 이미 도망해 버렸다. 다른 간부가 나와 사과를 하고 한철의 손을 잡으며 악수를 청했다. 그러나 한철은 그것으로 끝을 막을 수는 없는 심정이었다.

한편 지금껏 건설대에 모인 인간들이 모두 자기보다는 그래도 굳센 인간들일 것이라고 생각했던 자기의 오산을 박박 씻어 버려야만 할 것 같았다. 모두가 다 자기와 비슷한, 아니 어쩌면 자기만도 못한, 더 못난 인간일지도 모른다는 생각이 들기도 했다.

소극적인 자기를 대신하여 좀 더 적극적으로 앞장서, 대상에게 한 대 갈길 놈은 하나도 없었다. 다만 군중의 힘에 용기를 얻었을 뿐이다. 그러나 그 집단으로도 자기보다 더 나은 놈이 별로 없는 것만 같은 실망감이 휩싸여 왔다.

그러나 그것은 어쩌면 자기 자신이 스스로의 자신을 가질 수 있을 전환점이 될지도 모른다는 신념의 싹을 발견하는 것만 같은 가냘픈 자위 속에서, 그는 또다시 건설대로 돌아가야만 하는 변함없는 산 속의 한낮을 맥없이 보내고 있는 것이다.

제6장

비상소집(非常召集)!

밤이 이슥하도록 잠을 이루지 못하고 뒤치락거리다가 겨우 눈꺼풀을 붙일까 말까하던 한철은 어렴풋이 눈을 떴다. 막사 안이 뒤집히는 것 같은 소란한 외침이다. 대원들은 단잠에서 소스라쳐 깨어 부스럭거리고 있다.

"비상은 무슨 놈의 비상이야."

"체!"

"제길……."

구석구석에서 불만에 찬 푸념들이 터져 나오고 있다.

"비상소집이야. 빨리빨리 챙겨 입고 밖으로 나와."

건설반장은 내무반 문을 열어젖히고 한 발을 들여놓은 채로 호통조의 고함을 지르고 있다.

"복장을 단정히 하고 나오란 말이야."

자다가 일어난 열띤 목소리는 아니다. 쩌렁쩌렁한 음성에 노기까지 스며있는 것을 보면 이미 초저녁부터 계획되어 있는 절차임이 분명하다.

무슨 연고일까, 군대도 아닌데, 아닌 밤중에 비상을 걸다니…… 한철은 옷을 추려 입으면서도 추켜드는 의아심을 금할 길 없었다.

건일이 먼저 차려 입고 입구 쪽에 버티고 서서 대원들을 독려하고 있는 폼이, 내무반장의 책임감만으로만 보아 넘길 수는 없다. 그렇다면 저 놈은 미리 내색을 알고 있었던 것일까. 아니다, 저자도 다 깨지 않은 잠꼬대를 몰아내느라고 눈을 비비며 하품을 하고 있지 않는가…….

준비가 된 대원들은 하나 둘씩 문을 빠져 밖으로 나가고 있다.

옷을 차려 입은 한철은 허리띠를 죄며 출입문 쪽으로 서서히 다가가고 있다.

"동작을 빨리빨리 하란 말이야."

쏘아보는 건설반장의 시선에 독기가 서려 있다.

지단에서 사태가 벌어진 후 계속 저러한 눈길이 자기를 흘겨 왔다. 건설반 책임자로서의 문책으로 상사에게 호되게 대꼈는지도 모른다. 그 눈매에는 확실히 증오가 이글거리고 적의가 차 있음이 분명하지 않은가…….

한철은 건설반장의 시선을 피하면서 문밖으로 나왔다. 자기 건설반뿐만 아니라 건설대원 전원이 각 막사에서 터져 나오고 있다.

'그러면 이것도 전체에 대한 연대 기합의 시발인가.'

한철은 낮에 지단에서 호되게 맞았던 뺨을 쓸어 만지며 머리를 추켜들었다. 별 하나 보이지 않게 칠흑으로 흐린 하늘, 주위의 산과 하늘의 구분이 없이 그저 깜깜하기만 하다.

자신의 가슴속도 먹물을 들이킨 것처럼 까맣게 흐려있는 것이다. 꼭 자기 하나 때문에 펼쳐지는 심야의 봉변인 것만 같게 느껴진다. 다른 대원들에게 미안한 생각이 들 뿐이다.

그러나 순간, 제 속도 못 차리는 줏대 없는 얼치기 무리들, 그 공동의 치욕을 자기가 선두에 서서 부질없이 혼자 당하고 만 것뿐이 아닌가…… 저도 모르게 반발이 다음 순간을 메워 가고 있음을 느낀다.

"먼저 정돈되는 건설반부터 뛰어."

이건 분명 건설대장의 목소리에 틀림없다. 그렇다면 대장의 진두지휘 하에 단체 기합이 시작되는 것일까…….

"뛰어 가!"

구령을 치는 건설반장들은 제각기 자기들 대열의 선두에 서 있다. 정돈이 완료된 반 차례로 연병장 가장자리를 돌면서 원을 그려 뛰고 있다.

한철의 반은 아직도 대원이 다 차지 않았다. 다른 건설반이 죄다 뛰어나간 뒤에야 곰이 어슬렁어슬렁 막사에서 나왔다.

"무얼 그렇게 꾸물거리고 있어. 자, 따라와."

한 마디 던지고 난 건설반장 김 하사는 앞에 서서 뛰기 시작한다. 대원들은 뒤를 따른다. 아직 다 닦아지지 않은 땅바닥에 발이 곱디뎌져 몸이 기우뚱 한다. 옥수수 그루터기에 걸려 넘어지는 대원, 비명을 치는 놈, 불평 소리가 앞뒤에서 쉬쉬대고 있다. 돌수록 속도는 빨라져 간다. 온갖 것이 숨죽은 듯 고요한 한밤중의 산골짜기에 구둣발 소리와 헐떡이는 숨소리만이 높아져 간다.

몇 바퀴를 돌았는지 헤아릴 수조차 없다. 이제는 경기에라도 나간 것처럼 속도가 빨라지고 있다. 그러나 올빼미 같은 뭇시선의 감시 속에서 낙오될 수는 없다.

한철은 숨을 몰아쉬며 대열에서 떨어지지 않으려고 버티어 가고 있다. 등에 땀이 흥건히 배어 옴을 느낀다. 이마에서도 땀이 흘러내려 눈알을 따갑게 흐리운다. 내무반 안에서 다리를 오그려야만 하던 한기는 어느 사이엔지 다 가셔져 갔다.

'보복치고는 지극히 졸렬한 방법이군.'

한철은 혼자 뇌까리면서 있는 힘을 다해 뒤를 따르고 있다. 참말 견뎌낼 수 없을 정도로 숨이 차 온다. 그러나 이 마당에서까지 뒤쳐지고 싶진 않다. 너희들이 하라면 시키는 대로 해 보자……. 반발은 차라리 지쳐 가는 육신에 스스로 채찍질을 가하여 주는 것이다.

선두에 섰던 건설반부터 하나씩 정지하여 대열을 정돈해 가고 있다. 밤눈이 익어 주위가 차차 어느 정도 알아볼 수 있을 만큼 눈길도 익숙되어 간다. 출발이 늦은 반은 늦은 대로 한 바퀴씩 더 돌고는 멈춰 선다. 그렇다면 맨 나중에 출발한 자기 반은 열 몇 바퀴 더 돌아야 할 것이 아닌가. 선두는 점차 더 빨라지고만 있다. 저것들은 지칠 줄도 모르는 것일까……. 한철은 이어오는 생각들을 물리치며 온 힘을 다해 뒤를 따르고 있다. 낙오되어 표를 내고 싶지는 않다. 그저 묵묵히 계속 뛰고 있을 뿐이다.

다 돌고 마지막으로 자기 대열이 정지되었을 때는 몸이 축축이 젖었음을 느꼈다. 푹 땅에 주저앉고 싶은 것을 억누르며 한철은 얼굴의 땀을 옷소매로 닦아 냈다. 헐떡이는 숨결은 아직도 완전히 가라앉지는 않았다.

"일체의 행동은 대원의 연대 책임 하에서 처리된다."

건설대장의 말끝에서 한철은 새로운 거슬림을 느끼면서도 입술을 지그시 깨물었다. 이땐 건설대장까지도 첫날의 그 경어를 말끔히 저버리고 반말로 주워 대고 있지 않는가…….

그러나 새삼스럽게 연대 책임은 왜 끄집어내는 것일까. 이제까지 실컷 되풀이해 온 일이 아닌가…….

"이제부터는 지휘관의 경어는 전부 폐지하고 명령어를 쓴다."

이미 각오한 일이다. 그러나 작업장에서 기간요원들은 벌써 그를 앞질러 실천해 오지 않았던가. 새삼스러운 것은 아무것도 없다. 차라리 내놓고 그러는 것이 나을지도 모른다.

"불원 법 조치에 따라 정식 통고가 있겠지만, 이제부터 대원에겐 군법 적용을 한다."

이건 확실히 공갈어린 선언이다. 그렇다면 모든 것이 군대식으로 다루어질 것이 아닌가. 땀이 식어 가는 등허리에 한기가 느껴진다.

한철은 이러한 밤중의 사태가 꼭 자기 하나의 일로써 돌발된 것만 같은 중압감에서 완전히 헤어날 수 없어, 무거운 머리를 들어 주위를 둘러보았다. 그러나 아무의 눈동자도 뚜렷이 보이지는 않는다.

군법 적용……. 앞으로 닥쳐올 일들이 심상치 않겠다는 불안감이 시간이 감에 따라 더해 갈 뿐이다.

다시 자리에 들었다. 소등이 되어도 도무지 잠은 오지 않는다. 아침부터의 일들이 두서없이 망막을 스쳐간다. 한철은 신음에 가까운 가느다란 비명을 치면서 또 한번 돌쳐 누웠다. 가라앉았던 분노가 다시 한번 추켜 오르고 있다.

대체 나 자신이 무엇을 잘못했단 말인가, 명령에 복종하지 않고 반항

한 것이란 대체 무엇인가, 지금껏 있는 힘을 다해 충실히 하려고 노력해 오지 않았던가…….

기간요원들의 선입관에 의한 적대 의식, 그것으로 말미암은 생트집이다. 좋게 이끌어가려는 것이 아니라 굳이 나쁘게 보고 꼬집으려는 심사임에 틀림없다. 척하면 개자식들, 그렇잖으면 개새끼……. 그 독기어린 쌍스러운 말들은 늘 복수(複數) 개념을 곁들이고 있다. 대원 전체에 대한 적의가 그 폭발구를 찾지 못해 버둥거리다가 수 나쁘게 자기 앞에 와 터지고 만 것이다.

눈곱만큼도 뉘우침은 없다. 차라리 그것만으로 좌절된 자기 자신이 비굴하게 느껴지기만 한다.

비굴한 건 자기만이 아니다. 비굴한 인간들만이 한데 모여진 집단인 것이다. 모두들 자기 혼자만의 세계에서 제 잘난 멋으로 자기 하나의 이해만을 위해서 버둥거리던 인간들…… 자기 속에서 채 익지도 않고 제멋대로 굴러다니고 있는 몇 푼어치 안 되는 지식의 파편들을 가지고, 이것이 현대 지성입네 하고 온갖 것의 척도의 기준인 것처럼 착각하고, 자존심과 과대망상증의 성벽에서 달팽이처럼 웅크리고 살아온 인간들…… 정작 바깥 세계에서 오늘 아침처럼 일 대 일로 맞닿게 되면 꼼짝도 못 하고 비겁하게 옹졸해지는 족속들…… 그러다가 주위의 대세에 따라 군중 심리 속에 휘몰려 들면 그제서야 내노라 하고 깃발을 높이 들고 남의 등에 기대어 함성을 제 것인 양 처 대는 급조 영웅들…… 모두가 메스껍기만 하다. 자기 자신도 그 탁류에서 아직도 완전히 헤어나지 못하고 있다. 그 회색의 흐름 속에서 이것이 새로운 세대의 특징입네 하고 어엿한 자세를 취해 온 자기 자신이 오히려 가여워진다.

한철은 응 소리를 치며 다시 한 번 돌쳐누웠다.

조금 전까지도 침구 속에서 부스럭거리는 소리가 어둠을 거쳐 들려오던 옆의 대원도 깊은 잠에 빠져 코를 드르릉거리고 있다. 낮에 있었던 일,

그리고 아닌 밤중에 홍두깨의 곡예술 같은 돌발적인 보복을 당하고도, 한두 시간 후엔 그것들을 말끔히 잊은 듯 깊은 꿈속으로 사라져 가고 있지 않은가. 차라리 그것이 편할지도 모른다.

불감증, 면역성……

한철은 몇 번이고 같은 어휘들을 되뇌고 있다. 그것이 요령이나 적응으로 통하는 가장 가까운 길일지도 모른다.

시간이 흐르고, 같은 일들이 반복되고, 그러노라면 자기도 그렇게 비속화의 원상 복귀가 되는지도 모른다. 건설대에 자진 입대하던 때의 결의 같은 건 휴지처럼 쓰레기통에 구겨 넣고, 의사에게 생명이 맡겨진 고질의 환자가 막연히 퇴원 시기를 애원하듯이 제대될 날짜만을 기다리게 될지도 모를 일이다.

그러나 그러한 자기 및 주위에 대한 혐오증으로 지단의 Y국장, 아니 기간 요원에 대한, 타기할 만한 적의가 상쇄될 수는 없다. 최후선의 정당방위까지 포기해 버릴 수는 없는 일이 아닌가……

하지만 시합은 이미 끝나 버린 것이다. 상대는 멋진 적수는 아니지만, 용렬한 폭군의 하수인에 불과한 방법을 쓰고 있지 않은가……. 그러한 싸움에선 이기고 지고가 없다. 페어플레이가 있을 수 없다.

그렇다면 결국은 자기의 좁디좁은 달팽이 껍데기 속으로 되돌아가고 마는 것인가……

자기와의 대결, 그것은 너무도 슬픈 전투 의식이다. 싸움으로서의 대의 명분이 더없이 헐값으로 처리될 것만 같다. 하기야 출발 지점에서의 의도도 그렇지 않은 것은 아니었지만……

기간 요원에게서 미움 받는 자기, 동료 대원들에게서 고립되는 자신, 지금까지의 스스로의 벽 외에 이중의 성곽이 자기 밖을 겹치고 있는 고독 속으로 몰려 들어가는 것만 같은 심정이다.

바람이 막사의 텐트를 뒤흔들고 지나간다. 부엉이 울음소리가 여운을 끌며 진동해 온다. 땀에 젖은 등허리에 한기가 서린다.

한철은 포단을 머리까지 끌어올리고 발끝으로 끝자락을 차며 몸에 돌돌 감았다.

자기와 자기 밖의 것에 대한 새로운 균열(龜裂)이 더욱 깊어져 가는 것만 같은 외로움에 휘몰려 쫓기고 있다.

내무사열(內務査閱)!

이것도 한철로서는 단 한 번도 겪어 보지 못한 새로운 절차다. 대체 무엇을 새삼스럽게 사열한단 말인가……. 군인도 아니고 그렇다고 본격적인 인부도 아닌 어중간한 위치…… 불리한 경우는 군인으로 다루고 그렇지 않은 경우는 공사판의 날일꾼의 취급밖에 안 되고…… 그뿐인가, 때에 따라서는 죄수나 포로의 테두리를 벗어나지 못하는 인간 취급, 모든 악조건만이 겹겹이 적용되는 이방 지대…… 이 안에서의 일은 억지로라도 견디어 갈 수 있을지 모른다. 그러나 이 고역을 다 치르고 돌아가도 사회 일반인의 눈총이 이 연장이라면…… 직장에서까지도 그 타성을 버리지 못하고 색안경으로 본다면…… 그 앞은 더 생각하고 싶지 않다. 희망보다는 낙망이 더 짙게 앞을 가려온다.

자신에 대한 충실이 반이라면 국가나 민족, 이런 자기 이외의 대상에 대한 보상이 나머지를 차지하고 있는 것이 덮어 버릴 수 없는 출발의 동기다. 그 욕구가 과연 충족될 수 있을 것인가, 막연히 좋은 각도로만 해석하던 기대가 자꾸만 의아를 덧붙여 오기만 한다.

아침 기상 후 되는대로 접어 한쪽에 밀어 팽개쳤던 침구들은 지시하는 규격대로 다시 정돈하면서도 생각은 끝을 모르고 이어져 가고 있다.

옷가지, 양말, 작업화, 그 밖의 소지품들도 동일한 규격으로 정돈되었다. 막사 안은 다시 한 차례의 청소를 치러야 했다.

점점 자신이 명령에 따르는 기계의 구실밖에 하지 못하게 이끌려 감을 느끼면서도, 현재의 주어진 조건에서 그 이상의 신통한 방법이란 발견해 낼 도리가 없다.

건일은 의식 진행의 사회자 격으로 열을 올리며 대원들을 독려하고 있다.

"차렷!"

건일의 구령이다. 이런 경우 그의 동작은 분위기에 잘 어울린다.

대원들은 각기 자기 소지품 앞에 이열횡대로 서로 마주 섰다. 아까 예행 연습을 몇 번 치르고 난 뒤의 결과다. 이 사이로 사열관이 통과할 참이다.

색안경을 쓴 건설대장이 막사 입구에 들어섰다. 그 뒤에 소대장과 건설반장이 따르고 있다.

한철은 문득 언젠가 서울 하숙집 앞 골목에서 봉변당하던 때의 색안경을 머릿속에 떠올리고 있다. 작열하는 태양 아래에서의 해수욕장이 아니라면, 여느 때의 색안경은 그 봉변의 밤으로 연결되기 마련이다.

"번호!"

한철은 자신을 가다듬고 자기 차례의 번호를 불렀다.

"총원 삼십일 명, 사고 무, 현재원 삼십일 명."

건일은 확실히 경기장에 나선 선수같이 활기를 띠고 있다.

이제 사열관이 앞으로 오면 한 사람씩 소속을 대고 간단한 질문에 즉석 응답해야 한다.

한철의 차례이다.

바로 옆에서 쏘아보는 건설대장의 날카로운 눈초리가 색안경 속에서 짐작이 갈 수 있는 피차의 거리다.

"제일소대 제삼건설반 한철입니다."

"응, 한철······."

건설대장은 머리를 기웃하며 옆에 서 있는 소대장을 돌아본다.

"네, 바로 그 지단에서 사고를 낸 대원입니다."

한철은 찬물을 끼얹는 듯한 한기를 등골에 느끼고 있다. 이 자식은 왜

묻지도 않은 고자질을 주워섬기는 것일까……

대장은 한철이 시말서를 쓰러 대장실에 들어갔던 때의 기억을 더듬는 눈치로 머리를 끄덕이고 있다.

"야!"

"네."

생각할 겨를도 없이 반사적으로 나간 대답이다.

"혁명 공약 제1조항을 외워 봐."

이건 참말 예기치 않았던 질문이다.

혁명 직후 학생들에게 전부 암송시키라는 공문 지시를 받고 그것을 실천에 옮기느라고 교실에선 곧잘 외기도 했다. 특히 졸업반은 입학시험에 출제될지도 모른다고 하여 학생들 자신이 암기에 열을 올리던 것이 어제 일 같다.

그러나 직장을 집어친 후에는 단 한 번도 그것을 혼자 외워 본 일이 없다. 졸지의 벼락질문에 머릿속이 텅 빈 것만 같이 어리벙벙하다.

"빨리 외워 보란 말이야."

"꾸물꾸물하지 말고 어서 외워."

"교편을 잡았다면서 그것도 몰라."

건설대장의 뒤를 이어 소대장, 건설반장이 각각 한마디씩 비꼬는 조로 덧붙인다.

한철은 침을 꿀꺽 삼키고 입을 열었다. 무엇이든 대답하지 않고는 배겨 나지 못하는 시간이다.

"반공을 국서의 제일의로 삼고……, 삼고……, 삼고……."

그 아래는 도무지 기억에 떠오르지 않는다.

"그것도 몰라."

건설반장의 핀잔이다.

그러나 하는 수 없다. 식은땀이 흐름을 느낀다.

"그 이상은 모르겠습니다."

들릭락 말락한 맥 빠진 소리다.

"그러니까 일에 성의가 없이 반발만 하지. 좋아, 다음."

대장이 옆으로 옮기자 한철은 후 한숨을 내쉬었다. 눈알을 돌려 건일이 있는 쪽을 훔쳐보았다. 자식은 무엇이 그렇게 좋은지 웃음을 띠며 싱글거리고 있다. 냉소에 찬 표정으로밖에 보이지 않는다.

"혁명 공약 제2항을 외워 봐."

"잘 모르겠습니다."

곰의 굵직한 목소리가 틈을 주지 않고 뒤를 잇는다.

"응, 태도가 명확해서 좋다."

건설대장도 곰의 육중한 체구 앞에서는 위압을 느꼈는지도 모른다. 그런데 이 순간 건너편의 깍두기가 웃음을 터뜨렸다. 그 뒤를 따라 다른 대원들도 긴장 속에 참았던 웃음보를 함께 풀어 놓고야 말았다.

"왜들 웃어?"

노기를 띤 대장의 목소리다.

"이건 군대 생활의 기초야."

'군대 생활.'

흥 하고 한철은 콧소리를 칠 뻔했다.

"다시 정돈시켜."

"열중 쉬어!"

"차렷!"

"다시."

"열중쉬엇!"

"차렷!"

"다시."

건일의 구령이 몇 번이고 되풀이되었다.

"소지품을 내놓아."

먼저 웃음을 터뜨렸던 깍두기가 걸려들고야 말았다.

세면 용구, 휴지, 수침, 바늘, 실이 들어 있는 보수대, 식기 등이 깍두기 앞에 난전처럼 펼쳐졌다.

"이 그릇들을 잘 닦아 놓으란 말이야."

밥알이 붙어 있는 식기가 보란 듯이 대원들 앞에 쳐들어졌다.

"이건 뭐야?"

대장은 붕대로 싼 물건을 가죽으로 된 말채찍 끝으로 뒹굴리고 있다.

안에서 단도가 나왔다.

"이건 뭐냐 말이야?"

"본래 가지고 있던 물건입니다."

"뭐, 가지고 있던 거?"

"네."

"이런 건 뭣하러 가지고 다니는 거야?"

깍두기는 머리를 긁으며 대답이 없다.

"부동자세!"

옆에 있던 건설반장이 꽥 소리를 친다.

"무기 소지는 절대로 금한다. 이걸 본부에 갖다 보관해 둬."

대장은 건설반장에게 시선을 돌려 명령한다.

"양말 벗어 봐."

깍두기는 주위를 살피며 망설이고 있다.

"빨리 벗어."

건설반장의 독촉에 못 이겨 깍두기는 허리를 구부려 한쪽 양말을 벗는다.

"좀 더 깨끗이 해."

대장은 깍두기의 발등을 말채로 툭툭 치곤 다음으로 옮겨 섰다.

그러나 이젠 대원의 아무도 웃는 사람이 없다.

웃음에 대한 보복은 즉석에서 갚아진 셈이라고 생각하며, 한철은 명동의 날리던 깡패 두목이 단 한 마디의 반항도 못 하고 죽은 시늉을 하는 모습을 건너다보고 있다.

사열이 끝나고 간부들이 사라진 뒤에야 큰 고문이라도 치르고 난 것처럼 대원들은 서로의 얼굴을 쳐다보며 숨을 돌렸다.

한철은 닥치는 일마다 메스껍게만 느껴졌다. 아무래도 건설단이란 그 시발점에서부터 보조가 맞지 않은 억지의 일을 시작한 것만 같은 불안하고 미흡한 심정을 금할 길 없었다.

절름발이의 집단!

군대도 인부도 아닌 얼치기 이 군상인들이 대체 앞으로 닥쳐올 일들을 어떻게 감당하고 처리해 나갈 수 있을 것인가……

대원 하나하나가 절름발이고, 집단 전체가 절름발이고, 그 집단과 기관 요원의 거리 역시 절름발이의 이 기형적인 군상을 대체 어디로 몰고 갈 것인가…….

한철은 아무리 선의적인 해석을 해도 일마다 뒤틀려져만 가는 현실 속에서 앞으로 자신이 지탱해야만 할 미지의 지표를 막막한 상념 속에서 가늠해 가고 있다.

개인보다는 전체, 의지보다는 규율이 선행되는 기계적인 반복, 무엇인가 변화가 갈구되는 메마른 시간이 흘러만 가고 있다. 시간이 정지하지 않고 경과한다는 것, 그것은 현재의 한철에게 있어서는 더 없이 다행스러운 일이기도 하다. 그렇게 시간에 쫓겨가는 끝장에는, 무엇이든 해결이 와질 것임에 틀림없다는 극히 평범한 결말에 대한 맥빠진 기대 이외의 아무것도 없는 것이다.

새로운 변화, 그런 건 아예 기대조차 할 수 없는 특수 지대……. 기껏해야 기관 요원과의 충돌 사건 정도 밖에 없다. 그렇잖으면 건설단에 대한 색다른 법적 조처라도 있으면 몰라도…….

미지의 인간에 대해서는 그 속셈을 알고 싶은 호기심이라도 꿈틀거리는 법이다. 그러나 얼마 되지 않는 사이지만 매일 기거를 같이하고, 노역을 함께 하는, 같은 반원의 성품이나 습성이란 막고비의 절박한 지점에서는 재빨리 노출되기 마련이어서, 피차의 속들이 들여다보이는 것만 같다. 건설반장의 무지에 겹친 열등감, 건설대장의 허세어린 권위 의식, 그것조차 거의 밑바닥이 드러나 기껏 일방적인 분풀이로밖에 보이지 않는다.

무미건조한 건설반 안에 조그만 변동이 하나 일어났다. 한철은 급각도로 비뚤어져만 가는 자신의 기본자세에 어떤 전환점을 가져올 계기라도 되었으면 하는 막연한 기대를 걸어 본다.

건일이 본부반에 편성되어 서무계로 옮겨졌다. 소위 군대의 요령이라는 것에 손쉽게 어울려 갈 수 있는 적응성이 그가 예기하고 바라던 직선 코스로 육박하여 골인한 것에 불과한 것만 같다. 그것만이 아니다. 곰은 취사반장으로 전속되었다. 거대한 체구가 풍기는 위압의 선천적 조건보다는 깡패 두목이라는 실력의 관록이 더 효과를 내었는지도 모를 일이다. 이 바람에 신이 난 것은 깍두기다. 곰과 깍두기는 입대 첫 고비에서 각축을 겨누다가 곧 화해는 했지만, 늘 둘 사이가 서먹한 간격을 두고 암암리에 버티어져 왔었다. 그러나 깍두기도 예기치 않았던 곰의 영전에 시샘이 없는 바는 아닌 것 같다.

"짜식, 노다지를 잡았네."

건설반장이 이동 배치를 전달하였을 때 제일 먼저 불평어린 핀잔을 퍼부운 것은 깍두기다. 아무의 사전 연락도 없었던 모양으로 곰도 뜻밖의 일에 충동이 컸던지, 깍두기의 야유엔 아랑곳없이 커다란 눈알을 껌벅이며, 웃음을 흘렸었다. 사실 다른 대원들도 노역을 면하고 영내에서만 일하게 될 이들 행운의 주인공을 부러운 눈으로 지켜보았을 뿐이다.

이 바람에 새로운 대원 한 사람이 보충되었다. 전 건설대를 통하여 최고 연령자라는 딱지가 붙은 덕칠(德七)이다. 실지 나이는 서른일곱이라지만 호적이 늦어서 걸려들었다는 그다. 관청 수위로 십 년 근속을 했다는 덕칠이, 사남매의 아버지로 고지식하게 맡은 일만 충실히 해 왔다는 그. 그러나 그의 성격도 이 속에선 큰 물줄기를 따라 거칠어져만 가고 있다. 건설대만 치르고 오면 꼭 복직시켜 준다는 과장의 다짐을 그는 아직도 하늘같이 믿고 있다. 아니 오는 날부터 정해지지도 않은 돌아갈 날을 초조히 기다리고만 있다. 아예 그의 이름을 부를 염도 않고 대원들에게 영감으로 통하는 덕칠이. 술을 좋아하는 그는 젊은 반원들의 술자리에 선좌상격으로 우대를 받고 있다.

이 급작스런 변동은 한철을 여러 가지 생각에 휘몰리게 하였다. 윤수와 덕칠이…… 하나는 이십이 갓 넘은 연령 미달자, 다른 하나는 사십이 가까운 연령 초과자, 윤수는 자진 입대했고, 덕칠은 끌려온 셈이다. 일찍 보았다면 아버지와 아들, 비록 그것이 호적의 착오나 모자라는 나이를 우기고 들어온 경우나 할 것 없이 뒤범벅된 사회의 축도를 고스란히 이 속에서 목격하는 것만 같다. 곰과 윤수의 대조에선 그 체구의 차이만이 느껴졌지만, 덕칠이와 윤수 사이에선 한 세대의 거리를 느끼지 않을 수 없다. 모두가 상처입은 사람들이지만, 둘은 누구보다도 가장 큰 피해자로만 느껴졌다. 건일이 어려운 조건들을 용케 누벼 가는 인생의 거수라면, 곰은 좋건 궂건 이미 이루어 놓은 실력을 바탕으로 덕을 보는 경우만 같다. 곰이건 건일이건 그들에겐 삶의 자세에 제각기의 특색이 있다. 그러나 한철 자기는 아무것도 가진 것이 없고 아무런 특징도 없는 것만 같다. 자기만이 가장 옳은 것처럼 생각하고 유폐된 껍질 속에 홀로 도사리고 앉았지만 삶에 대한 아무런 무기도 없다. 언제 한번 적극적으로 삶을 생각하고 선두에 서서 행동으로 옮겨 본 일이 있었던가……. 기껏 현실에 대한 방관자가 아니면, 지성이라는 이름 좋은 베일 속에서의 무기력한 회색분

자. 그렇잖으면 기회주의자. 그리고는 뒤에서 손가락질하며 비방하는 비타협의 자세. 어쩌면 건설대에 몰려온 대부분의 인간들은 자기와 같거나 비슷한 인생의 방관자들만 같다. 차라리 삶의 예외자일지도 모른다.

그러나 한철은 자기 자신에 대한 하나의 새로운 역사를 새겨 놓기 시작한 셈이라는 생각을 지울 수는 없었다. 지난번 지단에서의 반발……하지만 그것도 끝까지는 버티지 못하고 도중에서 좌절된 셈이다. 건일의 경우가 자기의 의사는 파묻고 추종만하는 추수파라면, 곰의 경우는 실력으로 대결해서 쟁취한 행동파라고나 할까, 그러나 그것만으로는 명쾌한 대답은 내려지지 않는다. 건일이나 곰, 그들 자세에 한철은 솔직한 긍정이나 공명이 가지 않았다. 그러면서 자신에 겹씌운 스스로의 부정(否定)도 풀길이 없다.

자신은 지금 건설대라는 절대적인 주어진 조건 속에 있다. 반발하는 선봉에 서서 영웅시되는 것만으로 자신에게 보답되었다고 자족할 수는 없는 일이다. 그 밖에 스스로를 충족시키는 다른 무엇이 있어야만 할 것 같다.

한철은 눈을 감은 채 긴 한숨을 내쉬었다.

내무반장 선출!

건일이 떠나간 뒷자리의 공석을 메워야만 할 참이다. 그것도 이번엔 대원들의 여론을 존중하여 자유 분위기에서 선거한다는 것이다. 점점 멀어져만 가는 것 같은 기간요원과 대원간의 거리를 조금이라도 접근 시켜 보려는 의도에서 나온 방편인지도 모를 일이다.

무기명 투표의 결과는 예상외의 기현상을 나타냈다. 한철이 최고 득점으로 내무반장에 당선되었다. 반원들의 박수 소리 속에서 한철은 당황하지 않을 수 없었다. 이럴 수도 있을까……. 도무지 본인으로서는 이해가 가지 않는 결과다. 나를 뽑다니……. 참 어처구니없는 일만 같다.

한철은 눈길을 건설반장 쪽으로 돌렸다. 그의 일그러진 표정도 확실히 의외라는 엇갈린 모습을 짓고 있다. 그러나 마주치는 그의 눈동자에서 전 같은 거센 독기를 느낄 수는 없다. 그도 참말 생각지도 않았던 전체 의사의 반영에 기가 죽은 것일까……

건설반장은 심각한 표정들을 돌아보며 입을 열었다.

"조용히 하라!"

어미의 명령도가 한철에게는 더욱 거세게 부딪쳐 오는 것만 같았다.

"이 선거 결과는 즉시 본부에 보고하겠다. 대장님께서 최종 결정을 하여 반장을 임명하게 될 것이다."

"그럼, 이 투표는 아무것도 아니란 말이요?"

목사가 오래간만에 입을 열었다. 그는 대체로 모든 일에 침묵으로 일관했고 작업 이외의 시간을 성경책과 씨름을 했었다. 그러나 기도 시간만은 그의 독무대다. 예배에 참석하는 사람들은 그에게 진심으로 경의를 표해 왔었다. 목사도 투표 전에 전적으로 대원의 의사로 결정된다는 약속을 받았던 것이 금방 뒤집어지는 것 같아 언짢았던 모양이다.

"대원들의 의사는 충분히 참작한다."

"투표에 나온 대로 해요."

출입문을 나서려는 건설대장의 뒤에 대고 깍두기가 커다란 소리를 쳤다.

그렇다면 목사나 깍두기를 비롯한 반원들은 사전에 무슨 타합이라도 있었던 것일까……

"전번 지단 본부에서처럼 그 기분으로 하란 말이야. 반원의 이익을 위해서. 응……."

깍두기가 앞으로 나와 손을 덥석 쥔다.

"나는 그날 일이 아직도 미안해, 한형에 비해서 내가 비겁한 것 같아서."

"한 선생, 잘하세요."

약한 몸에 견디기 어려워 줄곧 풀기 없던 윤수도 이 시간만은 아주 활기를 띠고 있다. 고등학교를 갓 나온 그는 한철이 교편을 잡다가 왔다는 점에서인지 몰라도 늘 한 선생이라고 부른다. 한철은 그 호칭이 몹시 어색하게 들렸지만 그러는 윤수에게 동생 같은 정이 가기도 했다.

"수고 많겠소."

목사, 덕칠이 할 것 없이 모든 반원들이 자기 쪽으로 몰려와서 진정에서 우러나오는 말투로 격려해 준다.

그러나 한철은 머릿속이 복잡해질 뿐이다. 전번 날의 지단 사고로 쭉 늘어지게 얻어맞은 자기에게 이들은 동정을 보내는 것일까, 그렇잖으면 영웅적인 투쟁이라도 되는 듯이 과장하여 생각하는 것일까……. 차라리 깍두기처럼 연대 의식의 어떤 자책감을 느끼고 있는지도 모른다. 이들의 격려에 한철은 대답할 말을 잊고 다만 호의에 찬 악수를 받아 손을 마주쥘 뿐이다. 그들이 자기에게 거는 실오라기만한 기대라도 있다면 그것이 오히려 미안할 뿐이다. 꼭 무거운 짐을 억지로 지워 주는 것만 같다. 그렇다고 자신이 지금 반장으로 확정된 것도 아니다. 자신은 그런 것을 생각해 온 일도 없이 투표 그 자체를 장난처럼 치워 넘기지 않았던가…….

이쯤 되면 좀 더 심각히 생각하지 않을 수 없다. 건설대장이 최종 결정을 내린다면 자기가 반장이 될 리는 만무하다. 자신 또한 그렇게 되기를 바라고 있다. 마음속엔 오히려 이들의 호의나 기대에 대한 부담감이 느껴져 올 뿐이다. 전연 상상조차 할 수 없었던 새로운 사태의 발생으로 한철은 궁지에 몰린 것만 같은 심정에 쫓기고 있다.

건일과 곰이 사라진 내무반은 태풍이라도 몰려간 뒤처럼 고요해진 것만 같다. 어느 한구석이 쑥 빠져 버린 것 같은 빈자리를 느끼게 한다. 얇은 지혜와 능숙한 화술로 첫날부터 두각을 나타낸 건일이라면, 거대한 체구에 무언의 위압으로 군림한 것이 곰이었다. 그들이 한꺼번에 나가 버린 내무반은 적적한 감마저 들기도 한다.

한철은 끝끝내 자기에게 내무반장을 둘러씌우면 어떻게 할 것인가 하고 생각해 본다. 사고 대원에겐 절대로 있을 수 없는 일이다. 그러나 회유책으로라도 그렇게 된다면……. 그는 가로 머리를 저었다. 본부 기간요원과 대원간의 사이에서 가장 골탕을 먹는 것이 내무반장이다. 건일은 용케 그것을 요리해 왔다. 그러나 자신은 도저히 그렇게 할 수 있는 재능도 없거니와 마음의 준비도 되어 있지 않다.

그는 학교에 있을 때 교감의 위치를 생각해 본다. 실권이란 하나도 없이, 교장 앞에 가서는 꼼짝 못 하고, 직원들에겐 비방의 대상만 되던 어중간한 존재……. 그러나 그것은 정상적인 체계를 지닌 직장에서의 일이다. 여기야 얼치기로 모아 놓은 오합지졸의 집단이 아닌가…….

꿈에도 생각지 않던 새로운 일에 부닥쳐 한철은 쓸데없는 일에 신경을 더 써야만 하는 것 같은 부질없음을 느끼면서 방금 있었던 모든 사실을 부정해 본다. 그러나 지울 수 없는 하나의 사실로 나타난 새로운 사태임에 틀림없다. 모두가 귀찮아진다. 되는대로 가보는 수밖에 없다. 닥치는 대로 맞서 보자……. 그는 저도 모르게 혼자 중얼거렸다.

내무반 안에 던져진 한 장의 신문, 대원들은 밥풀때기에 기어드는 개미마냥 신문 주위에 모여들었다. 내려오던 때 중앙선 차속에서 제목만을 주워 읽고 내던진 것이 마지막 신문이었다. 그 사이가 까마득한 것만 같다. 삽시간에 신문은 가운데가 쪼개져 두 쪽이 났다. 한 장으로 많은 사람이 달라붙기엔 너무도 갑갑했던 모양이다. 반원은 금방 두 패로 갈라져 다시 신문 둘레에 원을 그리고 있다. 앞쪽을 보는 사람과 뒷면을 보는 사람이 서로 신문지를 눕히지 않으려고 위로 떠밀어 종잇장이 곧장 추켜서고 있다.

외계와 단절된 사회, 그간에 일어났던 모든 일들이 새로운 사실로만 덮쳐져 온다. 건설대 안의 복잡한 사태는 아랑곳없이 서울의 봄은 짙어만 가는 것이다. 창경원 벚꽃도 한물갔는가 보다. 신록이 우거져 가는 포도의 가로수 사진이 짓눌렸던 향수를 순시에 불러일으킨다.

한철은 휴지처럼 구겨진 신문을 받아들었다. 조그만 글자는 문드러져 잘 보이지 않을 정도로 닳아져 있다. 몇 손을 거치고 온 여인같이 초췌한 종이 위에서 제목의 활자들만을 주워 가고 있다. 문득 이불 속에서 조간 신문을 펴 들던 순간의 코를 찌르는 잉크 냄새가 되살아온다. 다시 그 위에 형우, 경은이, 영혜 그리고 은령의 모습이 아른아른 겹쳐 온다. 금방 날아가 그들 분위기 속에 풍덩 뛰어들고 싶은 충동…….

호기심에 차던 지면도 전면을 다 훑어보고 나니 아무런 감흥도 없이 맥 빠진 기분이다. 최고 회의에선 또 다시 몇 개의 법력을 제정 공포했고…… 물가는 계속 뛰어오르고 한 가족이 또 생활고로 집단 자살을 하고…… 어린아이가 거리에서 유괴되고…… 그러면서 비원을 비롯한 유원지에는 인파가 들끓고…… 결국 떠나오던 때의 뉴스에서 색다른 무엇을 발견할 수는 없는 것만 같다.

밤을 자고 나도 날이 흘러가도 제자리걸음, 기껏 이것뿐일까…… 아니 뒷걸음질치고 있는지도 모를 일이다.

한철은 쭈글쭈글해진 신문 반쪽을 내던지고 밖으로 나왔다. 하늘은 맑건만 가슴속은 검은 구름장이 덮인 것처럼 답답하기만 하다.

한철은 본부에 가서 등기 우편을 찾았다. 예상했던 대로 형우에게서다. 바깥 세계에선 편지 정도로 이처럼 즐거웠을 때는 일찍이 없었다. 이곳에 와서 처음으로 우편물을 받는 사람들은 누구나 그러한 흐뭇하고도 기쁜 표정들이다. 모두가 아쉽고 그립기만 하다. 매일매일 기다려지는 것은 외계의 소식을 알려 주는 편지밖에 없다. 그는 초조와 긴장이 서려 가느다란 흥분마저 느끼면서 동봉한 우편환을 펴 보았다. 일금 만 환…… 벗의 호의가 가슴이 뻐근하도록 고마워진다. 이것이면 우선 얼마간의 막걸리 치다꺼리는 될 것 같다. 타락된 자위일지는 몰라도 그 이외에 자신을 달랠 방법이란 아무것도 없다.

그는 글자에 쫓기듯이 편지 속의 사연을 조급하게 훑어 내려갔다. 역시 형우의 지론 그대로 첫마디부터 요령의 체득에 대한 계몽이다.

—홍, '대학은 미증유의 적개심 대상…….' 그것은 논산 훈련소에서 이미 정설로 된 것이고, 더욱 전방 초소에선 얼마든지 있었던 일이다. 그 설익은 자존심 따위를 빨리 쓰레기 칸에다 처넣어라. 어리석은 반항으로 제 몸 다치지 말고 요령껏 몸조심하란 말이야. 복무 기간을 마치고 나오면 요령 없이 죽도록 얻어맞는 놈만 병신구실을 한 결과로 되는 거야……. '경어는 점차 비어화하고…….' 홍, 이것도 참말 어림도 없이 어리석은 소리다. 명령에 무슨 경어가 필요하단 말이야……. 전투에는 그렇게 예절을 차릴 시간의 여유가 없어……. 애초에 경어에 감격한 쪽이 경어를 쓴 쪽 보다 더 못난 놈일지도 몰라……'배신' 무엇이 배신이란 말인가……. 이미 떠나갈 때 너의 자세에는 두 가지 해석이 가능했던 거야……. 즉, 건설대로 들어간다는 건 네가 스스로를 변명하듯이 자기 충실로 해석할 수 있는 반면에, 직장에서 떨어져 나가니까 할 수 없이 굴복한 것이기에 자기 자신에 대한 배신으로 해석할 수도 있었던 거야……. '일요일의 자유 외출 중지' 그만한 것은 군대 생활에선 날마다, 아니 거의 시간마다 변동될 수 있는 일이야……. 너는 아직도 군대의 변모로 생긴 기형적인 건설대의 본질을 잊고, 무슨 우대를 하기 위하여 공기 좋은 산중으로 데려간 줄 착각하고 있는 모양이야……. 그러나 이것은 쓸데없는 아집으로 희생이 날까 싶은 너를 염려해서 털어놓은 역설쯤으로 생각하는 것이 속 편할 거야…….

한철은 편지를 읽다가 머리를 들었다. 꼭 형우가 옆에 앉아 그 독설어린 설득을 직접 자기 귀에 대고 퍼붓는 것만 같은 착각에 사로잡히고 있다. 자기의 주변 이야기보다 상대의 편지 구절을 하나씩 꼬리를 잡아 공격하여 오는 형우의 직격탄에 적잖은 반발이 느껴지면서도, 머리가 끄덕여지는 긍정의 일면을 전연 부인할 수도 없는 심정에 쫓기도 했다.

내가 한번 직접 찾아가서 같이 술이나 실컷 마시면서 너의 울분에 찬 불평이 속시원히 배설되도록 밤을 새워야만 할 것 같다. 追伸—경은이는 입원중이고, 영혜는 여권 수속에 동분서주하고…….

형우의 편지는 한철이 가장 알고 싶어 하는 그들 주위의 이야기에 대하여는 거의 언급이 없다. 기껏 맨 끝에 경은이나 영혜에 대해서는 '추신'으로 한 마디 덧붙였을 뿐 그 밖의 상세한 이야기는 없다. 경은이가 입원했다면 대체 무슨 병으로 어느 병원에 입원했단 말인가……. 경과에 대한 아무 이야기도 없다. 영혜는 금방 수속이 끝나 자기가 돌아가기 전에 떠나 버리는 것이나 아닐까……. 형우의 편지로는 그 이상의 아무것도 알 길이 없다.

그렇잖으면 밤낮 이 치들이 어울려 놀러 다니면서, 한철 자기가 안타깝게 고민하고 있는데 그 이상 불을 지를 수 없어, 적당히 꾸며 댄 것이나 아닐까……. 한철은 여러 갈래로 상상의 날개를 펴 본다. 그러나 궁금증은 끝내 완전히 풀려지지는 않는다.

통나무 주점 영월집도 그 사이 많은 발전을 했다. 토방이 갑절이나 넓어졌고, 앉은 대로 하늘의 별이 새어 보이던 지붕은 짚으로 말끔히 이어졌다. 그 옆에는 식구들이 기거하는 온돌방 하나가 덧붙여지기도 했다. 비단 영월집 뿐만이 아니라, 건설대 주변에 띄엄띄엄 흩어져 있는 촌가에서는 막걸리 잔이나 밀국수 정도를 팔기 시작한 싸구려 장사가 매일 늘어만 가고 있다. 그 속에서도 영월집은 가장 흥성거렸다. 그것은 건설대에서 제일 가까운 곳에 있다는 입지 조건의 탓도 없는 바는 아니지만, 나이찬 처녀가 있다는 것이 대원들에게 적잖은 관심거리가 되기 때문이었다.

주인도 장사 솜씨가 차차 트여서, 산나물의 색다른 안주를 갖가지로 값싸게 차려 내고, 딸 순실이마저 손님 접대의 앞잡이로 내세우고 있다.

모처럼 예기치 않게 얻어 걸린 기회에 단단히 한몫 잡아 보려는 심산일지도 모른다. 엄벙대고 시작한 서투른 장사가 점차 본격적인 제몫으로 옮겨져 날로 번성해 가고 있다.

건일이와 곰은 이미 초저녁부터 와 있었고, 거기에 새로 들어온 패들이 한데 얼려 좌석은 하나로 합쳐지고 말았다. 깍두기, 윤수, 덕칠이, 이들은 한철이를 끌고 왔다. 이렇게 어울리고 보니 신구 반원의 낯익은 멤버는 거의 다 모인 흥겨운 술자리가 저절로 이루어진 셈이다.

"그렇잖아도 같이 한잔 할 기회를 가지려고 했는데 하하하……."

건일은 쭉 돌아가며 한 잔씩 따르면서 여전히 그 너털웃음을 덧붙이고 있다.

"영전하신 서무계 나리께서 어련하시겠소."

쭉 들이키고 난 깍두기는 자기 잔을 건일에게 권하면서 그의 말을 즉석에서 받아넘긴다.

"너무들 그러지 마소. 다 무등병인데 뭐……."

"그렇게 발뺌을 하지 말고, 좋은 자리에 있을 때 한 번 잘 봐줘요."

"좋은 자리긴 뭐, 다 그렇구 그렇지."

"자 취사반장 한잔 들갑쇼."

깍두기의 잔은 다시 곰에게로 건너갔다.

"또 빈정대긴가?"

곰은 잔을 받으며 히죽이 웃는다.

"참말 사람 팔자 알 수 없다니까, 그 누룽지라도 좀 많이 보내줘요."

곰은 어깨를 으쓱하며 잔마저 삼킬 듯이 단숨에 마셔 버린다.

"다음엔 우리 새로운 반장……."

한철은 깍두기의 잔을 받으며 쓴웃음을 지었다. 그 반장이라는 말이 아직도 실감이 나지 않게 메스껍기만 해서였다.

"자, 반장 수고 많겠소."

건일이도 한철에게 잔을 권하며 말을 건넨다.

"내가 그 이면사를 하나 얘기하지. 건설반장 김 하사가 한형을 사고 대원이라고, 투표 결과를 뒤집으려고 하지 않아. 그래 내가 설득시켰지. 이렇게 적대시만 하다간 아무것도 안 될거라구. 대원들의 의사를 참작하는 방향으로 타협적으로 나가야 될 게 아니냐고 그랬어. 그래도 망설이기에 우리가 제단된 후에 만나면 대체 어쩌자는 거냐고 한바탕 공갈을 때렸지. 그랬더니 조금 수그러지지 않아. 그래 대장에게 잘 보고하여 전체 의사를 존중하는 각도로 가자고 그랬지. 그저 그렇게 된 거야."

한철 자신 내무반장이란, 전연 관심이 없는 일이다. 다만 의외의 선거 결과에 놀랐을 뿐이다. 선거라는 것도 반원들을 회유하려는 방편으로 나오는 것이구나 하는 추측 정도였다. 그러나 투표 현장에서의 강경한 태도와는 달리, 반장 결정 통고를 하러 온 때의 김 하사의 태도는 적잖이 달랐었다. 지금 그 열쇠가 풀려진 것이다. 그렇다면 이번에도 역시 선수는 건일이 쓴 것이구나 생각하니 자기와는 대적할 권외의 대상으로만 느껴졌다. 자기는 그와의 정면 대결을 외면하고 그를 비웃으면서도 끝내 그의 뒤를 따르고 있음에 불과한 것만 같다.

잔들은 쉴 새 없이 오고 가고 하는 사이에 거의 다 취해 갔다. 덕칠이는 곰에게 지지 않는 육중한 체구로 두꺼비 파리 잡아먹듯 술잔이 오는 대로 훌훌 쏟아 넣는다. 곰과 덕칠이 사이에 끼인 윤수는 어른 옆의 어린이처럼 한 마디 말도 없이 멍하니 둘레의 얼굴들만 쳐다보고 있다.

한철은 고루고루 잔을 돌리면서 자신도 오는 대로 모조리 받아 마셨다. 맘껏 취하고 싶은 심정 이외의 아무것도 없다. 깍두기와 건일은 쉴 새 없이 서로 비꼬는 말을 주고받지만 별다른 악의가 담겨 있는 것은 아니다.

"순실이, 한 되만 더 줘요."

건일은 어느 사이엔지 처녀와 농을 걸면서 웃음을 던지게끔 되었다. 처음 날 저녁엔 별로 표정을 보이지 않던 처녀도 이제는 제법 맞장구를 치며 웃음을 흘려보내고 있다. 젓가락 장단에 노래가 나오고 결국엔 깍두기의 트위스트까지 등장하고 말았다. 소녀도 이번엔 허리를 붙잡아 가며 웃음을 터뜨리고, 몸을 비꼬는 깍두기의 몰골에 영감 노친도 넋 잃은 양 주름진 얼굴에 일그러진 웃음을 비끼고 있다.

시간이 가는 줄도 모르고 밤은 흥겨웠다. 그러나 점호 시간에 늦지 않게 내무반으로 돌아가야만 한다. 그동안 훈련이 돼서인지 아무도 규칙을 어기고까지 앉아서 더 버티려는 만용을 부리는 사람은 없다. 이만큼 모두들 요령에 젖어든 것인가 하고 한철은 영월집 첫날밤의 봉변을 생각하며 자리에서 일어났다.

건일이 계산하려고 하기에 한철은 가로막으며 호주머니에 손을 넣었다.

"형씨, 왜 그러시오. 우리가 먼저 들어왔는데, 내가 내야지."

"아니 돈이 좀 생겼으니, 오늘은 내가 해야지."

"아직, 건일이 그렇게 죽지는 않았소."

한철은 아무래도 미안한 심정을 금할 길 없어 우기고 나섰다.

"그럼 같이 내도록 합시다."

"왜 이러시오. 한형, 요만껏 가지고 주전자 가부시끼를 하잔 말이오. 내일 밤 따로 자리를 마련하시오…… 하하하."

건일은 웃음으로 끝을 얼버무린다.

한철은 자기가 오히려 옹졸한 것 같은 섬찍한 기분으로 돌아서지 않을 수 없었다.

제7장

오월도 하순, 겨우 한 달 남짓한 시간이 흘러갔다. 그러나 한철에게는 그것이 몇 달 몇 해의 긴긴 세월마냥 지루하게 느껴지기만 했다.

한밤 한밤 자고 나면 눈에 두드러지게 산은 푸르러 갔다. 비에 말끔히 썻긴 나뭇잎의 연녹색 새순에서는 싱싱한 내음이 풍겨 왔다. 계절의 변화가 유난히 시선을 끌어당기는 것만 같았다.

그러나 깊은 산 속의 아침나절은 싸늘한 기운이 완전히 가셔지지는 않았다. 그러다가 한낮이 되면 갑자기 초여름에 접어든 듯이 후끈한 기운이 부드러운 바람 속에 감싸여 온 누리를 포근히 적셔 주었다. 도심지의 먼지투성이 속에서는 일찍이 느껴 보지 못했던 감정에 젖으면서도 마음 한 구석의 무거운 기분은 말끔히 씻겨지지가 않았다.

본격적인 작업이 시작된 지도 2주일이 넘었다. 하루하루 겪어 가는 속에 서투른 일들이 제법 손에 숙달되어 가는 대원이 있는가 하면 시간이 흐를수록 더욱 지쳐만 가는 연약한 축들도 적잖이 눈에 뜨이게끔 되었다.

한철은 자리 속에서 눈을 떴다. 방금 잠이 든 것만 같았는데 벌써 창문이 환하다. 소등이 된 후 자리에 들자 그대로 녹아떨어진 모양이다. 처음 얼마 동안은 곧장 잠을 청해 내지 못하고 엎치락뒤치락 거리며 오만 가지 생각에 잠겼었지만 이젠 그러한 육신의 여유도 없어진 것만 같다. 육체적인 피로가 덮쳐 갈수록 불평할 기력조차 마비된 듯이, 대원들 속에는 초저녁부터 내무반 귀퉁이에 새우처럼 몸은 움츠린 채 곯아떨어지고 있는 축들이 늘어 가고만 있다. 자고 일어나면 새로운 희망이 부풀어 오르는 것이 아니라 제대로 회복되지도 못한 몸뚱이에 다시 가중하는 노역이 대기하고 있을 뿐이다. 이제는 점차로 몇 푼어치 안 되는 지식의 파편이나 혼자 잘난 체한다고 눈총을 받기 일쑤인 지성 따윈 문제가 아니다. 실속 있고 능률적인 노동력이 신임을 받고 있는 계절로 바뀌어져 가고 있는 것이다.

불평을 한다는 것도 아직 어느 정도의 여유가 있을 때의 일인 것이다. 그것이 정말 막다른 골목에 다다르면 꼼짝없이 굴복하든가 그렇잖으면 무언의 저항으로 변모해 가는 것이다. 대부분의 대원에게선 확실히 말수가 줄어져 갔다. 그것은 아무리 부딪쳐야 반응이 없는 대상에 대한 전투

포기거나 스스로에 대한 체념일지도 모른다.

그러나 그들의 눈동자에는 아직도 항거 의식이 발톱을 감춘 채 도사리고 있음을 놓칠 수는 없다. 그것은 마치 쇠사슬에 묶인 포로가 언젠가는 승리의 개가를 부르며 지배자에게 군림할 것 같은 미래를 꿈꾸고 있는 수용소의 생태 같은 것이라고나 할까…… . 그것만이 아니다. 이들의 잠재하고 있는 반항 의식은 또한 어느 계기에 어떠한 형태의 행동으로 옮겨질지도 모를 일이다.

한철은 자리에서 일어났다. 분에 없는 반장이라는 직책이 자신을 그만큼 내면에서 채찍질해 옴을 느꼈다. 대원과 기간요원의 중간에 끼인 허울 좋은 감투에서 파생되는 이중의 압력감을 부인할 수 없지만, 그것이 아니라도 스스로에 대한 충실감에서 오는 마음가짐은 이미 심적 무장으로 굳어져 가는 과정이기도 했다.

내무반 안의 어둑어둑한 속에서는 깊은 잠에 떨어져 있는 숨소리 이외에는 아무것도 들리는 것이 없다. 처음에는 밤중에 혼자 일어나 앉아 언제까지고 기도를 올리기에 골몰하던 목사도 제풀에 물러났고, 비수처럼 번득이던 깍두기의 날카로운 성품도 별수 없게 피곤한 몸뚱이 속에 찾아들고야만 것만 같다. 윤수는 힘에 겨운 노동이 지나치게 고달팠는지 간간이 신음 소리를 지르며 몸을 꿈틀거리고, 핫바지 덕칠이는 육중한 몸뚱이에 입을 해 벌린 채 코를 골아 대고 있다.

한철은 내무반 출입문을 열고 밖으로 나왔다. 새벽 공기가 싸늘하게 겨드랑이에 스며든다. 그는 팔을 벌려 기지개를 켜며 시원한 공기를 가슴이 뿌듯하게 들이마셨다. 내뱉는 입김이 뿌옇게 흩어져 간다. 축축이 습기를 띤 대기를 거쳐 서쪽 산봉우리 위에 실오라기 같이 엷은 달이 호젓이 걸려 있다.

본부 천막에는 불빛이 보이고 속에서는 웅성거리는 소리가 들려온다.

시계는 다섯 시 반. 삼십 분만 있으면 기상 신호가 울릴 것이다. 다시 자리 속에 들어가 잠을 청하기에는 어중간한 시간이다. 취사장에 나란히 솟은 굴뚝에선 몇 줄기의 연기가 하늘로 곧게 솟아오르고 있다. 이제 또 하루의 고역이 시작될 서곡은 이미 울려진 것이다.

한철은 어슬렁어슬렁 취사장 쪽으로 걸음을 옮겼다. 무슨 요긴한 일거리가 있어서가 아니라 모든 대원들이 잠들고 있는 시간에 그곳만이 살아 움직이고 있는 것만 같은 느낌에서였다. 다른 반에서도 한둘씩 막사 속에서 나와 변소 쪽으로 뛰어가는 대원들이 보인다.

취사장 속은 밥가마에서 오르는 김이 보얗게 서려 있다. 취사반장 곰은 그 속에서 둔중한 몸집을 서서히 움직이며 눈길을 이리저리 굴리다가 뜻밖에 나타난 한철과 마주치자 놀라는 표정이다. 이럴 때 그의 눈동자는 유난히 크게 번득이는 것이다.

"왜 이렇게 일찍 일어났어?"

"단잠에 눈이 뜨였어."

곰은 한철에게 담배를 권하며 같이 불을 붙인다.

"고단할 텐데……."

"그거야 피차일반이지."

"하지만……."

"이제 더 잠을 청할 수가 있어야지."

다정하게 맞아 주는 곰을 대하며 한철은 한 집단의 보스였던 상대의 풍모를 새삼 더듬지 않을 수 없었다.

이 육중한 몸집의 어디에서 그렇게 섬세한 마음가짐이 나타나는 것인가…… 아니 그것은 분명 깡패의 두목으로서 많은 졸도를 거느리던 폭군의 위엄 뒤에 숨은 의협심과 관대성, 그런 것일 거라는 생각이 들었다.

다른 대원들은 매일같이 계속적으로 고된 노동에 시달리고 있다. 그러나 본부에 근무하는 건일이나 취사반장인 곰의 경우는 그와는 전연 다르다. 건일이 영내에서 치르는 사무로써 노역을 대신한다면 곰은 취사 감독 그것으로 모든 의무를 다하는 셈이다. 좀 더 공정한 안목으로 배치한다면 윤수같이 어리고 약한 대원이 취사반으로 세워야 할 것이 아닌가……. 그러나 한철은 이제 새삼스럽게 이런 것에 대하여 누구를 탓하고 싶지는 않았다. 그만큼 자기 자신도 무기력해져 가는 것인가 하는 생각이 들기도 했다. 그렇지만 곰은 건일이처럼 약아 빠지지 않은 묵직한 인품이 오히려 사람을 끄는 매력인지도 모른다는 생각이 들기도 했다.

"자, 이거나 먹자구."

곰은 선반 위에서 바삭바삭 마른 누룽지를 끄집어내려 한철에게 뚝 잘라 주곤 자기도 한쪽을 떼어 입에 넣고 오도독 깨물고 있다. 한철은 그것이 좋았다. 가식이 없이, 있는 그대로 다 털어놓는 그 담백한 성품에 마음이 이끌려졌다. 이것도 기간요원에게 들키면 다 걸려드는 조항에 속한다. 그러나 곰은 그런 것에 아예 신경을 쓰려 들지 않는다. 앞에 누가 오건 안 오건 자기 행동에 조작이나 가식이 없다. 그것은 그 자신의 체력을 바탕으로 인간미에서 풍겨지는 가장 순수한 면이 아닌가 하는 생각도 드는 것이다.

사실 이즈음 작업이 본격화됨에 따라 배급되는 주식으로만은 양이 차지 않는 대원이 적잖게 늘어가고 있는 형편이다. 한철도 처음 얼마 동안은 자기 몫의 식사를 다 처리하지 못하는 때가 많았었다. 그러나 이 며칠은 식기에 거의 밥을 남기는 때가 없게끔 되었다. 아침에 별로 입맛이 없어도 오전 중의 중노동을 감당하기 위하여 억지로 그릇을 비우기까지 하고 있다. 그것은 거의 공통된 경향이기도 했다. 그렇게 하고도 점심이나 저녁은 식욕을 채우지 못해 이동 주보나 건설대 주변의 매식으로 보충하는 때가 없지 않았다. 그러면서도 한철 자신은 곰에게 와서 밥 한 덩이를 위해 손바닥을 내민 일은 없었다. 그러나 이날 아침에 접하는 곰의 태도에서 한철은 앞으로 어떤 희망적인 기대를 걸 수 있는 심정을 느끼기도 했다.

곰은 처음 올 때나 지금이나 그 몸집에는 아무런 변화도 없는 것같이 보였다. 오히려 얼굴에 기름기가 더 번질한 것만 같게 느껴졌다. 사실 한철 자기도 그 사이에 몸이 좀 야위었지만, 자기 반원 속에서 신색이 좋아진 사람이란 거의 찾아볼 수 없을 정도로 변모해가고 있다. 그러고 보면 깍두기의 말대로 곰은 노다지를 잡았는지도 모를 일이다.

"오늘 저녁 서울옥에 가 한잔 할까……."

곰이 히죽이 웃으며 한철을 건너다본다.

"서울옥이라니?"

"며칠 사이에 술집이 또 하나 생겼어. 서울서 색시도 불러 오고……."

이 얼마 동안 한철은 작업장으로 왕복하는 이외는 거의 영외로 나가지 않았다. 저녁 후면 피곤하여 몸을 움직일 염도 못했지만, 그보다는 반장이라는 책임감이 암암리에 그를 제약하는 면이 없지 않기도 했다. 비단 서울옥만이 아니라 며칠만 있다 밖으로 나가면 그 사이에 또 판잣집 음식점 하나쯤은 새로 눈에 띄는 것이다.

"색시집이 생겼어?"

"응, 얼굴도 괜찮아, 술맛이 난다니까."

"그럼 그러지."

대답을 하며 한철은 취사장을 나섰다. 기상나팔이 울려 왔기 때문이다.

점호 후 아침 식사가 끝나 작업 출동 준비는 완료되었다. 건설반마다 삼열종대로 늘어섰다. 삽, 곡괭이, 빠루 등 제각기의 작업 용구를 걸머진 대원들은 어제의 피로를 잊은 듯이 아침 이 시간만은 씩씩해 보인다. 그러나 그들의 얼굴에는 한결같이 희망에 찬 늠름한 기상이란 엿볼 수 없다. 오월의 맑은 하늘은 이들에겐 오히려 우울하고 감상적인 노스탤지어를 불러일으키고 있는지도 모를 일이다.

구령에 따라 대열은 연병장을 흘러나오고 있다. 맨 앞줄에서 부르는 행진곡을 따라 끝머리까지 호응하지만, 간간이 김빠진 공간이 나 그들의 자발적인 열의에 찬 노래로는 들리지 않는다.

"좀 더 씩씩하게……."

소대장의 구령이 있을 때마다 노랫소리는 높아져 가나, 얼마 있으면 다시 거품이 사그라지듯이 뒷머리가 낮아져 가기만 한다.

한철은 자기 건설반의 선두에 서서 걷고 있다. 바로 대열 옆에는 건설 반장 김 하사가 평행으로 따르고 있다. 노랫소리는 구절이 그칠 때마다 높은 산에 부딪쳐 귀에 쟁쟁하게 메아리쳐 온다. 노래 한 곡조가 끝나고 다른 것이 계속될 공백을 타서 자갈길에 울리는 발자국 소리는 더욱 두드러지게 고막에 부딪쳐 옴을 느낀다.

한철은 앞산 중턱에 시선을 박은 채로 걷고 있다. 아침 햇살에 비낀 신록의 푸르름이, 검은 바탕이 보이지 않게 온 산을 덮어 더욱 부드럽고 싱싱한 느낌을 자아내게 한다. 문득 어디 하이킹이라도 가는 것만 같은 순간이다. 금방 메고 있는 곡괭이자루에서 오는 싸늘한 감촉에서 전율할 것 같은 현실을 반추하지 않을 수 없게 한다.

'개새끼!'

거의 기간요원들의 말끝마다 붙어 다니는 용어다. 그 밖의 다른 표현이란 그렇게도 없는 것일까……. 그것도 단수가 아니다. 어느 한 개인의 잘못을 책할 때에도 예사롭게 개새끼들의 복수로 튀어나온다. 지금 그 개새끼들의 대열이 이렇게 행진해 가고 있는 것이다.

'개새끼들!'

그는 다시 한 번 그 귀에 거슬리는 불쾌한 낱말을 입속으로 구슬려 본다. 역시 상쾌한 맛은 아니다.

이 피차의 장벽을 부수고 그 적의에 찬 살벌한 대결을 제지할 수는 없는 것일까……. 그러나 그것은 날이 갈수록 풀려지기는커녕 오히려 더 홈이 깊어지는 것만 같다. 아무리 생각해도 애초에 첫 출발부터 잘못된 것임에 틀림이 없다. 죄인이나 도망병을 다루듯 하는 그 적개 의식, 그것은 비단 이 현지에서 돌발된 사태만이 아닌 것 같다. 국토 건설단이란 그럴듯한 이름을 명명한 최초의 창안자의 머리에서 이미 그 적개심은 배태되어진 것이나 아닐까……. 그것이 다시 알을 낳고 새끼를 쳐 악화일로로 만연된 것임에 틀림없는 성싶다. 그렇다면 모든 것은 이미 엎질러진 물이다. 이제는 주어진 조건을 감수하는 수밖에 없다. 다만 그것을 최소한도의 피해로 막는 것이 가장 현명한 방책일지도 모른다. 그렇다면 그것은 바로 형우의 주장대로 요령의 체득으로 즉각 결부될 수밖에 없는 일이다. 그 대표적인 선수의 제일호가 바로 건일의 경우가 아닌가……. 그치는 지금쯤은 대원들에게 온 편지의 발신인명이나 차례로 훑어가며, 편지 속의 사연들을 상상하면서 혼자 코웃음을 치고 있을지도 모른다. 그러다간 곰과 어울려 영월집이나 서울옥으로 갈 궁리를 꾸미고, 적당히 건설대장 방이나 들락날락하고 있을지도 모를 일이다.

순간 가슴이 메스껍게 화가 치민다. 그러나 곧 이어 그 요령마저도 체득하지 못하는 자신이 옹졸하게 느껴지기만 한다.

한철은 큰기침을 내뱉었다. 그것은 자신의 기본자세에 대한 채찍질의 가다듬음인지도 모른다. 어디 될 말이냐고…… 이대로 스스로에 충실하면 그만이지 그까짓 알랑방귀로 곡예사 같은 처사를 하다니……. 그러나 또 자신에 대한 쓰디쓴 냉소가 뒤따름을 막을 길이 없다.

'역시 나는 바보던가…….'

그는 저도 모르게 또 한 번 중얼거려 본다.

벌개 작업!

나무를 베어 내고 산을 허물어 철길을 닦는다. 석탄을 싣고 태백 준령을 누벼 가는 기차가 달릴 철도를 부설하는 것이다. 보람있는 일임에 틀림없다. 그러나 그 영예로운 일에 하필이면 아무 소양도 체험도 없는 자기가 꼭 뽑혀야 할 이유는 대체 어디에 있었단 말인가……. 한철은 산비탈에 곡괭이를 내리박으면서도 줄달음치는 생각의 실마리를 끊어 버릴 수가 없다.

측량선에 따른 팻말이 박혀 있는 산비탈 경사면에는 개미떼처럼 대원들이 붙어 있다. 이들은 철길이 어떤 각도로 어떻게 놓이는 것도 모르고 다만 지정된 장소에서 기계마냥 시키는 대로 일을 하는 것이다. 나무를 베라면 나무를 베고, 땅을 파라면 땅을 파고, 돌을 운반하라면 돌을 운반하고 흙을 져 나르라면 져 나르고 시키는 대로 따라 움직일 뿐이다. 아무 의지도 없이 동작하는 벌레 같은 존재만 같다.

목수의 전력을 가진 덕칠은 팻말이 박혀 있는 측량선에 따라 나무를 베어 내고 있다. 대부분이 관목이지만 그 사이에 큰 나무가 끼어 있다. 그 큰 나무가 넘어질 때마다 대원들은 양쪽으로 비켜서서 환성을 지른다. 그럴 때엔 모든 것을 잊을 수 있고 다만 즐거운 것이다. 그것은 또한 그들 자신의 가슴에 사무친 울분을 마음 놓고 뽑어 버릴 수 있는 계기가 되는지도 모를 일이다.

한철은 계속 곡괭이질을 하고 있다. 박혔던 곡괭이의 날이 지렛대처럼 위로 솟구칠 때마다 돌덩이가 굴러 저 아래쪽 개울 바닥까지 데굴데굴 뒹굴어 내려간다. 그 뒤를 따라 목사와 윤수는 쌓인 흙을 삽으로 담아내고 있다.

한나절을 하여도 피로에 비하여 도무지 일은 자리가 나지 않는다. 네다섯이 달려들어 파고 퍼내고 했다는 것이 기껏 궁둥이 들여놓을 자리밖에 안 되는 것만 같다.

한철은 이마의 땀을 훔치다 못해 작업복 윗도리를 벗어 던졌다. 축축한 젖은 내의에 건들거리는 바람기가 느껴진다.

목사는 얼굴에 흘러내리는 땀을 씻느라고 몇 번이고 도수 높은 안경을 벗었다 썼다 하면서 흐릿한 눈동자를 깜박이고 있다. 윤수는 견디다 못해 숨을 헐떡이며 삽을 팽개치고 풀섶에 주저앉고야 만다.

50분 일하고 10분 휴식, 다음 휴식시간까지는 아직도 30분간 더 일해야만 한다. 작업 도중에 제 마음대로 쉬는 것을 들키면 또 한바탕 치도곤을 맞아야 한다. 그러나 윤수는 그 이상 견딜 수 없는 모양이다.

한철은 산비탈에 곡괭이를 박아 놓은 채 털썩 주저앉은 윤수 쪽에서 목사께로 눈길을 돌리며 입을 열었다.

"목사님."

목사는 움직이던 삽을 멈추고 한철 쪽을 바라본다.

"이렇게 열심히 일하면 천당엘 가겠지요."

"천당에 어디 건설대 같은 곳이 있답니까."

"그럼 지옥에 있는가요?"

"글쎄요……."

목사는 흘러내린 안경을 콧등 위로 올리면서 한철의 농을 웃음으로 받아넘긴다.

"아니 이렇게 조국에 충실하면 그 십사만 사천 속에 들어가겠느냔 말예요."

"농담만 말고, 주일날 영내 교회에 나오세요."

"교회요?"

"네."

"난 종교하곤 담쌓았어요."

"왜요?"

"원래 관심이 없어요."

"그러나 좀 더 위기에 처하면, 저절로 하느님을 부르게 될 겁니다."

"천만에요."

한철은 목사 쪽을 바라보며 머리를 저었다.

"이제 두고 보시오."

"그보단 난 차라리 천당과 지옥의 갈림길에다 설렁탕집을 하나 낼 작정이요. 어느 쪽으로 가든지 점심참은 치르고 가야만 할 것이니까……."

스스로도 우스워 한철은 터져 나오는 웃음을 막을 길 없었다. 목사와 윤수도 마주보며 함께 따라 웃음을 터뜨렸다.

구르는 돌에 다리를 다쳐 위생병에게 치료를 받으러 갔던 깍두기가 손짓하며 돌아오고 있다. 그는 걷어 올린 바짓가랑이 한쪽을 걷어쥔 채 약간 절뚝거리는 걸음걸이다.

"뼈는 부러지지 않은 모양이다."

깍두기는 정강이를 내려다보며 태연스럽게 말하고 있다. 그들은 깍두기 주위로 몰려들었다. 감겨 있는 붕대엔 핏자국이 벌겋게 내번지고 있다.

"그만하기도 다행인걸."

한철은 안 된 표정을 지으며 깍두기의 다리를 어루만진다.

"다행이긴 뭐…… 다리가 부러졌으면 그걸 미끼로 해단될 때까지 입원하다가 돌아갈걸. 시시하게 됐어."

당자와는 달리 다른 사람들은 서글픈 웃음들을 짓고 있다.

"병신되는 게 뭐가 좋아서 그래."

"이렇게 뼈가 울리는 것보다 차라리 뚝 부러지는 편이 치료가 빠르대두, 나 원……."

"그래두 부러지는 것보다야 낫지."

"차라리 병신이 되더라도 일찌감치 돌아갈 수 있었으면 좋겠어."

한철은 자기 자신의 처지는 잠시 잊은 양 측은한 생각이 들었다. 명동 복판에서 날아가는 새라도 잡을 듯이 쌩쌩거렸다는 깍두기가 저렇게 풀이 꺾여, 맥을 추지 못하는 것을 보니, 마음속은 더욱 울적해지기만 했다.

한철은 깍두기에게 담배 한 대를 권하고 나서 자기도 불을 붙여 물었다. 연기를 길게 빨아 내뱉으며 아래쪽을 내려다보았다.

"왜들 쉬고 있는 거야?"

색안경을 쓴 소대장이 소리를 지르며 올라오고 있다. 일손을 쉬고 있던 목사와 윤수는 삽자루를 다시 쥐었다.

"놀구 먹으라는 반장인 줄 알아."

소대장의 말곁이 귀에 거슬렸으나 한철은 묵묵히 바라보고만 있다.

"왜 일을 하지 않아?"

"부상자가 생겨서요."

한철은 눈길을 소대장에게서 깍두기의 다리께로 돌렸다. 소대장의 시선도 동시에 깍두기의 상처로 옮겨졌다.

"주의를 하지 않으니까 다치는 거 아냐?"

"어느 시러베아들놈이 제 다리 부러지는 걸 좋아할 놈이 있어요."

깍두기는 바위에 걸터앉은 채 소대장을 빤히 쳐다보며 내뱉는다.

"잔소리 말아. 성실하지 못하니까 부상하는 거야."

"천만에요."

깍두기는 힐난조의 말투로 응수하고 있다.

"어디, 일어서 봐."

깍두기는 여전히 찡그린 얼굴로 소대장을 쳐다보고 있다.

"일어나 보래두……."

소대장이 한쪽 팔을 당기며 다그치는 바람에 깍두기는 마지못해 한 팔을 짚고 억지로 일어섰다.

"걸어 봐!"

깍두기는 하는 수 없이 그 자리에서 절뚝거리며 몇 발짝 걸음을 옮겼다.

"그만하면 일할 수 있지 않아?"

"뼛속이 저려서 서 있을 수 없어요."

"엄살부리지 마."

"뼈가 상한 모양인데 좀 쉬게 놔두지요."

한철은 옆에서 보다 못해 가로맡아 나섰다.

"다 한 패거린가……."

"……."

한철은 목젖까지 치밀은 대답을 꾹 누르고 다시 곡괭이자루를 들었다. 생각 내키는 대로라면 들었던 곡괭이로 머리통을 그대로 내려 갈기고 싶은 심정이었으나 억지로 꿀꺽 참았다.

"사고반은 할 수 없단 말야."

한철은 박았던 곡괭이를 젖히면서 힐끔 소대장 쪽을 쏘아보았다.

그 통에 무너져 흐르는 돌덩이가 소대장 발에 가 맞았다.

"정신 차리구 일하란 말이야. 누굴 다치려구……."

참말 의외의 일이었다.

"아, 미안했어요."

별로 다친 데는 없지만 한철은 소대장의 다리에 손을 가까이 하려고 했다.

"이 개새끼들, 꼭 말썽이야."

여기에는 더 대답할 말이 없다.

툴툴거리며 사라지는 소대장의 뒷모습을 흘기면서 그들은 다시 일손을 재촉해 갔다.

휴식의 호각소리가 들려 왔다.

한철은 곡괭이를 던져 버리고 바로 뒤쪽 나지막한 산허리로 올라갔다. 아래턱보다 바람기가 훨씬 서늘하다. 등골의 땀이 단숨에 잦아들어 가는 것만 같다. 그는 풀밭에 주저앉아 이마의 땀을 닦으면서 아래를 내려다보았다.

경사면에 군데군데 모여 앉은 대원들의 휴식터에는 모닥불이라도 붙이는 듯이 담배 연기가 한꺼번에 피어오르고 있다. 이야기 소리가 웃음에 섞여 들려온다.

이렇게 휴식이 고마울 수가 있을까⋯⋯. 일찍이 느껴보지 못했던 십분 간의 아쉬운 즐거움. 그 십분이 얼마나 소중한지 이루 형언할 수가 없다. 학교에서 방학 한 달 사이를 계속 놀아도 그것이 고마운 줄을 몰랐지만, 이 노동판에서 한 시간에 한 번씩 찾아오는 휴식시간은 참말 금싸라기보다 더 아까운 생각이 든다.

그는 모래바탕 솔포기 사이를 찾아 바지를 벗고 쪼그리고 앉았다. 벌써 이틀째 뱃속이 신통치 않다. 그러나 그렇게 앉아 무심코 바라보는 푸른 하늘, 흰 구름, 그리고 초록색 산봉우리는 모두가 평화롭게만 느껴진다. 이런 순간은 잠시나마 건설대에 온 것을 잊은 양 먼 동화의 세계에라도 이끌려 들어가는 것만 같은 신비로운 심경에까지 잠기는 것이다. 주위의 아무 간섭도 제약도 없는 자유로운 세계, 제 마음 내키는 대로 살 수 있는 환경, 그는 그러한 꿈을 그려 본다.

눈앞에는 이름 모를 잡초에 갖가지 색으로 꽃이 피어 있고, 벌과 나비가 제 마음대로 활개를 치며 날아다니고 있다. 온실에 갇혀 있는 고급 화초보다는 허허 벌판에 자유로이 피어 있는 잡초 한 포기가 스스로를 위해서는 오히려 더 좋을지도 모를 일이라고 생각되기도 한다.

옷을 가다듬고 일어난 그는 돌 한 개를 집어 힘껏 건너편 골짜기로 내던졌다. 그것만으로도 다소 속이 후련해진다. 꼭 무엇에 대한 울분인지 꼬집을 순 없어도 가슴속에 뭉겨진 알맹이는 끝끝내 다 풀려지지는 않는 것이다.

철쭉, 물푸레나무, 떡갈나무, 자작나무 등의 부드러운 새잎에서 풍기는 신록의 향기가 그대로 온 몸에 배어 잦아드는 것만 같다.

몇 날 몇 밤이고 이대로 이 자리에서 뒹굴고만 싶다. 아무도 보지 말고 아무도 만나지 말았으면 좋을 것만 같다. 관악산이나 도봉산으로 찾아가던 하이킹의 산 맛 그것과 끌려온 울타리 속에서의 개방된 순간의 지금의 산 맛 이것과는, 비교할 수 없는 거리감을 안겨다 주는 것이다.

참말 빨리 흘러가기를 바라는 시간 속의 홀로 간직한 소중한 시간…….
한철은 그대로 멍하니 선 채 멀리 흰 구름에 눈동자를 박고 있다.

형우는 지금쯤 사무실에서 일에 들볶이고 있을 것이고 경은이는 손끝
이 아프게 영어 단어를 줍고 있을지도 모른다. 영혜는 외무부니 대사관이
니 하고 쏘다닐지도 모르고, 은령이는 원고지 오자를 찾느라고 붉은 잉크
가 손끝에 배어 있을 것만 같다.

이것이 다 끝난 다음 자기가 다시 돌아갈 자리는 대체 어디일까…….
아무도 자기를 위해 자리를 마련해 놓고 기다려 줄 사람은 있을 것 같지
않다. 오히려 돌아갈 일이 불안하기만 하다. 꼭 세상의 모든 사람들이 자
기 혼자만을 팽개쳐 버리고 돌아보지도 않고 제각기의 길을 질주하고 있
는 것만 같다.

더 늦기 전에 빨리 돌아가야 한다. 조바심이 순시에 머리를 뿌듯하게
상기시킨다. 그러나 돌아갈 자리는 대체 어디에 있단 말인가……. 뒤이어
허전함이 밀려온다.

아래쪽에서 작업 개시의 호각 소리가 들려온다.

한철은 꿈에서 깨어나기나 한 것처럼 머리를 쓸어 올리며 산허리에서
경사면을 타고 일터 쪽으로 내려가고 있다.

모여 앉았던 패들도 제가끔 자리를 떠서 움직이기 시작하는 것이 내려
다보인다.

고된 일에 시달리면 늦은 봄날은 갑절이나 길어진 것만 같게 느껴진다.
해는 아무리 쳐다보아야 제자리에서 움직이질 않는 것만 같다. 점심시간
을 기다리기에 목이 길어만 진다.

깍두기는 일부러 엄살을 부리는지 실지 그렇게 몹시 다친 것인지, 풀
섶 나무 등걸에 걸터앉아 남들이 일하는 모습을 멍하니 바라다보고만 있
다. 이제는 누가 무어라 해도 배짱을 부릴 심산인가보다.

한철은 부지런히 산비탈에 곡괭이를 내려박고 있다. 곡괭이 끝이 바위에 부딪쳐 올려 튀기면 팔목에 찌릉하는 파동이 걸려온다. 그는 곡괭이자루를 놓고 팔목을 저어 흔들어 기운을 돋우고는 다시 어깨에 더 힘을 주어 내려박는다. 발을 옮겨 가며 끝없이 그것을 되풀이하고 있다. 그러나 마치 개미 떼가 허허벌판에다 모래성을 쌓아 가고 있는 것만 같게 느껴질 뿐이다. 자기 자신이 있는 힘을 다하여 아무리 버티어 보아야 일한 흔적이란 눈에 차지 않는다. 역시 바늘을 만드는 쇠붙이와 솥가마에 쓸 무쇠는 다른가보다. 암만 해도 잘못 뽑혀진 대상인 것만 같다. 아니 자기자신의 자진 입대 자체가 큰 오산의 결과에서 빚어진 것임이 분명하다. 꿩 쓸 곳에 닭 못 쓰냐고 우겨대지만, 그러한 억지는 갈수록 비틀리기만 한다. 아무래도 번지수가 맞지 않은 구멍으로 뛰어들어 왔음이 틀림없는 것만 같다.

그러나 그는 계속 곡괭이질을 하고 있다. 누구를 위해 하는 일인지 모를 미적지근한 의분을 곱씹으며 일손은 쉬지 않는다.

삽으로 돌과 흙을 퍼 던지고 있는 목사의 가래질도 힘이 빠져 보인다. 부쩍 약해진 윤수는 일하는 시간보다 서서 헐떡이는 사이가 오히려 더 길다. 그러나 그것도 기간요원이 보이지 않는 사이뿐이다. 그들이 먼발치로 나타나기만 하면 누구든지 첫눈에 발견하는 사람의 기침 소리가 그대로 전령의 구실을 한다. 그러면 약질의 윤수도 별수가 없다. 쉬지 않고 삽을 움직여야만 한다.

허기가 오면 뱃속이 먼저 점심시간을 예고해 온다. 한철은 시장기를 느끼며 목사를 건너다보았다. 목사도 쉬지 않고 삽날을 박아서는 자갈을 퍼 넘기고 있다. 지금 목사는 무엇을 생각하고 있을까…… 자기와 같이 시장기를 느끼고 있는 것일까, 그렇잖으면 십자가를 머릿속에 그리며 아멘을 거듭하고 있을 것인가……. 궁금한 생각이 솟구쳐 온다.

"어, 좀 쉬어 가며 하지."

혼자 앉았기에는 아무래도 멋쩍은가보다. 깍두기가 조약돌을 맞튀기며 말을 걸어온다.

한철은 일손을 멈추고 깍두기 쪽을 바라보았다. 둘은 서로 쳐다보며 맥없는 웃음을 헤벌리고야 말았다. 피차의 몰골이 서로 하찮게 보이는 데 대한 쓴웃음일지도 모른다. 윤수와 목사도 손을 멈추고 삽자루에 기댄 채 깍두기 쪽으로 시선을 돌리고 있다.

"한 대 피구 하지."

깍두기는 담배 한 가치를 한철 쪽으로 던지고 자기 담배에 불을 붙인다. 한철도 곡괭이자루를 놓고 깍두기 옆으로 다가가 불을 댕기어 길게 내뿜었다. 담배를 피지 않는 목사와 윤수는 사뭇 맛있게 피고 있는 이들의 모습을 바라만 보고 있다.

"이렇게 해서 이거 어디 될 것 같아?"

"뭐 말이야……."

깍두기 물음에 대충 짐작은 가지만, 핵심을 찌를 수 없어 한철은 곧장 반문했다.

"아니, 이렇게 해서 언제 철길이 되겠냐 말야, 저렇게 빌빌하는 친구들 데리구."

자기들 쪽을 턱으로 가리키며 늘어놓는 이야기를 들으며 목사나 윤수도 저도 모르게 맥 빠진 웃음을 터뜨린다.

한철은 지금껏 일하며 머릿속을 감돌던 생각이 우연히도 깍두기와 마주친 찰나의 공감을 느끼고 있다. 아무리 생각해 봐도 이 꼴로 해서는 몇 년 걸려야 기차는 고사하고 마차가 통할 길도 될 성싶지 않다. 깍두기 말대로 이 빌빌 쓰러질 듯 하는 약질들을 가지고 대체 어떻게 이 어마어마한 공사를 종단낼 수 있을 것인가 하고 앞일이 한심스럽게만 여겨졌다.

"비켜, 비켜!"

위쪽에서 나무를 베던 덕칠이가 돌을 굴리며 뛰어 내려오고 있다.

"저쪽으로 비켜 가래두……."

구르는 돌 때문인 줄 알고 한두 발씩 비켜서던 이 축들은 무슨 영문인지 몰라 어리둥절하고 있다.

갑자기 앞뒤에서 호각 소리와 종소리가 울려온다.

이들은 그제서야 영문을 깨닫고 서둘러댄다.

발파(發破) 시간이다.

대원들은 경주라도 하듯이 사방으로 흩어져 뛰고 있다. 으레 얼마간의 시간 여유가 있는 것이건만 허둥지둥 뛰다가 나무등걸에 넘어지는 놈, 돌뿌리에 채여 구르는 놈, 당황하는 축들이 적지 않다.

한철은 깍두기의 몸을 부축하여 안전한 지대를 향해 서둘러 가면서도 지나간 추억 속에서의 흡사한 장면을 더듬고 있다.

경사지에 개미 떼처럼 늘어붙어 일하던 대원들이 아래로 흩어져 달아나는 꼴은 꼭 실탄 발사를 당한 데모대 군중들의 모습 같은 연상을 떠올리게 한다.

그렇게 아프다고 역정만 내던 깍두기도 달아나는 시간만은, 다리는 절뚝거리면서도 별로 군소리 없이 재빠른 동작을 취하려고 버둥대고 있으니 말이다.

완전 대피가 되었다는 신호기의 표지가 나부낀다. 방금까지 일하던 대원들은 삽시간에 구경꾼이 된 것이다.

다이너마이트의 계속되는 폭음, 솟아오르는 연기…… 공중으로 튀는 바윗돌…….

가슴속까지 시원해지는 것만 같다. 모든 분노가 그것으로 폭발하는 착각을 느끼기까지 한다. 그것보다도 잠시나마 일손을 쉬는 것이 더욱 즐겁기도 하다.

화약 냄새가 주위에 번져 온다. 돌가루가 공중에 흩날리고 있다.

흩어졌던 대원들은 다시 일자리로 모여든다. 경축 행사라도 끝나고 난 것처럼 뒷맛이 아쉽다. 뽀얀 먼지는 서서히 퍼져 가고 정오의 햇볕은 더욱 거세게 내리쬔다.

한철은 그제야 식어 드는 땀자국을 닦으며 서서히 일자리로 걸어가고 있다. 폭음이 이렇게 통쾌할 수가 있을까 하고 그는 자신에게 반문하면서 흐뭇한 기분을 곱씹는 것이다.

차라리 온 산이 날아갈 듯이 계속 폭음만 지속되었으면 하는 심정에 사로잡히는 자신을 지그시 달래 본다.

점심참만 지나면 훨씬 마음의 부담이 가벼워진다. 그것은 하루의 노동이 끝나고 막사로 돌아갈 시간이 가까워진다는 데서 오는 기대의 탓인지도 모른다. 막사에서는 아무도 기다려 주는 사람은 없다. 반겨줄 그 누구도 없다. 다만 이렇게 하루하루가 간다는 것, 그리하여 언젠가는 끝나는 날이 돌아온다는 것, 그러한 기대의 반추로 시간을 누벼 가는 것이다.

한나절이 기울면, 하늘 복판에서 제자리걸음을 하고 있던 해도 재빨리 서산 봉우리에 걸려드는 것만 같게 산 속의 오후는 시름없이 저물어 간다.

한철은 반원들과 함께 발파로 허물어진 돌더미를 파내고 있다. 큰 돌은 여럿이 합쳐서 지렛대를 대고 굴려 내야만 한다. 언덕바지 끝으로 밀어 던지면 돌은 아래 벼랑을 떼굴떼굴 굴러 아득한 바닥으로 뒹굴어 간다. 그 끝가는 데에 눈길을 쫓아 내려다보는 쾌감은 잠시나마 모든 생각을 잊게 한다. 웬만한 돌은 두 손으로 들어 언덕 아래로 던지면 그만이다. 쪼개진 돌의 모서리가 쟁기날 같이 날카로워 손에 상처를 입은 대원이 적지 않다. 그러나 그만한 것으로 무슨 핑계를 삼아 내는 수는 없는 것이다.

간혹 꾀를 부리는 대원이 없는 것은 아니지만 그래도 모두들 쉬지 않고 부지런히들 일하고 있다. 다만 힘에 부쳐 두드러지게 능률이 나지 않을 뿐이다.

한철은 이 말썽꾸러기들의 허덕이는 모습을 바라보며 그 속에서 자기 영상을 더듬고 있다. 흥, 약한 인텔리 가족들…… 혼자는 큰 소리들을 쳐도 이렇게 몰아 내세우면 별수 없는 모양이지. 꼼짝 못 하고 일하고 있으니……. 하기야 묶어 놓고 매를 치는 데야 맞지 않는 재간이 있나. 그러나 그것은 자신에 대한 자조로 돌아갈 수밖에 없는 어설픈 푸념임을 메스껍게 느낄 따름이다.

"아직 이것도 다 파내지 못했어."

건설반장 김 하사의 목소리다. 한두 대원이 말소리 나는 쪽으로 시선을 돌렸을 뿐 대부분은 그대로 일을 계속하고 있다.

한철은 가슴속에 번져 오는 고까운 생각을 금할 길이 없다. 좀 더 기분 좋은 말투로 표현될 수는 없는 것일까……. 김 하사는 늘 상사에 대한 자기 불만을 이렇게 대원들에게 퍼부어 놓는 것만 같다. 주름살을 표지 못하고 찡그리는 얼굴, 살기 띤 눈매, 악에 받친 말소리, 몇 번이나 가까이 접하려고 노력해 왔으나 좀체 같이 어울려지질 않는다. 역시 지단에서 저지른 사고에 대한 감정이 아직도 피차의 거리를 단축시키지 못하는 모양이다. 그러나 이젠 자기 자신만의 감정을 고집할 때는 아닌 것 같다. 요는 반원 전체에 대한 이해관계다. 자기 때문에 반원에까지 영향이 미쳐서는 안 될 것이다. 건일이 반장이었을 때는 건일과 김 하사의 사이는 그렇게 악화된 것은 아니었다. 반장이 잘못 뽑힌 탓으로 대원에 대한 보복이 가중되었다면, 좀 더 냉정하게 생각해야 할 문제다. 아예 건일이 식대로 저놈을 구워삶아서 자기편을 만들던지, 그렇잖으면 자신이 내무반장을 그만두던지, 무슨 결말이 나야만 할 것 같다.

"우리 반이 제일 능률이 낮단 말이야."

그러나 아무도 대꾸하는 사람은 없다. 무어라고 변명을 해야 아무 효과도 없기는 고사하고 오히려 명령에 거역한다고 물고 들 것이 뻔한 일이다. 그러니 숫제 아무도 상대하려 들지 않는다. 다만 제풀에 꺾이기를 기다리고 있는 것이다.

한철은 하루 종일 부지런히 해도 도저히 이것밖엔 안 된다는 설명을 하고 싶었으나 기름단지에 불 들고 들어가는 것 같은 심정이어서 꾹 참고 일만 계속하고 있다.

그만큼 자신이 무력해졌거나 체념 속에 안이해진 것이라고 생각하면서도 끝내 입을 열지 않았다. 다만 건일이를 앞장 세워 건설반장을 끌어내 보려는 생각을 하고 있다. 막걸리라도 나누며 구슬려 보든지, 그렇잖으면 속시원하게 멍든 가슴을 털어놓든지, 무엇이건 있어야만 하겠다는 심정에 몰려가고 있다.

일금 천삼백 환(圜)!

뜻밖에 첫 봉급이 나왔다. 이등병의 한 달 월급에 해당되는 금액이다. 계급 없는 무등병으로서는 너무 과남한 액수인지 모른다. 그러나 노가다판의 날인부로치면 하루 오십 환 벌이도 못 되는 값싼 노동 임금이다. 하지만 동전 한 푼도 안 주고 수염을 쓱싹해도 그만인 판이다. 누구 하나 그것으로 항의할 용사는 없다. 얼마간의 보수가 있다고는 생각했지만 아무도 그것을 믿으려 들지 않았고 물론 계산속에 넣지도 않았었다. 그러기에 이 밉살머리 꼴리는 놈들에게 웬걸 지불할 것인가고 반신반의했으나, 진작 포기해 버린 축들에게는 의외의 덤을 받은 감이 없지 않았다. 액수의 다과를 막론하고 오래간만에 고마운 기분에 젖는 시간이기도 했다.

한철은 반원들에게 제가끔 나누어 준 다음 자기 몫을 받아 들었다. 힘에 겨운 육체노동에서 얻은 피나는 돈이다. 도저히 일반적인 화폐 가치로는 환산할 수 없는 값비싼 돈으로만 여겨진다. 가슴이 찌름해 온다. 이 돈을 대체 어디에 쓸 것인가 하고 생각해 본다. 첫참에 떠오르는 것이 막걸리 추렴이다. 그러나 저주스러울 정도의 진절머리가 나는 건설대에서 얻은 첫 수입……. 무엇인가 더 값진 데 쓰고 싶다. 하지만 이것은 어느 코에 갖다 댈 곳이 없는 하찮은 액수다.

벌써 주보로 몰려가는 축이 있는가 하면, 영외로 나가려고 머리를 맞대고 수군거리는 패들도 있다. 내무반 안은 대사집처럼 왁자지껄 고와 대고 있다.

한철은 내무반에서 나왔다. 그는 곧장 본부 천막을 향해 걸어가고 있다.

한철은 건일과 함께 영월집으로 들어섰다.

"이리로 들어오시오."

건일은 자기 집에라도 온 것처럼 먼저 방으로 들어서며 한철에게 손짓을 한다.

"자, 여기 앉읍시다."

한철은 시키는 대로 상을 사이에 두고 건일과 마주 앉았다.

"그래 꼭 나오겠다는 거요?"

"그럼 오지 않구 먹으라는데 안 오문 자기만 속았지 별 수 있어, 하하하……."

건일은 잊지 않고 말끝에 그 호탕한 웃음소리를 덧붙이고 있다. 처음 만났을 땐 그것이 고의적인 것 같아 어색하게 들렸지만 이제는 오히려 자연스럽게 어울린다고 느낄 정도로 한철에게도 익숙해졌다.

"그래 김 하사더러 뭐라고 했소?"

"거저 한잔 먹게 나오라구 했지."

"아니, 나도 함께 어울린다는 말은 안 하고."

"물론 했지, 좀 더 자연스럽게 하느라구 취사반장두 불렀지. 뭐, 그렇게 심각할 건 없어."

"아니……."

한철은 부인하면서도 격해지는 감정을 억제하기에 힘썼다. 아직 장본인은 나타나지도 않는데 자기 혼자 흥분하는 것이 우습기도 했다. 그러면서도 그는 건일이 한 수 더 떠서 분위기를 완화시킬 양으로 곰까지 불러

낸 데 대하여는 그 세밀한 배려에 경탄하지 않을 수 없었다. 털털하게 적당히 맞추어 때우는 것 같은 저 성품 속에 어디 그런 빈틈없는 치밀성까지 담겨져 있는가하고, 건일을 요령 일면만으로 치부해 버린 자신의 속단을 나무라는 심정까지 드는 것이었다.

"한형은 별일 아닌 데 너무 신경을 쓰는 것 같아."

"그것도 아니지만……."

"아니긴, 너무 자기 자신의 개성에 대하여 집요하단 말이야."

"융통성이 없어서 그래요."

"융통성이 없는 게 아니라, 말하자면 개성이 센 거지요."

한철은 건일이 평범한 표정 속에 능변으로 자기를 처리해 가는 데 지질림을 느끼는 것만 같았다.

"개성이 센 것도 없이 거저 고집이지요."

"아니, 그것이 수재형의 특질이란 거요. 나 같은 범재야 암 특성도 없이 적응주의로 살고 있지만, 하하하……."

한철은 무거운 쇳덩어리로 꽉 눌리는 것만 같은 압력을 느꼈다.

웃음을 멈추고 난 건일은 다시 말을 계속한다.

"나두 한때 제 고집이나 있었지만, 그놈의 하급 공무원 몇 해 해먹는 바람에, 이렇게 모없는 무골충이 됐단 말이요."

"그래도 박형은 자기의 주장이 뚜렷하지 않아요?"

한철은 이렇게 말은 하면서도 진정에서 우러나오는 기분은 아니었다. 건일은 그것을 알아차렸는지 금방 받아넘긴다.

"주장, 나 같은 팔방미인에 무슨 주장이 있겠소. 한 형은 참말 인텔리의 전형이야."

한철은 거세게 뒤통수를 얻어맞은 기분이었다. 얼굴이 화끈해 왔다. 한참 말없이 눈만 껌벅였다.

역시 건일은 머리가 좋다. 자기의 처세술에 대해 상대가 인텔리의 빈

껍데기만 쓰고 속으로 말없는 조소를 퍼붓고 있는 줄을 빤히 알고 있었음에 틀림없다. 다만 그가 그것쯤은 태연하게 받아들일 수 있는 도량이 있다는 점이다. 한철은 이제 아량과 요령의 구분이 더욱 모호해짐을 느끼지 않을 수 없게끔 되었다.

"한형, 이 지지한 곳에서까지 너무 개성이니 인텔리니 하는 것을 팔 필요는 없다구 봐요. 물론 나 같은 원만주의를 하라는 것은 아니고…… 여기서 적당히 모나지 않게 치르고 나간다구 사회에 나가서 어디 제 갈길을 가지 말라는 법은 없잖아요. 글쎄, 내가 생각하는 것이 꼭 옳은 방향이라고는 할 수 없겠지만……."

한철은 무어라 대뜸 대답할 말이 떠오르지 않았다. 그것은 상대의 이야기에 대답할 말이 없어서가 아니라, 자기 자신에 대한 마음의 자세가 송두리째 흔들려 갈피를 잡을 수 없게 된 때문이었다.

지금까지 자기 자신에게만 충실하려고 살아 온 자세, 그것은 하나의 과정이면서 또한 현재 진행 중에 있는 것이다. 어떤 결말에 도달한 것은 아니다. 그러나 그것은 아직도 자신에게 회의를 주고 떳떳한 자세로 버티기까지에는 이르지 못하고 있다. 건설대의 자진 입대, 그것도 그 동기와는 달리 지금 이렇게 풍전등화처럼 흔들리고 있지 않는가…….

"아무튼 밖에 나타나지 않아도 좋을 것까지 나타내고, 자신이 손해를 볼 필요야 없지 않소."

"뭐 말이요?"

한철에게는 그 말이 알쏭달쏭하였기에 곧 반문했다.

"아니, 역시 수재는 평범한 이야기를 못 알아듣는단 말야. 하하하……."

한철은 그 수재라는 비꼬임에 슬며시 속이 언짢아지다가 말끝의 웃음소리에 그만 주춤해지고 말았다.

"박형 참말, 알아듣지 못했소."

한철은 자신의 긴장을 늦추었다.

"자기 스스로의 생각하는 세계가 범속한 인간의 공감을 얻기 어렵거나, 특히 반감을 살 우려가 있을 때는 그것을 알아들을 수 있는 상대가 나타날 때까지 기다릴 수밖에 없다는 것이요. 그깟 기간요원들과 직접 충돌해서는 무엇 하겠소. 그들은 기계처럼 맡은 책임만 하는데……."

한철은 확실히 건일의 숨어 있는 일면에 접하는 것 같은 심정이었다.

"한형, 역시 진리란 평범한 곳에 있지 않겠소."

그러나 건일의 이 한 마디는 꼭 어떤 논리적인 근거가 있어서 하는 것이 아니라, 예사로운 말머리로 덧붙이는 것으로밖에 한철에게는 들리지 않았다.

곰이 김 하사와 함께 나타났다.

한철과 시선이 마주치자 김 하사는 약간 당황한 표정을 나타내고 있다. 다른 두 사람과는 별로 어색한 눈치를 보이지 않는 것을 보면 그들끼리는 서로 자주 어울렸던 것 같게 느껴지기도 한다. 한철은 손을 내밀어 악수를 청했다. 김 하사도 엉겁결에 손을 내민다. 한철은 자신의 그 반사적인 행동이 어느 결에 그렇게 되었는지 스스로도 의식하지 못하는 사이에 자유롭게 이루어진 것이 다행스러웠다. 그만큼 자신이 이 문제에 신경을 쓰고 있었던 탓인지도 모를 일이라고 생각되기도 했다.

"자, 모두들 앉으시지."

건일은 김 하사의 손을 끌며 자기 옆자리를 권한다. 네 사람은 술상을 가운데 놓고 둘러앉았다.

예상했던 것보다 어색하지 않게 어울려진 것은 모두 건일의 덕이라고 한철에게는 생각되었다.

"장모, 막걸리 한 되만 주소."

건일이 영월집 안주인을 바라보며 소리 높게 외치고 있다. 한철은 어느 틈에 건일이 예까지 발전했는가 싶어 자신이 오히려 기가 질렸다. 바깥주인은 보이지 않지만 딸 순실이는 그렇게 부르는 것을 들으면서도 생글생글 웃기만 한다. 어떻게 된 영문인지 한철에게는 도무지 이해가 가지 않았다.

건일이 본부로 옮겨간 후 자기들 건설반원들과는 별로 자리를 같이한 일이 없다. 그러나 곰이니 김 하사니 하는 이 축들은 건일과 자주 이 집으로 드나들었는가 보아, 건일의 그러한 외침에 조금 놀라는 기색이 없다.

"왜 자꾸만 남의 장모를 뺏을라구 그래."

곰이 웃으며 슬며시 한 마디를 곁들고 있다.

"천만에, 벌써 다 도장 찍어 놓았어. 어림도 없지."

"그럼 그새 지정석이 됐나?"

"그쯤하면 알지 않겠어. 하하하……."

건일은 웃음소리 속에 여운을 남기며 다시 한 번 순실이 있는 봉당 쪽으로 눈길을 돌린다.

순실이 술주전자며 안주 그릇을 날라 오자, 곰이 소녀의 손등을 만지려는 찰나 벌써 김 하사는 궁둥이께를 어루만지고 있다.

"아, 난 몰라."

소녀는 토라지면서도 웃으며 봉당으로 뛰어나간다.

"취하지두 않구, 왜들 이렇게 점잖지 못해."

건일은 여기서도 늘 상수다.

한철은 김 하사가 분위기에 자연스럽게 어울려 가는 것을 보고 즐겁게 생각하면서도, 반면 자꾸만 자기 혼자만이 옹졸했던 것 같은 심정을 또한 누를 길 없었다.

"자, 그러면 듭시다."

건일을 따라 네 사람은 술잔을 찧으며 같이 첫 잔을 비웠다.

한철은 곧장 자기 잔을 김 하사에게 권했다. 무엇인가 선수를 쓰고 싶은 이상한 충동에 몰리고 있는 것만 같았다. 그러나 벌써 건일의 잔은 김 하사의 한쪽 손에 와 쥐어지고 있지 않는가…….

"이거 양손에 떡이군, 반장님 좋은 일이 있겠수다."

건일은 역시 빠르다. 잔도 빨리 돌렸지만, 또한 때를 놓치지 않고 필요한 조크 한 마디는 빼놓지 않는다.

잔은 거의 쉴 사이 없이 서로 오고 가고 한다. 한철도 잔이 비는 대로 돌리면서도 김 하사에게는 유독 신경을 쓰고 있다. 얼근히 취해 옴을 느꼈다.

"미스터 김, 자, 한 잔……."

건일이 김 하사에게 잔을 돌리면서 붙이는 '미스터'가 한철의 귀에는 이상하게 자극적으로 들려 왔다.

"그런데 김 하사……."

이번엔 건일이 님도 안 붙이고 그대로 불러 던지는 화술에, 한철은 그 진의를 감득하면서도 좀 아슬아슬한 감이 없지 않았다.

김하사도 자기 호칭이 여러 가지로 바뀌어지는 데 대해 특별한 표정은 나타내지 않는다. 그는 잔을 들며 건일이 쪽을 바라보고 있다. 그만큼 건일은 능숙한 것이라고 한철에게는 느껴졌다.

아까 서무계에 가서 건일을 불러내어 이러한 자리를 마련하기 위한 한철 자신의 의사를 표시하였을 때, 모든 것은 자기에게 맡기라고 즉석에서 장담하던 건일의 자신만만한 모습이 떠오른다.

"우리 모두 좀 아끼며 살아가 봅시다. 그렇게 으르렁대들 말고……."

"내가 뭐랬기에……."

김 하사는 취기가 돈 얼굴을 정색하여 건일을 뚫어지게 바라본다.

"아니, 나야 다 좋아하지만. 유, 유, 당신 건설반원들과 좋게들 지내란 거요. 하하하……."

미스터 유나, 건일이 고의로 섞어 대는 영어 단어는 이럴 때 상대를 낮추는 건지 높이는 건지 알 수 없는 마력을 가진 것이라고 한철에게는 느껴졌다. 그러고 보면 건일은 겉만 취한 척하지 실은 그렇게 취한 것도 아니라고 한철은 생각하기도 했다.

"내가 반원들과 특별히 나쁘게 지내는 건 또 뭔데?"

김 하사는 들었던 잔을 놓고 허리를 펴며 반문한다.

"아니래두, 이 친구 우리…… 모두 좀 더 아끼구 지내잔 말야, 저 미스터 한하구도 말야."

김 하사와 한철의 시선은 서로 마주쳤다.

"그 처음의 더러운 추억들을 애인처럼 부둥키지 말구…… 말하자면 좀 더 인간적으로…… 알갔니?"

건일은 바쁜 고비에 용케 적당한 사투리를 찾아내어 야유를 하면서도 그 대목을 부드럽게 넘기는 재간까지 가지고 있다.

"자, 그런 뜻으로 우리 한 잔……."

"좋아요."

묵묵히 술을 마시며 듣고만 있던 곰이 박차를 가한다.

넷은 다시 술이 가득 찬 잔을 들어 서로 맞찧으며 건배했다.

"부라보. 하하하……."

건일의 웃음소리가 이번엔 방안이 떠날 것만 같게 울렸다.

"잘 부탁합니다."

한철은 자기 잔을 김 하사에게 권하며 정색한 어조로 말했다.

김 하사는 한철을 쏘아보듯이 바라보고 있다. 그의 눈동자에 엇갈리는 생각의 실마리를 한철은 놓치지 않았다.

"지난 일은 백지로 돌립시다."

"하마, 그러구 말구."

한철의 덧붙임에 건일이 옆에서 맞장구를 친다.

"나도 그렇게 나쁜 놈은 아니야."

김 하사는 한철에게 잔을 돌리며 흥분어린 얼굴에 웃음을 짓고 있다. 지금껏 그의 얼굴에선 좀처럼 볼 수 없었던 상냥한 인상의 웃음이다.

"나쁘긴, 이렇게 좋은 친군 줄 내가 증명하는데…… 하하하…… 자, 한 잔 드소."

건일은 김 하사에게 잔을 권하는 사이에 끼어든다.

"자, 한 잔……."

"자, 이왕이면 이 잔도……."

세 사람의 잔은 한꺼번에 김 하사에게로 집중되었다.

"우리 서울 가 만나면 얼싸안고 멋지게 한 잔 합시다, 잉…… 미스터 김."

건일이 기세를 올리는 바람에 김 하사는 앞에 놓인 잔을 차례로 비우며 돌린다.

"여기선 이렇게 밥뚜기로 죽어 있지만, 서울 가면 내 세력도 한번 보여 줘야지."

곰이 육중한 몸집을 으쓱하며 히죽이 웃는다.

"자, 미스터 김."

한철은 소리를 높여 김 하사를 부르며 잔을 넘겼다. 김 하사는 한철의 그러한 부름에 조금도 어색한 표정 없이 웃는 얼굴로 잔을 받는데, 한철은 복잡한 심정 속에서도 가슴속이 흐뭇해 왔다.

"김 하사, 총각이지?"

건일이 불쑥 내물었다.

"그래요."

대답하는 김 하사의 입도 헤벌어졌다.

"이담에 서울 가면, 근사하게 오입 한번 시켜 줄게……."

이번엔 모두들 목이 터지게 웃어제꼈다.

"자, 이차회다. 내가 한턱 할게. 서울옥으로 가자."

"좋오와."

흥이 난 곰의 제의에 즉각 건일이 찬의를 표한다.

곰에게서 서울 색시 이야기만 듣고 아직 가보지 못한 한철은 슬그머니

호기심에 이끌렸다.

　이들은 잔을 높이 들어 건배를 하며 자리를 떴다. 잔의 부딪치는 소리
가 유난히 거세게 여운을 그었다.

　세 사람의 뒤를 따라 밖으로 나온 한철은 걸렸던 것이 훑어 내려진 것
같이 오래간만에 가슴속이 후련하도록 통쾌한 기분에 젖었다. 반짝이는
별들이 전에 없이 다정스럽게만 느껴졌다.

나신

서장

순수하고 진실하기를 바라는 것은 인간의 구원한 염원이다. 사람은 누구나 참말 그러려고 노력하고 있다. 삶이란 그런 고투의 과정이기도 하다. 더욱이 여성은 순결하고 참되려고 무진 애를 쓴다.

오은애(吳恩愛)도 그렇다. 그같이 하려고 버둥거리고 있다. 가장 참된 것은 자기 가까이에서 찾아야 할 것이라고……. 아니 진실 그것은 자기 자신 속에 있다고 그는 생각하고 있다. 그렇게 믿고 스스로 힘써 왔다. 아직도 그런 신념은 버리지 않았고 노력도 포기하지 않았다.

버스는 눈길을 달리고 있다. 맨 뒤쪽 구석 자리에 앉은 은애는 피곤한 시선을 차창 밖으로 쏟았다. 그렇게 귀에 거슬리던 소음……. 뒷바퀴에 얽어맨 체인의 부딪치는 규칙적인 덜거덕 소리……. 그것도 이제는 대수롭지 않게 여겨졌다. 달리는 차의 속도를 알려 주기라도 하려는 것 같은 그 반복음. 차가 정거할 때마다 그 되풀이되는 음향이 잠시 정지되는 것이 오히려 심심한 것 같기도 했다. 모든 더러운 것, 미운 것, 역겨운 것,

그러한 것들도 이렇게 줄기차게 되풀이되면 제풀에 꺾여 거기에 익숙해지지 않을 수 없게끔, 인간은 애초부터 순응의 미덕을 지니고 있는지도 모른다.

함박눈은 그칠 줄 모르고 퍼부어졌다. 차는 앞을 가로막는 솜의 장막을 누벼 나가듯이 바람을 일으켜 헤살지며 달리고 있었다. 앉는 자리는 물론 통로까지도 손님으로 꼬박이 다져진 차 안은 몸뚱이를 움직이기조차 힘들었지만, 동지를 갓 지난 날씨는 곰곰치 않게 찼다. 은애는 목덜미에 느껴지는 선뜻한 찬 기운을 막으려는 듯 오버의 깃을 세웠다.

차츰 발도 시려 왔다. 그는 구두 속에 끼우다시피 틀어박힌 발가락을 꼬무락거려 보았다. 감각이 무디어진 것 같았다. 한참 동안 같은 시늉을 되풀이했다. 신발 속이 다소 화기가 도는 것 같았으나 얼마 안 가서 또다시 냉기가 되살아 왔다. 흐려진 유리창을 손바닥으로 문지르면서 여전히 시선은 창밖으로 쏠린 대로였다. 그러나 차창에 어리는 눈 덮인 바깥 세계의 변화에 그의 눈길은 초점을 잡지 못하고 있었다.

그는 오버 호주머니 속에 처박아 놓은 손끝으로 새삼스럽게 아랫배를 만져 보았다. 그리 생각하여 그런지 그사이에 더 불룩해진 것만 같게 느껴졌다.

산부인과에서 치렀던 일들이 머릿속을 엇갈려 갔다.

임신 삼개월……. 환자에겐 예사로 하는 청진(聽診)이나 타진(打診) 외에도 혈액, 소변, 국부의 분비물 등 면밀한 반응 검사가 끝난 뒤의 종합적인 진단이었다.

전연 예상하지 않았던 바는 아니지만, 정작 그렇게 선언을 받고 보니 현기증을 일으킬 정도의 충격을 받지 않을 수 없었다. 설마 하던 반신반의나, 이 결과와는 정반대의 요행을 바라던 심정은 산산 조각이 났다. 네? 하고 의사의 판정에 반문이라도 하듯이 튀어 나오던 경악에 찬 기성……. 수치감과 당황함이 한데 겹쳐 왔다.

"선생님……, 어떻게 하면 좋아요"

"어떻게 하다니요?"

젊은 의사는 은애의 표정을 훑어보며 말을 이었다.

"현재 상태로는 태아의 발육은 아주 정상적입니다. 다만 모체가 좀 약해서……. 영양 섭취에 유의하시는 게 좋을 것 같습니다."

무엇인가 탐색하려는 것 같은 그 시선 속에는 능글맞은 웃음이 곁들어 있었다.

은애는 말없이 그 자리에 우뚝 섰었다. 앞이 캄캄했다. 어떻게 했으면 좋을지 전연 실마리가 잡혀지지 않았다.

순간 한식(韓植)의 모습이 섬광처럼 머리를 스쳐 갔다.

은애는 휘청거리는 몸뚱이를 억지로 버티다가 진찰대에 털썩 쓰러졌다. 온 몸의 맥이 풀리는 듯 힘이 빠지며, 정신이 아찔해 왔다.

이래서는 안 되겠다고 악을 쓰면서도 제 몸을 스스로 가눌 수 없었다.

얼마 후 그는 제 정신으로 돌아왔다. 이마에 선뜻하게 땀이 내뱀을 느꼈다.

"역시 모체가 약해요. 자, 이 약을 마셔요."

의사가 권하는 물약을 마시면서도 은애의 가슴속은 동요되고 있었다.

"당분간 안정하는 게 좋겠습니다."

"……"

"초산이란 늘 육체적인 부담도 크지만, 정신적인 선입감이 더 작용하기 쉽기 때문에……."

소독수에 손을 씻으면서 나직이 말하는 의사 쪽을 건너다보는 은애는 목구멍에서 뱅뱅 돌고 있는 한 마디를 그대로 털어놓지 못하고 망설였다.

"선생님……."

"네……."

하소연에 찬 가냘픈 음성을 들으면서 의사는 은애 쪽으로 가까이 왔다.

"저, 어떻게 할 수 없어요?"

"저……."

"말씀하세요."

"무슨 방법이라도……."

"어떤 방법 말입니까?"

"사실은……."

그러나 그 이상 말이 나오지 않았다. 의사는 은애의 입을 지켜 보고 있었다.

"어서 얘기하세요."

정작 말하려니 한 마디로 간단하게 용건이 끝날 성질의 것은 아니라고 생각되었다. 그 한 마디를 하기 위해서는 그간의 긴긴 사연을 다 설명하고 나야 자기의 요구가 비로소 납득이 갈 것만 같았다.

"혹, 수술이라도?"

의사는 은애의 속을 꿰뚫어 보고라도 있다는 듯이 급소를 눌러 왔다.

"네……."

은애는 머리를 숙인 채로 들릴락 말락한 대답을 했다.

"무슨 때문이신가요?"

이에 대한 설명은 섣부른 몇 마디로 처리되기에는 너무도 복잡한 고비가 많다. 그 속에는 이 낯선 의사 앞에서 말할 수 있는 것이란 극소 부분에 불과하다. 미스터 한과 둘만이 알아야 할 일이 있는가 하면, 영원히 자기 혼자만의 가슴속에 깊이 간직한 채로 곱게 죽어 가야만 할 소중한 비밀 같은 것도 있다.

"내일 다시 찾아뵙겠어요."

은애는 그 이상 앉아 있을 수 없는 복잡한 심정에 얽힌 채로 병원을 나섰다.

어디로 갈 것인가, 누구한테 가서 후련하게 이 속을 털어놓을 것인가.

그러나 찾아갈 곳도 만나야 할 사람도 얼른 머리에 떠오르지 않았다.

가까이에 있는 다방으로 들어갔다. 우선 몸과 마음을 좀더 가라앉히고야 어디로 가든지 누구를 찾든지 할 수 있을 것만 같아서였다.

그는 거의 몸뚱이를 팽개치듯이 박스에 주저앉았다. 피로가 한꺼번에 몰려 왔다. 어디 편안히 누워서 푹 쉬고 싶었다.

앞으로 다가온 레지에게 차를 주문하고 난 그는, 그 소녀의 배 언저리를 뚫어지게 쏘아보았다. 아니 다방으로 들락날락하는 뭇 여인들의 하복부에만 그의 시선은 이끌려 가는 것만 같았다.

'저 여자도 임신을 한 것이나 아닐까? 그렇다면 몇 개월이나 되었을까, 유부녈까, 자기처럼 처녀 임신일까, 그 상대는?'

터무니없는 환상이 꼬리를 물고 끝없이 되풀이되었다.

뱃속에서는 무엇인가 툭툭 치고 있는 것만 같았다. 혹시 태동(胎動)이나 아닐까? 그렇다면 이 어린 생명의 씨는 남자일까, 여자일까?

몇 굽이를 맴돌고 난 생각은 마지막에 가서는 그대로 낳을 것인가, 긁어 버릴 것인가의 귀결점으로 돌아오고 마는 것이었다.

아름답게 꾸며 놓은 크리스마스 트리도, 샹들리에 주위를 화려하게 장식해 놓은 오색 테이프도, 아무런 감흥을 불러일으키지 못했다. 전축에서 흘러나오는 급 템포의 음악도 자기를 비웃으며 달아나는 심술꾸러기들의 야유 같게만 들려왔다.

참말 이제부터 어떻게 했으면 좋을지 모르겠다. 머물러 있을 곳도, 갈 곳도 없는 것만 같다. 눈보라치는 허허벌판에 내동댕이 쳐진 것만 같은 호젓하고도 외로운 심정……. 견딜 수 없다.

이 돌발적인 사태를 앞에 놓고 흉금을 털어 의논할 사람이란 하나도 없을 것만 같다.

미리(美利), 그러나 그는 이미 서울을 떠나 버렸다.

불현듯 성하(聖河)의 환영이 떠올랐다. 오랜 시간의 흐름 속에서도 좀처럼 흐려지지 않고 떠오르는 일들…….

학보병(學保兵)으로 입대하기 전날 밤, 둘은 밤늦게까지 같이 있었다.

일년 반의 군대 복무, 그것은 성하에게는 아득히 긴 세월 같게만 느껴졌고, 은애에게는 다시 만나지 못할 먼 길을 떠나보내는 결별 같은 아쉬움이었다.

사랑, 이런 때문은 속된 말로 표현하기엔 자기들 순정의 교류가 욕되게 일컬어지는 것만 같게 여겨졌다. 그만큼 둘의 아낌이나 그리움은 거룩하고도 순결한 것이라고 느꼈었다.

그들은 사랑이라는 어휘 대신에 아낌이라는 말을 마치 자기들이 그 어의를 새로 발견이라도 한 것처럼 즐겨 썼다.

여학교의 낡은 교복을 벗어 버리고 새로 지은 투피스로 갈아입은 홀가분한 감촉, 이제는 참말 어른이 되어 가는가 하는 환각마저 은애는 느꼈었다.

앞으로 일주일만 있으면 프레시맨의 새로운 코스가 시작된다. 왼쪽 가슴 불룩한 언저리에 달아 놓은 대학 배지, 누구에게나 보이고 싶게 자랑스러웠다. 그의 가슴은 새로운 봄의 환희와 희망에 젖어 부풀어 올랐다. 세상의 온갖 것이 아름답게만 보였다. 온 누리의 모든 것이 자기들을 위해서만 존재하는 것같이 느껴지기도 했다.

둘은 포도를 나란히 걸었다. 서로의 손은 깍지를 끼듯이 얽히어 쥐어졌다.

훈훈한 이른 봄의 밤기운, 가로수의 움트는 새싹의 속삭임이 들려오는 것만 같은 정적, 그대로 끝없이 걷고만 싶었다.

"언제쯤이면 휴가로 나올 수 있어요?"

은애는 헤어졌다 다시 만날 날이 궁금했다.

"글쎄, 가 봐야 알지. 군대는 명령에 살고 명령에 죽는다고 하니까……."

"석 달, 반 년?"

"아마도 논산서 훈련이 끝나고 일선에 배치된 후에야 어떻게 은전을 입을 기회라도 있을 거야."

일선이라는 말이 은애에게는 순간 전쟁과 죽음으로 연결되어 왔다.

전쟁이 없는 영원한 평화의 세계, 군대가 필요 없는 안정된 사회, 은애는 그런 것에 생각이 미쳤다.

6·25 때 희생된 아버지, 그 아버지의 영상이 떠올랐다. 벌써 십여 년, 가슴 에던 일들이 흘러 간 세월과 더불어 아득히 기억 속에서도 흐려져 갔다.

이제 또 아끼는 사람을 보내야 한다. 휴전 상태, 그러나 마음 놓을 수 없다. 비록 전쟁은 없다 해도 안심이 되지 않는다. 항시 폭풍전야와 같은 전선, 언제 또 무슨 일이 순시에 터질지 모른다.

어느 사이에 예까지 올라왔는지 모르겠다. 두 사람은 남산 광장 벤치에 걸터앉았다.

붉고 푸른 네온이 명멸하는 거리를 내려다보았다. 전차와 자동차 고동이 밤의 고요를 뚫고 이곳까지 밀려 왔다.

이때껏 사귀어 오는 사이에 주고받은 헤아릴 수 없는 말들, 그러나 이 밤은 그 하고 싶은 말들이 가슴속이 미어질 듯이 포개져 있으면서, 정작 단둘이 마주 앉고 보니 할 말이 없는 것만 같았다. 오히려 둘의 가슴속을 소용돌이치고 있는 상념은 거의 하나로 귀일될 수도 있을 것이었다. 그러면서도 떠나는 사람과 보내는 사람의 고뇌는 제각기의 안타까움을 저대로 조바심하고 있었다.

주변을 오가던 사람들의 그림자도 뜸해졌다.

평소에 마음속을 솔직하게 탁 털어놓고야 시원해 하는 성미의 성하도 이 밤은 말수가 적었다. 은애는 은애대로 복잡할 것만 같은 성하의 감정에 불지르지 않기 위하여 가끔 열려지는 그의 말에 대답할 따름이었다. 하고 싶은 말이 많으면서 기실 입을 열려고 하면 그대로 말문이 막혀 버렸다. 냉정하려고 버티면서도 둘 다 격한 감정을 누를 수 없었다.

"은애……."

은애의 양 어깨를 힘주어 거머쥐며 외치는 성하의 목소리는 그의 숨소리처럼 거칠었다. 은애는 성하의 눈동자를 말끔히 쳐다보았다. 그 눈동자에는 금방 불꽃이라도 튈 듯이 열기가 서려 있었다. 벌써 은애의 몸뚱이는 성하의 억센 품속에 안겨 참새처럼 파닥거렸다.

뜨거운 입김이 얼굴 전면을 달구어 왔다. 젖가슴에 닿은 성하의 손끝이 간지러우면서도 포근함을 느끼게 해 주었다.

지금 은애는 그 전신을 녹일 듯하던 입김을 뺨과 입술에 뜨겁게 되새기는 것이다.

머리가 아찔해 왔다.

은애는 다방을 나왔다.

버스는 의정부(議政府)를 지났다. 북으로 뻗은 국도에서 서쪽으로 향하는 갈림길에 접어들었다. 찻간의 손님은 오르고 내리고 뒤바뀌는 속에서도 퍽이나 줄어 한기가 더욱 서려오는 것만 같았다.

지붕에 눈을 담뿍 인 군대의 막사(幕舍)들이 뜸뜸히 내다보였다. 전쟁과 접근되는 의식이 자꾸만 서려 왔다. 성하도 저런 곳에서 복무했을까, 아니 휴전선 바로 옆이라고 했으니 이것보다는 더 전방이었는지도 모른다고 은애는 생각했다.

눈길에 헐떡이는 버스 속의 사람들은 거의 다 기름기가 없어 보였다. 모든 사람들이 자기처럼 고달픈 일에 쫓기고 있는 것만 같게 여겨졌다.

평화, 안정된 살림, 그런 것은 우리들의 삶에선 영영 찾아 볼 수 없는 것일까 하고 은애는 토막 난 상념들을 되풀이했다.

태극기와 유엔기 그리고 성조기(星條旗)가 나란히 휘날리는 병사, 그것은 미군 부대임이 틀림없었다. 같은 전쟁에서 같은 목표 아래 공동의 적과 싸우면서, 이건 막사의 인상부터 부유하게 보이지 않는가…….

그 철조망 주변에 다닥다닥 군집한 판잣집들, 그것은 현실을 그대로 말해 주는 너무나 초라한 대조만 같았다. 빨갛고 파란 원색의 옷차림을 한 여인들의 모습이 새하얀 눈의 배경 속에 유난히 선명하게 두드러졌다. 은애는 자기 자신도 이미 이 두레에 속하고 있는 족속이라는 생각이 뭉클 목구멍을 자극해 옴을 느꼈다.

미끄러지는 오르막을 헐떡이며 달리던 차가 급정거를 했다. 전진하려고 몇 차례씩 끽끽거리던 버스는 도로 뒷걸음질 쳐 평평한 곳까지 내려오고 말았다.

"고장입니다. 잠깐만 내렸다 타 주세요."

차장의 말에 승객들은 제각기 불평을 터뜨렸다.

뒤타이어의 빵구에다 가솔린 파이프가 메었다는 것이다.

은애도 손님들의 뒤를 따라 차에서 내렸다.

고갯길의 중턱, 인가는 까마득히 먼 곳. 그대로 한데서 기다리는 수밖에 없었다.

굵은 송이의 눈발은 여전히 줄기차게 내려 붓고 있었다.

은애는 머리에서 목덜미까지 덮은 머플러를 풀어 다시 여미고 죄어 매었다. 추운 속에서 버티고 온 다리며 발이 남의 살같이 뿌듯했다. 그는 사내들이 아무 데나 대고 소변을 냅다 갈기는 곁을 스쳐, 눈길을 걸어 작은 언덕 너머로 돌아갔다. 의사의 말대로 이즘에 와서 유별히 오줌이 잦아진 것만 같았다. 다시 차 옆으로 돌아와서도 얼마 동안을 그대로 서 있어야했다. 번갈아 가며 얼음 위의 닭처럼 한쪽 발을 교대로 들었다 놓았다 했다.

이렇게 힘들이고 찾아가서 미스터 한을 곧장 만날 수 있을까 하는 불안이 꿈틀거리기 시작했다. 집을 나설 때는 그러한 일들에 세심한 관심을 두지 않았지만, 목적지에 가까워짐에 따라 이것저것 새로운 걱정거리가 머리를 치켜들었다.

누워 있는 어머니에게는 아무 말도 않고, 동생 은심(恩心)에게만 귀띔을 해 두었다. 그러나 동생도 언니의 무거워 가는 몸매의 증세는 전연 알고 있는 기색이 보이지 않는 것이 다행스러웠다.

어머니는 이미 눈치 채고 있는지도 몰랐다. 다만 딸이 괴로워할까 봐 묻지 않고 있는 것임에 틀림없었다.

주위 사람들의 시선이 자기 배 언저리로만 쏠리는 것 같은 자격지심이 없지 않았다. 은애는 어깨에 내려 쌓이는 눈을 털 염도 않고, 두 손은 아랫배 위에 포개어 어름한 자세를 취하였다.

이것이 만약 성하의 핏줄이라면…… . 뭉클 환희에 찬 감격을 삼켜 보며 무의식중에 머리를 가로 저었다. 그런 기적은 도저히 있을 수 없다. 그는 이미 가고 없다. 자기가 지금 찾아가는 것은 분명 성하가 아닌 한식임에 틀림없지 않은가…… .

또다시 현기증이 왔다. 차에 올라탔으나 여전히 메스꺼웠다. 이틀씩이나 끼니를 설친 탓일까, 제대로 잠을 이루지 못한 과로 때문일까? 그러나 아무 것도 먹고 싶은 생각은 없었다.

차는 문산(汶山)을 향하여 다시 달리고 있었다.

은애는 차표 거두러 온 여차장에게 살그머니 물었다.

"주내로 가려면 어디서 내려야 해요?"

"주내요? 법원리에서 내려서 갈아타세요."

묻는 쪽은 거들떠보지도 않고 대답하는 차장의 말소리는 여자다운 데라곤 조금도 없이 퉁명하고 싸늘하기만 했다.

눈발이 가늘어지면서 바람이 거세게 유리창을 두드려댔다. 흐린 날씨는 어둠을 더욱 재촉해왔다.

난생 처음 지나 보는 듯, 가도 가도 낯익은 고장이라고는 없었다. 어디에서 본 듯한 얼굴 하나 발견할 수 없었다.

법원리에서 버스를 갈아 탄 은애는 목적지인 용줏골이 가까워 온다는 말을 듣자 마음속은 더욱 불안해지기만 했다.

　두 밤을 거의 새우다시피 하며 고민했었다. 애기를 그대로 낳을 것인가, 그렇잖으면 긁어 버릴 것인가 하고……. 이토록의 결과는 전연 예기하지 않고 일어난 사태였다. 이렇게까지 막바지 골목에 들어서게 될 것을 예측할 수만 있었다면, 좀 더 다른 경로가 밟아졌을지도 모를 일이었다. 그러나 그때의 그 어찌할 수 없는, 참말 자기 힘으로 그 이상 저항할 수 없는 돌발적인 장면에서 무엇을 어떻게 할 수 있었단 말인가…….

　지나간 일은 후회하지 않는다. 닥쳐 올 일을 어떻게 타개할 것인가 문제는 거기에 귀착할 수밖에 없다.

　벽에 기대앉은 채로 혼자 흐느껴 울다가 지쳐 쓰러졌다. 얼마 동안이나 눈을 감았다 뜬 것일까. 그러나 시계를 보니 그사이는 그렇게 긴 시간은 아니었다.

　자리를 깔고 잠옷으로 갈아입었다. 거울을 들여다보며 아랫배를 살그미 쓸어 보았다. 약간 도드라진 것만 같았다. 낮에서부터 대체 몇 번이었던가, 그 사이에 수시로 배에 손이 가는 것은 벌써 하나의 습성으로 된 것일까?

　자리에 누웠으나 잠을 청해 낼 도리가 없었다. 눈까풀은 피로하게 내려 드리우지만 눈알만은 말똥했다. 몇 번이고 몸을 뒤치락거려 보았다. 전등을 껐다 켰다 변덕을 부려 보았다. 그러나 좀체 잠은 오지 않았다.

　어쩌다 눈을 붙였는가 하면, 고작 갈피를 잡을 수 없는 사나운 꿈의 토막이었다. 차라리 자기에게 닥쳐진 이 현실적 사태가 꿈이나 됐으면 하는 요행을 곱씹어 보았다.

　만약 꿈이었으면……, 그 순간은 건뜻 날고 싶었다. 곧 다시 아랫배에 손이 갔다. 현실은 여전히 그대로였다.

　밤은 깊어만 갔다. 자기 이외의 모든 것은 이 시각에 하나도 꿈틀거리고 있는 것이란 없는 것만 같았다. 시계 소리가 이렇게까지 선명하게 들려오는 밤이 지금껏 있었던가.

은애는 자기 주변의 군상들을 생각해 보았다.

같은 직장에 있는 여인들이, 소파 수술 정도는 냉면 한 그릇 거뜬히 치우듯이 쉽게 처리하고 난 이야기들을 자랑 삼아 늘어놓는 것을 듣지 않은 바는 아니었다. 그러한 경우 은애는 그것이 직접 자기에게 절박하게 관련되는 일이라고는 느껴지지 않았으므로 귀 너머로 흘러 넘겨 버렸었다.

그러나 막상 자기 발등에 불이 떨어지고 나니, 그렇게 간단하게 처리될 것인가 하는 의아가 가지 않을 수 없었다.

처음 보는 의사 앞에서 태연하게 낙태 수술을 요청하는 암시를 준 것만 해도, 그때의 진단결과에 충격이 너무 컸기에 흥분 속에서 그렇게 막 내댄 것이지만, 다소 마음속이 안정된 지금에 와서 곰곰이 생각할 때에는 얼굴이 화끈 달아오르는 것만 같은 심정이다.

중간 과정이야 어찌 되었건, 결과에 있어서는 자기의 잘못이다. 책임은 자기 자신에 있는 것이다. 죽이 되든 밥이 되든 내친걸음에 혼자서 저질러 보자.

결국 수술할 것으로 단안을 내리고 난 그는 머리에까지 이불을 뒤집어쓰고 그 이상 생각 않기로 했다.

옆방에서 기침 소리가 들려왔다. 어머니는 벌써 잠을 깬 것일까, 그렇잖으면 몸이 괴로워서 잠을 이루지 못하고 있는 것일까?

다시 이불 밖으로 얼굴을 내놓았다.

창살이 훤했다. 벌써 동이 터 오는 것이다.

새날! 새날이면 무엇인가 좋은 해결 방법이 이루어질 것만 같다. 거미줄에라도 의지하고 싶은 심정, 막연한 기대를 걸어 본다.

하루 종일 밖으로 나가지 않고 방안에서 뒹굴었다. 이 사이에도 애기는 저절로 커 갈 것이라고 생각하니 겁이 났다.

병원으로 갈까 말까하는 생각은 몇 번이고 번복이 되었다가 다시 되살아나곤 했다.

아무튼 일단 병원에 가서 의사에게 다시 상의하여 보기로 하자.

은애는 자리를 털고 일어나 머리를 매만지고 옷을 차려 입었다. 핸드백을 챙겨 들었다. 문을 나서려는 순간 무엇인가 발목을 잡아매는 것 같은 것이 있었다. 일이 이 단계에 이르고 보면, 한 번은 미스터 한에게 꼭 알려야만 할 것 같은 의무감이었다.

자기는 말할 것도 없지만, 저쪽도 고의적인 악의의 접촉이었던 것만은 결코 아닌 것 같았다. 이것은 너무 선의의 해석일까, 은애는 문 쪽에서 몸을 돌리며 다시 곰곰이 생각했다. 그는 묵묵히 주저앉았다.

이 갈피를 잡을 수 없는 절박한 시간에 같은 피해자의 위치에서 해결의 열쇠를 앞에 놓고 마음속을 털어놓을 사람은 아무도 없다.

어머니에게 알릴까, 그것은 도저히 할 수 없는 일이다. 그렇지 않아도 이즈막 갑자기 병세가 악화되어 가는 어머니다. 설사 건강한 어머니라손 쳐도, 이제 다 성장한 자기로서 홀어머니에게 털어놓고 그 자초지종을 속속들이 밝힐 용기란 더욱 없다.

동생, 그들은 지금 인생의 탁류 속에 막 휩쓸려 들어간 자기와 비하면 아직 너무도 깨끗하고 티 없는 인간들이다. 거기에 이런 추잡한 이야기의 얼룩을 번지게 할 수는 없는 일이다.

하는 수 없다. 미스터 한을 찾는 길밖에 없다. 그것도 무슨 해결을 바라는 것은 아니다. 가부의 결단이 내려져야 할 이 시각에 그만은 이 일의 귀추를 알고 있어야만 할 것 같아서다.

그에게 덮어놓고 뒤집어 씌워 본다면……. 그러나 그것이 무슨 소용이 있을까. 행동의 결과는 그에게 나타나 있는 것이 아니라, 자기 뱃속에서 꿈틀거리고 있으니 말이다.

미스터 한을 만나자!

은애는 한식을 찾아갈 것을 결심하고 마음의 외곬으로 휘몰아 갔다. 핸드백 밑바닥에서 한식의 사업체 주소가 박혀 있는 명함을 찾아냈다.

다음의 사태는 만난 후의 일이다. 이제는 닥치는 대로 해 나가는 수밖에 없다. 만난다는 일에 대하여 기대도 걸지 않고, 희망도 바라지 않는다. 다만 이 판국에는 그렇게 하는 수밖에 다른 도리가 없는 것 같고, 그것이 응당 뱃속의 생명에 대한 자기의 어쩔 수 없는 의무 같게도 여겨지기 때문이다.

은애는 지갑을 열어 남아 있는 현금의 액수를 계산해 보았다. 어저께 하루를 공쳤으니 남아 있는 돈이란 얼마 되지 않았다. 그러기 위하여는 밤에 직장으로 나가야만 했다. 현금이 좀 더 필요해서였다.

그는 경대 앞에 앉아 화장을 고쳤다. 이제껏 미처 깨닫지 못했던 부은 눈언저리에 낀 기미가 유난스레 짙은 것만 같게 여겨졌다.

꺼져 가는 등불 같은 지표라도 발견한 것처럼 그는 가벼운 흥분을 느끼며 거리에 나섰다.

목덜미의 바람기가 싸늘했다. 얼음에 미끄러지는 발목에 힘을 주며 휘청거리는 다리를 조심해 가누었다. 번잡한 가로의 소음 속에서 혼자의 생각 속을 헤엄치며 걸어가고 있었다.

버스는 용줏골에 닿았다. 은애는 차에서 내렸다.

낮은 언덕 경사지에 여기저기 자리 잡고 있는 미군 부대의 막사에서는 헤아릴 수 없는 휘황한 불빛이 밤을 낮으로 밝히고 있었다. 거센 눈보라가 오버 자락을 휘날리고 허리에 와 감겼다. 은애는 호주머니에 넣어 둔 한식의 명함을 끄집어내어 전등불에 비쳐 보았다.

'빅토리 라운드리'

이제부터 찾아야만 한다.

찬란한 네온 속에 부각되는 간판들은 티룸이 아니면 무슨 클럽, 그렇
잖으면 라운드리나 테일러. 간간이 큐리오 숍, 케이크 점들이 끼이고, 일
반 민간인 상대의 점방이란 뒷골목 좁은 거리에 몰려 있었다.

쇼윈도우에는 크리스마스 트리와 산타클로스의 큼직한 모습이 연말의
거리를 황홀하게 장식하고, 간판 속에서 울려 나오는 고성능의 전축은 영
하의 얼어붙는 눈보라의 밤을 아랑곳없다는 듯이, 징글벨이 아니면 선정
적인 음곡으로 뒤덮고 있었다.

은애는 잠시 서울 번화가에 서 있는 것 같은 착각을 느꼈다. 그러다간
흰둥이 검둥이의 군복에 안겨 옆을 스치는 짙은 화장의 여인들을 보면서
찰나적인 동료 의식 속에 이방 지대의 색다른 감정에 사로잡혀 갔다.

그런 물결 속에서 헤어나려고 몸부림치던 자기, 아니 어떤 면에서는
자기 자신이 스스로 투신한 것인지도 모를 일이다. 아무튼 자기는 지금
이 막바지 골목의 가두에 팽개쳐지고 있다. 우선 시급한 것은 미스터 한
을 만나야만 하는 일이다.

은애는 형광등 불빛이 눈부신 쇼윈도우 앞에서 발을 멈췄다. 알록달록
하게 수놓은 여인용 가운, 짙은 원색으로 된 형형색색의 드레스……. 카
키색 군복이 줄지어 걸려 있는 옷장 앞에 파란 눈알의 군인이 여인을 끼
고 앉은 것이 들여다보였다. 그 옆에 서 있는 것은 검둥이……. 틀림없는
빅토리 라운드리다.

은애는 창문을 노크했다. 안의 시선들은 이쪽으로 쏠렸다. 소년이 유
리문을 열고 고개만을 내밀며 두리번거렸다.

"여기가 빅토리 라운드리죠?"

"네……."

"혹, 한식 씨라고 여기 계신지요?"

"네……, 우리 주인이에요."

대답하는 소년의 눈동자엔 의아에 찬 모습이 감돌았다.

은애는 잠시 머뭇거리다가 말을 계속했다.

"좀 만나 뵈러 왔는데요."

소년은 아래 위를 훑어보며 망설이다가 문을 활짝 열며 밖으로 나왔다.

"어디서 오셨어요?"

"서울서 왔어요."

"서울서요?"

"네……."

"아저씨는 오늘 아침 서울로 나가셨는데요."

"그래요?"

은애의 맥풀린 말씨는 거의 독백같이 희미했다.

"아무튼, 추운데 이리로 들어오세요."

소년이 시키는 대로 은애는 소년의 뒤를 따라 점방 안으로 들어섰다.

집안의 온기가 하루 종일 찬바람에 얼어 온 얼굴에 화끈하게 단기를 뿜어 왔다. 방안의 시선들은 일제히 자기 쪽으로 퍼부어졌다.

"무슨 용무신데요?"

서지 군복을 줄여서 입고, 제법 명찰까지 미군식의 영어로 붙인 소년은 이 흐린 물결에 씻겨 상고머리의 얼굴이 곱돌같이 반들반들했다.

"좀 만나서 볼 일이 있어서요."

"오늘 밤에 돌아오시기는 할 거예요, 기다려 보시지요."

은애는 권하는 대로 난롯가의 의자에 걸터앉았다. 앞에 앉은 외국인과 시선이 마주치는 것이 꺼려서 줄곧 바깥쪽만 내다보고 있었다.

남녀의 아베크 쌍쌍이 창문 속을 흘깃거리며 연달아 점방 앞을 스쳐 가고 스쳐왔다.

시간은 자꾸만 흘러갔다.

건너편에서 노닥거리는 여인과 미군의 몰골에 가끔 눈길을 돌리면서도, 기실 은애는 자기만의 생각에 사로잡혀 갔다.

시계는 벌써 일곱 시를 가리키고 있었다.

"여기서 서울 가는 차는 몇 시까지 있어요?"

"막차가 여덟 시에 떠납니다."

소년은 자기 시계를 보며 대답했다. 여덟 시, 그러면 한 시간밖에 없다. 은애는 팔목시계에 신경이 가면서도 줄곧 시선은 밖을 지키고 있었다.

"혹 전할 수 있는 이야기라면 말씀하시지요."

은애의 초조한 빛을 보다 못해 소년은 상냥한 어조로 말을 꺼냈다.

"꼭 직접 만나 봬뵈야겠어요"

"그렇지만, 시간이……."

은애는 곰곰이 생각해 보았다. 이대로 돌아갈 것인가, 그렇잖으면 밤을 새워서라도 만나고 갈 것인가? 갔다가 다시 온다는 건 그리 용이한 일인 것 같지 않게 느껴졌다.

여인의 딱딱 화약 알을 튀기는 것 같은 껌 씹는 소리가, 생각이 단절되는 순간마다 고막을 건드렸다. 얼었던 몸이 풀리면서 전신이 노곤해짐을 느꼈다. 은애는 다시 한 번 내려 깐 눈길을 아랫배 언저리에 머물렀다. 시간은 모든 사태에 외면한 채 흘러만 가고 있었다.

제1장

환절기에 접어들면서부터 어머니는 몸져누워 버리고 말았다.

어머니의 병은 틀림없이 과로에서 온 것이라고 생각되었다. 자기들 삼 남매를 기르며, 집안 살림을 한 손으로 지탱해 나가느라고 지치다 못해 쓰러진 것임에 틀림없었다. 의사가 붙인 병명은 좌골 신경통이라지만, 그것만이 아닌 것 같았다.

심신이 폴싹 녹아들도록 쇠약해졌다. 거기다 고질의 해소병까지 더치어 가고 있으니 손방을 쓸 수가 없었다.

아버지가 남기고 간 유산이란 집 하나뿐이었다. 그것도 벌써 몇 해 전에 팔아넘기고 전세로 가라앉았다. 이제 집안의 남은 밑천이란 보증금으로 들어가 있는 전셋돈밖에 없었다.

고된 살림 속에서도 자기들을 학교로 보내고, 오직 자식들이 커 가는 보람만을 느끼며 괴로운 내색이나 역정을 내는 일 없이 인종 속에 살아온 어머니다. 그러던 어머니가 이즘은 짜증과 잔소리가 부쩍 늘어 갔다.

신경이 극도로 날카로워지는 어머니를 보면서 은애는 어쩔 바를 몰라 했다.

"저것이 사내래두, 내 시름은 좀 쉬이 풀릴 텐데……."

자리에 누워 물끄러미 쳐다보며 잠꼬대처럼 되뇌이는 어머니의 푸념은 은애의 가슴을 도려에는 것만 같았다.

사십대의 한창 시절에 과부된 어머니, 그리고 이제 오십을 바라보는 고비길에서 기력을 잃은 어머니, 은애는 어머니가 가여운 생각이 들어 견딜 수 없었다.

'어머니가 만약 이대로 돌아가신다면…….'

그것은 상상만 해도 소름이 끼치는 일이다. 행여 꿈에라도 그런 일이 있어서는 안 된다.

은애는 불길한 예감을 몰아라도 내려는 듯이 머리를 설레설레 저으면서 자기의 방정맞은 예측을 부인해 본다.

그러나 그 불안은 얼마 안 가서 또다시 되풀이되고야 만다.

'어머니에게 최악의 사태가 나타난다면…….'

자꾸만 그렇게 생각이 돌아가는 것을 어찌하는 수 없다.

자기들 남은 가족은 그 시각으로 허지에 나앉게 된다. 학교고 뭐고 염두에 둘 여지도 없다. 생각하기조차 두려울 정도로 캄캄한 세계가 앞을 가로 막는다.

그보다도 고달프게 살아 온 어머니의 생애가 너무나 처참하다.

터무니없는 호들갑을 떠는 경망이라고 애써 지워버리면서도, 어쩌면 그런 절박한 사태가 자꾸만 자기들 앞으로 접근해 오는 것만 같게 여겨졌다.

그 막다른 경우가 눈앞에 와락 다가서기 전에 무슨 방도라도 궁리해야만 할 것 같은 조바심이 자신을 북새질하고 있음을 은애는 의식하지 않을 수 없었다.

무슨 짓을 해서도 어머니를 구해 내야겠다.

그는 넋 잃은 듯 혼자 중얼거렸다.

클랙슨 소리에 은애는 떨 듯이 놀라며 발길을 멈칫했다.

약병을 들고 있는 손이 부르르 떨렸다.

그제야 제정신으로 돌아와 건널목을 살피지 않고 생각에만 골똘해 그대로 걷고 있었던 자신을 발견했다.

막내 동생 은호(恩浩)는 어머니의 허리며 엉덩이께를 한쪽 발로 자근자근 밟고 있었다.

어머니는 연신 에이 시원해, 더 더 하며 꺼져 가는 듯한 신음 소리를 되뇌곤 했다.

희끗희끗한 귀밑머리, 야윈 얼굴에 움푹 패어진 주름이 유난히 두드러져 보였다. 토실토실하던 아래 정강이는 후줄근히 까칠하게 말라빠지고, 노리끼한 손가락은 살을 발라낸 게다리 마냥 마디만이 앙상하게 굳어져 핏기 없이 늘어져 있었다.

사변 전 온 집안이 단란하던 시절의, 멋쟁이로 여겨지던 어머니의 모습이란 그 몸뚱이의 어느 구석에서도 찾아 볼 길이 없었다.

외로움과 시달림 속에서 반생을 허우적거리며 버티어 온 삶의 발자국이 그대로 드러나 보이는 것만 같았다.

은애는 누워 있는 어머니의 허리 밑에 손을 넣어 살그머니 일으켜 앉헸다. 뼈가 바스러지는 듯한 바쁜 소리가 토막토막, 메마른 입술을 이죽거리며 새어 나오는 것이 애처롭게 들렸다. 이불을 등에 대고 벽에 기대앉은 어머니의 눈동자는 물 간 생선마냥 희멀거니 광채가 없었다. 약물이 넘어가며 턱 밑 목줄기가 도드라질 땐 길다란 목이 더 가늘어진 것만 같게 보였다.

은심이 학교에서 돌아왔다.

"우리 이번 토요일에 소풍간다."

책가방을 한쪽 구석에 팽개치곤, 어머니를 힐끗 내려다 볼 뿐 아무 걱정도 없다는 듯 조잘거렸다.

"차비, 이백 원씩 가져오래."

아무도 대꾸하는 사람이 없건만, 은심은 제대로 신바람이 나는 양 붉게 상기된 얼굴에 명랑한 웃음마저 띠웠다.

"저것이 언제 철이 들라구……."

보다 못해 어머니는 찡그린 얼굴을 돌리며 혀만 차댔다.

은심은 털썩 땅바닥에 주저앉으며 어머니 자리 밑에 발끝을 집어 넣었다.

멍히 바라보고만 있던 은애는 물그릇을 들고 부엌으로 나갔다. 왈칵 울음이 복받쳐 오를 것만 같았다.

철없는 것 같기도 하고 어찌 보면 순진한 것 같기도 했다. 덩치는 자기와 맞먹게 커서 옷이란 닥치는 대로 바꿔 입기 일쑤인 은심이 역겨우면서도 가여웠다.

거기 비하면 막내둥이 은호가 제법 어른답게 집안 걱정을 하고, 어머니 시중에 곰곰이 애쓰는 것을 보니 더욱 측은해졌다.

고등학교와 중학교, 나이가 세 살이나 아래인 은호 쪽이 훨씬 사리 판단이 밝고 더 조숙해 가는 것만 같았다.

"은호가 대학을 졸업해야 엄마는 다리를 쭉 뻗고 지낼 텐데……. 계집애야 시집만 가면 그만인 걸……."

어머니의 버릇처럼 노닥거리던 말이 새삼 귀에 쟁쟁 울려오는 것만 같았다.

어머니의 말대로 은호가 다 자랄 때까지만 어머니가 건강해 주셨으면……. 그러나 곧 시래기쪽같이 시들어 버린 어머니의 몰골이 그대로 눈앞을 가로 막아 왔다.

어머니의 쿨룩거리는 기침 소리가 들려왔다.

"모레까지 가져오라는데……."

"누나, 주책없이 까불지 마."

은심의 말을 받은 은호의 성난 목소리다.

"흠, 남이 소풍가는데 그렇게 배 아파……."

은심의 야들야들한 목소리가 사이를 두지 않고 뒤를 이었다.

"좀 고등학생답게 체신 차리란 말이야."

"얘, 뉘 걱정 말고 너나 중학생답게 해."

꼭 어린애들 같은 말다툼이었다.

"이거, 그저."

"뭐가 이거야?"

애들의 말소리는 더욱 높아져 갔다.

"너희들이 그저, 내 죽는 걸 봐야 속이 시원하겠구나, 어디……."

어머니는 말을 맺지 못하고 다시 기침을 하며 가래를 긁어 뱉았다.

은애는 저녁 차비를 하다 말고 방으로 들어갔다.

"왜들 이러니?"

그는 은심이와 은호를 번갈아 보며 거의 울상이 되어 말했다.

"괜히, 핀잔이 아냐."

은심이 은호 쪽으로 눈을 흘기며 날카롭게 쏘았다.

"누가 뭐랬길래."

"글쎄, 참견 말란 말이야, 나야 뭘 하든."

"왜 참견 못해…… 눈꼴 사나우니까 그렇지…….”

“뭐가 눈꼴 사나워, 내 일은 내가 할 테니까 걱정 마.”

“흥, 내가 해? 집안 형편보구 하란 말이야.”

은호도 노근노근 물러서지는 않았다.

“누군 흥, 집안 걱정 안하는 줄 알아?”

“그래, 잘하는 게 이건가?”

“애, 은호야 너두 좀 그만하렴.”

은애는 하는 수 없이 둘 사이에 끼어들었다.

은심은 뾰로통하여 눈물이 글썽해 가지고 옆방으로 건너갔다. 눈을 살그미 감고 돌아누워 있는 어머니의 신음 소리는 온 방안을 납덩어리처럼 짓누르고 있었다.

은애는 이삿짐을 실은 밀구루마 뒤를 따라가면서도, 어머니를 우겨 결단을 내리기를 잘했다는 생각이 들었다.

이제 목돈을 쥔 김에 어머니의 병을 뿌리째 빼버려야겠다고 마음먹었다.

어머니는 딱한 사정을 헤쳐 나갈 신통한 방책은 없으면서도 끝까지 고집하는 것이었다. 자기의 병은 차차 저절로 나아질 터이니, 전세 보증금만은 다치지 말고 두었다가, 아들이 대학으로 들어갈 때까지 버티어 보자는 것이었다.

그러나 은애로서는 캄캄한 밤중에 손 내밀 듯이 허우적거리는 막연한 방법으로서는 도저히 이 고비를 헤쳐 나갈 수 없다는 생각이 들었다. 그대로 조금씩 빚만 늘어가면 결국 알차게 쓰지도 못하고 부스럭 돈으로 흐지부지 녹여질 것만 같아서였다.

가파른 길을 꼬불꼬불 기어 올라가는 이삿짐 뒤를 밀면서, 그대로 그는 무엇인가 헝클어졌던 것을 풀어 헤쳐, 한 단락을 지은 것 같은 개운한 기분마저 느꼈다.

고갯마루에서 구루마를 멈추고, 짐꾼들은 길섶에 앉아 땀을 들였다.

은애는 막 올라온 길을 내려다보았다.

그 아래 장충단 쪽엔 희고 붉은 양옥들이 푸른 소나무를 뒤에 이고 그림엽서처럼 펼쳐져 있다. 머리를 서쪽으로 치켜들면 눈길이 닿는 데까지 북악과 인왕에 둘러 싸여 총총히 박힌 인가 속에 큰 빌딩들만이 유난히 그 위세를 과시하는 것만 같이 빼어나 보였다. 그 많은 건물들 속에서도 자기들의 소유로 된 집이란 단 한 간도 없다. 이젠 전셋돈마저 빼어가지고 사글세 방을 찾아간다. 처량한 아쉬움이 가슴속을 훑고 지나갔다.

그러나 은애는 저도 모르게 주먹을 불끈 쥐었다.

'어머니만 완쾌되면…….'

사실 어머니만 탈병하고 전처럼 집안일을 꾸려 나갈 수 있게만 되면, 모든 것이 순조롭게 풀려 나갈 것만 같았다. 무슨 일이 있든지 어머니의 병은 꼭 고쳐야만 되겠다고 그는 다시 한 번 자신에게 다짐하는 것이었다.

짐꾼들은 다시 일어나 궁둥이를 툭툭 털면서 구루마를 끌기 시작했다.

금호동, 마루턱 하나를 사이에 두고 살면서도 별로 넘어와 보지 못한 곳이었다. 값싼 방을 찾노라니 결국 이곳에 낙착되고 말았다. 그것도 산비탈을 깎아서 지은 판잣집을 겨우 면한 두 간 방이었다.

마루턱에서 내려다보이는 경사지에는 성냥갑 같은 집들이 총총히 박혀 앉았다.

고개 하나를 경계선으로 하여 양쪽의 집들은 너무나 대조적이었다. 자신에게 용기를 북돋아 가면서도, 시궁창으로 밀려들어가는 것만 같은 허황한 감을 깡그리 씻어낼 수는 없었다.

땀에 젖은 등이 싸늘한 바람에 선듯해 왔다. 가을도 깊어졌는가 하는 생각이 새삼 느껴졌다.

은애는 옷섶을 여미며 푸른 하늘가에 눈길을 던졌다. 갑갑한 가슴이 터질 듯이 소리라도 힘껏 외치고 싶은 충동을 느꼈다.

북쪽 아득한 산머리에 뭉게구름이 송이져 퍼져 오르고 있었다.

문득 성하의 생각이 머리를 스쳤다. 벌써 전방으로 전속된 지도 이개월이 넘었다.

휴전선! 그 이름에서부터 전쟁을 연상시키게 하는 어감……, 은애는 오싹 전율을 느꼈다. 전방 초소(哨所) 토치카 앞에서 찍은 사진, 군복에 집총 자세를 한 모습이 떠올랐다. 항시 망원경으로 북쪽을 응시하고 있는 긴박감, 이쪽에서 와이드 스피커로 선전 방송을 하면, 곧장 저쪽에서 또 응수해 온다는 적과 마주 선 지대, 은애는 성하의 편지 구절을 연상했다.

밤중에 완충지대 속을 기어 들어가는 수색대의 근무, 성하는 그것으로 자기 자신을 시험하여 보는 실천의 보람을 느낀다고 했지만, 은애에게는 성하의 신상에 무슨 일이 생길지 모르는 불안감만이 휩쓸려 왔다.

크리스마스 전에는 휴가를 맡아 한 번 왔다가 가겠노라고 했지만, 그것도 정말 와 봐야 알 일이지 막연한 기대 같기만 했다.

서로 만나지 못한지 벌써 반 년 이상, 주고받는 편지의 사연 정도로 안타까운 심정이 거뜬히 풀려 주진 않았다.

어쩌면 자기를 싸고도는 일들은 하나도 순조로운 것이 없이, 모두가 꼬여 들어가는 것만 같다는 생각을 지울 수가 없었다. 밤을 자고 나면 자꾸만 자기 힘에, 겨운 어려운 일들이 거듭 자신을 겹겹으로 묶어 놓는 것만 같게 여겨졌다.

성하가 복무를 끝마치고 무사히 돌아오고, 어머니의 병이 완전히 나으면, 그때쯤 자기를 둘러 친 밧줄들은 하나씩 풀려 갈 것인가 하고 은애는 먼 하늘 끝에서 시선을 돌렸다.

맨 나중에 택시로 떠난 은호는 어머니를 모시고 벌써 와 있었다.

짐을 부려서 언덕 위로 날라 가구들을 방안으로 들여 놓았다. 제자리를 찾아 놓이는 물건들마다 세월의 때가 짙게 묻어 시덥지 않게 보이는 속에도, 저마다의 이야기를 간직한 추억이 깃들어 있는 것만 같았다.

크고 작은 장독들을 주로 모아 실은 뒷구루마도 은심을 따라 얼마 후

당도했다. 금이 간 연탄 풍로, 바스러진 몽당 빗자루, 이 빠진 오지 단지, 까맣게 곰팡이 쓴 사과 궤짝들이 한데 얼려 부려졌다.

죄다 버리고 와도 괜찮을 것 같지만, 어머니가 낡은 것이 있어야 새것이 있다고 우겨대는 바람에 그대로 얹혀 온 것들이다. 어쩌면 그 물건들의 몰골은 자기 집 형편을 그대로 말해주는 것만 같았다.

은애는 가슴속으로 번져 오르는 서글픈 심정을 지그시 깨물었다.

낯선 지방에 여행이라도 가서 여관방에 든 것처럼 서먹하다. 새로 이사 온 방에 아직 익숙지 못한 탓일까?

은애는 단잠을 이루지 못하고 몇 번이나 바스락거리며 눈을 뜨곤 했다.

방안은 깜깜하다. 어느 쪽이 창문인지 동서남북의 분간조차 가지 않는다. 옆방에서는 어머니와 동생들이 자고 있다. 너저분한 세간 부스러기들을 한데 모아 붙이고 자기 혼자 누워있을 뿐이다.

자신의 숨소리 이외는 아무 것도 들리는 것이 없다. 눈을 감아 보아야 다시 잠을 청해 낼 도리는 없다.

사글세 보증금을 빼고 남은 현금에 생각이 미쳤다. 은애는 자리에 들 때, 요 밑에 깔아 넣어 둔 지폐 뭉치를 뒤져 보았다. 자기집 형편으로는 도저히 다시 쥐어 볼 수 있을 것 같지 않은 한몫의 돈이다. 그러나 그것은 앞으로 온 식구의 목숨이 매어 달리는 마지막 밑천이다.

어머니의 치료비, 식구들의 생활비, 그리고 학비까지 그 속에서 나와야 한다. 아무리 손을 꼽아 가며 셈을 되풀이해야 일년이 못 가서 바닥이 날 액수다. 어떻게 어머니의 약값으로 옹글게 돌리고, 살림과 학비는 따로 변통될 수는 없을까?

생각은 꼬리를 물고 이어 가지만, 신통한 묘방은 좀처럼 떠오르지 않았다.

장사를 할까, 그러면 무슨 장사를……

어머니도 환도 직후 구멍가게를 벌렸다가 날마다 들어오는 돈을 살금 살금 살림에 집어 쓰고, 결국엔 손을 털고 나앉지 않았던가. 만화가게를 내어 어린이 상대로 책을 빌려 줄까. 그러나 그것은 좋은 자리를 얻어 내기도 힘든 일이지만, 노 점방에 붙어 있을 사람이 있는가? 그러려면 우선 자기부터 학교고 뭐고 다 집어 치워야만 한다.

누구에게 돈을 맡겨 두고, 달마다 이자를 따온다면……, 그러나 그것도 믿을 길 없다. 누구를 의지하고 그것을 맡긴단 말인가. 자칫하면 한 닢 써 보지도 못하고 통째로 날려 버릴지도 모를 일이다.

그러고 보면 어머니 하나의 힘이 어떻게 컸던가 하는 것이 다시금 절실하게 느껴진다. 어머니는 그 손끝 하나로 바느질품을 팔아 십년 여일 우리를 길러 오지 않았던가. 그 기계같이 부려먹던 몸뚱이가 이제 먼지 낀 재봉틀과 함께 방구석에 쓰러져 있는 것이다.

잔바느질을 할 때는 그 연세에 어울리지 않게 돋보기를 쓰는 어머니를 우스운 심정으로 보아 왔지만, 강철이면 견딜 수 있으랴 싶은 생각이 치밀어 오른다.

어떻게 되겠지……, 결국은 이같은 막연한 기대로 생각은 제 굽이를 돌아오는 수밖에 없었다.

창살이 훤해 왔다. 그대로 방바닥에 누워 배겨 낼 재주는 없었다.

은애는 자리에서 일어나 앉았다. 무엇이든 해야 할 것만 같았다. 그러나 머릿속은 여전히 흐리멍덩하기만 했다.

전등을 켜고 방안을 두리번거렸다. 참말 값나가는 물건이라고는 아무것도 없었다. 도둑이 들어와야 집어 갈 것도 없을 것만 같았다. 지금껏 살아 왔다는 것이 오히려 기적 같게만 여겨졌다.

창문이 환히 밝아 왔다.

은애는 옷을 주워 입고 밖으로 나갔다. 아침 공기가 이마에 선뜻했다. 사람들의 웅성대는 소리가 언덕 아래 거리에서 왁자지껄 들려왔다. 강 건너 백사장이 후련히 펼쳐진 것이 가슴이 탁 트이도록 시원하게 건너다 보였다. 그것만으로도 지질렸던 마음속은 얼마간 후련해 오는 것만 같았다.

은애는 부엌에 들어가 연탄을 갈아 넣은 다음, 바께쓰를 들고 대문 밖으로 나갔다. 물을 길어다 아침을 해야 했다. 언덕바지 밑에 있는 공동 수도까지는 한참이었다. 경사진 길을 걸어 내려가며, 그는 엷은 스웨터에 스며드는 싸늘한 냉기를 느꼈다. 물지게를 지고 올라오는 부인네들과 엇갈리며, 그는 겨울에는 물 긷기 한결 힘들 것이라는 생각이 들었다.

그러나 어머니가 자리를 털고 아주 일어나고, 집안일만 차츰 펴나갈 수 있다면, 그깟 일쯤은 그리 걱정거리가 될 것 같지는 않았다.

나란히 줄을 지어 놓은 물통 끝에다 들고 온 그릇을 내려놓았다. 아침 시간이 돼서 그런지, 빽빽이 들어 찬 세대 수에 비하면 물이 딸리는 것이나 아닌가 하는 걱정이 곁들어졌다.

수도꼭지에서 통으로 쏟아지는 물줄기를 바라보며 차례를 기다리기란 지루하기 짝이 없었다. 한 자리씩 물통을 갖다 놓으면서도 시간 가는 것이 초조해만졌다.

물을 받아 가지고 오르막길에 접어들었을 때였다. 어느 사이에 깨어났는지 은호의 손이 바께쓰 손잡이에 와 닿았다.

"벌써 일어났니?"

동생을 바라보는 은애의 얼굴에는 엷은 웃음이 번졌다.

"언제 일어났다구, 엄마두 깼어. 작은 누나만 아직 늦장을 부리지만……."

둘은 번갈아 가며 바께쓰를 들고 언덕길을 올라갔다.

"누나, 나 물 길을게, 누난 밥 지어……."

물을 쏟고 난 빈 바께쓰를 뒤흔들며, 은호는 은애의 대답을 기다릴 사이도 없이 가파른 길을 뛰쳐 내려가 버렸다.

은애는 동생이 사라진 언덕 아래를 물끄러미 내려다보며 눈시울이 뜨거워졌다.

쌀을 씻어 솥에 안치고 난 은애는 동생들의 도시락 반찬거리를 생각하며, 짐꾼들이 처마 밑에 내려놓고 간대로 있는 장독 옆으로 다가갔다.

은심이 방문을 열고 나왔다. 환한 얼굴이 금방 자리에서 일어난 것 같지 않게 윤기가 돌았다. 그의 얼굴엔 언제고 궁기가 나타나는 일이 없이 혈색이 좋은 것만도 다행이라고 은애는 생각했다.

마루 아래에 내려선 은심은 입을 마냥 벌리고 하품을 하며 기지개를 켜고는 부엌으로 들어갔다. 대야에 철철 넘게 물을 담아 가지고 나와 세수하는 것을 보면서도, 은애는 물의 아쉬움보다 어머니가 은심이는 물에 인색하지 않아 잘 살 거라던 농담 어린 말을 되새겨 보았다.

아무렴, 고생을 하고 악을 쓰며 버티어 왔는데, 모두 다 잘 살아야지……. 은애는 입속으로 혼자의 푸념을 되씹어 갔다.

동생들이 학교로 떠나간 뒤 남은 일을 끝내고 난 은애는 집을 나섰다. 현금을 그대로 가지고 있기엔 아무래도 불안감이 앞섰다. 앞으로 좋은 계획이 생길 때까지는 우선 은행에 예금하는 수밖에 없다는 생각이 들었다.

비닐 케이스에 들어간 새 통장을 보자기에 싸들고 걷는 그의 발걸음은 한결 가벼웠다.

돌아오는 길에 은애는 아랫거리 점방에 들려 새 철통 두 개와 물지게를 샀다. 그것을 지고 휘청거리면서 언덕길을 올라오려니, 지나치는 사람들의 눈길이 모두 자기에게로만 쏠리는 것 같게 여겨져 면구스러운 생각이 없지 않았지만, 그대로 뚜벅뚜벅 걸었다.

저녁상을 치우고 설거지가 끝난 뒤에도 은호는 돌아오지 않았다.

여느 때는 학교가 파하면 곧 돌아오는 습성이었기에 은애는 슬그머니 걱정이 갔다. 그보다도 누워 있는 어머니가 안절부절 못하며 조바심치고 있는 것이 옆에서 보고 있기에도 견딜 수 없었다.

은심은 그러한 방 분위기 속에서도 태연히 다리미를 들고 물을 입으로 뿜어가며 교복 스커트의 주름을 펴고 있었다.

"쟤는 하늘이 무너져도 눈 하나 까딱하지 않는다니까……."

어머니의 핀잔기 어린 말소리를 들으면서 은애는 슬며시 방을 빠져 나섰다.

밤은 꽤 어두워졌다. 강물 위에 뜬 배들의 불빛이 물결에 흔들리는 것이 아득히 건너다 보였다.

은애는 발밑을 살펴 가며 조심조심 언덕길을 내려갔다.

이슬이 내리는 밤공기가 칩칩했다.

그는 언덕 밑 갈림목에 가만히 섰다. 지나가는 인적기가 날 때마다 눈을 크게 부릅떠 보았으나, 모두 자기 옆을 그대로 스쳐만 갔다.

혹 교통사고라도……, 그는 불길한 예감을 가지다간 억지로 지워 버렸다.

밤하늘에 총총한 별을 바라보며, 북극성의 방향을 찾아보았다. 은하수의 빛깔은 여름 밤 보다 많이 흐려진 것 같았다. 북두칠성, 그리고 북극성…….

성하는 지금쯤 토치카 속에서 무엇을 하고 있을까, 그렇잖으면 우거진 잡목 속을 뚫고 전방 수색을 나갔을 것인가? 어쩌면 그도 별을 헤며 자기를 생각하고 있는지도 모를 일이다. 조금 짬이 나면 이사한 사연이랑 적어 편지하리라고 마음먹었다.

몸이 으스스해 왔다. 아무 것도 더 걸치지 않고 그대로 나온 것을 깨달았으나, 다시 들어갈 마음은 내키지 않았다. 이대로 좀 더 기다려 보자. 자동차의 헤드라이트가 간간이 아랫거리를 휘저어대며 지나갔다. 그의 시선은 그 불빛을 따라 모퉁이로 사라질 때까지 이끌려 가다간 다시 앞길로 돌아왔다. 눈앞이 더 캄캄해진 것만 같았다.

"누나 아냐?"

학생 모자가 앞에 와 맞다가섰다. 은호가 먼저 자기를 알아 본 것이다.

"웅, 너 왜 이렇게 늦었니?"

은호는 아무 말 없이 은애의 턱 밑에 돌돌 말은 신문을 내대었다.

"이건 뭔데?"

"오늘 석간이야."

"신문 사 왔니? 또 무슨 일이 터졌나 보구나……."

"아니……."

사실 자기네는 이 몇 해 동안 신문이란 월정 구독을 해 본 적이 없었다.

데모가 있었거나, 호외가 났거나 하는 특수한 경우라야 겨우 신문 한 장 사 들고 오는 것이 고작이었다.

"그럼?"

"나 오늘부터 신문 배달하기로 했어."

"응?"

"왜, 난 못하는 거야?"

"아니……."

"오십 부 받아서 다 팔고, 이거 한 장 남았어."

"애두……."

그러나 그것은 나무라는 말이 아니라 감격에 찬 어조였다.

"이것도 팔 수 있었지만, 집에서 보라구 일부러 남겼어."

은애는 코끝이 저려 왔다.

"저녁두 여태 안 먹구?"

"그럴 새나 어디 있어……."

"그럼?"

"줄창 뛰어 다니기만 했는데."

은호는 모자를 벗어 들고 이마의 땀을 손바닥으로 문지르며, 사뭇 자랑스러운 듯이 이야기를 늘어놓았다.

은애는 어슴푸레 윤곽이 드러나는 은호의 얼굴을 뚫을 듯이 들여다보면서 동생의 손목을 힘주어 쥐었다.

은호가 가방을 받아 들고 언덕길을 올라가면서, 은애는 북받쳐 오르는 눈물을 가눌 길 없어 눈꺼풀만 연신 껌벅였다. 은호와 자기만이 꾸준하면 무슨 가시덤불이든 꼭 헤쳐 나갈 수 있을 것만 같았다.

그는 종로며 세종로를 정신 나간 사람처럼 행인들을 앞질러 뛰고 있는 은호의 모습을 눈앞에 그려 보았다.

철 늦은 벌레 소리를 들으면서도 조금도 외롭지 않았다.

어머니가 누워 있는 방의 불빛이 환히 앞으로 비쳐 왔다.

예년에 없이 첫눈이 일찍 내렸다. 은애는 눈 속에 중무장을 하고 서 있는 성하를 그려 보았다. 밭에는 아직 무, 배추들이 태반 캐지 않은 채로 남아들 있었다.

일선 고지는 영하 몇 도라는 기상 보도가, 겨울을 더 재촉해 오는 것만 같았다.

매일 저녁 땀이 쪽 빠져 늦게 돌아오는 은호를 보면서, 은애는 가만히 앉아 있을 수가 없었다.

목구멍에 거미줄이 치지 않을 정도로 이어가는 살림에도, 저금통장의 잔고는 한 번도 불어 본 적 없이 야금야금 줄어만 갔다.

어머니의 병세는 일진일퇴, 안타까운 제자리걸음을 벗어나지 못했다.

은애는 벌써 며칠째 거리를 방황하듯 쏘다니고 있지만, 나날이 허탕만 치고 돌아왔다. 신문에 나는 가정교사 자리만 발견하는 대로 곧장 찾아가 보아도, 벌써 선착이 있지나 않으면 남자를 물색하는 뒤틀린 경우뿐이었다. 그 밖의 구인 광고 또한 자기를 채용해 줄 만한 알맞은 조건이란 거의 찾아 볼 수 없었다.

그저께는 직업소개소로 찾아갔었다. 작업복 차림의 젊은이, 잠바를 걸친 비교적 깨끗한 중년 신사, 머리를 깡둥 자른 시골 처녀, 중학교 모자를 쓴 학생, 군복 그대로의 제대군인, 갖가지 사람들이 어정대고 있었다.

옆에서 바라보아도 시원한 대답은 얻지 못하고, 다시 와 보라는 것이

고작 희망조의 답변이었다.

은애는 도로 돌아설까 망설이다가 이왕 온 김에 알아나 볼 양으로 순번을 기다려 접수 구멍에 얼굴을 맞대었다. 사무원이 묻는 대로 대충 집안 형편을 설명했다. 이력서를 내놓으라기에 시키는 대로 봉투에 든 채 들이밀었다. 이력서를 끄집어내어 훑어보고 난 사무원은 코허리에 흘러내려온 안경테를 한 손으로 올리면서, 자기를 다시 한 번 힐끔 쳐다보곤 머리를 갸웃거렸다.

은애는 그의 표정을 엿보며 무슨 말이 나올지 입술만을 지키고 있다.

"이 이력서론 고등학교 졸업밖에는 계산이 안 되겠는데요."

"……"

은애는 묵묵히 듣고만 있으면서 다음 말을 기다렸다.

"이 이력으론 사환 자리밖엔 해당 안 될 것 같군요."

은애를 다시 건너다보며 사무원은 말을 이었다.

"원체 구직자가 밀려 놔서……."

은애는 입맛이 씁쓸했다. 낙심이 되면서도 이 마당에 사환이면 어떠냐 하는 생각이 들었으나, 입은 좀체 떨어지지 않았다.

"그거라도 괜찮다면 한 번 알아보지요. 그러나 그 자리도 벌써 메워졌는지도 모르지만……."

그 끝소리가 자기를 채찍질해 옴을 느끼며 은애는 입을 열었다.

"그거라도 괜찮아요. 그렇지만 좀 다른 곳은……."

그는 말을 맺지 못했다. 사환 말고 나은 자리가 없겠냐고 되묻다가, 사무원의 쏘아보는 눈초리에 지질려 버렸다.

"아니, 사환 자리, 괜찮아요."

목이 꿀꺽 막혀 오는 것만 같았다.

"그렇다면 다시 조회해 볼 터이니, 내일 모레쯤 다시 와 봐요."

"네, 부탁합니다."

인사를 하고 돌아섰지만, 마음속은 꺼림칙하기만 했다.

사무원의 꾀죄죄한 와이샤쓰 칼라가, 그 앞에서 웅성대는 창백한 구직자와 함께 떠올라 메스꺼움을 금할 길 없었다.

그러나 곧 사환 자리라도 하고 구걸하던 자기의 모습이 그들 영상 속에 겹쳐져 옴을 어쩌는 수가 없었다.

지금 자기는 그곳으로 다시 들어가고 있는 것이다.

그날은 얼결에 어떤 직장의 사환 자리인지도 확인하지 못했었다. 오늘은 그것도 알아 봐야겠다는 생각을 하며, 그 사무원 앞으로 다가갔다.

"그저께 것, 어떻게 됐는지요?"

은애는 전날보다 훨씬 대담해진 자신에 스스로도 놀랐다.

"뭐 말인가요?"

마치 처음 만나는 양 사무원은 여전히 안경테를 코허리로 올려 밀면서 통명한 소리로 물었다. 은애는 잠시 머뭇거리다가 다시 입을 열었다.

"그저께 말씀하시던 그 사환자린가 하는 거 말씀예요."

"아!"

그제야 알아 차렸다는 듯이 사무원은 멋쩍은 웃음을 지으면서 자기의 서류함에서 이력서를 찾아내었다.

"하, 그 자리는 벌써 채워졌는데요."

그는 안 되었다는 듯이 동정 어린 낯빛을 지으면서 말했다.

은애는 차라리 잘 되었구나 하는 해방감을 느끼면서도, 약간의 아쉬운 기분이 없지 않았다.

"아무튼 또 다른 데 알아 볼 터이니까 이 이력서는 두고 가요."

"네……."

은애는 들릴락 말락한 대답을 남기고 그 자리를 물러섰다. 한 길에 나오면서 그는 후 하고 큰 숨을 내쉬었다.

모두가 자기 직장에서 일해야 할 한낮인데, 사람들은 왜 이다지도 길

거리에서 들끓고만 있는 것일까? 은애는 그들이 모두 자기처럼 일자리를 찾아 헤매고 있는 군상들만 같게 여겨졌다.

이제는 어디로 가 볼 것인가. 그대로 집으로 들어가기엔 가슴속이 허황해 견딜 수 없었다. 누구든 찾아가서 부탁할 만한 사람은 없을 것인가?

그는 얼빠진 사람처럼 그대로 보도를 따라 걷고만 있었다.

"아!"

은애는 넋 빠진 것처럼 경악에 찬 외마디 소리를 질렀다.

아무리 생각해도 꿈만 같았다, 성하가 죽었다는 것은……. 도무지 믿기지 않았다. 참말 그럴 수가 있을까, 사흘 전에도 편지를 받았는데……. 예상 외로 휴가 절차가 순조롭게 진행되어 내주쯤에는 서울로 다니러 올 수 있을 것 같다고 한 그가…….

은애는 두 손으로 머리를 틀어쥐고 책상에 엎드렸다. 너무나 의외의 사태에 어안이 벙벙해서 눈물조차 말라 버린 것만 같았다. 순간순간 심장이 곤두서게 뛰며 숨이 가빠 왔다. 머릿속이 아찔했다. 눈앞의 것들이 빙빙 도는 성만 싶었다. 뱃멀미에 취한 것처럼 허공에 둥둥 떠 있는 것만 같았다.

곱씹어 생각해도 역시 믿어지지 않았다. 성하가 죽다니, 그럴 수야……. 억지로 부인해 보았다. 그러나 가슴은 더욱 죄어 오기만 했다. 입술이 부르르 경련을 일으켰다.

은애는 신문을 다시 집어 들었다. 원형의 사진 속에 들어 있는 얼굴은 성하임이 틀림없었다. 부대 명의 숫자도 바로 그가 소속된 그대로였다. 그 옆에 나란히 박혀 있는 소대장의 사진, 그것은 젖혀 놓고 성하의 얼굴만을 뚫어지게 들여다보았다. 볼수록 눈동자는 가물가물 해지며 성하가 아닌 다른 사람의 얼굴로 바뀌어졌다. 그러나 눈을 깜박이고 다시 들여다 보면 틀림없는 성하였다. 소대장의 죽음 같은 건 생각할 마음의 여유도 없었다.

하필 성하가 지뢰(地雷)를 밟다니……, 그게 될 말인가. 참말 있을 수 없는 일이다.

신문이 수세미가 될 때까지 손아귀에 움켜쥐었다간 몇 번이고 도로 펼쳐 보아야, 한 번 찍혀진 활자나 사진에는 아무런 변화도 일어나지 않았다.

눈앞이 안개의 장막이 쳐진 듯 뿌옇다가 깜깜해졌다. 은애는 몇 천 길이나 되는 낭떠러지로 굴러 떨어지는 것 같은 희미한 의식 속에서 까무러져 갔다.

제2장

맑게 개인 오월의 하늘…….

싱싱하고 가슴이 부풀어지게만 느껴지던 계절이 왜 이다지도 짓누르는 것 같은 중압감만 안겨다 주는 것일까?

개나리 진달래는 이미 진지 오래고, 사람 물결에 휩싸이던 벚꽃도 한 물이 갔다. 어느 사이에 봄이 오고 그것이 무르익어 갔는지 느껴볼 여유도 없이 지나가 버렸다. 짙은 향기로 젊음에 온통 불꽃이 튀게 자극하는 라일락이 한창이건만, 폐허 같은 자기 마음속 빈 구석을 채워주기엔 너무도 거리가 먼 것만 같았다.

상실된 계절…….

은애는 혼자 입속으로 뇌까려 보았다.

봄! 얼마나 희망과 동경에 불타던 흥분의 여운이던가. 황홀한 이상을 꿈꾸며, 상상의 날개를 푸른 하늘 끝까지 훨훨 날리던 신나는 계절…….

모든 소중한 것들을 자기에게서 송두리째 앗아가고, 검은 장막으로 뒤덮어 주는 저주스러운 계절만 같았다.

성하의 죽음, 어머니의 고질, 생계의 궁핍.

둘레의 가장 불리한 조건이란 모조리 자기에게로만 퍼부어진 것 같은 역겨움이 짓이겨져 왔다.

평상시에는 주위의 모든 사람들이 의지할 수 있을 것만 같고, 온갖 일들이 죄다 자기 의사대로 될 것만 같았었다. 그러나 정작 이렇게 헤어날 수 없는 시궁창에 빠지게 되고 보니 아무도 찾아 주는 사람이란 없고, 찾아갈 대상도 없는 것만 같게 여겨졌다. 모든 것이 자기에게서 저만치 떨어져 가고, 자기 가족들만이 외톨로 팽개쳐진 것만 같은 외롭고 허전함이 밀려올 뿐이었다. 그러한 무거운 짐이 하필이면 왜 자기의 가냘픈 어깨 위에 겨웁게 내리눌리는가 하고 스스로에 대한 가여움이 앞을 가렸다.

미처 다 피지도 못하고 시들어 버리는 꽃봉오리…….

그는 또다시 되뇌어 보았다.

그러나 자기보다 나이 어린 아우들이 오히려 딱하게만 여겨졌다. 그들은 그래도 살아 보겠다고 부등부등 입술을 깨물고 버티고 있지 않은가.

아무튼 살아야겠다. 끝까지 힘껏 살아 보아야만 하겠다.

은애는 빠드득 소리나게 어금니를 악물었다. 이 어둠을 헤쳐 나가야만 했다. 무엇인가 새 아침의 밝음이 창문을 노크해 올 것만 같은 막연한 기대가 꿈틀거림을 의식했다.

새로운 직장…….

은애는 망설이던 끝에 나가기로 최종 단안을 내렸다. 그 일거리가 무엇이든 간에, 자기가 맡은 바 충실해야겠다고 거듭 스스로에 다짐했다.

어쩌면 이것은 자기 생애에 대한 하나의 분기점일지도 모른다는 생각이 없지 않았다.

그러나 자신의 경우 이미 선택의 여지는 없다. 이것저것 가리고 튀기고 할 겨를이 없다. 우선 닥치는 대로 해 보는 수밖에 없는 현재의 주어진 조건이다.

처음으로 출근을 해야 했다. 그러나 출근이라기엔 아무래도 어울리지 않는 일자리만 같게 느껴졌다. 뒤엉클어진 생각이 휘몰려 왔다. 공연히 서성거리기만 하고 일손이 잡히지 않았다. 일터로 나가기엔 아직 이른 시간이건만 집을 나서고야 말았다.

합승이나 버스가 머물고 있는 종점 방향으로 가지 않고 고갯마루 쪽으로 발을 옮겼다. 사람들이 많은 속에서 부대끼는 것이 귀찮아서였다. 아무 것도 타지 않고 되는대로 혼자 걷고만 싶었다.

그러나 머리는 머리, 발은 발대로 하나도 맞지 않고 제멋대로 옮겨지는 것만 같게 여겨졌다.

판잣집 사이를 꼬불꼬불 돌아 오르는 좁은 골목을 누비듯이 빠져 나와 넓은 길에 들어섰다. 숨이 후 나오는 것만 같았다.

마주치고 스치고 하는 사람들의 얼굴마다 화색이 도는 희망찬 모습들은 발견할 수가 없었다. 모두가 삶에 지친 찡그린 얼굴로만 보였다.

마루턱 구멍가게 앞에서였다. 먹을 것을 사내라고 찡찡대는 어린이, 악에 바친 어머니의 욕설에 뒤이어 곧장 궁둥이에 손매가 가고 있었다. 아이는 숨이 넘어가는 듯한 발악을 치며 울음을 터뜨렸다. 집안에서나 밖에 나와서나 마음이 휴식되고 안정될 대상이라곤 아무 것도 없는 것만 같았다.

갈피를 잡을 수 없는 생각에 휘몰린 속에서 어느 틈엔가 약수동 로터리까지 내려와 있는 자신을 발견했다. 버스를 탈까 머뭇거리다가 그대로 내처 걸었다.

웬일인지 도둑질이라도 가는 것처럼 아는 사람을 만날까 두려웠다. 역시 떳떳치 못한 직장이라는 생각이 뒤따라 겹쳐 왔다.

우선 당분간 있다가 다른 일자리가 생기는 대로 옮기면 되지 않을까, 꿀컥 반발하는 자신을 달래어 보았다.

동생들만이라도 계속 학교를 다니고 있는 것이 기적만 같이 다행스럽게 여겨졌다. 그사이 적당한 직장으로 바뀌어지면 자기도 다시 학교로 나가게 될 것이 아닐까?

은애는 될 수 있는 대로 자신에게 유리한 각도로만 외줄기로 생각을 몰아갔다.

연녹색으로 물들어 가는 장충단 공원을 바라보면서도 아무런 감흥도 없었다. 모든 사람들이, 아니 자기 이외의 모든 사물들이 자기와는 전연 관계가 없는 외곽지대로만 여겨졌다.

은애의 머릿속에는 자기 자신과, 자기 가족 그리고 이제부터 시작될 새로운 직장이 뒤죽박죽으로 엇갈려 연결되어 왔다. 그리고 그것이 나타났다 사라졌다 반복되곤 할 뿐이었다.

문 앞에서 잠시 기웃거리고 있던 은애는 마음을 다지며 비어홀 크라운장 안으로 들어섰다.

"어서 옵쇼……."

이마에 와 곧장 부딪는 것 같은 소리.

은애는 더운 물을 끼얹은 듯 얼굴이 화끈해 옴을 느꼈다. 머릿속이 어벙벙했다.

검정 바지에 흰 와이샤쓰, 거기에 새빨간 나비넥타이를 매고, 머리에는 비스듬히 보이스카우트 형의 초록색 모자를 올려놓은 쌍둥이 같은 소년들…….

그들의 한결같은 기계적인 말씨며 몸매부터가 기이한 감을 자아냈다.

전날 지배인의 면접을 받기 위해 찾아왔을 때에는 오전 중이어서 눈에 띄지 않던 모습들이다.

자기를 손님으로 오인하고 한 소리인지 직업적인 관습에서인지 모를 일이라고 생각하면서 은애는 입구에서 안쪽으로 향하여 걸었다.

홀 안이 찢어질 듯이 울려대는 전축의 성급한 음향은 더욱 정신을 가다듬을 수 없게 했다.

구석 자리에 손님 한 패가 앉아 있을 뿐, 거의 비어있는 박스를 붉고 푸른 불빛이 화사하게 내려 비치고 있었다. 그 속을 헤엄치듯이 돌아다니고 있는 자기 나이 또래의 소녀들……. 그들의 시선이 일제히 자기 쪽으로 쏠리고 있는 것만 같았다.

반소매의 새하얀 원피스, 말쑥이 차린 그들의 모습은 시합장에라도 나선 선수들의 유니폼을 연상시키게 했다.

은애는 자기 앞에 뽀얀 안개의 장막이 걸친 것 같은 환각을 느끼며 주위를 두리번거렸다. 아무도 아는 사람이 없는 낯선 곳에 혼자 던져진 듯한 얼떨떨한 기분…….

살구꽃이며 버들가지의 조화(造花) 사이를 내려 비치는 불빛은 더욱 눈부시게 자신에게로만 퍼부어지고 있는 것만 같게 여겨졌다.

좀체 미숙(美淑)이 나타나 주질 않았다. 선 자리에서 그대로 머뭇거리고 있던 그는 다시 발을 옮겨 카운터 쪽으로 걸어갔다. 그 이상 그 자리에 선 채로 멍청히 견디어 낼 수는 없었다. 지배인이든 누구든 만나서 첫날의 일을 시작해야만 할 것 같아서였다.

갑자기 뒤에서 어깨를 치는 서슬에 은애는 불쑥 고개를 돌렸다.

"너, 참말 나왔구나."

활짝 웃음을 머금은 미숙이다.

은애는 막혔던 속이 터지는 듯한 큰 숨을 내쉬면서 머리를 끄덕였다.

"너, 아직 아무도 안 만났지?"

"응."

"가만있어, 내 가서 조오바한테 얘기하구 올께."

미숙이가 종종걸음으로 카운터 앞으로 가는 것을 바라보면서, 은애는 다음 행동을 대기하고 있었다.

"이리 와……."

미숙이가 조오바 김 씨라고 소개하는 젊은이에게 인사를 하면서도, 은애는 몸둘 바를 몰라 어리둥절하기만 했다.

카운터 뒤쪽에 있는 갱의실(更衣室).

미숙이는 활기 띤 자세로 도어를 열고 안으로 들어갔다.

"얼른 들어와."

문 앞에 멍청히 서 있던 은애는 미숙의 독촉에 이끌리며 방안으로 들어섰다.

벽 쪽엔 촘촘히 알록달록한 갖가지 옷들이 헤일 수 없이 걸려 있고, 바닥엔 신발들이 흩어져 있었다.

미숙이는 제 방으로 들어온 듯이 웃옷을 휠휠 벗어 던지곤, 속치마 바람으로 거울 앞에서 머리를 매만지면서 자기 쪽으로 히죽이 웃음을 보냈다. 은애도 그에 대꾸하듯이 웃어 보였으나, 무슨 때문에 웃었는지 스스로도 납득이 잘 가지질 않았다.

그 산뜻한 원피스를 갈아입으며, 미숙이는 신나는 양 연방 거울 속을 들여다보며 옷 모양을 고쳤다.

"너두 곧 이거 맞춰야 할 거야……, 멋있지?"

"어때?"

"응……."

은애는 마지못해 대답을 하면서도 어처구니없는 웃음을 흘려보냈다. 그러나 미숙이의 그러한 행동이 밉지 않고 오히려 몸에 배어 자연스럽게 보였다.

"그건 여기서 해 주는 거야?"

"애두, 공거가 어딨니?"

"그럼?"

"돈을 내야 한다. 하지만 천천히 꺼 가는 거야."

모두가 은애의 귀에는 익숙지 않은 남의 이야기만 같게 들려왔다.

"애, 너무 심각하지 마. 있어 보면 재밌는 일두 많단다."

화장을 고치고 난 미숙이에게 손목을 이끌려 홀 안으로 같이 나가면서도, 은애에게는 모두가 알쏭달쏭하기만 했다.

　새로운 손님이 한 패씩 들어설 때마다 소녀들의 시선은 입구 쪽으로 쏠렸다.

　자기 당번 테이블 옆에 기대서서 손님들의 향방에만 눈을 쏟고 있는 그들은, 흡사히 나비나 벌이 앉기를 기다리는 꽃송이 같기도 했다. 그러다 다행히도 제자리에 먼저 걸리면 호각이 울리고 난 직후의 운동 선수마냥 으쓱 생기가 돌아, 활기 있게 테이블 사이를 휘저어 다니는 것이다.

　그들에게는 암암리에 직업적인 경쟁의식이 꿈틀거리고 있었다. 다만 그것을 체면의 베일로 태연스럽게 가리고 있을 따름이었다. 그러나 손님이 자기 옆을 슬쩍 스쳐 다른 테이블로 옮길 때에는 아쉬운 눈매로 시선을 돌리곤 했다.

　그 속에서도 미숙은 확실히 능숙한 솜씨를 보이고 있었다. 단골손님이라는 한 패가 이미 그가 맡은 테이블 하나를 채웠고, 다시 대머리를 선두로 한 세 사람이 들어서자마자 그를 찾고 있으니 말이다.

　"강 사장님 오셨어요, 이리 앉으세요."

　만면에 웃음을 짓고 의자를 내당기며 안내하는 품이, 이 분위기에 숙달된 몸가짐이라고 은애에게 느껴졌다.

　은애는 자기 담당인 두 개의 테이블 사이에 멋쩍은 듯이 서서, 미숙의 능란한 움직임만을 홀린 듯이 바라보고 있었다. 사실 그는 마음속으로 감탄하면서도, 가슴 한 구석에 치미는 서글픈 생각을 금할 길 없었다.

　고등학교 재학 중에 이미 연애 사건으로 교내가 떠들썩하게 소문을 내고 졸업도 하기 전에 결혼한 미숙이었다. 그것이 얼마 안 가서 파탄이 났다는 것은 후에 들은 이야기다. 집을 뛰쳐나와 다방 레지로 있다가 이곳으로 옮겼다는 미숙의 솔직한 고백을, 은애는 다시 되새겨 보았다.

어쩔 수 없이 나선 일이지만 자기 자신도 미숙의 가는 길을 그대로 뒤쫓아 밟아 가는 것이나 아닌가 하고 은애는 혼자의 생각에 골몰했다.

시간이 흐를수록 손님은 더욱 복받쳐 밀려들었다.

은애는 초점 흐린 눈길로 홀 안을 휘둘러보았다. 오늘은 날씨가 더워서 손님이 많을 거라던 아까 미숙이의 귓속말이 떠올랐다.

벌써 정강이가 맥빠진 것처럼 뻣뻣해 왔다. 의자에 잠시 앉아 다리를 쉬었으면 하는 생각뿐이었다. 그러나 근무 중에는 절대로 자리에 앉아서는 안 된다던 미숙의 경고가 떠올라, 주춤 곧은 자세를 취했다.

그는 가능한 한 손님이 없는 쪽으로 외면하고 있으면서도, 자기의 시선이 자꾸만 출입구 쪽으로만 쏠리는 것을 의식하지 않을 수 없었다. 사실한 자리에 오래도록 서 있기란 면구스럽고도 지루하기만 했다. 이제는 무엇이든 좋으니 자기 자리에 와 앉아 주었으면 싶었다. 그리하여 이 무료한 자기 주위에 변화가 일어났으면 하는 엉뚱한 생각이 떠오르는 것이었다.

미숙은 테이블에 앉은 손님들에게 술을 따르면서도 웃음을 띠워 가며 무엇인가 연방 재잘거리고 있었다. 멍청히 서 있는 자기 쪽으로 시선을 돌리다가 눈이 마주치면, 눈꺼풀을 깜박하며 무슨 신호라도 보내는 듯이 의미 있는 듯한 웃음을 곁들이기도 했다.

혼자의 생각에 잠겼다가 현실로 돌아오는 순간에는, 유난히 음악소리와 장마당 같은 소음이 더 거세게 고막을 자극해 왔다.

빈자리란 별로 없이 박스는 거의 차 갔다. 바로 옆에서 하는 대화조차 잘 들리지 않을 정도로 요란한 속에서도 분위기는 더욱 흥청대었다.

"자, 여기 앉으세요."

안내하는 소년이 새로 들어온 손님을 은애의 테이블 쪽으로 인도하며 손길로 가리켰다.

"7번 없어, 7번."

그들은 선뜻 자리에 앉으려고는 하지 않고, 두리번거리며 사람을 찾아댔다.

"거긴 손님이 찼어요."

"그래?"

은애는 미숙의 허리에 찬 초록색 하트 딱지 속에 분명 7이라는 숫자가 기록되어 있었다고 자기 기억을 더듬었다. 그는 자리에 앉은 손님을 바라다보면서도 서먹한 기분이 없지 않았다.

"맥주 가져와, 맥주로 하지…… 미스터 장."

헌칠한 큰 젊은이가 은애를 쳐다보다가 동석자에게 동의를 구하는 눈길을 보냈다.

"응, 그러지."

마주 앉은 몸집이 좀 뚱뚱한 사나이는 은애를 흘깃 훑고는 상대자를 건너다보며 대답했다.

"얘, 우선 물수건부터 가져와."

은애는 돌아서 카운터 쪽으로 가면서, 등 뒤에서 덮치는 듯한 명령적인 뚱뚱보의 말을 받아 들었다. 어떤 사람들이길래 저렇게 왈가닥거리는 것일까 하고 그는 자기의 첫손님을 점쳐 보았다.

"얘, 그건 내 손님이야……, 너는 복두 많지 뭐니……."

맥주 쟁반을 들고 오는데, 옆으로 스치던 미숙이 낮은 목소리로 속살거리며 눈을 흘기는 시늉을 했다.

"그래……."

은애는 대답하면서도 눈길은 미숙의 허리께 번호 딱지로 갔다.

"내, 있다 그리루 갈게."

손님들이 들어오면서부터 찾을 정도로 가까운 처지라면 어떠한 사이길래 그럴까 하고 생각하며, 은애는 제 테이블 쪽으로 사라지는 미숙의 뒷모습을 힐끗 돌아보았다. 손님에게 물수건을 드리고 난 은애는, 서투른 솜씨로 맥주를 따랐다. 컵의 반 이상이 거품으로 덮였다.

"이거 아직 시로우돈데……."

뚱뚱보는 첫잔을 단숨에 쭉 들이켜고는 빈 잔을 젊은이에게 권했다.

"자, 미스터 한."

이 사람들은 유별나게 미스터라는 말을 즐겨 쓴다고 느끼며, 은애는 거품이 안 나게 조심해가면서 천천히 맥주를 따랐다.

"몇 번이야?"

미스터 한이라는 젊은이는 잔을 든 채로 은애의 앞자락을 훑던 눈을 옮겨 빤히 쳐다보며 물었다.

"아직, 번호가 없어요."

"그래?"

"그럼 아직 풋내기로군……."

젊은이의 말을 뚱뚱보가 이어 받았다.

"며칠 돼?"

"오늘 첨 나왔어요."

"다른 곳에 있은 일도 없고?"

"네."

젊은이는 호기심에 찬 눈매로 시선을 집중시켰다.

"그럼 진짜 아다라시인데……."

뚱뚱보는 여전히 감탄하는 어조로 자기에게 돌려진 잔을 계속 비웠다.

"그거 참말이야?"

"네."

"그럼 다방에도 나간 일 없어?"

"네."

"집에서 처음 나왔단 말이지?"

"네."

"이거 참말 재수 좋게 걸렸는데."

젊은이는 꼬치꼬치 캐물으며, 연신 은애의 거동을 뒤지듯이 살폈다.

"얘, 이 총각 바람낼라."

뚱뚱보는 잔을 비우고는 다시 젊은이에게 내밀었다.

"미스터 한, 우물도 한 우물을 파야 하는 거요. 미스 리가 있는데……."

"에이, 쓸 데 없는 소리. 괜히 훼방을 놓지 말아요."

"하기야 재주껏 해 볼 일이지만……."

"이리 좀 가까이 와."

젊은이는 테이블에서 떨어져 서고 있는 은애를 손짓으로 다가오기를 권하면서 계속 심문이나 하듯이 캐대었다.

"성은?"

"……"

은애는 대답이 나가지 않았다. 그렇지 않아도 첫마디부터 반말로 처나꾸는 것이 마음에 못마땅하면서도 울화를 눌러가며 그대로 대해 왔던 참이었다.

직장이다, 직장……. 일단 들어온 바에는 그 분위기에 맞추어 가는 수밖에 없다. 모든 것은 참자, 참는 도리밖에 없다. 몇 번이나 자신에게 다짐하고 있는지 몰랐다.

"성 말이야, 이 씬가 김 씬가 말이야?"

"……"

은애는 빈 잔에 술만 따랐다. 가슴속이 뭉클해 왔다. 그건 알아서 무엇하느냐고 쏘아 붙이고 싶지만, 혀끝을 물며 꿀꺽 참았다.

"하, 이봐, 미스 리야, 미스 김이야?"

이쯤 끈기 있게 다그치는 데는 하는 수 없었다.

"오예요."

"오? 그럼 미스 오겠지, 미세스 오가 아니고……."

옆 테이블 자기 당번 자리에 다시 손님 한 패가 왔다.

은애는 구원이라도 받은 듯이 주문을 받아 가지고 카운터 쪽으로 사라졌다. 마음속이 터분하기만 했다.

어쩌면 똑같은 현상일까, 이 새 손님들도 첫대목에 번호와 성을 묻는 것은 똑같은 순서의 되풀이라도 하는 것만 같았다.

"옷차림이 다른 것을 보니 신품이로군…… 언제 왔어?"

나이 지긋한 점잖은 신사는 이쪽 자리보다 한 수 더 뜨고 들어섰다.

이번에는 은애도 이곳의 예사로운 습성이거니 하는 생각이 들어 제풀에 누그러지는 수밖에 없었다.

빈 잔에 술을 따르기 위해 두 테이블 사이를 눈치를 보아 가며 왔다갔다해야만 했다.

젊은이는 여전히 파고 들어왔다.

"이름은 뭔가요?"

이번에는 말끝의 반말씨가 달라졌다.

"이름은 없어요."

"그럼 그저 미스 오게."

"네."

그들이 웃는 통에 은애도 저절로 터져 나오는 웃음을 막을 수 없었다.

"그럼, 나이는?"

이건 참말 뻔뻔스럽다고 느껴졌다. 나이까지 묻다니…… 은애는 가라앉던 화가 도로 치밀어 옴을 느꼈다. 그러나 너무 어처구니가 없어 그저 웃음으로 때웠다.

"이름은 없어요, 번호로 기억하세요…… 제 이름은 5번이에요."

그때 자기 옆 테이블을 맡은 소녀가 능청맞게 손님의 물음을 받아 넘기는 기지를 엿들었다.

은애는 그쪽을 돌아보며 자기에게는 그 핑계를 댈 번호도 없는 것을 새삼 느끼며, 새로운 답변 방법 하나를 터득한 것만 같은 공감을 남몰래 삼키는 것이었다.

"미안해요."

미숙이 이쪽 테이블로 다가오며 젊은이를 보면서 반색을 했다.

"오, 미스 리."

젊은이와 미숙인 덥석 악수를 하는 것이 아닌가. 은애는 멋쩍은 듯이 바라만 보았다.

그보다는 틀림없는 김미숙이가 이 집에서는 미스 리로 통하고 있는 사실이었다. 은애는 마음속으로 그럴 수도 있을 것이라는 새로운 방편 하나에 또 긍정이 가면서도, 수수께끼 같은 심정은 완전히 풀려지지 않았다.

"제 친구예요. 잘 봐 주세요."

손님과 은애 쪽을 번갈아 보며 히히덕거리는 미숙의 태도는 밉지가 않았다.

"미리의 친구라고?"

"네."

"그것 또 이상하게 걸렸군."

"그렇게 혼선을 이루지 말고 술이나 들라니까……"

뚱뚱보 미스터 장의 말 속에는 무엇인가 알맹이가 들어 있는 것이라고 은애에게는 느껴졌다.

거기에 방금 젊은이는 미숙이를 미리라고 부르지 않았던가……, 이미리……. 역시 김미숙이는 이 직장에선 한 걸음 앞서고 있는 것이라고 생각하며, 은애는 자기의 성을 솔직하게 알려 준 것이 뉘우쳐지며 꺼림칙했다. 인제 지난 것은 할 수 없다. 이름만은 한사코 제대로 대지 않으리라고, 그는 자신에게 다짐하는 것이었다.

"우리 친구 잘 부탁해요. 그럼 많이 드세요."

미숙이는 술 한 잔씩 따라 권하고는 제 테이블로 돌아섰다. 볼수록 미숙이는 관록이 붙어있는 것이라고 은애는 감탄마저 하는 것이었다.

복닥거리던 손님들도 차츰 줄어들어 갔다.

붐비는 사이에는 엄벙덤벙 시간이 가는 줄도 몰랐다. 그러나 홀 안이 뜸해짐에 따라 피로가 밀려오기 시작했다. 은애는 의자에 기대선 채 다리를 들어 장딴지를 꾹꾹 쥐어 보았다. 몇 시간 사이에 다리가 굳어진 것만 같게 뻣뻣했다. 그는 연신 관절을 놀리면서 다리의 긴장을 풀어 보려 애를 썼다.

초저녁부터 계속 울어대던 음악 소리도 멈춰졌다.

은애는 끝나는 시간이 가까워진 거라는 생각이 들었다. 카운터 앞 쪽에 달려 있는 전기 시계는 열시 반을 가리키고 있다. 안내하던 소년들이 남은 손님들에게 시간 독촉을 하며 돌아다녔다. 운동회 같은 무슨 행사가 끝난 뒤 마냥 어수선한 정적이 밀려 왔다.

풀풀 뛰는 생선처럼 싱싱하던 소녀들도, 시달림에 지쳐 초저녁보다는 한결 풀이 꺾여 보였다. 테이블이 비어있는 축들은 하나 둘씩 갱의실로 들어가고 있었다.

"애, 뭘 생각하고 있니?"

미숙이 자기 앞으로 다가오면서 웃음을 지었다.

"인제 다 끝났어, 너 피로하지?"

"응······."

이 안에서는 미숙이가 꼭 선배만 같고, 자기는 철부지 햇병아리 같게만 느껴졌다.

네온도 꺼지고 형광등 불빛 몇 개만 남았다. 입구 정문을 잠그는 절그덕 소리, 갱의실에서 터져 나오는 소녀들의 재잘거려대는 웃음소리······. 대목장의 파장 무렵 같기만 했다.

옷을 갈아입고 나오는 소녀들은, 언제 방금까지 술을 따르고 있었느냐 싶게 딴 사람으로 변해 보였다. 마치 야간 대학에서 마지막 시간을 파하고 밀려 나오는 여학생들 모습 그대로였다.

저들도 다 자기와 같은 어쩔 수 없는 막바지에서 이리로 밀려 온 것인가 하고 은애는 새로운 동료들의 하나하나에 대한 동류적인 관심에 쏠려 갔다.

은애는 미숙이와 함께 밖으로 나왔다. 축축하던 등에 밤바람이 선득했다.

"퍼스트 임프레션이 어때?"

"그저 그래……."

은애는 직장에서나 밖에서나 명랑하기만 한 미숙이가 오히려 부러웠다.

"우리, 아이스크림이나 먹고 가자."

미숙은 은애의 대답은 기다리지도 않고, 손목을 이끌며 길 옆 빙과점으로 쓱쓱 들어가는 것이었다.

"너, 아까 그 손님 누군지 아니?"

미숙이는 녹아 넘치는 아이스크림을 혀끝으로 핥으며 은애를 건너다 보았다.

"누구 말인데?"

"맨 처음 들어온 그 젊은이란 뚱뚱보 말야……."

"응, 꼬치꼬치 캐던 그 사람들. 몰라……."

은애는 성글성글한 미스터 한이라는 젊은이와, 뚱뚱하게 다져진 체구의 미스터 장이라던 첫손님의 모습을 더듬었으나, 얼굴 윤곽은 좀체 떠오르지 않았다.

다만 신물이 나게 캐묻던 그 끈덕진 인상만이 덮쳐 올 뿐이었다.

"일선에서 군수품 장살 하는 사람들이란다."

"그래……."

"응, 기마에가 참 좋단다. 아주 시원시원하구……."

은애는 미숙의 말을 들으면서, 머릿속에서는 아까 그 젊은이가 주고 가던 3백 원의 팁을 생각하고 있는 것이다.

다른 손님들은 기껏 계산 끝에 남는 거스름돈이거나 2, 30원 정도였지만, 그의 경우는 이상하다는 생각이 들 정도로 거액이었으니 말이다.

"내 단골이야."

"미안해."

사실 은애로선 진심으로 미안한 생각이 들었다. 그러나 그들이 주고 간 팁의 액수에 대해서는, 혀끝까지 날름거리는 말머리를 망설이다가 그대로 삼켜 버렸다. 미숙이가 물으면 대답하리라는 생각이 순간 뒷받침하기도 했다.

그러나 미숙이는 끝까지 자기의 수입을 말하지도 않거니와, 은애더러 얼마 벌었느냐고 묻지도 않았다.

"그럼 내일 만나, 빠이빠이."

미숙이의 격려에 찬 마지막 인사가 머리에 박힌 채로 은애는 버스를 탔다. 미숙이는 그 세계에 이미 달관된 인간이라는 생각이 자꾸만 겹쳐 왔다. 자신에게 부딪쳐진 현실에 곧 적응할 수 있고, 그 주어진 조건을 감수한다는 건 아무래도 자기에겐 어려운 과제로만 여겨졌다.

아까 미숙에게서 들은 대로 거기 나온 여성의 대부분이 고등학교를 나왔고, 그 속엔 초급대학 졸업생도 끼어 있다니, 그들은 어쩌면 자기와 비슷한 환경이나 경로를 밟아 온 사람들일지도 모른다는 생각이 들었다. 차라리 미숙인 예외의 더 가혹한 경우가 아닐까, 그렇다면 그 홀 안은 그대로 현실의 축도를 옮겨다 놓은 것이나 다름없지 않은가?

은애는 어쩌면 모두가 그렇게 다리 부러진 노루만 한데 모인 어설픈 직장인가 하고 서글픈 조소를 스스로에게 부어 버리는 것이었다.

어머니는 물론 식구들 아무에게도 알리지 않고 나간 걸음이었다. 다만 은심이에게만은 좀 늦을지 모르니 들어오는 대로 저녁 준비를 하라고 일러두었을 뿐이었다.

문을 여는 손이 떨렸다. 꼭 무슨 죄를 짓고 돌아오는 것만 같은 심정이었다.

"너, 이제 오니?"

"네……."

어머니는 아직도 잠들지 않고 있었다. 동생들은 자기가 돌아온 것도 모르고 자고 있는 것이 차라리 마음 편했다.

"왜 이리 늦었니?"

"그렇게 됐어요."

"배고픈 줄도 모르는구나……."

"점심을 늦게 먹어서 괜찮아요."

억지로 꾸며대었으나 마음속은 역시 안정되지 않았다.

어머니는 벌써 기미를 차리고 있는지도 모른다. 그러나 당분간은 숨겨 두는 수밖에 없다. 승낙을 얻어 가지고 나간다는 건 거의 불가능한 일이 아닌가……. 그럴 바에야 꾹 눌러 두는 것이 상책이다. 공연히 어머니에게 한 시름 더 메워 드릴 수는 없는 일이다.

밥상을 물리고 난 은애는 그대로 자리에 들었다. 전신의 구석구석까지 피로가 스며드는 것같이 노곤해 왔다. 아랫다리 관절이 잉얼거렸다. 생각하면 집에서 나간 이후 지금 돌아온 시각까지 거의 앉아 본 일이 없었다. 다리가 쑤시는 것도 무리가 아닌 당연한 일만 같았다.

그는 웃옷을 집어다 호주머니 속의 돈을 끄집어내었다.

삼백삼십 원.

자기에게는 적지 않은 금액이었다. 아니 자기 자신의 몸뚱이를 놀려 벌어들인 최초의 수입이기도 했다.

무슨 이유인지 모를 눈물방울이 요 위에 떨어졌다. 기쁜지 서러운지 분간이 안 가는 뒤범벅된 감정이 한꺼번에 가슴이 미어지도록 울컥 몰려 올랐다. 누구를 원망하거나 책할 아무 대상도 없었다. 그저 눈물이 주르 륵 흐르고 있음을 의식할 뿐이었다.

노동에 대한 대가, 그렇게만 생각하면 지극히 간단했다. 그러나 일정하게 정해진 보수가 아닌 바에야, 꼭 일해주고 구걸하는 것만 같았다.

상대의 얼굴을 빤히 쳐다보며 기다리다 동정처럼 던져 주는 부스럭 돈을 고개를 숙여가며 받아드는 것, 어딘가 비굴감을 막을 길 없었다.

오늘만 해도 첫손님 자리에서 예상외의 금액이 떨어졌으니 망정이지, 그렇지 않았다면 뻔한 액수였다. 삼사 십이……, 하고 은애는 일개월간의 총수입을 계산하다가 머리를 가로 젓고 말았다. 어림도 없는 소리였다. 언제 번번이 손님들이 미숙이 말마따나 그 기마에를 쓸 것인가, 쌓여졌던 달걀의 더미는 무너졌다 다시 쌓여지며 도시 잠을 청할 수가 없었다.

그러나 아무튼 이왕 내친걸음이니 하는 데까지 해 보는 수밖에 없다. 최선을 다하고 나서의 결과를 기다리는 길 이외의 또 무슨 다른 방도가 있을 것인가?

"이것도 전번엔 지원자가 많아 시험을 다 쳤단다."

미숙의 말이 떠올랐다.

그러고 보면 그 일자리라도 얻어진 것이 행운에 걸려 든 셈일까? 그는 눈물 자국을 닦으며 혼자 쓴웃음을 머금은 것이었다.

미숙이와 함께 가 그 유니폼을 맞추기로 했으니 좀 빨리 나가야만 했다. 저녁을 지어 놓기엔 너무 이른 시간이지만, 동생들 일을 생각해서 밥을 다 지어 놓고야 집을 나섰다.

어머니에겐 오늘부터 양재 강습을 나간다고 꾸며대었지만, 그대로 곧이 들었는지 알 수 없는 일이었다.

옷을 재면서도 마음은 도무지 유쾌하지 않았다. 여느 때의 교복이나 여름철 원피스를 주문할 때는 얼마나 가슴이 부풀어 뛸 듯이 기뻐했던 것인가. 한낱 작업복이라는 관념에서 뿐만 아니라, 옷 자체가 비어홀과 연결되어 와 곧 마음속이 시무룩해졌다. 어디를 어떻게 해달라는 아무 특별한 부탁도 없이 그저 옆에서 미숙이 거들어 주는 대로 따라만 갔다.

"대금은 찾을 때 물어야 되지 않니?"

양장점을 나오면서 걱정되던 한 마디를 미숙에게 던졌다.

"괜찮아, 직장에서 선대하고 차츰 까가는 거야."

"언제까지?"

"아니야, 그 맥주 있지 않아, 한 병 팔면 이 원이 나오거든, 그리구 안주 한 접시엔 삼 원…… 그것들이 모아지면 옷값은 저절로 돼."

은애는 들을수록 미지의 세계로 끌려 들어가는 것 같은 신기한 감만 들었다.

"역시 안에서 주는 보수도 있군……."

"그게 얼마 된다구, 그러니까 그저 옷값이야……. 하지만 술이 많이 팔리면 찾는 게 좀 있기도 해."

연신 생글거리며 명랑한 어조로 타이르듯이 이야기하는 미숙이는 꼭 언니만 같았다.

둘이 함께 들어선 탓인지, 그렇잖으면 하루 사이에 벌써 익숙해진 것인지 몰라도, 홀 안은 첫날처럼 어색하지는 않았다.

입구 안내역 소년들도 싱긋이 웃을 뿐, 손님을 대하는 그 '어서 옵쇼'는 붙이지 않았다.

은애는 벌써 나 자신도 이 집 식구가 되어 가는 것인가 하고 혼자 코웃음을 쳤다.

손님은 아직 하나도 보이지 않았다. 유니폼을 갈아입고 한 자리에 모여선 소녀들은 서로 인사를 하고 교환한 일도 없지만, 미숙이 때문인지 거의 다 아는 체를 하며 웃음으로 맞아 주었다.

간밤의 상기된 김에, 제복의 얼굴들이 모두 그것이 그것처럼 보였지만, 이 밤은 하나하나가 다 다른 제각기의 특색을 보여 주는 것만 같았다. 같은 옷차림이지만 옷맵시도 가지가지고, 머리의 형태도 제각기 달랐다. 화장한 모습도 여배우를 연상시키는 요염한 것이 있는가 하면, 자기마냥 그대로 아무 것도 바르지 않고 나온 축들도 있었다. 어쩌면 그것은 이곳에 나온 연륜을 얘기하는 것이나 아닌가 하고, 은애는 미숙의 짙은 화장을 생각해 보기도 했다.

눈부시던 네온도, 소음을 짜 내던 전축의 음향도, 어저께보다는 그렇게 감관에 거슬려 오지 않았다. 은애는 하루 사이에 적잖이 변해 가는 자신을 얄밉게 생각하면서도 그 분위기에 그대로 점차 휩쓸려 들어가는 수밖에 없었다.

당번 테이블은 순차로 이동되었다. 은애는 어저께의 다음 두 테이블을 맡았다. 조오바라는 김 씨가 주는 번호표를 핀으로 허리에 꽂아 찼다.

33번!

무슨 운명을 예시해 줄지 모를 자신의 번호다. 은애는 번호를 만지작 거리며 대기 상태로 테이블 옆에 서 있었다.

풍차마냥 육중한 몇 개의 선풍기가 프로펠러 소리를 내며 돌고 있건만 홀 안은 여전히 무덥기만 했다. 하루 종일 텁텁한 날씨가 한 소나기 퍼붓고야 말 것만 같게 느껴졌다.

은애는 주위를 휘둘러보다가 어수선한 입구 쪽으로 시선을 돌렸다. 사오명으로 된 손님 한 패가 들어오고 있었다. 그들은 사람이라도 찾듯이 한참 두리번거리다가 은애가 서 있는 테이블에 와 자리를 잡았다. 순간 소녀들의 시선이 모두 자기 쪽으로 쏠리는 것만 같은 찌릿한 감각을 어깨 너머로 느꼈다.

은애는 행운의 첫손님이 어쩌면 신입생인 자기에게 걸려들었나 하고 즐거움 속에서도 멋쩍은 생각이 없지 않았다. 다른 선배들에게 미안한 감마저 느껴져 그 쪽으로 마음 놓고 시선을 돌릴 수조차 없는 심정이었다.

어제 저녁, 맨 나중에야 겨우 자기 테이블에 손님을 맞던 것에 비하면,

오늘 밤은 정반대의 경우만 같았다. 은애는 손님들의 주문을 받으려고 그들 쪽으로 다가섰다.

"이집 괜찮은데……."

바로 앞에 앉은 굵은 테 안경이 좌중을 돌아보며 첫마디를 던졌다.

"구석 자리가 돼서 너무 덥군."

"그럼 저쪽으로 옮길까?"

"괜찮아, 그대로 앉지 뭐……."

"사람보고 앉았지, 자릴 보고 앉았나 원……."

"애, 저 선풍기 이쪽으로 돌려 놔라."

이들의 주고받는 대화를 들으면서 은애는 선풍기 앞으로 다가갔다. 어느 사이엔지 소년이 뒤쫓아 와 은애를 젖혀 놓고 선풍기의 방향을 손님 쪽으로 돌려놓았다.

물수건으로 땀을 훔치며 자기에게만 시선을 집중시키고 있는 이들의 눈총을 피하기라도 하려는 듯이 은애는 카운터 쪽으로 얼굴을 돌렸다.

"생맥주로 하지……."

"어때?"

"그러지."

"애, 생맥주 가져와."

검은 테 안경이 주문을 시켰다.

"네."

이 속에선 소녀들의 대명사는 애로 통하기 마련인가 보다고 생각하며 은애는 대답했다.

"안주는 간단히 하구, 응……."

회사나 관광청 같은 직장에서 함께 몰려 온 것만 같은 고만고만한 나이 또래의 중년 신사들이다. 그들은 날라다 놓은 큼직한 맥주 조끼를 숨도 쉬지 않고 입에 댄 채로 단숨에 쭉쭉 들이켜댔다. 바라다보고 있는 은애 쪽이 오히려 더 시원함이 느껴져 올 정도였다. 냉맥주란 저렇게 맛있는 것일까 하고 은애는 저도 모르게 군침을 삼키며 맥주 맛에 대한 호기심의 유혹에 마저 이끌려 가는 자신을 느꼈다.

날라 오기 바쁘게 몇 조끼씩 계속 비우고 난 이들은 차츰 얼굴이 상기되며 주문하는 속도가 점점 늦어져 갔다. 그 하나하나의 행동들이 은애에게는 관심을 끄는 신기한 일들로만 보였다.

남자들 세계의 단면을 이렇게 눈앞에서 주시하고 있다는 것, 그것은 변화 없는 지금까지의 자기 주변에 비하여, 하나의 흥미꺼리가 되지 않을 수 없는 계기이기도 했다.

손님이 담배를 꺼내 물면 다른 친구들이 하는 대로 은애도 원피스 앞섶의 작은 포켓에서 성냥을 꺼내어 불을 붙여줘야만 했다. 이것도 처음엔 굴욕적인 기분이 느껴지는 일의 하나였지만, 응당 그렇게 하는 법이라는 홀 안의 접객 습성에 순응해 가는 자신이 어쩌면 신통하다고도 느껴졌다. 술까지 따르는데 성냥쯤이야, 이것은 어젯밤, 그 첫손님 자리에서 느꼈던 체념 어린 심정이기도 했다.

바로 앞에 앉은 검은 테 안경이 담배 한 개비를 빼어 들고 은애 쪽을 쳐다보았다. 은애가 성냥을 켜 두 손으로 손님 쪽으로 내어 밀어 담배 끝에 대려는 순간, 성냥개비를 든 자기 손목은 안경의 듬직한 한 손에 꼭 쥐어졌다. 선득한 기분에 반사적으로 손을 빼려고 하나, 꼼짝할 수 없이 그대로 불을 붙이고야 손목을 놓아졌다. 그나 그뿐인가, 그 찰나 옆손님의 손은 벌써 자기의 가슴팍 유방 위를 꼭 쥐어 놓고 지나가지 않는가.

"아!"

은애는 깜짝 뛸 듯이 놀라며 뒤로 물러섰다. 척수 신경이 짜릿하면서 분노와 모욕감이 한꺼번에 전신을 거슬러 옴을 느꼈다.

"너무들 하세요."

"뭐, 그쯤이야……."

태연한 자세로 싱글거리며 맥주 조끼를 드는 그들에게서 시선을 돌리면서, 은애는 솟구치는 울분을 참을 길 없어 화장실 쪽으로 뛰어 갔다.

눈물이 핑 고여 왔다. 모든 것을 감수할 각오를 다짐하고 나선 직장이지만, 역시 천직(賤職)임에 틀림없다는 생각이 거듭 가슴이 미어질 듯이 북받쳐 올랐다.

성하의 모습이 머릿속을 헤집고 꽉 차 왔다. 그의 촉감을 새삼 가슴에 느껴 보았다. 그밖에 아무도 자기 가슴을 더듬은 사람은 없었다. 그것도 꼭 무슨 비밀 단지라도 만지는 듯이 조심스러웠던 그였다.

도어를 노크하는 소리에 정신을 가다듬은 은애는 눈물자국을 닦고 머리를 숙인 채로 화장실을 나왔다.

이대로 집으로 가 버릴까, 그러나 무턱대고 어린애처럼 날뛸 수는 없는 노릇이었다. 자기 테이블의 계산은 밝혀 놓아야만 했다. 그만둘 때는 그만두더라도 자기의 맡은 책임의 한계는 명백히 해 놓아야 할 것만 같았다. 모든 것은 미숙이를 만나 타합하고 결말을 짓기로 하는 것이 옳을 것 같기도 했다.

그는 자기 자신을 스스로 짓밟는 심정으로 테이블에 돌아왔다.

손님들은 주기가 높아져 더욱 기세를 올리며 히히덕거리고 있었다.

"응, 왔군."

"미안해."

"그쯤 것을 가지고 뭘 그래……."

"역시 숫처녀인 모양이지……."

제각기 한 마디씩 던졌다.

"자, 33번 한 잔 들까……."

검은 테는 만면에 웃음을 띠우며 악의 없는 얼굴로 자기의 조끼를 내들며 맥주를 권하고 있지 않는가. 이쯤 되면 은애도 속없는 고소를 짓지 않을 수 없다.

"옳지, 웃으면 됐어."

아까 가슴에 손을 가져오던 손님이 사뭇 다행스럽다는 표정으로 너털웃음을 터뜨렸다.

은애는 그들의 물음에는 침묵으로 일관한 대로 술과 안주만 날라 왔다.

이들이 자리를 뜨자 뒤이어 어제 저녁의 미스터 한이라던 젊은이가 보지 않던 다른 손님 하나를 이끌고 들어섰다.

은애는 먼저 패의 손님들에게서 입은 모욕적인 인상이 가셔지지 않아 헛갈린 생각 속에서 자신을 달래고 있는 중이었다.

밖은 소낙비가 퍼붓고 있었다. 새로 들어서는 손님들마다 물 흐르는 우산을 접으면서 머리며 이마의 빗방울을 손으로 훔쳐 넘겼다.

미스터 한은 눈이 마주치자마자 은애의 테이블 쪽으로 다가왔다.

은애는 무심결에 미숙이 자리인 건너편 구석에 눈길을 돌려 보았다.

이상한 일이었다. 거기에는 어제 저녁과 변함없이 그 대머리의 강 사장이란 늙은이가 와 있지 않은가. 그렇다면 강 사장이나 미스터 한이란 사람들은 매일 밤 이 맥주 홀로 개근하다시피 찾아오는 것일까. 남자들이란 어쩌면 그렇게도 술에 중독된 것처럼 매일 밤 마시지 않으면 못 견디는 것일까? 은애는 이 미지의 수수께끼 같은 자기 눈앞의 현실에 다시 한 번 의아에 찬 눈길을 던지는 것이었다.

그러나 이날 밤의 미스터 한은 전날 밤과는 전연 다른 사람만 같았다. 도대체 말수가 적고 술만 마셔댔다. 은애에게 가끔 말을 걸어도 그 예사로 뱉듯이 하던 반말투란 깡그리 없어지고, 퍽이나 다정스럽고 부드러운 표정이었다.

"몇 번이냐?"

중국 사람같이 치켜 깎아 앞이마에만 머리가 붙어 있는 젊은이가, 다른 손님들이 하듯이 판에 박은식의 이력조사를 시작했다.

"33번이에요."

은애의 대답도 예사로운 틀에 박혀져 가는 것 같았다.

"성은?"

"아, 이 사람, 성은 무슨 성인가, 33번이면 됐지……. 어서 술이나 듭세."

은애의 대답을 가로 질러 상고머리에게 대답하는 미스터 한의 어조는, 자기를 두둔하는 듯 하면서도 어딘가 꼬인 심정이 없지 않다고 은애에게는 느껴졌다.

"자네가 대신 나설 거는 뭔가?"

"아니, 진짜 숫처녀래서 성도 이름도 없다니 말이지."

"그럼 자넨 벌써 전과자로군."

"사람두, 엊저녁에 첨 한 번 만났을 뿐이야."

"하룻밤에도 만리장성을 쌓는다는데, 누가 아나?"

"생각대로 해석하게……. 자, 한잔."

이들은 서로 잔을 주고받으며 술 마시기에만 열중했다.

"아, 한 선생 오셨어요?"

미숙이가 어느 틈에 왔는지 즐거운 웃음을 머금으며 인사를 건넸다.

"아, 미리."

미스터 한도 히죽이 웃었다.

"자, 제가 한 잔 따라 드릴게요."

"땡큐."

미스터 한은 컵 속에 남은 술을 마시고 미숙이 앞에 빈 잔을 내밀었다.

"참말, 아주 단골을 옮기셨는가요?"

미숙이는 술을 따르며 슬며시 건드렸다.

"미리는 늘 손님이 차고 있으니까, 별 수 있어?"

"아니, 언제 찼어요, 저렇게 한쪽이 비고 있는데……."

"그 대머리 영감쟁이 말이야……."

"그럼 비어홀에서까지 질투신가?"

말씨는 날카로우면서도 미숙인 여전히 그 명랑한 웃음을 곁들이는 것은 잊지 않았다.

"그럼 미리에겐 이차회로 가지."

"많이 드세요."

머리를 갸웃하며 돌아서는 미숙은 은애를 보면서도 쌩긋 웃으며, 그 특유의 왼쪽 눈을 살근 감는 듯 마는듯한 윙크를 남기곤 제자리로 사라졌다.

미스터 한이 계산을 치르고 미숙이 테이블로 옮기고 난 뒤에 다른 손님을 받으면서도, 은애의 머릿속에는 그가 남기고 간 한 마디가 켕겨 들기만 했다.

'미스 오, 우리 두구두구 어디 길게 사귀어 봅시다.'

꼭 무슨 여운을 남기는 말 같게만 여겨졌다.

은애는 미숙이 테이블 쪽으로 간간이 눈을 돌리곤 했다. 한쪽 테이블엔 대머리 강 사장 일파, 다른 한쪽엔 미스터 한의 일행. 역시 미숙은 강 팀이라는 생각이 들기만 했다.

은애 테이블에 손님이 하나도 없을 때, 미숙이 테이블에도 미스터 한은 어느 틈에 가 버렸는지 보이지 않고, 강 사장만 만취되어 늘러붙어 있는 것이 건너다 보였다.

비는 여전히 줄기차게 퍼부었다. 바람까지 곁들이는지, 유리창을 후려갈기는 빗소리가 전축이 끊어진 홀 안을 더욱 거세게 뒤흔들고 있는 것만 같았다.

은애는 우비도 없이 나온 자신의 돌아갈 걱정을 하고 있었다. 단벌 출입옷을 버려 놓으면 내일 당장 입고 나올 것이 없었다. 지우산이라도 사야겠다는 생각을 했다.

은애는 다시 아까의 첫 테이블에서의 예기치 않았던 모욕적인 봉변이 느껴지자, 내일부터 집어 치울 것을 젖으면 어떠냐 하고 태연한 자세로 돌아오기도 했다.

"얘, 은애야."
카운터로 계산하러 가던 미숙이가 은애의 어깨를 툭 쳤다.
"응."
"같이 가자, 기다려."
미숙이는 지친 모습이란 전연 없이 여전히 웃고만 있었다.
은애는 미숙의 단골이라는 미스터 한이 이틀씩이나 계속 자기 테이블로 오고, 거기다 두툼히 팁을 받고 보니 어딘가 미숙에게 대한 미안한 감을 가눌 길 없었다.
아까 미스터 한이 이차회를 한다고 같은 홀 안에서 자리를 옮겨 미숙이 테이블로 갔지만 그것은 어디까지든 미스터 한의 행동이고, 자기로선 미숙에 대한 미안감이 갚아지지는 않는 것만 같았다. 그런데도 미숙인 조금도 시기나 질투의 내색이 없이 동생처럼 자기를 감싸주는 것이 고맙기만 했다. 오히려 그 폭 넓고 너그러운 미숙의 성품이 미덥고 부럽기까지 했다.
비는 더욱 거세게 퍼부어댔다. 사나운 빗줄기에 귀청이 찢어질 듯한 천둥이 곁들어 도심지의 빌딩들이 진동하는 것 같이만 느껴졌다. 간간이 번쩍이는 번갯불에 아스팔트 위로 흘러내리는 흙탕물이 번득하여 홍수라도 질 것만 같은 기세였다.
"어떻게 가……."
미숙의 뒤를 따라 현관 앞에 나선 채로 은애는 혼자 중얼거리듯이 걱정하며, 역시 우비 없이 나선 미숙이를 건너다보았다.
"가만있어, 좋은 수가 생겼어."
그러나 은애는 미숙이의 태연한 소리에 납득이 가지지 않았다. 뒤쳐 물으려 해도 일이 되어 가는 판에 호들갑을 떠는 것만 같아 가만히 미숙이의 동정만 살폈다.

"여기예요, 여기……."

앞으로 움직여 오는 헤드라이트 불빛을 보며, 미숙이 손짓을 했다.

"강 사장 차야, 집에까지 바래다준다니까 이런 호의는 받아두는 거야."

은애는 굳이 말을 하지 않았다.

"소낙비 속에 으스대야 별 수 없지 않니?"

사실 은애는 대꾸할 말이 없었다. 꼭 윗사람을 모시고 가는 수행원의 기분으로 비굴감을 느끼면서도, 미숙이의 임기응변의 처사에 고마운 심정을 느낄 뿐이었다. 은애는 미숙이 뒤를 따라 현관 앞에 머무른 지프차에 올랐다. 안에는 대머리 강 사장과 또 한 사람의 손님이 벌써 타고 있었다. 장충동에서 손님 한 사람이 내리자 차는 그대로 멈칫했다.

"다음은 어디로 가실까요?"

운전수의 물음에, 앞으로 자리를 옮긴 강 사장이 뒤를 돌아보았다.

"참, 댁이 어디신가?"

노인의 능청맞은 듯한 말씨에 은애는 어쩔 바를 몰라 했다. 방금까지 비어홀에서 듣던 말들보다는 너무도 거리가 먼 경어에 접했던 탓만은 아니었다. 모든 것이 미안하기만 해서였다.

"은애, 너 금호동이랬지?"

"응……."

"자, 금호동 쪽으로……."

강 사장은 점잖은 어조로 운전수에게 말하며 담배 연기를 길게 빨아 뱉었다.

은애는 바로 앞자리에서 솔솔 몰려오는 연기가 매워 견딜 수 없으면서도 아무 불평도 내지 않고, 그저 고마운 심정에 흐뭇해 빗발 속에 굴곡을 지어 교차되는 차들의 헤드라이트만 내다보고 있었다. 집으로 올라가는 언덕 밑 큰길에서 내린 은애는 옆집 처마 밑으로 기어들어 머리며 옷의

빗물을 털었다.

"길이 좋았으면 집까지 모셔다 드려야 할 건데……"

"조심해 가, 굿나잇……."

강 사장과 미숙의 마지막 인사가 귓전에 쟁쟁해, 은애는 한참 제정신을 잃은 양 멍청히 서 있었다. 비는 여전히 억수로 퍼부었다. 언덕에서 내려 흐르는 물소리가 둑이라도 터진 것같이 요란하게 들려왔다. 그대로 비를 맞으며 집으로 올라갈까도 생각했으나, 이까지 일부러 실어다 준 강 사장이나 미숙의 호의를 저버리는 것 같아, 빗줄기가 조금이라도 가늘어지기를 기다렸다. 한참 아무 생각 없이 서 있자니, 또 아까 홀에서의 첫 장면의 불쾌한 기억이 머릿속에서 꿈틀함을 느꼈다.

미숙이와 상의하려던 것을……. 그러나 언제 미숙이와 의논할 겨를이나 있었던가. 설사 그럴 시간이 있었다손 치더라도, 현실의 모든 조건을 극복하고 자기의 소신대로 처신하는 미숙이로선 냉소 어린 핀잔으로 답할지도 모른다. 그보다는 미숙이의 모든 양보에 대한 선의에 배반하고 홀로 퇴각하는 몰염치한 심정 같은 것이 물결처 옴을 막아낼 도리가 없었다.

그러면 덮어 놓고, 아무에게도 예고 없이 내일부터 그만두면 되지 않을까? 그러나 그것도 그렇게 쉽사리 속단이 가지지 않았다.

그 첫손님들은 미안감에서인지 몰라도 이백 원 팁과 몇 십 원의 거스름을 그대로 남겨주고 갔다. 매일 이렇달 수는 없겠지만, 몇 시간의 노동으로 이만한 수입은 쉽사리 바랄 곳이 없을 것만 같았다. 은애는 어둠 속에서 앞자락의 조그만 포켓에 꼬깃꼬깃 포개어 넣은 모가 난 지폐의 감촉을 손가락 끝에 느끼면서, 어딘가 아쉬운 미련 같은 감정을 곱씹는 것이었다.

요는 자신의 줏대에 달린 것이 아닐까? 손목을 잡든, 가슴에 손이 닿든 그런 것은 그 직장에서 있는 예사로운 일로 치고, 그 이상의 것은 자신의 마음가짐에 달린 것이 아닐까? 자신이 자신을 저버리지 않는 한 스스로의 육체가 포기될 수는 없을 것만 같았다. 아니 비단 육체뿐이랴, 정신조차도 자신이 스스로 저버리면 아무리 싱싱한 육체라 할지라도 그것은 이미 생명을 잃은 고깃덩이에 지나지 않을 것이 아닌가? 나 스스로의 줏대……, 은애는 자기 자신에게 긍정(肯定)의 의사를 끄덕여 보았다.

그러나 곧 그것만으로는 어디엔가 타락해 가기 시작하는 자기 자신을 억지로 달래며 자기 합리화를 꾀하는 것 같은 얄미운 자신의 일면이 느껴져, 스스로가 싫어지고 미워지는 자기혐오가 뒤따라오는 것만 같았다. 아무튼 내일아침에 일어나 다시 한 번 냉정히 생각해 보자.

은애는 격한 흥분이 사라진 뒤의 허탈한 공허를 느끼며 넋 잃은 양 묵묵히 서 있었다. 멀리 큰길 모퉁이로 자동차의 불빛이 빗살 속에 보얗게 무늬를 지으며 사라지는 것이 보였다.

미숙이는 지금쯤 집에 닿았을까, 아니 강 사장도……. 어쩌면 그들은 한 곳으로 갔을지도 모른다. 이것은 어림도 없는 착각이다. 될 말인가…….

그러면서도 은애는 강 사장과 미숙이의 이 밤에 있을 행동에 대한 자기의 추리를 긍정하기도 하고 부정하기도 하면서 결말을 내리지 못하고 있었다. 그것은 마치 자기의 내일 해야 할 행동에 대해 아직 단안을 내리지 못하는 심정과 일맥상통하는 점이 없지도 않았다.

그러나 은애는 어디까지든 폭 넓은 미숙이를 선의로 변호하고만 싶어졌다. 미숙이의 하는 행동은 하나하나가, 미숙이 자신이 옳다고 판단한 냉정한 자체 의식 속에서 이루어진 것이 아닌가. 누가 미숙이 자신 이상으로 미숙이를 아끼고 사랑할 사람이 있단 말인가? 오히려 자기 자신이 미숙이와 강 사장 사이의 이 밤의 일을 제 마음대로 추측한 것만도 미안쩍은 생각이 들었다.

통행금지 예비 사이렌이 울린 지도 한참이었다. 언덕바지 길을 미끄러지며 내려오는 발자국 소리가 들렸다. 은애는 제 정신을 가다듬으며 소리 나는 쪽으로 눈을 모았다. 눈꺼풀을 깜박이며 가까이 다가오는 그림자를 쫓아 보았다. 검은 그림자는 언덕 밑 큰길에 내려서자 문득 멈추었다.

"은호야?"

자신이 없어 가느다랗게 불러 보았다.

"누나, 인제 와?"

"응……."

"거기서 뭘 하고 있어?"

"비 멎기를 기다리는 거야."

"어느 쪽 길로 오는지 알아야 멀리 나갈 수 있지. 아까 한 번 나왔다 들어갔어."

은애는 은호가 들고 있는 우산 속으로 들어가며 코허리가 찡해 왔다.

"푹 젖었지?"

"아니……."

"그럼 예까진 어떻게 왔어?"

은애는 갑자기 대답할 말이 없었다.

"그새 어디 조금이라도 비가 쉬었어야지, 망탕 퍼부었는데……."

"친구들하고 어울려서 간신히 예까지 타구 왔단다."

그러나 동생에게 거짓말로 꾸며대는 은애의 심정은 괴롭기만 했다.

"어머닌 주무시니?"

은애는 다른 곳으로 굳이 화제를 돌렸다.

"아니, 기침이 몹시 나구 옆구리가 쑤신다면서 여태 앉아 있었어. 노상 누나 걱정을 하시다가 앉은 대로 조금 잠이 드셨나 봐."

은애는 은호와 우산대를 맞쥐고 미끄러지는 언덕길을 올라가면서, 이렇게 혈육의 정을 절실하게 느껴 본 적은 일찍이 없었던 것만 같은 심정에 젖어 갔다.

비는 온 누리의 낡은 이야기들을 모조리 씻어 버리기라도 하려는 듯이 계속 퍼부어댔다.

은애는 새로운 유니폼을 찾아 입었다. 거울 속에 비친 자신의 곡선을 들여다보았다. 산뜻한 새옷이 역시 싫지는 않았다. 천에서 나는 풀내음과 스스로의 체취가 한데 엉켜 코끝에 싱싱한 자극이 번져 옴을 느꼈다. 똑같은 제복 속에서 자기만이 다른 옷을 입어 유난히 표나던 것을 면한 것만도 다행스럽게 여겨졌다. 이제야 겨우 이 직장 멤버 속에서 제대로의 한 자리를 차지하고 있는 것만 같은 의젓한 심정에 잠기기도 했다. 오늘 새로 들어온 뉴페이스……. 은애는 그에게 유달리 관심이 갔다. 꼭 며칠 전 자기가 치르고 난 첫날의 그 어리벙벙한 모습을 그대로 되풀이하고 있는 것만 같게 여겨졌기 때문이기도 했다.

자기까지 똑같은 제복으로 차렸으니, 이 밤은 그 하나밖에 유다른 옷을 입고 나선 사람은 없었다. 풀기 없이 한 모퉁이에 가만히 서고만 있었다. 어색해 하는 그의 표정, 창백한 얼굴에는 이렇다 할 변화가 없었다. 집에서 입던 것을 그대로 입고 나온 듯한 수수한 옷차림, 자기마냥 화장의 흔적이 없는 얼굴, 거기에 머리도 일부러 매만진 자국이란 별로 보이지 않았다.

그의 옆으로 가 이야기해 주는 사람은 아무도 없었다. 그는 이 속에 아는 사람이란 하나도 없이 온 것일까. 자기의 경우만 하여도 미숙이 하나를 안다는 것이 그 허전한 둘레 속에서 얼마나 다행한 일이었던가. 수심에 찬 듯한 그 모습, 혹시 실연이라도? 은애는 자기대로의 상상을 줄달음질쳐 보았다. 그러나 그렇게 화려한 과거의 한 구석이 엿보이는 흔적이란 발견되지 않았다. 차고도 싸늘한 눈동자, 그것은 꼭 현실의 뭇 고역을 치르고 난 뒤의 아직도 버티려는 인간의 모습 그것이었다.

은애는 그대로 방관하고만 있기엔 도무지 견딜 수 없었다. 일부러 화장실을 다녀오면서 그 새얼굴이 서 있는 테이블 사이로 걸었다. 옆을 스치려는 순간 그와 눈길이 마주쳤다. 이것은 은애가 예측한, 아니 고의로 계획한 연극 순서의 필연적인 경로인지도 몰랐다.

"오늘, 처음 나왔어요?"

기회를 놓치지 않고 은애는 첫마디를 걸었다.

"네……."

새얼굴은 참았던 갑갑증이 풀리기라도 하는 듯이, 대답 끝에 큰 숨을 내쳐 쉬었다.

"나도 며칠 안 돼요."

은애는 상대의 긴장을 풀고 안도감을 주려는 생각에서 묻지도 않은 소리를 군이 덧붙였다.

"그래요?"

말끔히 쳐다보는 새얼굴의 눈동자에는 확실히 시름이 깃들어 있다고 느껴졌다.

은애는 자기가 첫날 올 때도 저러한 모습이었을까 하고, 허허벌판에 혼자 핀 한 송이 꽃을 연상해 보았다. 새 얼굴은 자기 허리께에 찬 하트 속의 33번을 내려다보고 있지 않은가. 어쩌면 이같이 자기가 밟아 온 첫날의 심리적 과정과 비슷한 것일까. 그도 이 밤에 새 손님으로부터 자기가 겪던 그 모욕적인 이력서의 탐색 세례를 기어코 받아야만 할 것이 아닌가.

은애는 성이나 이름을 묻고 싶은 충격을, 그 첫날밤의 역겨운 회상 속에서 묵살하여 갔다.

제자리에 돌아온 은애는 너무 주제넘은 짓을 하지나 않았는가 하고 후회도 없지 않았지만, 아무리 생각해도 그대로 바라다만 보고 견디어 낼 수는 없었다고 자신에게 변명하기도 했다.

그를 만나고 돌아온 후도 그 궁금증은 완전히 가셔지지는 않았다. 그가 이곳으로 들어오지 않을 수 없었던 경로, 그것은 꼭 자기와 비슷한 환경적인 조건이었던 것 같은 동류의식을 금할 길 없었다. 은애는 들어온 지 며칠 안 되는 자기 자신이 벌써 선배연하고 새로운 사람에게 부질없는 관심을 기울이고 있는 것이나 아닐까 하고 거듭 다져 보았으나, 이 넓은 홀 속에서 아직 이 흐름에 때묻지 않는 것은 자기와 이 새얼굴뿐일 것이라는 자기 독단으로, 그에게 가까워지려는 심정을 억지로라도 변호하고만 싶어졌다.

은애는 여학교에서 2학년으로 진급되어 새봄을 맞이하면, 첫 신입생이 들어오는 그날의 아무 근거도 조건도 없는 막연한 기대에 흥분과 초조를 금할 줄 모르던 그런 심정을 회상했다. 노련한 상급생으론 미숙이, 새로운 하급생으로 저 새얼굴, 그리고 자기는 그 중간 지대, 그는 이러한 서열(序列)의 계보를 억지로 꾸며 가며 호젓한 자기 주위에 자꾸만 믿음직한 울타리를 쌓아 가고 싶은 심정에 이끌리기도 했다.

이튿날 은애는 뉴페이스 명자(明子)와 함께 양재점에 나타났다.

비어홀이라는 직업의식을 떠나서 새로 들어온 사람의 서투른 일에 길잡이가 되어 준다는 것은, 은애에게는 보람 있는 일이 아닐 수 없었다.

새옷을 맞추고 나오는 명자의 모습은 전날의 자기보다는 훨씬 명쾌한 표정이라고 느껴졌다.

"이왕 제 돈 내고 맞추는 바에는 몸에 잘 맞아야 되지 않겠어요?"

아까 옷을 잴 때 하던 명자의 이 한 마디는 그대로 명자의 확연한 성격을 대변하여 주는 것이라고 은애에게는 느껴졌다. 그의 말이나 행동은 뚜렷한 계획이나 지표가 있어 나타나는 것이지, 막연한 망설임은 없는 것이라고 느껴지기도 했다.

둘은 나란히 포도를 걸었다. 명자는 은애더러 낯선 직장에서 친절히 해 주어 고맙다는 인사를 깍듯이 덧붙이곤, 자기의 간단한 내력을 얘기하는 것이었다.

"우리 아버진 교육계에 삼십 년 이상 근속했어요. 어머니도 내가 나기 전엔 아마 교편을 잡았나 봐요."

담담히 이야기하는 명자의 말을 들으며 은애 쪽이 오히려 놀라고 있었다.

부모가 다 계시다면 하필 그런 곳으로 나왔을까. 그렇다면 역시 애정 문제일까? 은애에게는 해득할 수 없는 새로운 의문이 하나 더 겹쳐 왔다. 그러나 명자의 슬슬 풀려 나오는 것 같은 이야기를 중단하고 싶지 않아 입을 꼭 다물고 그대로 듣고만 있었다.

"그런데 아버지가 정년퇴직이 됐어요. 변두리 국민학교에 있다가……."

"언제요?"

은애의 질문은 저도 모르게 불쑥 튀어 나오고야 말았다.

"작년에요."

"그래요……."

은애는 반죽을 넣으면서도 가슴속의 의문은 다 풀려지지 않았다.

'교육계에 그렇게 오래 계신 분이 딸을 비어홀에……'

그러나 그대로 맞대고 반문할 수는 없었다.

"하는 수 없이 내가 결심했지요."

"그럼, 부모 몰래?"

이번에도 참을 수 없이 반문이 튀어 나왔다.

"아뇨, 모두 완전 합의 하예요."

명자는 이 완전 대목에 힘을 꼭 박아 말하는 것이었다.

참 이상도 하다고 느끼며, 은애의 갑갑증은 더욱 부풀어지기만 했다. 이대로 가다간 홀에 당도하기 전에 그 호기심을 유발하는 이야기가 중간에서 중단되지나 않을까 싶어 은애는 길옆의 점방들을 두리번거리며 걷고 있었다. 마침 케이크점이 하나 보였다.

은애는 꼭 자기가 미숙이 하던 선배 역할을 그대로 본받아 되풀이하고 있는 것이나 아닌가 하고 겸연쩍기도 했으나, 이 기회를 놓치고 싶지는 않았다.

"우리 저기 좀 들어가요."

은애가 손가락질하는 과자점 쪽으로 눈을 돌리는 명자의 안색은 갑자기 긴장해지는 것이 아닌가.

"그대로 가죠."

"더운데 아이스크림이나 뭐 간단히 먹으며 얘기해요."

"아니, 어떻게 피나게 번 돈이라고 과자점엘 다 들어가요?"

은애는 무색하여 창피한 생각이 들었다.

그러나 이왕 제의한 것을 흐지부지해 버리기도 쑥스러운 일이었지만, 명자의 그 이야기를 끝까지 듣고 싶은 생각이 더 간절했다.

"잠깐만 앉았다 가요."

은애는 명자의 팔을 이끌며 강권하다시피 동의를 구했다.

그제야 명자도 하는 수 없다는 듯한 표정을 지으며 케이크점으로 따라 들어섰다.

"그럼, 우리 제일 간단한 것으로 합시다."

자리에 앉자마자 명자는 자기 의사를 나타냈다.

"그렇게 하지요."

은애는 명자에게 눌리는 감을 느끼면서도 그의 건전한 사고가 믿음직스러웠다.

"그래, 부모를 어떻게 설득했어요?"

은애는 명자의 요구대로 가장 값싼 아이스케이크를 시켜 놓고, 명자의 다음 이야기를 은근히 촉구했다.

"설득이 뭐예요? 전적으로 찬동하지 않을 수 없었으니까요."

명자는 태연한 기분으로 말을 이었다.

"아버지가 퇴직할 때까지 우린 줄곧 관사로 옮겨 다녔지요. 그런데 막상 정년이 되고 보니 그 관사까지 내쫓기지 않았겠어요."

"그래서요?"

맞장구를 치면서도 은애에게는 아직 내용을 터득할 만한 이해가 가지지 않았다. 교육계에 한평생을 비치고도 집 한 칸 없다니, 믿어지지 않는 일만 같았다.

"몇 푼 안 되는 퇴직금을 가지고 전세방을 얻고 나니 그것으로 다였죠."

은애는 명자의 불꽃이 튈 듯이 빛나는 눈동자를 바라보면서, 속으론 자기집 일을 대조하며 생각을 몰아가고 있었다.

"그밖엔 아무것두?"

"뭐가 있어요? 교육계의 공로자라고 표창장 몇 번 탔지만, 그까짓 거 누가 알아나 줘요. 돈으로 바꿔질 것도 아니구……."

은애와 명자의 한숨은 거의 같은 시각에 터져 나왔다.

"그럼 형제는?"

은애는 내친걸음에 끝까지 듣고 싶었다. 버젓한 부모가 있고 더욱이 생애를 교단에서 바치고도, 인생의 종말이 그렇게밖에 될 수 없다는 것이 확실히 자기집 이상의 비극이 아닐 수 없다는 생각이 들기 때문이기도 했다.

"칠남매."

"칠남매요?"

은애는 눈을 휘둥그리며 명자의 말을 그대로 도로 받았다.

"아버지가 본래 만혼이라서. 오빠 대학원에 적을 둔 채 군대에 갔지만, 그 아래로 모두 학교예요."

"그럼 여섯이나?"

"그래요, 하는 수 없이 내가 나섰지요."

은애는 명자의 의지가 자기보다 더 굳셀 것이라고 느껴졌다.

"가을에 오빠가 제대하면 곧 취직하게 될 거구, 그때까지만 버티면 어떻게 될 것 같아요."

명자의 이야기는 조리가 있고도 어떤 확신이 서 있어 보였다.

"그러나 한 사람의 힘으로 온 식구의 생계를 어떻게……."

은애는 쓸 데 없이 남의 집 일의 안속까지 뒤지는 것이라는 미안감이 없지 않았으나, 혹시 자기에게도 어떤 지침의 암시가 될지도 모른다는 생각에서 파고들고만 싶었다.

그것은 또 명자가 회피하지 않고 순순히 이야기해 주는 탓이기도 했다.

"그래 난 양재학원에 적을 두었어요. 그런데 입에 풀칠하기도 힘든 판에 동생들 학자, 그리고 학원 경비 같은 것이 나올 구멍이 있어야지요."

이제야 은애는 명자의 이야기가 어느 정도 납득이 갔다.

"양재학원도 가을이면 끝나요. 그때까지만 여기 있으면 돼요."

이건 꼭 국가 경제 5개년 계획을 듣는 것보다 더한 구체안이라고 생각하며, 은애는 명자의 확고한 의지에 머리가 수그러졌다.

"큰 동생은 가정교사로 제 학비를 벌고 있으니까, 오빠와 내가 벌면 어떻게 타개될 거예요."

명자는 비로소 미소를 지으며 자신만만한 기색을 과시하는 양 은애를 똑바로 쳐다보는 것이다.

은애는 지금껏 자기의 의지나 신념을 너무 과신해 온 것만 같게 느껴졌다. 자기보다 몇 갑절 더 굳센 명자를 접하고 보니, 자칫 비탄이나 낙망에 빠지기 쉬운 자기 자신이 옹졸해 보였다. 명자의 이야기에서 한결 용기가 더 가다듬어져 굳센 자신을 얻게 된 것만 같게 느껴졌다. 자신이 외로운 것이 아니라, 주위의 모든 사람들은 자기와 같은 위치에서 살겠다고 버둥거리는 똑같은 현실에 놓인 인간들이라는 유대 의식을 느끼기까지도 했다.

"난 어제저녁 하루밖에 겪지 않았지만, 얼굴을 파는 일이란 오죽해요……."

다과점을 나오면서 명자는 다시 한 번 강조하는 어조로 덧붙였다.

"그 얼굴을 팔아 얻은 피값 같은 돈을 어떻게 막 써요?"

'얼굴값……, 노동값이 아니라 얼굴값……'

은애는 명자의 열기 띤 말을 들으며 이런 한 마디를 입속으로 거듭 뇌까렸다.

저만치 비어홀의 현관문이, 아니 직장이 은애의 앞으로 가까워지고 있었다.

제3장

벌써 일개월이 지나갔다.

어느 사이에 그렇게 날짜가 흘러갔는지 의식할 겨를도 없이 휘몰려 온 것만 같았다.

은애는 푸르름이 짙어진 가로수 밑 포도를 걸으며 시간의 흐름을 새삼 느꼈다. 용케 버티어 왔다고 생각되는 시련의 한 달이었다.

그 직업이야 무엇이든, 자기 손으로 날마다 벌어들이는 현금을 푼돈이나마 만질 수 있다는 것, 그것은 확실히 마음의 여유를 안겨다 주는 일임에 틀림없었다. 그러나 그렇게 흩어져 들어오는 부스럭 돈은 도무지 남아 있질 않았다. 한 덩어리의 목돈이 쥐어져야 무얼 하나 계획을 세울 수 있을 것 같지만, 일정한 액수도 아닌, 예측조차 할 수 없는 품팔이 같은 수입으로는 매일매일의 살림을 땜질해 가는 것이 고작이었다.

어머니의 약값은 그대로 계속되고, 은심은 나이 차가면서도 철들기는 고사하고 오히려 씀새가 과해만 갔다. 타이르다 못해 몇 번 말다툼까지 벌어졌지만, 아침에 학교로 갈 때에는 아무 거리낌 없이 생긋 웃으며 손을 벌리는 데는, 수중에 한 푼도 없으면 몰라도 가진 것이 있으면서 거절해 내는 도리는 없었다.

은호가 자기 용돈이라도 꾸준히 버는 것이 얼마나 기특한 일인지 몰랐다. 그러나 한창 자라고 공부할 나이에, 제 시간을 빼앗기고 과로하는 것이 은애에게는 견딜 수 없이 가엾게만 여겨졌다.

어머니가 요 며칠 뜰 안을 거닐며, 기분이 다소 좋아질 정도로 차도가 있는 것은 다행한 일이지만, 전에도 몇 번 그렇게 보이다간 다시 도지기 일쑤였으니 그것도 덮어 놓고 방심할 수만은 없는 일이었다. 무엇인가 뭉쳐진 매듭이 조금씩 풀려 나가는 것 같으면서 도시 앞이 환히 트여지지 않는 것이 안타까워서 견딜 수 없었다.

직장도 처음 얼마 동안 심리적인 괴로움은 물론, 몇 시간이고 서 있어야 하는 육체적인 고통이 겹쳐 견디어 내기 힘들었다. 잉잉거리는 정강이를 참다못해 냉수에 씻고 누워도 밤새 쑤시기만 했다. 아침에 통통 부어 있는 다리를 발견했을 땐 아무도 몰래 혼자 눈물지었으나, 그보다는 어머니가 눈치 챌까 봐 그것이 오히려 두려웠다.

기이하던 비어홀의 생리도 차츰 평범한 일과의 반복에 불과한 것처럼 느껴져 왔다. 그러나 시일이 흘러감에 따라 맡은 일에 익숙해지고 요령이 생겨 가지만, 아직도 낯선 일자리 같은 서먹한 감은 완전히 가셔지지는 않았다. 허다하게 맞서게 되는 대상 속에서, 필요한 눈과 필요치 않은 눈으로 가려서 보는 것, 그리고 한쪽 귀로 듣고 한쪽 귀론 흘러 보내야 하는 습성, 이것은 새로운 수확이라기보다 차라리 저절로 얻어진 적응성이라고 느껴지기도 했다.

매일 밤마다, 아니 시시로 바뀌는 손님들 속에서 늘 똑같이 변함없는 자세로 접객한다는 것은 용이한 일이 아니었다. 자신의 감정이 송두리째 마비되어 버리지 않은 한 어려운 고역임에 틀림없었다.

그러기에 낯선 첫 손님보다는 두 번 보는 손님, 세 번 접하는 얼굴에 더 친근감을 느끼고 부드러운 모습으로 대하게 되는 것도 막을 수 없는 감정의 소치이기도 했다. 자주 찾아오는 손님이 고마웠고, 어쩌다 자기 테이블이 만원이 되어 단골손님이 다른 좌석으로 돌리게 되면 오히려 아쉬운 미련 같은 것이 꿈틀거리기까지 했다.

미스터 한은 가장 빈번히 찾아 주는 고객의 하나였다. 그는 은애 테이블이 꽉 찼어도 기어코 자리 나는 것을 기다리거나, 그렇잖으면 다른 테이블에서 간단히 치르고는 반드시 그쪽 박스로 옮겨와 끝장을 내고야 말았다.

삼십여 명의 동료들 중에서 단골손님이 없는 사람이란 거의 없기에 은애는 예사롭게 생각하면서도, 번번이 적잖은 팁을 놓고 가는 그가 며칠만 뜸하면 기다려지기까지 하는 심정을 부인할 수는 없었다.

이제 자기 자신도 집에서나 직장에서나 거울 앞에서 제 모습을 둘러보며, 머리며 옷매무새를 매만지는 도수가 잦아지는 것을 발견하곤, 은애는 스스로를 나무라면서도, 그것 또한 뗄 수 없는 버릇으로 굳어져 가는 것을 어쩌는 수 없었다.

시간은 흐르고 자신은 조금씩 변해져 가고, 그러다가 그 끝장은 대체 어떻게 될 것인가, 은애는 더 생각하는 것이 두려워졌다.

물렁해진 아스팔트에서 발산되는 열기에서 여름의 강렬한 감촉이 더욱 거세게 풍겨 옴을 느꼈다.

은애는 등에 따가운 햇볕을 받으며 걸었다. 마치 앞에서 나란히 걷고 있는 두 여학생의 뒤라도 쫓는 듯이 일정한 간격을 두고 걸어가고 있었다. 두 사람 다 새하얀 하이힐을 신고 있다. 거의 눈길을 아래로 떨구다시피 하고 걸음을 옮기는 자기에게는 유난히 그 하이힐의 뾰족한 뒷꼭지만이 눈에 들어오는 것 같았다. 그들은 서로 구령에라도 따르는 듯이 똑같은 속도로 발을 맞추어 걸으며 웃음 섞인 이야기들을 조잘거리고 있으나 뒤에서는 들리지 않는다. 한 쪽 손을 서로 가볍게 깍지 끼고, 다른 한 쪽엔 둘 다 아무 것도 싸지 않은 알맹이 노트와 책들을 들고 있다.

그들의 가슴에 달려 있는 배지가 등 뒤에서부터 투명하게 내다보이는 것만 같은 환각을 느끼며, 은애는 꿈결을 스쳐 가는듯한 자기 생각의 한 끝을 주름잡아 가고 있었다.

마로니에의 넓고 두터운 잎을 비롯한 활엽수(闊葉樹)의 싱싱한 녹음으로 덮인 캠퍼스, 화강암을 다듬어 둘레에 손을 친 화단 속의 꽃무늬, 그 건너 도서관 옆에 외줄기 분수가 수양버들마냥 물안개의 가지를 뿜어 드리우고 있는 오후, 은애는 그늘 밑 벤치에 앉아 있었다.

대학 생활의 첫 학기가 거의 지나가는 유월 하순, 앞으로 일주일만 지나면 학기말 시험이 시작된다.

신입생 환영회니, 학내 음악회니, 연극제니 하는 들끓는 행사의 연속에서 흥분에 싸인 어수선한 심정으로 3개월의 시간을 흘려보냈다.

무질서하고, 방종과 자유가 혼동된 것만 같게 느껴지던 대학의 첫인상도 가셔지고, 이제야 대학 생활의 참다운 윤곽이 조금씩 터득되어지는 것만 같은 안정된 자세로 돌아왔다.

참말 앞으로의 사년을 어떻게 멋지고 보람 있게 지낼 것인가? 희망과 이상에 찬 뿌듯한 가슴은 터질 것만 같이 팽창해 왔다. 세상 온갖 것이 자기 마음대로 되지 않을 것은 하나도 없을 것만 같게 느껴지기도 했다. 자기 앞에는 넓고 끝나는 줄 모를 한길이 사방팔방으로 트여 있는 것만 같은 심정이었다. 대학만 졸업하면 모든 일이 순조롭게 풀리고, 하고 싶은 일을 마음껏 할 수 있을 것만 같은 황홀한 기대가 부풀어 오르기도 했다.

앞으로 박두할 대학에서의 첫 시험의 무거운 부담감이 짓눌려 오기도 했다. 가벼운 초조감 속에 앞날의 어떠한 운명이라도 스스로의 힘으로 타개할 수 있을 것만 같은 신념을 몇 번이고 다지며, 은애는 도서관 층층대를 올라가고 있었다.

앞에서 걷고 있던 하이힐의 두 사람이 보이지 않았다. 제정신으로 돌아온 은애는 그 여학생들의 모습을 찾아 앞 쪽을 두리번거렸다.

그들은 벌써 고우스톱의 횡단로를 건너가고 있다. 거리 모퉁이를 그대로 돌아가야 할 자기와는 방향이 다르다.

은애는 달콤한 꿈에서라도 깬 듯이, 지금까지의 선명한 회상의 아쉬움을 곱씹으며 양재학원 쪽을 향해 걸어갔다.

기운이 탁 풀리며 사지가 나른해 왔다. 희망의 성벽이 무너진 폐허를 옛 추억에 젖어 터벅터벅 걷고 있는 것만 같은 심정이었다. 캄캄한 밤하늘의 마지막 별 하나는 끝내 사라지지 않을 것 같으면서, 그것은 손이 닿을 수 없게 너무도 멀고 아득한 곳에 있는 것만 같았다.

은애는 양재학원 속성과에 입학 수속을 마쳤다.

비어홀은 당장의 긴급한 경우를 타개하기 위한 일시적인 방편이지 결코 안정된 직장이라고는 생각되지 않았다. 무엇인가 자기 자신이 기술을 습득해서 자립해야겠다는 생각이 절실해 왔다. 여기엔 명자의 적극적인 설득이 은애의 최종 결단을 촉구한 결과가 되기도 했다.

어머니에게 양재학원에 나간다고 꾸며댄 그 거짓말의 자책이 다소라도 풀려지는 것만 같은 심정이었다.

건실하고 건강한 방향의 일을 한 가지씩 시작하여 간다는 것은, 지쳐지기 쉬운 은애의 삶에 새로운 활기를 불러일으키는 계기가 되게 했다.

은애는 복도에서 명자와 갈라져 정해진 교실로 들어갔다. 몇 달 먼저 입학한 명자는 클래스가 달랐다. 비록 강습소에 지나지 않는 학원이라고 하지만, 일년 가까이 등졌던 흑판 앞에 마주 앉아 있다는 사실, 그것은 어설프면서도 마음속에 새로운 자극을 불러일으키는 일이기도 했다.

교재를 앞에 놓고 강사의 설명에 귀를 기울이면서도, 은애의 마음은 도무지 통일되지 않고 엇갈려만 가고 있었다.

대학에서의 강의실 광경이 머리를 스쳐갔다. 그것이 인간의 삶 자체에 대한 본질적인 교육이라면, 이것은 먹고 살기 위한 기술의 습득이라는 비교 의식이 덮쳐 왔다. 어쩌면 자기는 그 정도(正道)에서 몰려나서 이 오솔길을 걷지 않으면 안 되는가 하고 생각하니 자신이 서글퍼만졌다. 모든 것을 운명에 돌리고 간단히 체념하기엔 너무도 가슴속이 쓰렸다.

사개월의 재단법(裁斷法) 전공이 끝나면 다시 재봉법의 과정을 밟아야 한다. 그것이 순조롭게 되면 한 사람의 양재사로서 취직하게 된다. 그러나 그것도 그리 순탄한 일 같진 않다.

이 교실에 빼곡히 찬 삼, 사십 명이 다 자립할 수 있는 양재사가 된다면. 이 학원에서 일년에도 몇 기로 나가는 졸업생만 해도 굉장한 숫자다. 그것을 다 어디에다 소비한단 말인가……

바로 옆에 앉은 중년 부인은 자기 집 어린애들의 실용적인 면에 연관되는 것을 실지로 예를 들며 질문하고 있었다. 이렇게 자기 집안의 필요에서 심심풀이로 강습이라도 받아 두자고 나선 취미의 경우와, 입벌이를 대상으로 덤벼 든 자기의 입장은, 너무도 판이한 대조적인 경우로만 여겨졌다.

그래도 비어홀에서 술 따르는 것보다는 낫지 않을까, 은애는 까라져 가는 자신의 의기를 북돋기라도 하려는 듯이, 자세를 고쳐 허리를 쭉 펴고 흑판의 도면(圖面)을 바라보았다. 그러나 곧 방구석에 처박아 둔, 어머니의 손때가 반질반질한 재봉틀이 떠올랐다. 자기도 예전의 어머니처럼 손에 가시가 돋게 그것을 안고 밤낮을 씨름해야 할 것인가, 생각할수록 앞길은 막막했다.

그렇게 하면서까지 꼭 살아야 할 것은 무엇인가. 자신이 산다는 데 대한 의의가 점점 희박해져 갔다. 자신을 위해 사는 것인가, 그렇잖으면 어머니나 동생들을 위해 사는 것일까…… 아무 해답도 구할 길 없이 머릿속은 무거워만 졌다. 아무 것도 의지할 곳이 없는 자신의 위치를 더욱 절실하게 느꼈다.

미숙이는 미숙이대로 비어홀이라는 직장에 만족하고 있고, 명자는 명자대로 확고한 지표위에서 잠정적인 방편으로, 그것도 끝장의 계산까지 하고 나온 것이 아닌가……

자기 자신도 물론 하는 수 없이 긴급 수단으로 택한 직장이기는 했다. 그러나 그것은 언제까지라는 확정한 기간을 예측할 수 없이 막연한 것만 같았다. 양재학원이 끝나는 날까지……. 그러나 그 뒤가 명확한 자신이 서지지 않았다. 그저 그렇게 생각해 볼 뿐이었다. 갈수록 심산유곡이 겹겹이 쌓여 있는 것만 같았다.

은애도 저도 모르게 후 한숨을 내쉬었다.

주위의 사람들은 모두 강사의 설명에 열중하고 있었다. 그렇다면 지금 이 시간에도 이렇게 혼자 고민을 되풀이하는 것은 자기뿐일까, 은애는 이 글거리는 가슴속을 억지로 달래 보았다. 어떻게 써먹든 시작한 일은 일단 끝을 맺어 놓아야만 한다. 그 다음의 일은 한 단계가 끝난 다음에 그때 다시 생각할 문제다.

은애는 눈에 신경을 모으고 강사 쪽을 똑바로 쳐다보았다. 무엇이라도 꼭 찾아내고야 말 것 같은 표정을 지으면서도 가슴속은 여전히 허전하기만 했다.

"33번……, 손님이요."

조오바 김 씨의 외치는 소리가 홀 안이 찌릉하게 울려 왔다.

은애는 입구 쪽으로 눈을 돌렸다. 미스터 한이었다. 이즈음 미스터 한은 미숙이 쪽으로 별로 가지 않고 은애 테이블로만 오기에, 조오바나 안내하는 소년까지도 모두들 은애의 단골로 알고 있게끔 되어졌다.

은애는 미숙이에게 대한 미안감을 금할 길 없었다. 그렇다고 미스터 한더러 미숙이 쪽으로 가라고 권할 수는 없는 일이었다. 홀의 분위기에 젖어 감에 따라 은애도 이왕이면 손님이 자기 테이블로 왔으면 하는 심정으로 바뀌어지는 자신의 변화를 의식하지 않을 수 없었다.

그러나 미숙이는 조금도 불만이나 질투의 내색은 밖에 나타내지 않았다. 그만큼 그에게는 거의 단골손님이 찌지 않을 정도로 많은 내객들의 환심을 사고 있기도 했다.

미스터 한이 친구를 곁들이지 않고 혼자 나타나기는 처음 일이었다.

"또 누구 오세요?"

"아니."

은애 쪽이 오히려 이상한 생각이 들었다.

미스터 한은 어디를 들러 오는지 얼근히 취해 있었다.

"그럼 혼자세요?"

"응……, 33번이 보구 싶어서 왔어."

"아무리……."

"참말야."

약간 혀꼬부라진 소리를 들으면서도 은애는 그의 속심이 궁금해졌다.

"맥주 가져와."

"거기다 또 더 잡수세요?"

"33번을 위해 팔아 줘야지."

"괜찮아요, 전……."

"글쎄, 가져오래두……."

"그럼, 안주는요?"

은애는 미스터 한의 갓 이발한 파란 면도발을 바라보면서 다시 물었다.

"적당한 거로 가져와."

은애는 전에 없이 혼자 나타난 미스터 한이 낯익은 구면이면서도 이상하게 느껴졌다.

그는 따라 놓은 맥주잔을 들어 시원스럽게 죽죽 들이켰다. 만취하면 무슨 일이 날지 몰라 은애 쪽이 오히려 두려웠다.

"33번."

"네."

은애는 맥주를 따르던 손을 멈추며 미스터 한을 바라보았다.

"이젠 이름을 알려도 괜찮을 때가 되지 않았을까?"

"제 이름 말이에요?"

"그래."

"글쎄요."

"이름쯤 알리는 게 뭐 그렇게 큰일이라구."

"33번이에요."

은애 쪽에서 웃음이 먼저 터져 나왔다.

"그걸 누가 모르나……. 미스 오, 이름이 뭔가 말이야."

"……"

은애는 그대로 웃기만 했다. 그만큼 자신도 이 직장에서 닳아져 가는 것이라는 생각이 들었다.

"그럼, 이 집에서 부르는 이름도 없어?"

"없어요."

이런 경우 상을 찡그리지 않고 웃음으로 대할 수 있게 된 자신의 처신에서, 은애는 한 달 전의 첫날이 먼 옛날같이 느껴지기도 했다.

"그래, 그럼 진짜 이름은?"

역시 미스터 한은 첫날처럼 끈질겼다. 이제 이쯤 되면 아무 거나 생각나는 대로 이름을 지어서 돌려댈 수도 없거니와, 끝까지 안 대고 버티기도 미안했다.

"저, 은애예요."

"그러면 오은애 양……. 그거 어감이 참 좋다."

"그래요?"

아무튼 그것이 입에 발린 소리라 할지라도 좋다는 것은 은애에게도 듣기에 그리 싫지가 않았다.

자기가 맡은 다른 테이블에는 손님이 없어 은애는 한 자리에 노 붙어 서 있었다.

"술 가져와……"

다 따라 놓은 막잔을 들고 난 미스터 한은 또다시 술을 청했다.

"그만 하세요, 취하셨는데요."

"내가 취해, 어림도 없어."

"시간도 다 됐구요."

"한 병만 더 가져오라니까……."

시키는 고집대로 맥주를 들고 오면서도 은애는 불안한 생각이 들었다. 취해가는 모습이 상이라도 뒤집어엎고 무슨 일을 낼 것만 같았다.

"미스 오, 내 영화 구경시켜 줄까?"

"고맙습니다, 하지만 시간이 없어요."

"낮엔 뭘 하는데?"

"집에서 일하죠."

"집엔 누가 있는데?"

"어머니하고 동생들하구요."

"아버지는 안 계시구?"

"네."

아차 하고 정신을 차렸을 때는 이미 늦었다. 묻는 말에 그대로 끌려들어 집안 이야기를 송두리째 털어놓은 것 같아 곧 후회가 뒤따랐다.

"이거 이름 대준 데 대한 프레젠트야……."

계산을 치르고 난 미스터 한은 테이블 위에 극장표 한 장을 놓고 비틀거리며 나가 버렸다. 은애는 문 밖으로 사라지는 뒷모습을 바라보며 멍청히 서 있었다.

극장에 가 본지도 까마득하게 오래 된 것만 같았다.

은애는 간밤에 미스터 한에게서 받은 극장표를 꺼내 보았다. 초대권이 아닌 개봉영화 유료(有料) 시사회의 입장권이었다. 일부러 돈을 내고 사

온 것임에 틀림없었다. 고마운 생각이 들면서도 어쩐지 꺼림칙해 선뜻 마음이 내키지 않았다. 단골로 찾아오는 손님들 중에는 농인지 진담인지 몰라도 간혹 같이 구경 가자고 호의를 베푸는 사람이 없지 않았지만, 늘 선자리에서 거절해 왔었다. 비어홀에서 낯익었다는 정도로 거리를 같이 쏘다닌다는 것은 아무래도 쑥스러운 일 같게만 여겨진 탓인지도 몰랐다.

그러나 이번은 혼자인데야 무슨 상관이 있으랴 싶어, 모처럼 생긴 기회니 오래간만에 울적한 기분을 풀고 싶었다. 아무튼 표를 그대로 썩힌다는 것이 적이 애석한 생각이 없지 않았다.

망설이던 끝에 은애는 집을 나섰다. 취직한 이래 그는 직장과 집 사이를 왕복하는 이외에 별로 큰 거리를 돌아다닌 일이 없었다. 양재학원도 비어홀 가까운 도심지에 있어 다른 길로 쏠릴 필요가 없었다.

길을 걷다가도 우연히 눈길이 마주치는 남자들을 볼 때에는, 비어홀에서 만난 사람이 아닌가 하는 자격지심으로 제 쪽에서 먼저 외면하기도 했다.

상영 시간은 얼마 남지 않았다. 극장 앞은 개봉 영화의 첫날이라서 혼잡을 일으켜 웅성거렸다. 그는 들어가는 줄 맨 뒤에 서서, 극장 지붕에 달려 있는 거대한 선전 간판을 바라보았다. 거의 나체가 되다시피 조출된 여인의 교태 어린 모습을 뒤로 하고, 그 앞에는 남녀 주인공의 키스하는 장면이 클로즈업 되어 있었다. 징글맞은 느낌이었다.

몸은 저절로 뒷사람에 의해 앞으로 밀려 나가고, 등엔 축축한 땀으로 옷이 피부에 달라붙었다.

아는 사람을 하나도 만나지 않고 지정된 번호의 좌석에까지 온 것이 다행스럽게만 여겨졌다. 비굴하지 않게 좀 더 떳떳한 직장을 가졌으면 하는 아쉬움이 물밀어 옴을 느꼈다.

화면이 가까워서 눈이 흐려지는 앞쪽 좌석까지 거의 차왔다. 에어컨디셔너의 찬 기운 속에서도 땀에 어린 살내음이 후줄근히 풍겼다.

은애는 프로그램을 펴, 전연 예비지식이라곤 없는 새로운 영화의 줄거리를 더듬어 가고 있었다. 확성기에서 나오는 음악 소리가 그치고 벨이 울렸다. 극장 안을 환하게 비추던 불빛이 꺼지자 장내는 조용해졌다.

은애는 옆에 아직도 하나 남아 있는 빈자리에 프로그램을 놓고 스크린을 바라보았다.

화장품, 약회사, 음식점 등의 선전 광고가 제각기의 특징을 과장하며 화면을 장식해 나갔다. 이윽고 소녀가 유리컵에 거품이 넘쳐흐르도록 비어를 따르는 맥주회사 광고가 나오자 은애는 얼굴이 화끈해 옴을 느꼈다. 주위의 사람들이 꼭 자기를 쏘아 보고 있는 것만 같은 면구스러운 심정이었다.

은애는 이마의 땀을 닦으며 숙였던 머리를 들었다.

"조금 실례합니다."

젊은 남자가 옆의 두 사람을 거쳐 자기 앞으로 비집고 들어왔다. 은애는 쭉 폈던 다리를 앞으로 바싹 오그려 통로를 내주었다.

"감사합니다."

남자가 은애 왼쪽의 빈자리에 털썩 주저앉는 서슬에 스프링 소리가 텅겨 왔다.

은애는 다시 스크린 쪽으로 눈을 옮겼다. 화면은 그 사이에 뉴스로 바뀌었다. 국내외 보도가 한참 지속되다가 본 영화로 옮기려는 순간 잠시 불이 켜졌다.

은애는 무심결에 새로 들어온 옆의 얼굴에 살며시 눈길을 돌려 훔쳐보았다.

"아……."

하마터면 큰소리가 터질 뻔했다. 눈에서 불똥이 튀는 것만 같았다. 찰나적으로 젊은 사나이와 눈이 마주쳤다.

너무도 의외의 일에 당황했던 은애의 얼굴은 굳어져 갔다. 미스터 한은 빙그레 웃었다. 마침내 은애도 엷은 웃음을 입가로 흘려보내지 않을 수 없었다. 그것은 미스터 한의 계교에 속았다는 허탈감에서인지, 어쩌면 그렇게 교묘하게 할 수 있었는가 하는 감탄인지, 또는 스스로의 야릇한 희열인지, 자기 자신으로도 분간할 수 없는 막연한 웃음이기도 했다.

"고마워……."

미스터 한은 기회를 놓치지 않고 은애의 한 쪽 손을 오그라질 정도로 쥐어 주었다. 은애는 어항에 든 고기처럼 요동을 칠 수조차 없었다. 바보같이 잘 속아서 고맙다는 건지, 잘 순종한 것으로 착각해서 그러는 건지 알 수 없는 미스터 한의 한 마디를 되새기며, 그는 쥐여 있는 손을 슬며시 뺐었다. 삽시간에 전신이 푹 젖어 옴을 느끼면서 은애는 스크린 쪽으로 눈을 돌렸다.

이미 배역 자막은 끝나고 영화 장면이 펼쳐 나오고 있었다. 그러나 화면이 보얗게 흐린 것같이 제대로 눈에 들어오질 않았다. 툭툭 치는 가슴의 고동은 좀체 가라앉지 않았다. 은애는 후 하고 큰 숨을 내쉬었으나, 그것도 힘껏 내뿜지 못하고 살그미 길게 이어갔다.

다시 자기의 손을 싸쥐는 미스터 한의 손에도 땀기가 번져 있는 것을 은애는 느꼈다. 영화 속의 장면이 긴장을 주는 고비마다 미스터 한은 은애의 손을 더 힘주어 쥐어 주었다. 그때마다 미스터 한은 은애는 심장을 거세게 누르는 것 같은 압박감을 느꼈다.

식은땀이 흐르고, 시간은 한없이 지루한 것만 같았다. 줄거리조차 뒤죽박죽된 것 같은 희미한 속에서, 몇 장면의 단절된 영상만을 남기고 영화는 끝났다.

은애는 축축한 이마의 머리칼을 쓸어 올리며 영화관 밖으로 나왔다. 꼭 무엇에게 홀려서 들어갔다 나온 것만 같았다. 아랫다리가 허전해 왔다. 뒤에 따라 나오던 미스터 한은 옆에 와 서 있었다.

"영화 재미있지요?"

"네."

엉겁결에 거짓말 대답을 해버렸다. 그렇다면 미스터 한은 자기와는 반대로 조금도 생각이 엇갈리지 않고 처음부터 끝까지 차근차근 볼 수 있었단 말인가. 은애는 미스터 한을 흘깃 쳐다보았다. 그는 여전히 싱글벙글 웃고만 있었다.

"우리 어디가 간단히 식사라도 합시다."

미스터 한의 말은 찬스를 맞추어 자연스럽게 풀려져 나왔다. 사실 은애는 이제 어떻게 할까 하고 제 행동의 방향을 잡지 못해 망설이던 참이었다. 지금 미스터 한 앞에 선 자기는 꼭 고양이 앞에 있는 쥐새끼마냥 꼼짝 못하고 있는 것만 같게 느껴졌으나, 선수를 써서 몸을 빼낼 수가 없었다.

"자, 갑시다."

"저, 볼 일이 있어요."

그대로 굽혀지기가 싫었다. 속에서 꿈틀하는 의지의 소리가 들려오는 것만 같았다. 이대로 따라 다녀서는 안 되겠다는 생각이 들었다.

"잠깐만 들렀다 갑시다."

"감사합니다. 그러나 가 봐야겠어요."

은애는 머리를 갸웃하고 미스터 한의 옆을 물러나려 했다. 사실 고맙다는 생각보다는 속았다는 비틀린 생각이 더 세게 머릿속을 휘저어 왔다.

"왜 이래요, 간단히 합시다."

미스터 한은 은애의 앞을 가로 막고 어깨를 꽉 쥐면서도 타이르다시피 부드러운 어조로 말했다. 이쯤 되면 은애도 얼굴을 향해 침 뱉을 용기까지는 없었다. 의외로 약해지는 자신을 스스로 느꼈다. 은애는 하는 수 없이 미스터 한의 뒤를 따랐다. 어느 사이에 둘은 나란히 걷고 있었다.

아는 사람과 마주칠까 봐 은애는 걱정되었다. 아무 근거 없는 소문이 퍼지기 쉬운 세상눈이 두렵기도 해서 가끔 뒤로 쳐지려고 해도, 어느 틈엔가 미스터 한은 옆에 와서 어깨가 맞닿을 정도로 나란히 서서 걷고 있었다. 남 보기에는 어울리는 애인끼리인 것처럼 보일지도 모른다는 어처구니없는 생각도 해 보았다. 그사이에 그만큼 마음에 조금씩 여유가 생겨진 탓일까…….

대체 얼마 만인가……, 성하가 떠나기 전날 밤 서로 몸을 비비댈 정도로 꼭 끼고 거리를 걸어 본 후, 남자와 함께 대로를 걷기란 처음이 아닌가. 잠자던 가슴에 불을 질러 놓은 것같이 속이 화끈거렸다. 그것은 비단 성하에 대한 끓는 듯한 추억에서만 그런 것은 아닌 것 같았다. 시간의 흐름에 따라 성하에 대한 애타는 심정도 엷어져 가고 있음에 틀림없었다. 은애는 변해 가는 자신의 마음속에 짙은 가책감을 느꼈다.

"양식으로 할까, 왜식으로 할까?"

은애는 줄달음치고 있는 자신의 생각을 중단시키며, 자기를 바라보는 미스터 한 쪽으로 눈을 돌렸다.

"글쎄, 좋두룩 하세요."

자기로 생각해도 김빠진 대답만 같았다.

은애는 미스터 한의 뒤를 따라 경양식 집으로 들어갔다.

미스터 한이 먼저 권하는 물수건으로 손을 훔쳤다. 한 달 이상 남의 접대만 해 오다가 자신이 접대를 받는 위치에 놓이고 보니 이상한 생각이 없지 않았다.

"무어 하나 골라요."

보이가 들고 온 메뉴를 은애 앞으로 내어 밀며 미스터 한은 상대방의 의사를 타진했다.

"아무 거나 하지요."

"이거 참, 미스를 모시기는 어렵군. 좋두룩이 아니면 아무 거나로 잡아떼니, 맘속을 알 수 있어야지."

미스터 한은 역시 얼굴에 악의 없는 웃음을 빙그레 띠웠다. 비어홀에서 직업의식으로 만날 때보다 이날의 미스터 한은 더 부드러운 인상을 주는 것만 같게 은애에게는 느껴졌다.

미스터 한이 자의로 적당히 청해 온 치킨을 앞에 놓고도, 은애는 복잡한 머리 탓인지 바로 식욕이 나지 않아 먹는 둥 마는 둥 하고 포크를 놓고 말았다.

"좀, 더 하시지."

"많이 먹었어요."

허례적인 인사가 아니라, 은애는 스스로 자신을 자꾸만 속여 가고 있는 것이라고 느껴졌다.

"그럼 내가 실례할까……."

미스터 한은 자기 몫을 다 끝내고 나서 은애의 접시에 남아 있는 닭다리를 그대로 들어다간 꺼림없이 처리하여 버리는 것이 아닌가…….

은애는 자기가 먹던 것을 그대로 들어다 먹는 미스터 한을 보고 순간 얼굴이 붉어졌으나, 다른 면에선 호의가 가기도 했다.

"남의 이름까지 알았으니, 인제 내 이름도 정식으로 알리는 것이 예절이겠지……."

음식을 끝내고 난 미스터 한은 호주머니에서 명함 한 장을 끄집어내어 은애 앞에 놓았다.

'빅토리 상사 韓植'

무슨 외국 무역 회사의 대리점 같은 인상이라고 생각하며 은애는 물끄러미 명함을 들여다보았다.

"일선 지대에서 사업이라고 좀 하구 있어요."

거칠게만 보이던 그가 이런 때에는 퍽 소박하게 느껴졌다.

아무 말 없이 듣고만 있던 인애는, 첫날밤 미숙이가 일선에서 군수품 장살 하는 사람들이라던 말을 기억 속에서 더듬었다.

"일선이면 어딘데요?"

은애는 일선 지대라는 말에서 성하의 죽음을 연상시켜 오싹 하는 기분을 누르며 호기심에 찬 눈동자를 깜박였다.

"저, 판문점 가는 데 있어요."

전쟁, 휴전선, 지뢰 폭발, 걷잡을 수 없는 상념들이 휘몰려 왔다.

얼마 후 둘은 자리에서 일어났다.

저녁에 홀에 나온 은애는 '손님이요'하는 소리가 들릴 때마다 입구 쪽에 눈이 갔다. 혹시나 한식이 들어오지 않는가 하는 생각에서였다. 그러나 한식은 거의 끝날 시간이 되어도 나타나지 않았다. 왜 이렇게 기다려질까 하고 은애는 자신에게 의아의 눈길을 돌려 보았다. 그러나 이렇다 할 명확한 이유는 없었다. 다만 낮의 일에 대한 미안감이 그대로 삭여지지 않기 때문인 것만 같았다.

낮의 일은 아무리 생각해도 석연해지지 않았다. 극장에서 옆자리를 비워 놓고 그렇게 만나게끔 트릭을 꾸민 것이 언짢기는 했지만, 속았다는 생각은 가셔지고 오히려 스릴을 느낄 정도로 자연스러운 경로였다고 선의적인 해석이 가기도 했다.

그러나 음식점에서 일어서려는 때의 끝 장면은 확실히 꺼림칙했다. 자기가 그렇게 뿌리치려해도 기어코 호주머니에 집어넣다 못해, 끝내는 원피스 앞쪽 가슴속으로 집어넣고야 만 그 돈 봉투의 일이었다. 그 속에 들어간 것은 졸연간에 끄집어내는 수가 없었다.

직장에서는 서비스의 대가로 받는 것이니 많던 작던 간에 노동의 보수로 응당 받아야 할 것이지만, 이유 없이 주는 돈이란 도무지 납득이 가지 않았다.

자기의 몰골이 그렇게까지 초라했던 것일까, 간단한 옷 한 벌이라도 해 입으라고 하며 내주었으니…… 꼭 동정을 받는 것 같은 굴욕감이 겹처 와 좀체 떨쳐 버려지지 않았다.

만약 홀에서의 팁으로 그만 돈을 더 덧붙여 주었다면 그것대로 순순히, 그리고 떳떳이 받았을 것이 아닌가 하는 호의적인 해석도 해 보았다. 그대로 받아 둘까 하면서도 도무지 개운하지 않아 망설였다. 도로 돌린다면 어떻게 될까, 그러나 그것도 상대에 대한 실례가 될 것 같았다. 아무든 미스터 한을 꼭 만나야만 결말이 석연하게 풀려질 것만 같았다.

그러나 한식과 단둘이서만 홀 밖에서 만난 낮의 일이, 그것이 본의 아니게 저질러진 경우라 할지라도, 미숙에게 대하여 무슨 죄라도 지은 것 같아 떳떳하게 그를 대할 수조차 없는 기분이었다. 더욱이 미스터 한의 단골이 은애에게로 옮겨져도 아무 표정도 나타내지 않는 미숙이기에, 은애는 미숙이와 눈이 마주칠 때마다 도둑질이라도 하다가 들킨 것 같은 자책감을 금할 길 없었다.

"너 오늘도 양재학원에 갔었니?"

옆으로 스치며 미숙이 물었다.

"응……."

은애는 얼굴을 바로 돌리지 못하고 건숭 대답을 했다.

곧 뒤이어 명자가 앞으로 다가왔다.

"너 오늘 왜 학원에 안 나왔니?"

선뜻 대답을 하지 못하고 은애는 미숙이가 저쪽으로 옮겨 간 것을 보고야 입을 열었다.

"집에 좀 일이 있어서……."

"그래, 한 번이라도 쉬면 그만큼 뒤떨어지는데……."

은애는 내심의 괴로움을 억누르며 어물어물하는 수밖에 없었다.

사실은 한식의 점심 권유를 완강히 거부하고 정한 시간에 양재학원에 갔어야만 했을 것이었다. 그러나 당황하여 제정신을 똑바로 차리지 못한 그때는 학원 시간을 잊고 있었던 것이다. 한식과 허둥지둥 헤어지고 나서야 이미 시간이 지난 것을 깨닫고, 그 길로 내처 홀에 나왔었다. 그러고 보니 지금 자기 대답은 터무니없는 거짓말이었다. 은애는 아까 한식과도 속에 없는 거짓 대답을 몇 번이나 했는지 모른다고 생각되었다.

세상살이에 숙달되어 가고 요령이 생긴다는 것은, 그만큼 남을 속이고 자기 자신을 속이면서까지, 진실보다 허위를 가장해 가는 것이 아닌가 하고 은애는 자신을 뉘우쳐 보기도 했다.

집에 돌아오니 어머니는 뜰에 나와 서 있었다. 전에 없던 일이었다. 무슨 일이 생겼나 하고 은애의 마음속은 불안해졌다. 밤중에 밖에 나와 서 있을 정도로 어머니의 건강이 좋아진 것은 아니었다.

"너, 인제 오니?"

어머니의 말소리는 떨렸다.

"은호가 차에 다쳤단다."

"응?"

"다리를 다쳐서 병원에 입원했다고 파출소에서 소식이 왔다."

어머니는 눈물이 글썽해 있었다.

은애는 앞이 캄캄해 왔다. 아찔하여 어찌할 바를 몰랐다. 꼭 대낮부터 극장이니 음식점이니 하고 싸돌아다닌 자기 잘못의 탓으로만 느껴졌다. 어안이 벙벙해 말이 나오지 않았다.

"어느 병원에?"

"적십자 병원이라고 하더라."

참말 은호도 은심이도 보이지 않았다.

어머니는 기침을 쿨룩거리며 목이 막혀 울음소리도 제대로 내지 못했다.

"어머니, 나 병원으로 갈게요."

은애는 선 자리에서 돌아섰다. 다리가 떨려서 제대로 걸을 수 없었다. 넘어져 뒹굴며 언덕길을 내려갔다. 앞에 선 장막이 또 한 겹 두텁게 가로

막힌 것만 같았다. 그는 초조한 가슴을 안고 실신한 것처럼 허둥대며 정류장 쪽으로 뛰었다.

"제발 죽지만 말았으면……."

은애는 헐떡이며 차에 올라탔다.

"하나님, 제발 우리 은호를 살려 주세요."

언제 단 한 번이라도 마음속으로 이렇게 불러 본 일이 있었던가. 그것이 지푸라기라도 붙잡고 싶은 절박한 단계에 다다르자 저도 모르게 입속에서 중얼거려졌다.

그는 실신한 양 맥 풀린 몸뚱이를 내던지듯이 창가에 의지하고 눈을 감았다. 방금 숨을 거두어 가는 은호의 모습이 아른거렸다. 이날따라 합승차는 왜 이다지도 느리고 오래 정거하는 것인가 하는 조바심이 거듭 가슴을 조여 왔다. 그사이에 무슨 사태가 일어난 것만 같이 불길한 예감만이 앞을 가로 막았다.

무엇인가 홀연히 나타날 것만 같은 행운의 기적을 바라던 심정, 그렇잖으면 부딪쳐 오는 운명을 자기의 힘으로 전환시키려던 의지, 그러한 것이 일시에 천길 나락으로 굴러 떨어지는 것 같은, 자기 이외의 모든 것에서 절연되는 배신감이 물결쳐 왔다. 스스로의 힘이 견디고 버틸 수 있는 최후의 선에서 버둥거리고 있는 자신에게, 더 가혹한 중압이 거듭 퍼부어지고 있는 것만 같았다.

조금만 부축해 주는 가느다란 힘의 밑받침이라도 있으면 낭떠러지에 직면한 현재의 위치에서 헤어날 수 있을 것 같으면서, 다시 숨 돌릴 여유를 주지 않고 현실은 자신에게만 심술궂게 더욱 매질해 오는 것만 같기도 했다.

차속에서 어떤 사람들이 오르고 내렸는지, 그들이 초췌한 자기의 몰골을 어떻게 보고 있었는지, 그런 것엔 눈여길 마음의 여유도 없이 혼자만의 생각에 골몰하다가 서대문 로터리에서 차를 내렸다.

병원으로 걸어가는 발걸음은 초조하고 다급하기만 했다.

이미 숨이 끊어졌을지도 모를 핏기 없는 은호의 얼굴 위에 창백한 어머니의 모습이 겹쳐 떠올랐다.

은애 자신이 남자였더라면 얼마나 좋았겠느냐고 노 푸념거리로 하는 어머니, 그 어머니의 삶의 의욕은 아들인 은호의 성장을 기다리는 보람에 의지하고 있는지도 몰랐다. 그 은호가 지금 생사의 갈림길에 놓여 있는 것이다. 병원 건물의 흰 바탕 위에 움직일 줄 모르는 희멀건 눈동자의 은호의 얼굴이 확대되어 퍼져 갔다.

은애는 떨리는 손으로 노크하며 응급 치료실의 도어를 열었다. 은심이 눈물 자국이 번들번들한 얼굴로 은애 앞으로 다가오며 와락 울음을 터뜨렸다.

수술은 이미 끝났다. 그러나 의식은 아직 회복되지 않았다. 머리를 거즈로 싸매고 침대에 사각이 묶이어 누워 있는 은호는, 거친 숨소리에 간간이 신음 소리를 섞으며 몸뚱이를 비틀고 있었다. 허벅다리에서 정강이까지 감겨 있는 붕대엔 핏자국이 뻘겋게 번져 스며나오고 있었다. 간호원 한 사람이 환자의 경과를 지키고 있을 뿐 의사는 보이지 않았다.

위쪽 다리 관절이 절골되고 뼈가 좀 바스러진 것은 수술한 경과를 봐야 알겠지만, 뇌진탕의 우려가 있으므로, 그것은 몇 시간 더 지나야 증상을 정확히 알 수 있겠다는 간호원의 말을 들으면서, 은애는 넋 잃은 양 은호의 핏기 없는 얼굴만을 들여다보았다.

공중에 매어 달린 병에서 한 방울씩 떨어져 팔목의 혈관으로 흘러 들어가는 링거주사, 콧구멍에 고무줄을 꽂아 놓고 주입하는 산소 호흡, 은애는 아찔하는 현기증에 침대 모서리를 붙잡고야 말았다.

"원래 응급실엔 아무도 들여 놓지 않기로 되어 있어요. 선생님이 오시기 전에 위의 병실에 가 대기하고 계세요."

"어떻게 목숨만이라도……."

"그것도 선생님이 오셔야 알겠어요."

간호원의 지극히 사무적인 말투가 야속하기도 했지만, 은호의 신음하는 모습을 그대로 서서 바라보고 있기엔 너무나 괴로워 은애는 은심과 함께 응급실을 나왔다. 그제야 막혔던 울음이 왈칵 터져 나와 억제할 길이 없었다. 흐느끼며 도어 앞 복도에 한참 동안 멍하니 섰으나 앞은 꽉 막혀 올 뿐이었다

통행금지 마지막 사이렌 소리가 들려왔다. 이젠 어머니에게 우선 그간의 소식을 알리려도 방법이 없다. 아마 어머니는 밤새 뜰에 나와 그대로 새고 있을지도 모른다.

만약 은호가 의식을 완전히 회복하지 못하고 이대로 죽어 간다면, 숨이 끊어지기 전에 꼭 한 번만이라도 어머니가 보아야만 하지 않을까……. 그러나 어머니 자신이 병원으로 오기에는 자기 몸조차 지탱하지 못하고 있지 않은가…….

병동의 복도는 짓눌리듯이 무겁기만 했다.

은애는 안타까운 심정을 억누를 수 없어 간호원의 눈치를 살피며 몇 번이고 응급실로 들어가 보았지만, 은호의 사지를 뻗은 자세나 거친 호흡에는 아무 변동도 없는 것만 같았다. 오히려 점점 더 괴로워 신음하는 것만 같게 느껴진다.

"더 괴로워하는 것은 의식이 조금씩 살아오는 징조인지 몰라요……."

졸음을 참느라고 하품을 지으며 예사롭게 중얼거리는 간호원의 푸념도, 딱한 꼴을 보다 못해 적당히 위로하는 말로밖에 들리지 않았다.

은애는 출입문을 살며시 열고 병동 밖으로 나왔다. 자정 지난 밤공기가 훨씬 서늘했다. 땀 배인 이마가 선득해 왔다. 가로등 불빛 속에 그림자곤 하나 없는 밤거리, 주위는 태고 속에 가라앉은 듯 고요했다. 이따금 울타리 밖 아스팔트 위로 과속도의 지프차 헤드라이트가 헤살짓고 달

아날 뿐이었다.

하늘엔 별빛이 선명했다. 은하수가 유난히 두드러져 보였다. 남산의 빨간 신호등이 허공에 매어 달려 졸고 있는 것만 같았다. 이 호젓한 공간 속에 자기 혼자만이 외톨로 던져져 있는 것만 같은 외로움이 물결쳐 왔다. 갈 곳도 의지할 사람도 없는 호젓한 고독 속에서, 가슴속엔 불길한 앞일에 대한 충격이 간헐적으로 반복되기만 했다.

병실에 돌아오니 은심은 침대에 걸터 쓰러진 대로 졸고 있다가, 문 여는 소리에 문득 눈을 떴다가는 다시 잠에 몰리는 듯 했다.

은애도 침대에 걸터앉아 끝없는 생각이 되풀이하다가 깜빡 잠이 들어 버렸다.

은애는 꿈결에 소스라쳐 눈을 떴다. 그사이에 지레 잠들어 버린 자신을 나무라듯이 눈을 비비며 병실을 나왔다. 깊은 잠에 떨어져 있는 은심을 바라보는 눈동자엔 가여운 심정만이 깃들었다.

은애는 그 뒤의 경과에 궁금증을 느끼며 발소리를 죽여 응급실에 들어섰다.

간호원은 테이블 위에 팔베개를 한 채로 잠들고 있었다. 환자가 갑자기 크게 신음하는 소리에 놀라 눈을 뜬 간호원은, 옆에 서 있는 은애를 보자 멋쩍은 표정으로 자리에서 일어서며 링거의 고무줄 핀을 조정했다.

"숙직 선생님이 다녀갔어요. 조금씩 의식이 회복된다나 봐요."

그 소리를 들으면서도 은애는 어느 정도까지가 확실성 있는 이야긴지 식별할 수 없어 긴장된 마음은 도무지 풀려지지 않았다.

그러나 자기로서는 별도리가 없었다. 이대로 은호를 남에게 맡겨 둔 채 그 결과를 기다리는 수밖에 없는 노릇이었다.

통행금지 해제 사이렌이 울리기에 은애는 병실로 돌아왔다. 자동차의 질주하는 소리가 거리의 정적을 깨뜨리고 병동의 유리창에까지 파문을 던져 왔다.

은애는 아직도 곯아 떨어져 있는 은심을 흔들어 깨웠다.

"너 인제 집으로 가. 은호가 좀 괜찮다구 어머니께 여쭙구, 아침을 해 드려……."

"정말 괜찮대?"

"응."

"아주 살아났어?"

"아니, 조금씩 의식이 회복된다나 봐……."

은심을 집으로 돌려보내고 난 다음 은애는 다시 응급실에 들렀다. 그러나 그사이에 갑자기 은호의 경과에 별다른 차이를 발견할 수는 없었다. 창문이 환히 밝아 오고, 거리엔 웅성거리는 소음이 퍼져 오기 시작했다.

한잠도 제대로 이루지 못한 은애는 머리가 무거워 견딜 수 없었다. 가슴속이 쓰려 옴을 느꼈다. 그제서야 어젯밤 저녁도 먹지 않고 밤새 조바심 속에 샌 것이 생각났다. 아무튼 은호만 살아 준다면, 며칠을 잠을 안 자고 굶어도 그런 건 어떻게든 견디어 낼 것 같기 만한 심정이었다.

그런데 은호는 어디서 어떻게 잘못해서 차에 치인 것일까, 그것이 몹시 궁금해졌다. 대체 어떤 차에 치었단 말인가. 경찰 백차가 병원으로 실어 왔다는 간호원의 이야기만으론 도무지 그 경로를 알 길이 없었다.

은애는 신문을 한아름씩 옆에 끼고 사람들 사이를 부딪쳐 누비며 찻길을 건너뛰는 소년들을 볼 때마다 아슬아슬하게 느껴지던 그 불안감을 새삼 다시 되새겨 보는 것이다. 꼭 언젠가는 은호가 당할지도 모를 것 같던 그 불안감이 지금 이렇게 적중되고 있지 않은가. 대체 은호가 잘못했단 말인가, 그렇잖으면 자동차의 과실인가…….

그것도 은호의 의식이 완전히 회복되어 그의 입에서 정확하게 들어야만 할 것 같았다. 은애는 앞으로 지불해야 할 병원 치료비에 연결시켜 이런 생각에 몰려갔다.

아무튼 닥치는 일마다 액운은 빗겨낼 도리가 없는 것만 같았다. 그 많은 군대 속에서 하필이면 지뢰 사고가 성하의 죽음으로 맞서고 개미떼같이 쏟아져 나오는 신문 배달 중에서 차사고가 은호에게 걸릴 것은 무엇일까……. 어떤 뚜렷한 대상이 없이 막연히 저주스럽기만 했다.

가장 선하고 진실하게 살려고 애를 빡빡 써 온 자기 식구들에게, 이 고역의 업보가 굳이 되풀이돼야 할 이유가 대체 어디 있단 말인가……. 그는 길다란 한숨을 내쉬며 멍청히 유리창 밖을 내다보았다. 자기마저 기진해 이대로 쓰러져 버리지 않을까 그것만이 두려웠다.

밝아 오는 아침을 안고 사람들의 무리는 다시 험상궂고 적의에 찬 모습으로 가로를 아우성 속에 메워 가고 있는 것만 같게 느껴질 뿐이었다.

담당 의사의 아침 회진이 시작되었다. 은애는 응급실 복도에서 졸이는 마음을 부둥켜안고 그 결과의 선언만을 초조하게 기다리고 있었다. 시간의 흐름이 지루하게만 느껴졌다. 진료 기구의 맞부딪는 금속성에 겹쳐 어렴풋한 말소리가 새어 나올 뿐이었다.

은애는 견디다 못해 도어의 핸들을 살그미 돌렸다. 문을 가늘게 열고 응급실 속을 엿보려는 순간, 막 끝내고 의사와 시선이 마주쳤다. 그는 반사적으로 문을 도로 닫으려다 그대로 내미는 힘에 겨워 뒤로 물러섰다.

"제 동생인데요, 경과가 어떤지요?"

은애는 복도에 나온 의사에게 예절을 차릴 여유도 없이 물어댔다.

"그래요, 뇌진탕이 경미했기에 의외로 경과가 좋아요. 눈을 떴으니 들어가 봐요."

말끝이 떨어지자마자 의사는 벌써 저쪽으로 걸어가고 있었다.

은애는 뛸 듯이 기쁜 심정으로 응급실 안으로 들어섰다.

참말 은호는 눈을 뜨고 있지 않은가. 그러나 그 눈동자는 아직 흐려서 은애를 겨우 알아보는 시늉으로, 묶여 있는 사지를 버둥거렸다. 산소 호흡과 링거주사는 아직도 계속 중이었다.

은애는 은호의 어깨를 만지며 눈물이 핑 돌았다. 병신이 돼도 좋으니 살아 주었으면 하는 심정뿐이었다.

간밤에 한잠도 이루지 못해 짜증겨워 보이던 간호원은 보이지 않고, 다른 사람이 교대되어 거들고 있었다.

"저녁때까지만 산소 호흡을 시키면 의식이 완전히 소생될 거예요. 뇌출혈은 되지 않았다니까."

"그래요?"

은애는 병증세에 대한 전문적인 내용은 잘 모르지만, 다만 경과가 좋다는 것에 비길 바 없는 즐거움이 용솟음쳐 왔다.

"그러나 관절은……."

간호원은 환자의 눈치를 살펴 가며 나직이 말을 이었다.

"완전하기가 아마 힘들 것 같다나 봐요."

"그래요?"

은애는 바로 조금 전까지 병신이 돼도 살아만 주었으면 하던 심정이 갑자기 변해지면서, 동생의 절름거리는 몰골을 연상하자 가슴속이 다시 우울해졌다.

"그저 절골이면 괜찮은데……, 뼈마디가 부서졌나 봐요."

"어쩌면……."

"하지만 이만큼 된 것도 천행이에요. 뇌출혈만 심했으면 소생하기 힘들었을 건데……."

"그래요, 저 나이에 절름발이가 되면……."

"글쎄, 그것도 치료를 다 해 봐야지요, 좀 더 좋아질지도 모르니까요……. 저녁엔 병실로 옮기겠어요."

"고마워요."

"너무 걱정 마세요."

잠이 드는지 눈을 감고 있는 피로한 은호의 얼굴에서 시선을 돌리며,

은애는 도어 쪽으로 서서히 걸어 나왔다.

　은애는 총총걸음으로 병원을 나섰다. 집에 돌아가 걱정하는 어머니에게 좀 더 상세한 소식을 알려야만 할 것 같아서였다. 그뿐만 아니라 은호의 내복을 비롯하여 병실에서 필요한 물건들을 준비해 가지고 와야만 할 것 같기도 했다.

　다리가 휘청거렸다. 머릿속이 흐리멍덩하고 맑게 개인 푸른 하늘이 노랗게 보였다. 세수도 안하고 머리도 가꾸지 않은 자기를 지나가는 사람들이 의아스럽게 보는 것만 같아 곁눈질도 않고 곧장 정류장에 가 차에 올라탔다.

　우선 목숨만은 건져 급한 고비를 넘긴 것 같지만, 부서진 관절이 마음에 켕겨 걱정은 풀리지 않았다. 사지가 편편해도 아귀다툼을 하고 살아가기 힘든 경쟁 속에서, 10전의 절름발이로 대체 어떻게 이 거센 물결을 헤쳐 나갈 수 있단 말인가……. 제발 기적이라도 있어 은호의 다리가 말끔히 제대로 되어 주었으면 하는 심정뿐이었다.

　소아마비로 한 쪽 다리가 가늘어진 소년이나 소녀가 책가방을 한 손에 무겁게 들고, 기우뚱거리며 걸어가는 것을 보며 은애 자신은 어떻게 느꼈던 것인가. 가여운 생각은 순식간이고 흉물이라도 보듯이 눈을 돌리지 않았던가……. 그나 그뿐인가, 의족을 하고 겨드랑이 지팡이에 의지하여 땀을 흘리며 거리를 버티어 가는 상이 군인을 보았을 때, 처절한 전쟁에서의 위대한 공훈을 연상하고 경건한 마음으로 접했던가. 오히려 보기 흉한 것을 보기나 하듯이 외면하고, 왜 여태 살아남아서 저 고생을 하고 옆에 사람에게까지 폐를 끼치는 성가신 존재로 허덕이는가 하고 생각하지 않았던가…….

　이제 그것이 자기 옆 바로 피붙이에서 일어나고 있지 않은가. 아니 자기 발등에 그대로 불덩이가 떨어진 거나 매한가지로만 느껴졌다. 은호의 창창한 앞길이 그 하나의 사실로 완전히 종식된 것만 같게 여겨졌다.

설사 생명은 구출했다 할지라도 어머니의 낙망은 끝이 없을 것만 같았다. 어머니는 이제부터 대체 무슨 희망으로 살아가신단 말인가……. 깜깜한 밤하늘에 단 하나의 별을 바라보며 살아 온 어머니가, 그 별이 떨어진 암흑 속으로 실신하여 방황하고 있는 모습이 역력하게 눈앞을 스쳐 갔다. 무슨 요행이나 기적을 바랄 수 있단 말인가……. 이제 모든 것은 그것으로 끝나 버린 것만 같았다.

"어머니, 은호가 살아났어요."

"아주 정신을 차렸니?"

"네……."

자식들에게는 눈물을 보이지 않으려고 움푹 패인 눈이 애써 태연해지는 어머니를 바라보며 은애 쪽에서 오히려 견딜 수 없어 얼굴을 떨구었다.

"다리는 어떻게 됐니?"

"괜찮아요……."

은애는 억지로 꾸며대면서도 그 이상 그 자리에 머무를 수 없어 자기 방으로 들어오고 말았다.

어머니의 기침 소리가 자지러지게 계속되고 있었다. 아마도 어제 저녁 한데서 밤을 새며 몸을 차게 한 때문이라고 생각하며, 은애는 입술을 깨물어 가슴속의 설움을 삼켜 갔다.

은호의 내복이며 세면 용구를 차려 넣으면서도, 은애는 어머니와 마주 앉아 솔직하게 병원에서 본 실상을 그대로 토로할 수가 없었다. 경과를 기다릴 수밖에 없다는 막연한 기대를 걸어 보기도 하나, 마음속은 여전히 어둡기만 했다.

"너, 은심이 못 만났니?"

옆방에서 울려 나오는 어머니의 목소리였다.

"못 만났어요."

"그럼 서로 어긋났구나, 병원엘 간다고 나갔는데……."

"떠난 지 오랬어요?"

"아침 설거지를 하고 곧장"

은애는 좀 더 앉아 기다렸다면 하는 생각도 없지 않았다. 그러나 자기 입으로 직접 어머니에게 결과를 이야기하지 않고는 마음이 놓이지 않을 것만 같아 떠나 온 걸음이었다.

두 끼나 아무 것도 먹지 않고 설쳤지만 식시를 놓친 탓인지 시장기가 느껴지지 않았다. 어머니의 강권에 못 이겨 밥상을 차려 놓고도 건숭 몇 숟갈 뜨는 둥 마는 둥 하고 상을 물렸다.

"너, 어제 저녁도 안 먹었을 텐데……."

"먹었어요."

어머니를 맞바로 쳐다보지도 못하고 거짓 대꾸하면서 은애는 자리를 일어섰다.

"저, 곧 병원으로 가야겠어요."

"응, 그런데 그 치료비는 어떻게 된다든?"

"그것도 오늘 가 봐야겠어요. 경찰차가 다친 은호를 실어 왔다면서 아직 돈 이야긴 없었어요."

"그럼 경찰차에 치었다던?"

"그것도 아직 밝혀지지 않았나 봐요. 이따 은호에게 물어봐야 자세한 걸 알겠어요."

집을 나오면서 은애는 어제 미스터 한이 옷이라도 해 입으라고 억지로 남기고 간 돈을 생각했다. 아쉬운 대로 우선 병실에서의 치다꺼리에 그 돈을 쓴다 쳐도, 수술비니 약값이니 하는 것은 도저히 감당해 낼 도리가 없었다. 병원측에서 아직 치료비에 대해서 아무 말도 꺼내지 않는 것을 보면, 교통사고에 관계되는 경찰측의 무슨 지시라도 있은 것만 같다는 짐작뿐이었다.

아무리 이를 악물고 버티어도 닥치는 일마다 곰곰치 않았다. 이제는 사태가 변해가는 대로 따라가는 수밖에 없었다. 억지로 버둥거려 봐야 소용이 없는 바에야, 그대로 체념하고 가지는 대로 밀려 가 보는 수밖에 없는 노릇이었다.

햇살이 따가웠다. 은애는 현기증을 억누르며 언덕바지를 내려와 큰길에 접어들었다. 그사이에 또 은호에게 무슨 일이 생겼는지 모를 일이었다. 다시금 가슴속이 졸여왔다. 그의 걸음은 저도 모르는 사이에 더욱 빨라지고 있었다.

저물녘에야 은호는 병실로 옮겨졌다. 핏기 없는 얼굴에 눈알만은 조금씩 광채를 띠기 시작했다. 묶였던 사지가 풀리고 산소 호흡은 끝났다. 다만 링거만은 병실에서도 계속 주입되고 있었다. 간호부의 부축을 받아 가며 내의도 다른 것으로 갈아 입혔다.

얼마 후 여러 사람의 구둣발 소리와 함께 노크에 뒤이어 병실의 도어가 열렸다. 수술한 의사가 선두에 서고, 경찰관 미군 엠피이 등 여러 사람들이 몰려 왔다. 은애는 당황한 표정으로 이 불의의 손님들을 맞아 어쩔 바를 몰라 어리벙벙하고만 있었다.

"물어도 괜찮을까요?"

통역인 듯한 젊은이는 의사를 힐끗 바라보며 환자 쪽을 턱으로 가리켰다.

"네, 인젠 정신을 완전히 차렸으니까, 흥분만 시키지 않으면 그대로 묻는 정도는 괜찮을 겁니다."

"어디서 다쳤나?"

"을지로 삼가……."

은호는 깡마른 입술을 혀끝으로 축이며 맥없는 목소리로 대답했다. 통역은 은호의 말을 받아 미군 엠피에게 전갈하고 다시 다음 질문을 계속

했다. 수첩에다 무엇인가 기입하며 질문을 보내는 엠피이의 눈은 은호의 얼굴만을 쏘아 보고 있었다.

"몇 시쯤인데?"

"시간은 자세 모르겠지만, 어두컴컴해진 때에요."

"어떤 차라는 것이 기억나나?"

"미군 지프차라는 것밖엔 모르겠어요."

"그때 사정을 자세히 얘기할 수 있어?"

"네, 파랑불이 켜져서 제가 앞에서 막 건너려는데 그대로 차가 지나갔어요."

"파출소에서 뛰어 나갔을 때는 사고차는 벌써 현장에 없었습니다."

옆에서 듣고만 있던 경관이 끼어들었다.

"저도, 멈추지 않고 달아나는 것을 본 기억까지는 흐리게 남아 있어요."

은호는 어깨를 추스려 머리를 들려고 약간 흥분된 어조로 경관의 말에 덧붙였다.

"생명만은 완전히 구출된 것 같습니다."

의사의 대답에 엠피는 머리를 끄덕였다. 이들이 세밀한 조사를 끝내고 나간 다음 간호원이 다시 들어왔다.

"아까 그 도주한 지프차를 찾아냈나 봐요. 병원의 경비는 전부 그 쪽에서 부담하기로 됐대요."

은애는 소리 나지 않게 한숨을 몰아쉬었다. 아직도 그들이 조사하던 때부터 불끈 솟아오르던 적의와 울분은 가라앉질 않았다.

"은호야, 흥분하지 말고 안정해야 돼. 빨리 나아 가지고 퇴원해야지……."

동생에게 조용히 타이르면서도 은애 자신은 가슴속의 분격을 참을 길이 없었다. 누나를 멀거니 쳐다보다 눈을 감아 버리는 은호의 눈언저리는 축축이 젖어 있었다.

취직 후 처음으로 비어홀을 쉬기로 작정한 은애는 밖에 나가 휴지며 과일 등을 사 가지고 돌아왔다.

자기가 직장이라고 출근하기 시작한 이래, 낮에는 동생들이 나가고 밤에는 자기가 늦게 돌아오므로, 긴 시간 같이 마주 앉은 일도 없이 분주히 시달리기만 했다. 그런데 기껏 병원에서 이렇게 오래 곁에 있고 보니 오히려 서글픈 심정이 물결쳐 올 뿐이었다.

은애는 과일을 깎아 한 조각씩 떼어 은호의 입술을 벌리고 밀어 넣어 주었다. 은호는 그것을 받아먹으며 눈을 감거나, 그렇잖으면 떴어도 무표정했다. 동생은 지금 무엇을 생각하고 있을까, 은애는 은호의 머릿속을 상상해 보았다. 자기 자신이 아무리 가슴 아파해도 부상의 당사자인 은호의 심정을 이해할 수는 도저히 없을 것만 같았다. 은호는 지금 자기의 부러진 다리와 인생의 긴 앞날을 연결시켜 쓰라림에 차 있을지도 몰랐다.

그러나 그에게 흥분되거나 마음속에 아픔을 줄 이야기는 한 마디도 끄집어내고 싶진 않았다. 은호 자신뿐만 아니라, 어머니의 보람, 자기의 기대, 아니 온 집안의 희망이 완전히 꺼져 버린 것만 같게 느껴지기만 했다. 은애는 담담한 채 자신을 억누르면서 말없이 은호의 시중만을 들고 있었다.

밤이 짙어가도 은호는 도무지 깊은 잠에 들지 못했다. 조금 눈을 붙였는가 해도 곁에서 바삭 소리만 나면 곧 눈을 다시 뜨곤 했다. 똑바로 누워 운신하지 못하는 등이 배기는지, 연방 꿈틀거리다간 부자유한 다리의 상처에 통증이 와 얼굴을 찡그리며 신음 소리를 연발했다. 오줌 한 번씩 누일 때마다 간호원의 부축을 받으면서도 은애 쪽이 오히려 식은땀을 흘려야 했다.

은애는 지친 몸을 지탱할 수 없어 옆에 있는 간이침대에 비스듬히 기대 누웠다. 은호는 겨우 깊은 잠에 들었나 보았다. 그러나 은애는 도무지 잠이 와 주지 않았다. 갈피를 잡을 수 없는 잡다한 생각들이 꼬리를 물고 밀려 올 뿐이었다.

남들은 방학을 앞두고 산으로 바다로 희망에 부푼 꿈을 그리고 있는데, 자기는 비어홀에 파묻히다 못해, 생전 처음 병원에서 이렇게 시간과 싸워야만 하는 신세.

같이 뛰어 놀던 동창들의 모습. 이제는 한줌 흙으로 화했을 성하. 어머니는 지금쯤 잠들고 계실까, 틀림없이 자기처럼 생각의 실마리를 엮어 가고 있을 것이다. 그리고 그 옆에서 은심이는 들어가도 모르게 코를 골고 있을 것이고……

미숙이, 명자, 그들은 오늘 밤도 비어홀에 나와 손님들의 물결 속을 헤엄치고 있을 것이 아닌가……. 자기는 오늘 처음으로 공을 치는 밤이다. 미스터 한은 오늘 밤에도 나타났을까. 그러나 그 이상은 생각하고 싶지 않았다. 모두가 자기와는 먼 거리에 있는 사람들만 같았다. 자기 옆에는 이렇게 은호가 누워 있고, 그리고 어머니를 비롯한 가족이 있을 뿐이다.

이 모든 것을 훨훨 벗어 버리고 혼자 끝없이 날고만 싶은 충동마저 느꼈다. 그러나 그것은 도무지 있을 성싶지 않은 일만 같았다.

간호원이 와서 약을 먹이고 체온을 재었다. 이 밤의 그의 눈엔 졸린 빛깔이 없이 별빛같이 초롱초롱했다. 봉사 정신이 없이, 먹고 산다는 방편으로서의 직업의식만으로는 도저히 해낼 것 같지 않은 고역으로만 느껴졌다. 병실의 안과 바깥 세계도 고요했다. 자기와 은호의 숨소리만이 들릴 뿐이었다. 분명 아직 둘 다 살아 있다는 뚜렷한 사실을 의식하며, 은애는 그래도 무거운 짐을 헤쳐 나가야만 할 길을 모색해 보았다.

내일 아침엔 또 틀림없이 해가 뜰 것이다. 그러면 이 밤의 암흑은 가시고 그 새로운 밝음과 함께 무엇인가 바라고 따라갈 빛이 비쳐 줄 것이 아닌가……

석고로 깁스를 한 다리가 조여 드는지 은호의 괴로운 신음 소리는 아직 완전히 사라져 주지 않았다. 의사는 수술 경과가 대단히 좋아 큰 걱정

할 것은 없다지만, 그것은 환자나 가족을 안심시키려는 관례적인 말로밖에 은애에게는 들리지 않았다.

하루 결근하고 난 은애는 오늘 밤은 비어홀로 나가야만 하리라고 생각하면서도, 은호를 침대에 혼자 버려두는 것이 어쩐지 마음 놓이지 않았다.

차 사고를 일으킨 쪽에서 병원 치료비를 부담한다지만, 그 밖의 잔돈푼 드는 것까지 청구하는 낯간지러운 짓은 하고 싶지 않았다. 거기에 생활비의 부담을 그들에게 요구할 수는 더욱 없는 일이었다.

완전히 나아진다 해도 은호에게 다시 신문 배달을 시키고 싶진 않았다. 그것을 못하더라도 다만 병신이 되지 않게 제대로 되어 주었으면 하는 심정뿐이었다. 그러나 은호가 벌어들인 금액만큼은 은애의 부담이 가해지는 수밖에 없게 되었다.

은애는 당번 간호부에게만 신신당부하고 은호 몰래 병원을 나왔다. 하룻밤만 쉰 것이 상당히 오래 경과된 것만 같이 느껴졌다.

출근 시간이 좀 지나서 홀 안에 들어서니 분위기가 갑자기 달라진 것만 같게 느껴졌다. 동료들의 유니폼이 일제히 빨간 것으로 바뀌어졌다. 흰 옷은 더운 철에 땀 흘리고 나면 얼룩져 금방 더러움을 탄다기에 며칠 전에 시키는 대로 맞췄지만, 옷 나름으로 얼굴들까지 변한 것만 같게 여겨졌다.

"너, 어젯밤에 왜 안 나왔니?"

미숙이가 먼저 뛰어와 반겨주었다. 그제 저녁의 어색하게 느껴지던 감정은 활짝 씻겨져 버렸다.

"동생이 차에 치었어."

"저런……, 그래 어떻게 됐니?"

"적십자 병원에 입원했어."

"아니, 어쩜, 경과는 좋아?"

"응."

"어제 저녁 미스터 한이 왔다 갔는데……."

손님이 들어오는 통에 미숙은 말을 맺지 못하고 자기 테이블로 돌아갔다. 어깨를 꼭 누르기에 돌아보니 명자였다.

"너, 금방 시작하자 사흘씩이나 계속 쉬면 어떻게 되니?"

그제서야 은애는 북새통에 거의 잊고 있던 양재학원 생각이 떠올랐다.

"처음이 중요한데……."

명자의 걱정은 진심에서 우러나는 어조 그대로였다.

"일이 생겼어."

"무슨 일이, 또?"

"저, 동생이 다쳤어."

"그래? 어쩌다……."

"이따 얘기할게."

은애는 자랑도 아닌 이 얘기를 되풀이해 광고하고는 싶지 않아 어물어물하는데, 마침 자기 테이블에 손님이 왔기에 슬쩍 말머리를 돌려 버렸다.

그러나 한 식구 같이 걱정해 주는 친구들의 마음씨가 고마웠다. 은애는 바쁘게 돌아다니는 사이는 모든 것을 잊은 듯이 일에만 열중하지만, 조금만 서 있는 틈을 타면 침대 위에 누워있는 은호의 신음 소리가 들려오는 것 같아 마음을 안정할 수가 없었다.

머리는 딴 것을 생각하고 손은 제멋대로 놀리다가 손님의 맥주잔이 넘치는 줄도 모르고 테이블 위에 흘려 꾸중을 듣고는 제 정신으로 돌아오기도 했다.

"33번 손님이요……."

조오바 김 씨의 외치는 소리였다.

홀이 파할 무렵 미스터 한이 뚱뚱보 장과 함께 나타났다.

"엊저녁엔 왜 안 나왔어?"

한식은 자리에 앉자 대뜸 질문의 화살을 던졌다.

"갑자기 일이 생겨서요."

"일, 무슨 일?"

"사고가 생겼어요."

"응, 좋은 사람 만났나 보지, 하하하……."

한식은 그 뒤를 웃음으로 흐려 버렸다. 은애는 술을 따르면서도 묵묵히 한식의 농에는 아무 대꾸도 하지 않았다.

"그래 참말 무슨 사고야?"

"아무 것도 아니에요."

"직장까지 쉴 정도라면 이만저만한 중대사가 아닐 텐데……."

이번은 농조가 아니라 훨씬 심각한 표정을 띠며 다그쳐 물었다.

"대체 무슨 일인데?"

"동생이 입원했어요."

"저런, 무슨 병으로?"

한식은 들었던 잔을 쭉 비우고는 미스터 장에게 권하며 거듭 추궁해 왔다.

은애는 알리지 않고 적당히 얼버무려 버리려고 했으나 그대로 회피해 내는 도리가 없었다.

"교통사고예요."

"그럼 중태겠는데……."

"네……."

"그거 큰일 날 뻔 했군……, 그래 대체 어딜 다쳤단 말야?"

"다리에 부상을 입었어요."

"하하……, 어느 병원에?"

"적십자 병원이에요."

"그것, 참……."

한식은 자기 일이라도 되는 듯이 걱정 어린 낯빛으로 마음을 기울이고 있었다.

은애는 다른 손님이 왔기에 그 앞에서 옮겨 섰다. 혼자 힘으로 어쩔 수 없이 괴로움에 허덕이는 자기에게 누구든 걱정해 주는 따뜻한 심정에 접할 때마다 가슴속에 고마운 생각이 깃들어 옴을 느꼈다.

시간 전에 남보다 좀 일찍 퇴근해 병원으로 갈까 하고 망설이다가는, 다른 손님이 엇갈려 들어와서 그대로 떠날 수가 없었다.

오늘 밤까지만 은호의 곁에 있고 나오지 않았다면 하는 후회가 없는 바도 아니지만, 호주머니에 들어오는 팁을 계산해 보면 나오기를 잘 했다는 생각이 그 뉘우침을 금방 씻어 버리기도 했다. 은애는 손님들이 계산을 치르는 것을 기다려 미숙에게만 알리고 재빨리 홀을 나왔다.

미스터 한이 가는 길이라면서 택시에 태워 주기에 그대로 병원 앞에서 내렸다.

밤 시간이라서 후에 다시 병원으로 찾아오겠다는 한식의 말을 되새기며, 은애는 병원 앞에서 오렌지를 사가지고 병동에 들어섰다.

은호는 잠들지 않고 눈을 뜬 채로 가만히 누워 있었다. 은심이 다녀갔다면서 그사이 있은 일들을 이야기하는 품이 훨씬 기분이 호전된 것 같았다. 창백하던 얼굴에도 어느 정도 핏기가 돌아 불그레했다.

"누나, 나 이러다 절름발이가 되지 않을까?"

지금까지는 의사나 간호원의 대화를 들어도 아무 반응도 나타내지 않던 은호의 입에서 의외의 말이 새어 나옴을 듣고 은애는 가슴이 뭉클해 왔다.

그런 생각을 할 겨를도 없이 아픔에 시달려 몸둘바를 모르던 그가, 차츰 회복됨에 따라 마음의 여유가 생긴 탓이라고 은애에겐 생각되었다.

"의사 선생님께서, 경과가 아주 순조롭다는데두……."

"하지만 암만해도 병신이 될 것 같아."

"얘, 그런 소리 하지마, 다 나아 봐야 알지."

"절름발이 되면 난 죽어 버릴 테야."

은애도 방망이로 머리통을 얻어맞은 것같이 앞이 아찔했다. 역시 은호는 그간의 이야기들을 모조리 들으면서 아무 반응도 나타내지 않은 것이라는 생각이 겹쳐 왔다. 은호의 이 한마디는 참말 그대로 흘려버릴 수 없는 공포감으로 자신을 휩싸 오는 것을 절실하게 느끼게 했다.

"글쎄, 흥분하지 말고 치료만 잘하면 아주 완전히 된다는데두."

"참말 그럴까?"

"그러찮구……."

"하지만, 병신이 돼서 절룩거리면 살아서 뭘해."

"은호야……, 그런 소린 그만두구 잠이나 자."

"응."

은호는 대답인지 신음인지 모를 길다란 외마디 소리를 지르며 눈을 감아 버렸다.

은애는 마음속이 더욱 헷갈려 안정해 낼 수가 없었다.

참말 은호가 병신이 된다면 어떻게 될 것인가……. 소름이 끼쳐 그 이상은 더 생각하고 싶지 않았다. 그러나 한참만 가만히 있으면 또 그 생각이 한데 몰려오기만 했다. 절룩거리며 포도를 걸어가는 은호……. 그것은 차마 눈을 뜨고 그대로 보고 있을 순 없는 비극으로만 느껴져다.

은호가 그사이에 잠이 들었는지 움직이지 않고 숨소리만 높아져 갔다.

이제부터의 격심한 경쟁 속에서 남들과 떳떳이 맞서서, 절름발이가 할 수 있는 일이란 대체 무엇일까……. 성한 사람까지도 몸 둘 곳이 없어 허덕이고 있는데…….

은애는 머릿속의 잡념을 몰아내려고 애쓰면서도 말려오는 헝클어진 생각에 휩싸여 어쩔 바를 몰라 몸부림쳤다.

행여 무슨 방법이 서겠지……. 아니, 아주 본래의 은호대로 완쾌될 수도 있지 않을까 하는 요행과 기적을 꿈꾸면서 밤의 정적 속으로 침몰해 가고 있었다.

제4장

은호의 간호로 병원에 파묻혀 있는 사이에 양재학원도 흐지부지되고 말았다. 퇴원이나 하면 다시 시작할까 하고 은애는 마음속으로 다짐해 왔다. 그사이 한식은 여러 번 찾아와서 아쉬운 일들을 거들어 주었다. 외로운 자신에게 고맙게 느껴지는 대상이면서, 마음의 부채가 자꾸만 쌓여지는 것만 같은 중압감을 이겨 낼 수가 없었다.

휘몰리고 쫓기는 속에서 시간은 재빠르게 흘러가기만 했다.

오늘은 은호가 퇴원하는 날이다. 은애는 아침 일찍부터 퇴원 수속을 비롯한 뒤치다꺼리를 하느라고 몇 번이나 바쁜 걸음으로 병동의 계단을 오르내려야만 했다.

마음속은 한 가닥 불안이 빗기면서도 한결 가벼웠다. 은호가 병원을 떠난다는 것, 살아서 집으로 돌아갈 수 있다는 것, 그것만으로도 우선 안도의 숨길을 돌릴 수 있는 것만 같았다.

벌써 며칠 전부터 퇴원하자고 졸라대던 은호였다. 그도 달포나 처박힌 병실에 인제 신물이 난 모양이었다. 병원 전용의 잠옷을 벗어 버리고 학생복으로 갈아입은 은호는 아침부터 신명이 나 했다. 그는 겨드랑이에 지팡이를 짚고 병실로 왔다갔다 하다가는, 그것을 침대에 세워 놓고는 맨몸으로 살그미 발을 떼어 보기도 했다. 약간 절뚝거리는 걸음걸이를 바라보던 은애는 측은한 생각이 앞질러 눈길이 흐려졌다.

"얘, 선생님이 아직 무리를 하지 말라구 그러시지 않든?"

"누나, 지팡이 없이 걸어도 괜찮을 것 같애……."

은호는 히죽이 웃음을 띠우며 은애를 쳐다보았다.

"얘, 그래두 아직 조심해야지."

"괜찮아."

"괜찮기는……."

은애는 은호를 부축해 침대에 갖다 앉히며 혼잣소리처럼 뇌까렸다.

'지금은 약간 절룩거리지만 앞으로 이삼 개월 지나면 아주 제대로 될지도 모르니까, 그때까지 무리를 하지 말고 잘 조섭을 해야 해요. 특히 뛰거나 해서 충격을 주면 안 돼요.'

전날 의사가 퇴원해도 좋다고 하면서 덧붙이던 말을 은애는 되새기고 있었다. 말짱하게 나아서 본래의 은호대로 뛰어 다닐 수 있었으면 하는 심정뿐이었다.

오랜 구속에서 벗어나는 것만 같은 해방감을 느끼면서 은애는 병실을 나왔다. 은호의 팔을 끼고 천천히 복도를 걸으면서도, 묵묵히 그러나 조심조심 발을 옮기는 동생의 옆모습을 바라보며 엷은 안개가 서린 것만 같은 앞날을 더듬어 보았다. 유리창으로 들이비치는 화사한 여름 햇볕에 비해 자기 마음속은 너무도 어둡기만 했다.

떠나는 인사를 드리려 주치의를 찾았다.

"예상 외로 경과가 좋아 퇴원하게 됐으니 당분간 특별히 조심해요. 이제부터는 자신의 조리에 달렸으니까……."

의사는 어저께의 주의를 되풀이하며 은호의 어깨를 가볍게 두들겨 주었다.

"선생님, 감사합니다. 덕분에 퇴원하게 됐어요."

은애는 진심에서 우러나는 고마운 뜻을 표했다.

"다 운수가 사나워서 그렇게 된 건데……, 너무 실망하지 말고 계속 조섭을 해요. 아주 호전될 가망도 없는 건 아니니까."

인사를 하고 병원을 나오면서도 은애는 은호가 아주 성한 사람이 되리라는 희망은 자꾸 엷어져 감을 느꼈다. 머리칼 하나 차로 이미 죽었을지도 모를 위기에서 간신히 벗어났다는 것만으로 자위하는 수밖에 없다는 심정이기도 했다.

차를 불러 은호를 태우고 옆에 나란히 앉았다.

"누나, 그새 거리가 많이 변한 것 같아……."

"그래, 한 달이 넘었으니까."

"가로수도, 사람들의 옷차림도……."

신문을 옆에 끼고 흩어져 뛰는 소년들이 차가 질주하는 한길을 아슬아슬 가로 질러 내달리고 있었다. 은애는 아찔함을 느끼며 눈을 감았다. 병원 속에서 치르고 난 일들이 한꺼번에 뒤범벅이 되어 밀려오는 환상 속에서 심장은 거세게 뛰기만 했다.

지금 저 광경을 은호는 어떠한 심정으로 보고 있을 것인가. 은애는 눈을 떠 옆으로 은호의 눈길을 훑어보았다. 그러나 은호는 묵묵한 표정 속에 앞쪽만을 내다보고 있었다. 지금 은호는 무엇을 생각하고 있을까……. 차라리 모든 것을 씻어버린 체념 속에서 아무 생각도 없이 담담히 앞만을 보고 있는 것일까. 그렇잖으면 치열한 전투에서 생사의 고비를 겪으며 총탄을 맞고도, 살아 돌아온 병사마냥 일체를 달관하고 있는 것일까.

은애는 자기 어깨를 내려 누르는 무거운 짐의 부담을 거듭 느끼면서, 닥쳐 올 앞일을 헤쳐 나갈 자신을 매질하면서도, 숨 가쁘게 밀려오는 주위의 압력을 거듭 거세게 느껴야만 했다.

팔월에 접어들면서부터 비어홀의 경기는 절정에 오른 것만 같게 흥청대었다.

오후 다섯 시면 아직도 해는 중천에 떠 있다. 여덟 시가 되어도 네온빛이 엷게 보일 정도로 환한 거리를 사람들은 서로 옷자락을 비벼대며 밀려가고 밀려오고 했다.

그러나 술꾼들은 퇴근 시간을 기다리기에 지치거나 한 듯이, 땀에 젖은 몸뚱이를 휘몰아치며 앞을 다투어 비어홀로 들어섰다. 삽시간에 좌석은 만원이 되고, 갈증이 난 목들을 길게 뽑으며 맥주잔을 치켜 쏟아 넣는 풍경은 신나는 것이었다. 보고 있는 쪽에서 마시는 쪽보다 오히려 시원함을 느끼는 것도 이 자리에 익숙해진 직업의식의 탓만은 아닌 것 같게 느껴지기도 했다.

입구 쪽에 들어서서 홀 안을 휘둘러보고는 탄성에 입을 벌리며 되돌아서는 사람, 끈질기게 자리 나기를 버티고 기다리는 패, 단골 소녀 번호를 불러대는 사람, 이 무렵의 몇 시간은 아우성의 도가니로 화했다.

은애는 숨 돌릴 사이도 없이 손님 테이블과 카운터 대 사이를 빠른 걸음으로 거듭 왕복해야만 했다. 한 테이블에 가만히 서서 술을 따를 여유도 없이 테이블마다 주문이 연달아 계속되었다. 그러나 피로는 조금도 느껴지지 않았다. 손님이 밀릴수록 마음은 흥분되고 발걸음은 가벼워졌다. 오히려 손님이 없이 한모퉁이에 멍하니 서 있는 한산한 시간이 더 빨리 피로가 느껴졌다.

은애는 땀이 축축이 내밴 원피스의 등허리께를 들었다 놓으며 잠시 선풍기 앞에 서서 숨을 돌렸다. 길다랗게 숨을 들이켰다 내뿜으면서 그는 바람에 날리는 머리칼을 추스렸다. 꼭 자기 자신이 운동장에 나선 선수만 같은 착각이 들었다. 일에 대한 의욕과 동료 사이에서 빚어지는 경쟁 심리, 어느 사이에 자신은 이렇게까지 변했는가 하고 스스로 놀라지 않을 수 없었다.

반복되는 생활 습성, 그것은 확실히 무서운 것이었다. 그리고 좋든 궂든 하나의 일에 스스로를 몰두시킨다는 것은 보람찬 일이기도 했다. 그러는 사이에 그 일에 열의가 생기고, 애착이 느껴지고, 그리하여 스스로의 어떤 만족으로 자위를 얻는다는 것, 그것은 현재의 은애로서는 어쩌면 다행한 일일는지 모른다는 생각도 없지 않았다.

그러기에 그렇게 첫인상이 좋지 않게 느껴지던 손님도, 한 번 두 번 그리고 몇 차례고 거듭되면 저도 모르는 사이에 대상을 이해하게 되고, 차츰 호감이 가진다는 사실도 경험에서 오는 부인할 수 없는 실감이기도 했다.

인간이란 이렇게 간사한 것일까⋯⋯. 침이라도 뱉고 싶게 천하다고 생각하던 직장, 직장이라고 부르기조차 겸연쩍던 일자리에 이렇게까지 적극적인 의욕을 가지게 될 수 있단 말인가⋯⋯. 상대가 싫든 좋든 오래 접촉하게 되면 본의 아니게 대상에 이끌려 가는 심정을 결부시키며, 은애는 등줄기의 시원한 바람기에 흐뭇이 젖어 있었다. 웅성거리는 홀 안의 군상 속에서 그는 삶의 적극적인 영상이라도 발견하려는 듯이 공연히 들떠 있는 것만 같았다. 아니 자기뿐이 아니라, 손님이 붐비고 흥청대면 동료들은 모두 자기처럼, 차라리 자기 이상으로 흥분에 젖어 열을 뿜고 있는 것만 같게 느껴졌다.

새빨간 유니폼의 땀 밴 자국은 유난히 두드러져 보였다. 누구 하나 등허리가 축축이 젖어 있지 않은 사람은 없었다. 그러나 아무도 불평 없이 만족한 표정으로 신이 나서 다리 아픈 줄도 모르고 잽싸게 테이블 사이를 헤엄쳐 다니듯 신바람을 내고 있지 않은가.

은애는 즐거웠다. 이렇게 바쁘게 일하는 시간만이라도 모든 것을 잊고 스스로에 만족할 수 있다는 것, 그것은 지극히 다행한 일이었다.

들끓던 시간이 지나고 나면 태풍이 휩쓸어 간 뒤처럼 홀 안은 조용해졌다. 풀풀 뛰던 소녀들도 모래 위에 내던져진 물 간 생선처럼 풀이 꺾였다. 그제서야 피로가 한꺼번에 온몸으로 휩싸여 옴을 느꼈다. 이 시간이면 그들은 제각기 남몰래 호주머니 속의 수입을 손어림으로 헤아려 보기 일쑤였다. 흥청대는 분위기에 저도 모르게 휩쓸려 들어가던 들뜬 자신에서 서서히 자기 본래의 자세로 되돌아왔다. 그러면 모든 것은 돈을 기준으로 척도를 따지게끔 되었다. 특수한 예외를 제하고는 팁의 액수로 손님의 친근감이 계산되어졌다. 그렇게 마음 내키지 않던 자리도, 성가신 손님도, 그것으로 나쁜 인상이 무마되게 마련이었다. 멋진 신사로 보였던 인물들이 노랑이를 부리고 가면, 못나고 인색한 인간으로 마지막 인상만이 유달리 클로즈업 되었다. 나날이 되풀이되는 생활이건만, 오는 손님들의 얼굴이 바뀌고 밤마다의 분위기가 달라짐에 따라 지루함을 느낄 사이도 없이, 새밤은 새로운 기분과 더불어 색다른 화제를 끊임없이 제공해 주곤 했다.

새로운 변화…….

그것은 이들에게 있어선 하나의 활력소(活力素)인 동시에 새로운 희망을 꿈꾸게 하는 미지의 신비에 찬 보람이기도 했다.

그리하여 내일을 기다리는 예측할 수 없는 꿈속에 홀로 잠기기도 했다.

은애는 카운터에 등을 기대고 서서, 열기가 식어 가는 홀 안을 바라보고 있었다. 미숙의 테이블엔 강 사장 일행이 아직도 버티고 앉아 끝날 줄을 몰랐다. 미스터 한이 꼭 나타날 것만 같은 예감을 느끼며, 그가 기다려지는 자기의 심정을 굳이 부인해 보았다.

문득 아침의 어수선하던 집안일들이 뒤범벅되어 떠올랐다.

퇴원 후 얼마 동안은 무척 명랑하고 나긋나긋이 순종하던 은호였다. 그러나 이즈음은 부쩍 신경질이 늘어 갔다. 겉으로는 아무 이상도 없이 말끔히 나았지만 역시 다리의 동작은 부자유했다. 마음대로 뛸 수도 없거니와 약간씩 절름거려지는 증상은 언제까지 지속될지 모를 일이었다. 의사의 말대로 2, 3개월 지나면 참말 완전히 될 것인지, 궁금하기만 했다.

은애 자신이 은호가 완전하게 될 날이 이렇게 초조하게 기다려지는 것을 보면, 당사자인 은호는 남몰래 얼마나 조바심하고 있을 것인가…….

아니 은호의 꾹 참고 있던 그 조바심이 이제 견디다 못해 겉으로 터져 나온 것이나 아닐까. 하루하루가 그렇게 두드러지게 차도를 보여 주지 않는 걸음걸이……., 그것은 안타까운 일임에 틀림없었다. 거기에 하루 종일 하는 일 없이 방안에 드러누웠거나, 뜰 안을 잠시 왔다갔다 하는 정도로 지루한 나날을 되풀이해야 하는 은호, 그의 우울증이나 신경질은 이해하고도 남을 일이라고 생각되기도 했다. 거기다 어머니의 병세도 별로 차도가 보이지 않았다. 아무리 피붙이의 살뜰한 모자간이라도 한 방에 둘 다 자리를 깔고 무더운 여름 나절 질력이 나도록 서로 마주 보아야 하니, 그도 참기 어려운 일임에 틀림없었다.

그러나 이 며칠 은호는 유달리 짜증을 내고 있지 않은가……. 그 화풀이의 대상이 마치 은애 자기이거나 한 것처럼 자기에게만 더 찡그리는 상을 보여주는 것이 아닌가. 병중에 있는 어머니, 제멋대로인 은심이, 그러고 보면 은호의 신경질을 받아 줄 사람은 은애 자신밖에는 없다는 이해를 가지지 못하는 바는 아니지만, 모두가 야속하게만 느껴졌다.

은호가 입원 중에는 차분히 집안일을 돌보던 은심이었다. 그러나 퇴원하고 난 후에는 또다시 집안 형편에는 아랑곳없다는 듯이 제멋대로 돌아다녔다. 거기다가 누워있는 은호와 별일 아닌 말끝에도 핏대를 세워, 함께 있기만 하면 은호의 신경질에 더 불을 붙이기만 했다.

은호는 어쩌면 자기가 다친 것이 집안 살림 때문이라는 생각을 외고집으로 가슴 깊이 묻고 있는지도 몰랐다. 오늘 아침의 일만 해도 그러한 실마리에서 시작된 것만 같게 여겨졌다.

은심의 수영복 걱정은 간밤 자리에 들기 전부터 시작된 일이었다. 친구들과 함께 한강으로 나가기로 했다면서 졸라댔다. 아직 철이 안 들고 제멋대로 졸라대는 것이 딱하기도 했지만, 눈치만 살살 보아가며 할 말도 안하고 억지로 참아 가는 것보다는 오히려 다행한 일이라고 은애에게는 생각되기도 했다. 무리를 해서라도 하나 장만해 줘야겠다고 마음먹으면서도, 은애는 굳이 아무 대꾸도 없이 귓등으로 흘러 넘기는 척했다.

그것이 오늘 아침에 다시 도화선이 되었다.

"남들은 매일 강으로 나가는데, 어쩌다 한 번 갈래도 수영복이 있어야지."

누구에게랄 것 없이 은심이 혼자 중얼거리는 말투였지만, 은애는 분명

자기에게 던지는 넋두리라고 생각하며 은심이 쪽을 건너다보았다.

바로 그 순간이었다.

"이년아……, 이렇게 병신이 돼 누워 있는데 수영은 무슨 수영이야."

은호의 눈에는 노기가 차 있었다. 전엔 찾아볼 수 없던 적의에 찬 자학적인 말투였다.

"누워 있으면 가만이나 있지, 무슨 참견이야."

"이년이……."

은호는 벌떡 일어나 앉으며 방구석에 세워 놓았던 겨드랑이 지팡이를 끌어당기는 것이 아닌가…….

"누가 너더러 병신이 되랬어?"

"응, 누구 때문에 병신이 됐게……."

"제가 저질렀지, 누구 탓이야."

"내가 저질렀다구……, 이년이……"

"흥……."

은심의 비꼬는 콧소리를 듣자 은호는 성한 쪽 무릎을 들며 일어서려고 했다.

"너네들 때문이야……."

은호의 발악에 찬 소리였다.

은애는 두 사이에 막아서며 은호의 손에서 지팡이를 억지로 빼앗았다.

"왜들 이러니?"

은애는 은호를 달래 자리에 앉히면서도, 그 말 속에 담긴 가족에 대한 은연중의 반감을 씻어 버릴 수 없었다.

"그저, 내가 빨리 죽어야 이 꼴들을 안 보지……."

어머니의 카랑카랑한 목소리는 더욱 가슴을 조여 왔다.

은심이 홱 밖으로 나가 버렸다. 그 뒤를 따라 은호는 뜰에 나가 지팡이로 땅을 내리쳐 두 동강이를 내고야 말았다.

"병신이 보기 싫으면 내가 죽어 버리면 되잖아⋯⋯."

은애는 북받쳐 오르는 서러움을 참을 길 없었다. 은호는 확실히 피붙이에 대한 친밀감마저 잃고, 스스로를 증오하고 있다는 생각이 들었다.

주위의 모든 사람에게서 외톨로 떨어진 자기들, 그래도 자기 식구끼리만의 핏줄의 애정으로 지금껏 버티어 오지 않았던가⋯⋯. 이제 그 최후의 둑마저 무너지려는 순간 같았다.

자기는 대체 무엇 때문에 이렇게 허덕이고 있는 것인가. 자기 혼자만의 삶을 위하여⋯⋯. 아니다. 혈연의 유대 의식 속에서, 외부에 대한 모든 외로움을 해소할 수 있는 그들을 위해 이렇게 버티어 오고 있지 않은가⋯⋯. 그 마지막 방어선이 이렇게 무너져 가기 시작하는 것이다.

이젠 어머니를 제외한 나머지 식구들은 각기 자기 자신만을 위주로 생각하게끔 되어가는 것이 아닌가. 자기 자신이 이렇게 집안 식구의 개개의 감정에 비판적인 생각을 가지게 되는 것만도, 그만큼 자기만을 위한 이기로 돌아가는 것이나 아닐까.

역시 어머니는 위대하다. 자식들을 위하여 모든 것을 희생해 오고, 또 계속 그 가시밭길을 참고 견디어 가고 있지 않는가. 개가를 하여도 좋은 나이를 자기들 때문에 그대로 보냈다. 이제라도 자기 하나의 안위만을 생각한다면 스스로 목숨을 끊을 수도 있는 일이다. 그러나 괴로운 병고 속에서도 차마 그것을 못하는 것은 아직도 자식에 대한 애정을 포기하지 못한 때문이 아닐까.

은애는 주위가 허전해 왔다. 가장 의지하고 왔던 성벽이 우르르 무너지는 막바지를 느끼는 것만 같았다.

어머니만은 꼭 살아나야 모두가 살 수 있는 길이 마련될 것만 같았다. 어머니가 없는 날에는 그 즉각으로 자기들의 핏줄기는 산산조각이 날 것만 같았다.

은애는 부러진 은호의 지팡이를 바라보며 넋 잃은 양 그 자리에서 움직이질 않았다.

옷을 갈아입고 비어홀에서 나온 은애는 한식이 기다리는 골목 쪽으로 걸어갔다. 어저께도 집 근처까지 차로 바래다 준 것이 미안쩍어 거절했으나, 어차피 타고 가는 길인데 어떠냐고 한식은 우겨댔다.

은애는 한식의 뒤를 따라 택시에 올라탔다. 열려 있는 차창으로 바람이 스칠 때마다 한식에게서 풍겨 오는 술 냄새가 짙게 코끝을 빗겨 감을 느꼈다.

한식은 은애에게 몸을 비스듬히 기댄 채로 담배를 피우며 말을 건네 왔다.

"오늘은 굉장히 손님이 많던데……."

"그때는 자리가 거의 비어있는 때였었는데요."

"아니, 초저녁 말이야……."

"그 시간이야, 요샌 매일 밤 그렇잖아요……."

대답하면서 은애는 한창 붐비던 시간에 한식이 들어왔다가 도로 간 것이라는 생각을 하고 있었다. 이제는 자주 찾아주는 단골손님이라는 고객의 테두리를 벗어서, 한식에게 친밀감마저 느껴지는 것도 부인할 수 없는 심정이기도 했다.

퇴계로 끝에서 장충동으로 꺾어 집 쪽이 가까워짐에 따라 아침 일이 다시 머릿속에 감돌아 왔다. 아직도 은심이와 은호는 으르렁대고 있을 것인가. 그리운 얼굴들이면서 만나는 것이 어쩐지 두려워만 지는 것 같았다.

"우리 남산으로 드라이브할까?"

차는 장충단 공원 앞을 스치고 있었다. 예상치 않았던 갑작스런 제의에 은애는 어리둥절해서 대답을 망설였다.

"운전수, 남산으로 올라가요."

순시에 나온 일방적인 명령이었다.

차는 벌써 유원지와 농구장 사이를 끼고 숲속 길을 달리고 있지 않은가……

은애는 아차 하고 명확한 대답을 하지 못한 것을 후회했으나 이미 때는 늦었다. 그러나 이제 새삼스레 반대하고 나설 생각은 없었다. 그것은 하루 종일 머리를 휩싸고 도는 우울증에 대한 반발이었는지도 몰랐다.

한식은 한식대로 즉각에서 반대가 없는 것은 무언중에 찬동하는 것이라는 자기간의 독단으로 주어진 기회를 놓치지 않았다.

남산 꼭대기에 팔각정이 지어지고 케이블카가 놓였다지만, 단 한 번도 정상에 올라가 본 일이 없는 은애였다. 능선을 타고 오르막길을 달리는 차속에서 내다보이는 서울 거리의 불빛은, 살겠다고 버둥거리는 모든 아우성을 덮어 버린 암흑의 장막 속에서 황홀하고 아름답게만 느껴졌다.

문득 미숙의 모습이 떠올랐다. 미스터 한과 둘이 이렇게 한 차에 나란히 앉아 남산으로 드라이브하는 광경을 보았다면 무엇이라고 할까. 모든 것을 사실 이상으로 확대하여 갈대로 간 것으로 해석할 것이 아닌가. 명자는 어떻게 해석할 것인가? 그 빈틈없는 머리에 자로 재듯이 계산하여 완전히 놀아난 계집으로 치부해 버릴 것이 아닌가. 은애는 저도 모르게 쓰디쓴 웃음으로 흘려보냈다.

차를 기다리게 하고 정상 광장에 내렸다. 예상 외로 많은 사람들의 그림자가 얼씬거리고 있었다. 아는 사람이 있을지도 모른다. 어두워 얼굴들을 알아 볼 수 없는 것이 지극히 다행스럽다.

팔각정 한쪽 모서리에 걸터앉았다.

무덥던 거리의 땀냄새는 완전히 가시고 흐렸던 머리가 거뜬해 왔다. 날 것만 같게 시원함을 느꼈다. 아무 쪽을 바라보아야 눈길 닿는 한 끝까지 불빛이 깜박였다. 잠시나마 어지러운 현실에서 도피한 것만 같은 상량한 기분을 맛보았다.

등허리에 감겨진 미스터 한의 팔뚝에서 힘의 탄력을 느끼면서 은애는 아무런 반응도 보이지 않았다.

성하……, 잊었던 이름을 어떤 계기로 문득 생각해 내는 것만 같았다. 미안한 생각이 들었다. 이 얼마 동안 병원과 직장에서 일에 쫓기고 살림에 시달려 거의 머리에 떠올릴 겨를도 없이 지내온 것만 같았다. 지금 은애는 허리에 닿는 한식의 탄력을 성하로 착각하고 있는지도 몰랐다. 시간의 흐름과 더불어 흐려져 가는 추억, 그리운 사람의 환상 속에서 야속한 아쉬움을 곱씹어 보았다. 호의를 베풀어 주는 한식에게는 미안하고…….

제 생각에 혼자 끌려, 한식이 무어라고 묻는 말에 대답 없이 멍하니 앉아 있다가 제 정신으로 돌아왔다.

깊어지는 밤, 줄어드는 사람의 그림자. 별처럼 총총히 박힌 이 많은 불빛 속에서 이제 자기가 찾아들 곳은 대체 어디일까……. 아무리 생각해도 자기 집밖엔 없었다. 자기를 진심으로 반겨줄 사람도 그 집안밖엔 없는 것만 같았다. 주위가 적막하고 쓸쓸해졌다. 갑자기 집안일이 궁금해 왔다.

은애는 자리에서 일어났다. 빨리 집으로 가야만 할 것 같아서였다.

"벌써 가?"

한식도 따라 일어나며 반문하듯이 말을 던졌다.

"네, 가요."

피차의 표정이 보이지 않는 것이 차라리 마음 편했다.

차가 산줄기를 거의 내려올 때였다.

"우리 한강 쪽으로 한 바퀴 돌아볼까?"

주기가 약간 가신 한식의 얼굴에는 어딘가 미흡한 표정이 깃들고 있음을 은애는 놓치지 않았다.

"인제 집으로 가 봐야겠어요."

"그래……."

"네, 다음 기회로 하죠."

"그럼, 내일 한강으로 나갈까?"

"……."

"어때? 미스 오……."

"네, 그래요."

다그치는 바람에 얼결에 대답해 버리고 말았다. 그러나 차가 집 근처에 닿을 때까지 그것이 큰 부담으로 마음에 켕겨 왔다. 그러면서도 번복하여 정확한 자기 의사를 표시하지도 못했다.

차에서 내리는 순간 시간과 장소를 다시 다짐하는 미스터 한에게 그대로 고개를 끄덕이고 말았다. 방향을 돌리고 있는 차에 늘어붙어 길다란 사설을 늘어놓고 싶지도 않았다. 그렇다고 결사로 반대할 잉칼진 마음의 뒷받침도 없기에, 떠나가는 차에 손까지 흔들어 주고 집 쪽으로 돌아섰다.

밤을 자고 나도 집안의 저기압은 도무지 풀려지질 않았다. 하루가 가면 그만큼 은호의 신경질은 덧쳐 가기만 했다. 은심은 숫제 입을 봉한 채 무언의 반항을 지속하고 있었다. 그것이 은호에게만 던지는 불만이 아니라 온 집안의 공기를 흐려 놓았다. 전 같으면 닭싸움처럼 맞붙었다가도, 시간이 지나면 언제 그런 일이 있었느냐는 듯이 말끔히 씻고 서로 웃으며 재잘거리던 것이 이제는 전연 딴판이었다. 하기야 알찬 네 식구의 절반인 두 사람이 병으로 누워 있고, 그나마 가냘픈 한 사람 손에서 생계를 유지하려니, 갖가지 부족감 속에서 있을 법한 일이라고 생각하면서도 은애는 울화가 터져 견딜 수 없었다.

자기가 무엇 때문에 이렇게 지쳐서 허덕여야만 하는 것일까……. 당연하고도 예사롭게 느끼고 실천해 오던 일들이 새삼 따져지고, 갑자기 손맥이 탁 풀리는 것만 같게 여겨졌다. 비교적 경기가 좋다는 이즈음의 수입으로도 도무지 매일매일의 지출을 땜질해 나가기 겨웠다. 거기에 마음까지 정을 붙일 수 없이 거칠어만 가니 배겨 낼 도리가 없었다. 이대로 가다간 꼭 무리죽음이 터질 것만 같은 불안감만이 엄습해 올 뿐이었다.

이 숨막히고 울적한 분위기를 헤칠 수 있는 열쇠란 오직 은호의 완전 회복에 달려 있다고 생각되었다. 그러면서도 은애 자신의 힘으론 도저히 해결할 가능성 없는 일임을 뻔히 알고 있기에, 그는 안타까움이 혼자 몸 부림치는 수밖에 별 도리가 없었다.

아침이 끝나자 은심은 간다온다 소리 없이 사라져 버렸다.

은호는 잔득 상을 찡그리고 누웠다 앉았다, 섰다 일어났다 안절부절 못하는 동작을 되풀이하고 있을 뿐이었다.

어머니는 눈을 감고 이불을 의지해 벽에 기대로 있지만 잠들고 있을 리는 만무했다. 어머니의 마음속은 자기 이상으로 엉클어진 실뭉치를 가리려고 안간힘을 쓰고 있음에 틀림없다고 생각하니 가슴이 쓰리기만 했다.

성한 사람끼리 합심해 끌고 나가도 버티기 힘들 조건 속에서, 대체 앞으로 어쩌자는 것일까…… 은애는 암담한 가슴을 짓누르며 밖으로 나왔다.

가뭄에 시들어진 풀잎들은 작열하는 햇볕을 받아 먼지에 덮인 채로 축 늘어져 있었다. 그것은 마치 자기의 모습을 스스로 바라보는 것만 같은 갈증을 느끼게 했다. 어디든가, 누구에게나 이 질식할 것만 같은 가슴속을 탁 트여 버리고만 싶은 충동에 사지가 떨렸다.

한식과의 약속 시간은 이십분 밖에 남지 않았다. 어제 저녁 자리에 들 때까지는 절대로 나가지 않겠다고 마음먹었던 일이었다. 그러나 시간이 다급해 오는 지금의 은애의 심정은 점점 다른 각도로 풀려져 가고 있었다.

'오래간만에 하루 속 시원히 바람이라도 쏘일까……'

은애는 옷차림을 바꾸고 집을 나섰다. 감정이 억눌리다 못해 폭발할 것만 같은 심정에서였다.

스스로를 감당하지 못하는 자포자기일지도 모른다고 생각하면서도 그는 발걸음을 재촉했다. 무엇이든 감정의 폭발구를 발견해야 할 것만 같은 괴로움, 스스로 자신을 지탱할 수 없는 막바지에서 허덕이고 있는 것만 같았다.

　한식은 벌써 와 있었다.

　"나오지 않을 줄만 알았는데……."

　그는 시계를 보며 사뭇 즐거움에 찬웃음을 지었다.

　그를 만나는 순간 새로운 폭발구를 발견한 것만 같은 마음의 안도를 느끼는 것은 무슨 탓일까……. 그것은 미숙이나 명자를 만나 심중을 토로할 때의 심정과는 사뭇 다른, 일찍이 느껴보지 못했던 감정을 안겨다 주었다. 아니 어젯밤까지도 한식에게선 그러한 심정을 느끼지 못했다. 그에게서 입은 모든 호의는 차라리 물질적인 것으로만 환산되어 간단히 처리될 수 있었다. 그러나 지금, 아픈 상처를 그대로 내맡기고 그 치유를 바라는 것 같은 마음의 자세는 대체 어떻게 우러나온 것일까…….

　은애는 끊일 줄 모르는 마음의 실마리를 더듬으면서도 아까 집에서처럼 울적하지 않고 명랑해지는 자신을 부정할 수는 없었다. 물에 빠진 사람이 지푸라기라도 붙잡으려는 어쩔 수 없는 심정이라도 좋았다. 아무튼 은애는 모든 것을 잊을 수 있는 단 하루만이라도, 해방된 상태에서 꺼져 가는 듯한 자신에 생기를 불어 넣고 싶을 뿐이었다.

　"은애도 순순히 말을 듣는 때가 있군……."

　"절, 그렇게 고집불통인 줄만 아세요."

　"글쎄……."

　다방을 나온 둘은 차에 몸을 실었다.

　"어디로 갈까?"

　한식은 은애를 돌아보며 의사를 타진해 왔다. 이런 때의 한식은 평소의 그 거센 성격은 감추어지고, 숨었던 겸허함이 엷은 빛으로 빗기는 것같이 은애에게는 느껴지기도 했다. 그것이 본의 아닌 조작적인 것이라 할지라도, 지금의 은애에게는 굳이 경계의 눈으로 볼 생각은 추호도 없었다.

"좋을 대로 하세요."

"흥, 그 고집에도 양보가 있군……."

비꼬는 어조지만 그 속엔 확실히 개선자의 승리감 같은 자긍이 깃들어 있는 것이라고 은애에게는 느껴졌다.

"오늘 하루는 한 선생님께 맡기겠어요……. 절 유쾌하게 해 주세요."

"유쾌하게, 그거 쉽잖은 요청인데……, 하하하."

한식은 속이 탁 트이는 듯한 너털웃음을 말끝에 실었다.

"어디로 갈깝시요?"

중년의 운전수는 역시 때를 놓치지 않았다.

"광나루 쪽으로 나가시오."

질주하는 차속에서 은애는 흐뭇한 기분에 젖어 있었다. 이날 하루만은 자질구레한 일들을 애써 떠올리지 않기로 이미 마음을 도사려 먹었다.

'사람의 한 세상이 얼마라구……'

은애는 좀 건방진 생각이라고 스스로 나무라면서도, 애써 그런 기분 속에 자신을 휘몰아 가고 있었다.

땀을 흘리며 포도에서 웅성거리는 사람들을 뒤로 젖혀 놓고 내달리는 차속의 기분은 전에 맛보지 못했던 상쾌감을 안겨다 주었다.

이대로 쉬지 않고 끝없이 달리고만 싶은 심정, 그 끝에 무엇이 닥쳐도 상관없을 것만 같았다. 옆에서 퍼져 오는 담배 연기의 코끝에 주는 자극이 싫지 않았다.

'어제를 잊고 오늘을 살자, 오늘을……. 내일은 차라리 두렵다'

은애는 혼자 뇌까려 보았다. 모든 과거를 잊고 싶었다. 자기를 얽어매는 낡은 거미줄에서 헤쳐 나오고 싶은 욕망뿐이었다. 닥쳐 올 일, 미래는 차라리 겁이 났다. 알알이 끼었던 희망의 염주들이 모두 공포를 안겨다 주는 전조 같게만 느껴져 내일은 생각하고 싶지 않았다. 허구한 그 내일의 희망에 배신당한 탓일까……. 모든 것을 잊고, 미래를 생각하지 말자…….

어쩌면 이것은 참으로 오래간만에 주위의 온갖 굴레에서 해탈해 자기만을 생각하는 소중한 시간인지도 몰랐다.

'현재의 자기만을 생각하면 그만이 아닐까?'

그러나 뒤가 개운하지 않았다. 자꾸만 보이지 않는 주위의 철조망들이 자기를 조여 오는 것만 같았다. 지나간 뭇 사나운 꿈과, 닥쳐 올 끝없는 장애물들이 자신을 꽁꽁 묶어 놓는 현실에서 탈출할 수 없게끔 감겨 오고 있는 것만 같았다.

"다리를 건너가세요?"

"아니, 다리 이쪽으로……."

운전수의 물음에 놀라며 은애는 눈을 떴다. 먼 꿈나라로 한 바퀴 돌고 다시 가시밭 제자리로 돌아온 것만 같은 허전한 심정이 휘몰려 왔다.

역시 자기는 죽도록 몸부림쳐도 현재의 가시줄 멍에를 벗고 있진 못한 것이었다.

'그 현재마저도 잠시 잊자……'

은애는 자기가 서고 있는 현실까지도 억지로 부인하면서 차에서 내렸다.

은애는 한식과 함께 탈의장에서 빌려 주는 수영복으로 갈아입었다. 몇 해 만에 입어 보는 수영복, 날 것만 같게 거뜬했다. 한편에 걸어 놓은 거울 속을 들여다보면서, 성숙해진 자신의 육체에 마치 처음 접하기라도 하는 것처럼 새삼 놀라는 눈길을 던졌다.

거울 속에 한식의 얼굴이 겹쳐 비쳤다. 그는 뒤에서 거울 속의 자기를 보고 있는 것일까, 그렇잖으면 실지의 자기 육체를 보고 있는 것일까……, 무엇이라도 좋았다. 몸과 마음의 경쾌해진 것만으로도 족했다. 한식이 무엇을 생각하고 있어도 관여할 바 없었다. 그로 말미암아 오늘 하루 자기만이 모든 것을 잊을 수 있는 계기가 마련되어진다는 것만으로도 흡족할 수 있지 않을까…….

물에 텀벙 뛰어 들었다. 여학교 때 생각이 되살아 왔다. 방학이면 거의 매일 뚝섬으로 나갔다. 아무 거리낌 없이 천진하게 날뛰었다. 그것도 다 어머니가 손에 가시 돋게 벌어서 치다꺼리를 해 준 덕분이었다. 생각은 또 현실과 결부되어 왔다. 역시 현실이란 헤어날 수 없는 고질일까…….

이제는 이렇게 몸을 사리고, 체면을 차리고, 주위로 눈을 팔고, 생각에 잠기고, 그만큼 순진미가 없어진 것이 아닐까…….

북새판에 너무 시달려 온 탓일까…….

씻어도 씻어도 도무지 말끔히 지워지지 않는 지난 일들…….

강물에 씻어 버리자……. 강물에 흘려버리자…….

앞에서 물싸움을 하고 있는 여학교 학생들이 부러웠다. 지난 이태 동안에 자기는 확실히 늙어진 것만 같았다.

"우리 보트 탑시다."

한식이 보트를 끌고 앞에 왔다. 옷을 입고 있을 때는 전연 느끼지 못했던 그의 단단한 체구를 바라보다가 시선은 자신의 육체로 돌아왔다. 나를 바라보는 남의 눈은……, 은애는 멋없는 웃음을 흘려보냈다.

보트 뒤쪽에 올라탔다. 노를 젓고 있는 한식을 마주 보면서 멋쩍은 생각을 느꼈다. 역시 서먹한 남남끼리다. 성하와 이렇게 마주 앉았을 때는 그렇지 않았다. 두 사람 사이에서 느껴지는 거리감의 비교 의식…….

그때는 더 어렸기에 좀 더 순진했던 탓일까?

보트는 강을 건너 물줄기를 거슬러 올라갔다. 다시 다리 밑까지 내려오고 있었다. 이대로 떠내려가는 대로 팽개쳐 두면 어떻게 될 것인가…….

인도교를 거쳐 마포로, 그 다음은 흘러 흘러 바다로……. 차라리 망망대해에 바람가는 대로 물결치는 대로 버려져 있었으면 속 시원할 것만 같았다.

산 그림자가 서서히 강물 위에 덮이기 시작했다. 사람들의 복닥거림도 가라앉고, 서로 맞부딪던 배들도 거의 강기슭으로 몰려가고 있었다. 겨드랑이를 스미는 바람기가 한결 시원해 왔다.

맑은 하늘, 푸른 강물, 은애는 오래간만에 잠시나마 주위의 자질구레한 일들을 잊고 몸뚱이와 마음속을 속속들이 씻어 버리는 것만 같은 상량한 기분에 젖어 보았다. 즐거운 하루, 가슴속이 후련하고 거뜬하기만 했다.

건너편 백사장 기슭에 보트가 닿자마자 한식은 잽싸게 뛰어 내렸다.

"그대로 잠깐만……."

은애는 기우뚱한 뱃전을 붙잡으며 막 내리려는 자세를 멈칫하고 한식 쪽을 바라다보았다. 한식은 벌써 한 쪽 눈을 찡그린 채 카메라 렌즈를 자기 앞으로 대고 있지 않은가…….

"은애야……."

셔터의 찰칵 하는 음향과 거의 때를 같이 해 자기의 이름을 부르는 소리가 들려왔다.

뜻밖의 일에 은애는 눈이 휘둥그라져 주위를 두리번거렸다. 그러나 소리의 임자는 알 길이 없었다.

"애, 은애……."

은애는 다시 소리 나는 방향으로 머리를 돌렸다.

"여기야, 여기……."

흰 포장을 반만큼 친 놀잇배가 강물을 거슬러 느릿느릿 올라가고 있었다. 뱃머리에 걸터앉아 물속에 발끝을 담근 채 이쪽을 바라보며 손짓하는 빨간 수영복의 여인, 그러나 누군지 알아 볼 수 없었다(은애는 눈을 깜박이며 짙은 안경의 상대를 뚫어질 듯이 쏘아 보았다).

"나야, 나……."

여인은 선글라스를 벗어 들고 더욱 소리를 높여 외치고 있다.

"아, 미숙이."

목소리는 입속에서 돌돌 감기며 밖으로 튀어나지는 않았다.

순간 은애는 가슴이 철렁 내려앉는 충격을 느꼈다. 꼭 도둑질을 하다가 들킨 것만 같은 자책감이 물결처 왔다. 은애는 손을 들어 응답하면서도 미안쩍은 심정을 막을 길 없었다. 서로 표정을 정확히 알아 볼 수 없는 거리, 그것은 이런 경우 지극히 다행한 일이었다.

뒤쪽을 돌아보니 한식도 미숙이 탄 배를 바라보며 웃음을 보내고 있지 않은가……. 배는 점점 멀어져 가고 있었다. 그러나 꺼림칙한 뒷맛은 도무지 가셔지질 않았다.

미숙인 대체 우리 둘의 관계를 어떻게 생각하고 있는 것일까……. 모든 일은 이미 끝난 것으로 자기깐의 해석을 하고 있을 것이 아닌가……. 억울한 심사가 치밀기도 했다. 그러나 이미 지나간 일이다. 하는 수 없지 않은가…….

미숙인 누구하고 같이 왔을까……. 강 사장이 머리에 떠올랐다. 그러나 뒤에서 천천히 노를 젓고 있는 뱃사공밖에 똑바로 보이는 것은 없었다. 다른 사람들은 상반신이 포장에 가려 허리 아래밖에 보이지 않았다.

"은애야……."

미숙이 뱃머리에 일어서서 크게 손을 저으며 외쳤다. 그 소리의 뒤를 이어 포장 속의 사람들이 머리를 쑥 내밀고 이쪽을 바라보고 있었다. 대머리, 틀림없는 강 사장이었다. 은애는 아…… 하고 감탄인지 안도인지 모를 한마디를 내쏟고야 말았다. 둘 다 같은 경우, 피장파장이 아니냐는 동류의식의 자기변호가 사이를 주지 않고 머릿속에 덮여 왔다.

그러나 암만해도 상쾌하던 맑은 기분은 막판에 와서 구겨지고야 만 것 같았다. 자기 무마의 각도로 해석을 하면서도, 미숙이의 코웃음 치는 듯하는 모습이 망막에 어른거리기만 했다.

엊저녁 미숙이의 제의를 거절하지만 않았어도 좀 덜 딱할 것만 같았다.

"너, 내일 놀러 가지 않을래?"

홀이 파할 무렵 미숙이 귀에다 대고 소곤댔다.

"글쎄……."

"같이 가자는데……."

미숙은 강 사장 테이블 쪽으로 턱으로 가리키며 말을 이었다.

"하루, 바람이나 쏘이자."

별로 감추는 일이 없이 시원시원히 속을 털어놓는 미숙이었다. 그러나 은애는 미숙의 호의가 고마우면서도 갑작스런 권유에 확답을 하지 못하고 머뭇머뭇하다가 그대로 끝나 버리고 말았다. 물론 그 다음 강 사장과 미숙이가 어떤 약속을 주고받았는지 캐묻지도 않았었다.

그것이 공교롭게도 현장에서 마주치고 보니 쑥스럽기 짝이 없었다. 지금쯤 미숙이는 혼자 빈정거리고 있을지도 모른다는 생각이 들었다.

배가 강 건너로 사라질 때까지 은애는 그쪽에서 눈길을 떼지 않았다.

어쩌다가 겨우 한 번 나왔다는 것이 결국 산통 깨 놓는 결과밖에 되지 않은 것만 같았다. 미숙이보다 자기는 얼마나 비굴하고 옹졸한가 하는 심정뿐이었다.

은애는 주위가 어둑어둑해서야 한식과 함께 나루를 떠났다.

돌아오는 차속에서도 미숙에 대한 생각은 머리에서 떠나지 않았다.

아무런 밀약도 없이 어찌어찌하다가 예까지 나온 걸음인데, 꼭 상습적인 밀회 장면을 발각 당한 것만 같은 심정이었다. 그러한 사태는 또 한편으로 자기 주관 이외의 주변적인 조건이, 자기와 한식의 관계를 더 가깝게 얽어매어 놓는 제약처럼 느껴지기도 했다.

차는 어둠 속을 줄곧 달리고 있었다.

앞쪽 멀리까지 밝게 비치는 헤드라이트에 비하면 차속의 불빛은 너무나 어두운 것만 같았다. 자기의 손은 한식의 거센 손아귀에 포개져 있었다. 새로 당하는 이성의 촉감에서 지나간 대상의 모습을 더듬고 비교하게 되는 것은, 여성만이 지니는 부질없는 환기 작용일까 하고, 은애는 섬광처럼 빗겨 가는 성하의 환상을 지긋이 눈 속에 감아 보았다.

이대로 곧장 나간대도 비어홀의 출근 시간은 이미 지났다. 늦게 나가 지배인의 나무람을 받느니보다 아예 빠지는 편이 나을지도 모른다. 미숙이를 만나는 것이 어쩐지 두렵다. 그러나 미숙이도 늦을 것이 아닌가…….. 어쩌면 요새 결근이 잦은 미숙은 깨끗이 오늘 밤은 포기하고 말았는지도 모른다. 그러나 자기는 은호의 입원 기간 이외에는 직장을 쉬어 본 일이 없다. 그 덕분에 전번 교체에도 다행히 남는 축에 들었다. 미숙이의 결근은 지배인이고 누구고 문제 삼을 엄두도 못 낸다. 매달 매상고가 가장 높은 것은 그니까 오히려 떠나갈까 봐 주인측에서 아끼는 편이다.

은애는 좀 늦더라도 이 길로 출근할까 말까하고 망설이고 있다. 하루의 시원하던 기분이 끝에서 좀 잡쳐지기는 했지만, 비어홀로 나가면 더 복잡해질 것만 같은 예감뿐이다. 그렇다고 홀이 파할 시간도 아닌 지금 곧장 집으로 들어갈 수도 없다. 집안일을 생각하면 더욱 머릿속이 헝클어지는 것만 같다. 차라리 아무 것도 보지 않는 곳에 얼마 동안 혼자 있고만 싶다.

손을 바스러지게 쥐었다 놓았다 하는 충격에서 은애는 생각의 토막을 끊었다 이었다 반복하고 있었다.

차는 이미 도심지에 들어섰다. 집의 방향과는 반대쪽으로 점점 거리가 멀어져 갔다. 이제는 직장 쪽이 오히려 가까워졌다. 이제라도 출근해야만 하겠다는 의무감이 솟구쳐 왔다.

"어디 적당한 데서 내려야겠는데……."

은애는 궁둥이를 들썩이며 조마조마 입을 열었다.

"왜?"

한식은 의외라는 듯한 시선을 돌렸다.

"이제라도 나가 봐야겠어요."

"이렇게 늦었는데도……."

시계에서 눈을 옮긴 한식은 손을 더 힘주어 쥐며 말을 이었다.

"다 늦은 시간에⋯⋯."

"그래두요."

망설이던 심정이 꼭 나가야 되겠다는 반발적인 방향으로 움직여지고 있음을 느꼈다.

"하루쯤 공치면 어때."

"아니에요."

부인하면서도 은애는 적극적인 자세를 취하지 못했다.

"오늘은 철저히 쉬구⋯⋯, 내일은 또 결사적으로 일하면 되지 않아."

몸을 그 이상 기동할 수 없게 한식은 팔꿈치로 은애의 무릎을 꽉 눌렀다. 그렇잖아도 하루 종일 같이 있다가 갑자기 제 마음대로 토라지는 것만 같은 미안감이 없지 않기도 했다.

"나는 팽개쳐 버리구 혼자 간단 말이지."

"아니요, 같이 가면 되지 않아요."

"그럼 어디 가 저녁이나 먹고 가지⋯⋯."

이것마저 거절할 수는 없었다. 그러나 여기다 저녁까지 먹고 나면 참말 출근할 수 없게 늦어질 것은 빤한 일이었다.

"그대로 가요⋯⋯, 운전수."

차는 이미 남대문 로터리를 돌고 있었다. 두 사람의 대화에 차를 멈출까 말까하고 몇 번 뒤를 돌아보던 운전수도 이제는 마음 놓고 내몰아 갔다.

"어느 쪽으로 가시겠어요?"

서울역 앞이었다. 운전수는 백미러를 들여다보는지 고개를 돌리지도 않고 행선지를 물었다.

"그대로 곧장 가요."

"한강으로요?"

"아무튼 곧장 가요."

은애는 슬며시 불안한 생각이 들기 시작했다. 저녁이나 먹자는 것이 한강 쪽으로 나간다면 대체 어디로 가는 것일까⋯⋯. 참다못해 입을 열었다.

"어디로 가는 거예요?"

"좀 더 드라이브하고 저녁을 먹지⋯⋯."

평범하게 말하는 어조에 굳이 의혹을 품을 생각은 없었지만, 은애는 조금씩 긴장되어 오는 자신을 막을 길 없었다.

"어디까지예요?"

"글쎄, 가 봐야 알지⋯⋯."

차는 한강 철교를 건너가고 있었다. 강기슭에는 휘황하게 불빛이 반짝였다. 여기에도 내리지 않는다면 대체 어디로 가는 것일까⋯⋯. 은애는 한식의 옆모습을 훔쳐보았다. 아무런 변화도 없이 그저 담담했다. 계속 따지고 묻고 싶으나 앞에 앉은 운전수가 꺼려졌다.

노량진을 벗어나면서부터 차는 훨씬 속도를 가해 가고 있었다. 운전수는 마치 손님의 행선지를 다 알고 있기나 한 듯이 철교를 건너기 전에 한 번 묻고는 다시 입을 떼지 않았다. 오히려 마음의 여유라도 생긴 듯이, 담배에 불을 붙여 문 채로 빨아 가며 유유히 차를 몰고 있지 않은가⋯⋯.

오는 차의 헤드라이트는 줄을 지어 이 쪽 차의 속까지 환히 비쳐댔다. 시간은 흘러가고 차는 고속도로 경인가도를 질주하고 있을 뿐이었다.

이제 은애는 출근할 생각은 단념해 버렸다. 그러나 집으로 돌아가야 하겠다는 조바심은 더욱 고조되기만 했다. 그런데 이상한 일이었다. 막연히 집으로 가야겠다고 생각하면서도 정작 집안 식구들의 모습을 더듬으면 하나하나가 즐거움보다 두려움을 안겨 줌은 무슨 까닭일까⋯⋯. 어머니, 은심이, 은호, 어느 하나도 반기며 웃는 얼굴로는 떠오르지 않는다. 모두가 신음하고 찡그린 얼굴이 아니면, 금시 잡아먹기라도 하려는 듯이 성난 모습으로만 앞으로 다가오고 있는 것이 아닌가⋯⋯. 그새 또 은호와 은심은 한바탕 싸웠는지도 모른다. 어머니는 옆에서 메마른 소리로 푸념하며 눈물을 짜고 있는지도 모를 일이다. 여섯 개의 눈동자가 자기에게로만 쏠려 오며 아우성을 치고 있는 것만 같다. 대체 자기의 마음을 휴식시킬 수 있는 곳이란 어디에 있단 말인가…….

동서남북조차 분간할 수 없었다. 전연 이방 지대에 온 느낌이었다. 아래층 식당으로 들어가면서도 어리둥절하기만 했다. 단순한식당으로만 여겨지지 않았다. 붉고 푸른 불빛부터 흐렸다. 대부분의 식탁에는 쌍쌍으로 앉아 술을 마시며 소곤대고 있었다. 복도를 통해 밴드의 음악 소리가 들려왔다.

"뭘 할까?"

"아무 거나 하세요."

"아무 거나가 곤란하단 말야……."

은애는 의혹과 불안과 호기에 찬 눈을 깜박이며 주위를 두리번거렸다.

"그럼 맥주부터 가져와."

주문을 받고 돌아서는 보이의 뒷모습이 멀어져 갔다.

"여긴 어디예요?"

"XX센터……, 마시고 춤추고 하는 데야."

"그래요……."

"재미있는 곳이야."

그 재미란 것은 알 길이 없지만 은애에게는 신기하기만 했다. 조바심을 느끼면서도 어떤 미지의 세계로 이끌려 들어가는 것 같은 호기심……, 펼쳐지는 일들을 보고 싶은 욕망이 슬며시 꿈틀거리기도 했다.

자기가 지금껏 살아 온 주위의 일반적인 분위기와는 전연 다른 인상을 주는 색다른 세계만 같았다.

맥주병이 날라져 왔다.

몇 달 동안 매일 밤 싫증나게 다루면서도 단 한 번 입에 대 보지 않았었다. 은애는 한식의 권에 못 이겨 투명한 유리컵에 거품이 찰랑이는 맥주잔을 들어 한 모금 넘겼다. 갈하던 목구멍이 찌릿 자극해 왔다. 쯥쯜한 맛……, 알코올의 엷은 향훈이 콧구멍으로 새어 나오며 신트림이 겹쳐 왔다. 한식의 쭉쭉 들이켜는 시원스런 동작에 이끌리듯이 날름날름 목을 축인 것이 어느덧 한 잔이 거의 없어져 갔다. 다시 컵은 가득 차졌다. 권하는 잔을 받았다. 조그만 하고 컵을 올려 치켰으나 옆으로 쏟아지면서도 잔은 가득 차 넘쳤다. 컵 언저리를 흘러내리는 거품이 손을 적셨다. 미숙이가 맥주 한 잔쯤이야 하며 어깨를 으쓱 치키던 모습이 떠올랐다. 한식이 잔을 들어 어거지로 입에 쏟아 넣는 바람에 또 반잔이나 마셔 버렸다. 이번엔 목구멍의 자극이 거세어 금방 도로 나올 것만 같다가 꿀꺽 넘어가 버렸다. 사내들은 이 간질간질 찌르는 맛에 그렇게들 맥주를 좋아하는 것일까…….

뺨이 화끈 달고 머릿속이 흔들려 왔다. 취하는 기분이란 대체 어떤 것일까……. 모든 것을 잊을 수 있게 흠뻑 취하고 싶은 엉뚱한 유혹이 밀물져 왔다. 그러나 금방 그래서는 안 되겠다는 도사림이 뒤를 따랐다. 그러면서도 주는 대로 몇 잔을 거듭 들이켰다. 부질없는 자기 반발인 것만 같은 심정이 떠오르기도 했다. 집안의 수세미 같은 일들은 잠시 잊으리라고, 밀려오는 생각들을 지워 버리려 애써 보았다. 머리가 아찔해 왔다.

연속 시원스레 들이키는 한식은 벌써 눈언저리가 흐려 보였다. 자기의 눈동자도 저럴까……. 은애는 자기 꼴을 보고 싶은 충동을 느끼며 화장실로 갔다. 거울 속에 비친 제 얼굴을 뚫어질 듯이 쏘아 보았다. 빨갛게 물든 눈 가장자리와 뺨, 눈동자에도 붉은 핏기가 어려 있는 것만 같았다.

자리를 옮겨 복도로 나왔다. 꼭 한식의 보이지 않는 마력(魔力)에 이끌려가는 것만 같았다. 자기 몸을 꽉 붙잡고 어거지를 부리는 것만도 아닌데, 자신은 엉겁결에 자기 판단의 여유도 없이 졸졸 따라 다니고 있으니 말이다.

음악 소리가 귀를 울린다. 쌍쌍이 돌아가는 얼굴 모습도 뚜렷이 보이지 않는 어스름한 네온의 바다……. 뒤로 물러서려는 위축감보다 들어가 보고 싶은 호기심이 더 앞을 가림은 무슨 탓일까……. 한식은 벌써 자기의 팔을 끼고 나란히 안쪽으로 들어가고 있지 않은가…….

꼭 귀신에게라도 홀린 것만 같다. 이런 곳도 있었던가 하는 신기함이 자꾸만 혀를 차게 한다. 비어홀이라는 자기 직장에서는 느끼지 못했던 황홀감마저 겹쳐 오는 것은 무슨 까닭일까…….

테이블엔 또 술이 날라져 왔다. 술과 음악과 춤……. 사내들은 이런 세계에서만 사는 것일까……. 자기집의 초라한 살림이 대조적으로 떠올랐다. 그러나 비판적인 그러한 생각들은 자꾸만 지워지고, 이 색다른 분위기 속으로 휩쓸려 들어가는 것만 같은 흐린 의식으로 변해 감을 어찌할까……. 은애는 리듬에 맞추어 돌고 있는 군상들의 갖가지 포즈를 넋 잃은 양 바라보고 있었다. 자기가 안다는 것은 학교에서 배운 포크댄스밖에 없었다. 애들끼리 휴식 시간에 장난치던 원 스텝 정도로는 이야깃거리도 안 되게 이들의 동작은 능란한 것만 같았다. 아니 능란 정도가 아니라 그 분위기에 흠뻑 젖어 도취되어 있는 것만 같았다.

어떤 여인은 남자의 몸을 끌어안고 거의 매어 달리다시피 하며 돌고 있지 않은가…….

글라스의 빨간빛 양주를 잔을 찰칵 맞부딪치며 추켜들었다. 짙은 송진 냄새, 은애는 목이 타는 것만 같아 한 방울밖에 삼키지 못했다.

"우리 한 번 춰 볼까?"

한식은 한 쪽 팔을 내밀며 은애를 바라보았다.

"전 출 줄 몰라요."

은애는 손을 내저으며 솔직히 고백했다.

"참말?"

"네."

"거짓말 말어."

"아니, 정말이에요."

"그저 따라오면 돼."

"한 번도 춰 본 일이 없어요."

"그래?"

한식은 참말 의외라는 듯한 표정을 하면서도 믿어지지 않는 눈치였다.

"아무튼 한 번만 춰 봐요."

한식은 박스에서 일어나 은애의 팔을 끌었다.

취기가 도는 걸까, 머리가 흔들렸다. 은애는 사맥이 나른해 옴을 느꼈다. 거역할 힘조차 풀려 버린 것만 같았다. 끄는 대로 딸려 일어섰다. 이젠 한식이 시키는 대로 동작하는 수밖에 없었다.

"블루스야……, 블루스……."

입김이 귀에 따가웠다.

손님보다 밴드의 악사들이 더 흥을 돋우며 기세를 올리고 있었다. 트럼펫의 키다리는 그 긴 목을 황새모양 뒤로 젖히고 애수 어린 비명의 선율로 홀 안을 뒤흔들어댔다. 인기 가수라는 여인의 노래는 그 자신이 울고 있는 것같이 숨소리마저 시들어 구슬픔을 자아냈다. 어느 일개인의 의사로 강요되는 유혹이 아니라, 분위기 전체가 사람들을 견딜 수 없는 관능의 구렁으로 몰아넣고 있는 것만 같았다. 돌고 있는 것이 아니라 거의 제자리걸음으로 뭉뚱그려진 채 비비대며 몸부림치고 있었다.

은애는 한식의 팔에 감겨 홀 복판에 나섰다. 그러나 발이 제대로 놀려지지 않았다. 다만 한식의 익숙한 리드에 억지로 이끌려 갈 뿐이었다. 모든 신경은 발끝으로만 옮겨졌다.

비어홀에서 귀 익은 악곡이건만, 그 음악 소리는 발과 별개의 방향으로 흘러가는 것만 같았다. 허리에 감긴 팔의 탄력에 가슴이 가쁘고 숨이 차 왔다. 자꾸만 발이 걸리며 빗디뎌졌다. 이성에게 안겼다는 포근한 감이란 느낄 겨를도 없이, 스텝을 맞추려는 고역에 온 정신이 집중되기만 했다. 음악의 한 파트가 너무 긴 것만 같게 여겨졌다. 그렇다고 자기 뜻대로 도중에서 뛰어 나갈 수는 없었다. 자신은 대상에게 꼼짝 못하도록 안겨 있었다. 쌍방의 의사가 통치 않고는 몸집을 빼낼 수가 없었다. 그만 하자고 암시를 보냈지만, 이 서투른 파트너에도 무슨 매력이 있는지 상대는 아무 반응도 보이지 않고 그대로 리드하고 있었다.

자욱한 담배 연기가 회전하는 샹들리에의 조각난 광선에 보얗게 흐려 보였다. 홀 안 공기가 더운 탓일까……, 등엔 축축이 땀이 내뱄다. 상대의 남자에 포근히 안겨 지그시 눈을 감은 채 사뭇 도취의 황홀경에 빠져 있는 듯한 옆의 여인을 보면서도 아무런 감흥도 없었다. 오히려 한식에게 미안한 감이 움터올 뿐이었다.

자리에 돌아오니 이마에 땀이 선득했다. 코카콜라 잔을 들어 단숨에 들이켰다. 무슨 탓인지 여기에서도 그 양주의 송진 냄새가 아련히 풍겨 왔다. 힘에 겨운 엄청난 노동이라도 치르고 나온 것만 같은 심정이었다. 그러나 가슴의 거센 고동은 아직도 완전히 안정되어지지는 않았다.

위층의 이 방으로 어떻게 들어왔는지, 그저 얼결에 엄벙덤벙 옮겨져 온 것만 같다. 자동키의 철커덕 소리가 귓전에 남아 있을 뿐이다. 머리가 혼몽하다. 정말 취해 오는 가보다.

자신은 베드에 걸터앉은 한식의 가슴에 안겨 있다. 정신이 바짝 차려 진다. 그러나 자기 의사대로 몸을 자유롭게 가누기조차 힘들다. 그것은 억지로 마시게끔 되어 버린 술의 탓만은 아닌 것 같다. 아무리 소리쳐도 들리지 않을 호젓한 방, 지금 그 속에서 자신은 억센 남자의 힘에 굴복되어 있는 것이다. 모든 조건이란 지극히 자기에게 불리하게만 되어 있다.

애초에 따라 나섰던 것이 잘못이다. 모든 일이 참 어쩔 수 없는 단계를 제대로 밟아서 이까지 밀려오게끔 된 것만 같다.

옷은 아직도 입은 채로다. 그러나 꼭 고양이 앞에서 발발 떨고 있는 쥐

새끼만 같이 자신이 초라해진다. 일 대 일로 격퇴하는 대결이란 이 마당
에 어림도 없는 일이다. 애걸하거나 무슨 꾀를 부려 이 자리를 모면하는
수밖에 없다. 그러나 아무런 묘책도 떠오르지 않는 긴박한 순간이다. 이
미 자기는 이까지 오는 과정에서 반 이상 지쳐 버렸다. 아니 이성의 정확
한 판단을 내릴 최후의 여백마저도 완전히 박탈당하고 있는 것이다.

한식의 입김이 입술에 뜨겁다. 얼굴 전체가 이글거리고 심장이 거세게
뛰고 있다.

상대도 대화란 거의 없다. 다만 거친 숨결 속에서 성난 짐승 같은 행동
이 최후의 아성을 뚫으려고 소용돌이치고 있을 뿐이다.

새우처럼 전신을 웅크리고, 있는 힘을 다하여 항거해 본다. 그러나 시
간이 흘러갈수록 견디어 낼 도리가 없다. 전신은 물에 빠진 듯 축축이 젖
어 온다.

오한이 든 것처럼 온몸이 떨린다. 이가 덜덜 맞부딪는다. 이제는 버티
어 갈 기운조차 탕진해 버린 것만 같다.

은애는 끝내 울음을 터뜨리고야 말았다. 그것은 상대를 원망하는 울분
인지, 자기의 환경을 저주하는 애탄인지, 자신을 매질하는 자책의 호소인
지 스스로도 분간할 수 없는 호곡(號哭)같은 것이었다.

뱀에게 쫓기다가 소스라쳐 눈을 떴다. 주위가 허전했다. 아니 자기 가
슴속이 더욱 허황한 것만 같았다. 간밤의 일들이 안개마냥 밀려 왔다간
아련하게 사라져 갔다. 꼭 꿈만 같았다. 내의의 끊어진 고무줄에 손이 갔
다. 모든 일은 틀림없는 현실이었다. 벌써 지워지지 않는 과거로 되었다.

목숨과도 맞바꿀 수 없는 것만 같이 귀중하게 생각해 오던 관념들이,
현실의 거센 파도 위에서 물거품처럼 사그라져 갔다. 냉소 어린 얼굴들이
떠올랐다. 참말 아차 하는 예기치 않은 시간에 너무도 쉽사리 처리된 것
만 같은 공허감을 견디어 낼 수가 없었다. 자신이 간직해 온 육체의 모든

신비로움이 송두리째 앗아져 간 것만 같았다.

은애는 거울을 들여다보았다. 눈언저리가 퉁퉁 부어 있었다. 돌아오는 차속에서는 사뭇 울기만 했었다.

자기 자신이 밉다 못해 가엾어 보였다. 누구를 탓하기 전에 스스로의 모습을 응시해 보았다. 남이 손을 쓸 틈을 엿보이게 해 준 것은 틀림없는 자신인 것만 같았다. 꼭 베이비 골프의 코스를 순서대로 밟아 올라온 경로의 결과 같은 것이었다. 상대의 억지가 끼지 않은 것은 아니었다. 그러나 이렇게 될 수밖에 없었던 절반의 책임은 스스로도 모면해 낼 수 없는 자책이 휘감겨 왔다. 어쩌면 비어홀에 취직되어 나간 첫날, 이러한 과정은 이미 운명처럼 몸뚱이에 칭칭 감겨 있었는지도 모를 일이었다.

은애는 다시 자리에 누웠다. 멍하니 천장의 도배지 무늬를 바라보고 있었다. 그 같은 간격의 무늬가 아른아른 흐려져 갔다. 가슴속 구멍 뚫린 것 같은 공동에 아쉬움이 물밀 듯 밀려 왔다. 가쁜 숨길을 돌려 후 하고 한숨을 내쉬었다. 그러나 쓰라린 상처는 아물어 주지 않았다.

안방에서 어머니의 가래를 긁어내는 기침 소리가 들려왔다. 어머니는 자기가 돌아온 후도 줄곧 잠을 이루지 못해 새고 있는 것일까……, 눈치를 채고 있는지도 모른다. 악을 쓰고 집으로 돌아온 것만도 다행이다. 그것이 아침이라면 무슨 낯으로 들어설 수 있었을 것인가……. 그래도 밝은 낮에 어머니를 만날 일이 두렵다. 큰 죄를 저지르고 돌아온 것만 같다. 은심이나 은호가 안다면 어떻게 생각할까, 그러나 최후의 피해자는 자기 혼자로 돌아오는 수밖에 없다. 이 불의의 피해는 자기 이외의 누구도 대신할 수 없는 일이 아닌가……. 누구도 또한 이 상처를 아물려 줄 사람은 없는 것처럼…….

이제 다시는 한식을 만나지 말아야 하겠다. 그러자면 비어홀은 그만두어야만 할 것이 아닌가. 당장 오늘부터라도……. 우선 며칠 쉬며 다른 직장을 찾아야만 하겠다. 그것이 그렇게 쉬울까. 단순한 생각으로 그저 죽어 버렸으면, 모든 것을 보지 않고 속 시원할 것만 같다. 그러나 이 마당에 스스로 목숨을 끊는다는 것은 너무도 억울하다. 꼭 개죽음같이 밖에는 생각되지 않는다.

은애는 옆으로 돌아누웠다. 가슴속이 꽉 막히는 것만 같아 계속 큰 숨만 내쉬고 있었다.

날은 밝았다. 언덕 아래에서는 벌써 사람들이 웅성대는 소리가 들려왔다. 또 고달픈 하루가 시작되는 것이다. 이 막바지의 질식할 것만 같은 순간에도 죽음을 각오하지 못하고, 지질찮게 사는 삶에 미련을 가지는 자신이 우스꽝스럽기도 하다. 그러나 죽음의 의미로는 너무도 박약한 것만 같다. 그것은 자신이 굳센 것이 아니라, 너무도 약하기 때문에 굳은 결의를 가지지 못하는 것이라고 자신을 나무라면서도 그 이상의 행동으로 나가지지 않는다.

스스로가 살아가는 것이 아니라, 주위에 이끌려서 억지로 삶을 지탱해 가는 것만 같다. 자기뿐이 아니라 집안 식구의 모두다 그렇게 되어진 것이 아닐까…… 어머니만 해도 자식 때문에 살아 왔고, 그리고 또 억지로 생명을 부지해 오고 있다. 은호는 벌써 은애 자기 이상으로 삶보다 죽음에 대한 집념을 되풀이하고 있는지도 모른다. 은심에게도 이렇다 할 희망이 있을 리 없다. 죽음을 택하지 않는다는 것은 그대로 살 의욕 때문이라고 해석하기엔 자기 식구들은 너무도 무력한 존재인 것만 같다. 지금껏 억지로 버티어 온 스스로의 삶의 욕구가 허무하게 무너져 가는 것만 같다.

한낮이 기울었다. 함석지붕에서 내리쪼이는 열기, 창으로만 밀려드는 것 같은 숨 막히는 더위…… 은애는 그대로 누워 배겨 낼 수가 없었다. 하룻밤만 쉬고 난 비어홀이 궁금해 왔다. 미숙이, 명자, 그 밖의 누구누구……, 홀 안의 군상들이 엇갈려 떠올랐다. 식구들이 번갈아 가며 어디가 아프냐고 참말 진심으로 걱정해 주는 것조차 귀찮아졌다. 자기마저 누워버리니 집안에 말수는 줄어져만 갔다. 속이 답답했다. 어디든지 나가야만 했다.

해는 서쪽으로 기울어졌지만 열기를 뿜어대는 땅바닥은 아직 식지 않았다. 밖으로 나온 은애는 방향도 목적도 없이 걷고 있었다. 오고 가는 사람들이 자기만을 쳐다보는 것 같은 착각을 느꼈다. 자신이 달라진 것이 아니라 하룻밤 사이에 온 천지가 변해진 것만 같았다.

그런데 이상한 일이다. 자기의 발걸음은 모르는 사이에 직장이 있는 쪽으로만 쏠리고 있지 않은가…… 마치 불을 질러 놓고 달아난 범인이 자꾸만 그 화재 현장을 보고 싶어 한다는 그러한 충동과 비슷한 것일까……. 막연하게 거리에 나왔지만 사실 그 곳밖엔 갈 곳이 없다. 이미 자기는 물을 떠나서는 살 수 없는 물고기의 생리로 변해진 것일까……. 모든 것이 야속하기만 하다. 이 심정을 고백할 수 있는 대상이란 아무도 없다.

고독한 피해자……. 은애는 쓰디쓴 자조(自嘲)를 꿀컥 삼키며 마치 예정 코스의 종점이기라도 한 것처럼 크라운장에 들어섰다.

이 속이 차라리 놀던 물 마냥 어색함이 없이 포근함을 안겨다 주는 것만 같게 느껴짐은 무슨 탓일까……. 이 몇 달 동안 자기는 이곳 이외에서는 무관심 되었거나 버림을 받아 온 것이 아닐까……. 이 속에서는 진정이건 거짓이건 자기에게 관심들을 가지고 대해 준다. 분위기의 여파에서 얻어진 감정의 소치일까……. 그보다는 오히려 밑바닥일망정 살아 갈 수 있는 뒷받침이 되어 주었다는 직장 의식에서 오는 무의식중의 관성(慣性)일지도 모른다.

"너, 어저께 왜 쉬었니?"

명자가 반기며 앞으로 다가왔다. 은애는 금방 대답이 나가지 않아 머뭇거렸다.

"광나루에 나갔더라면서?"

"누가 그러디?"

은애는 놀라는 표정을 굳이 감추면서 반사적으로 되물었다. 그러나 가슴속엔 이미 철렁 하는 충격을 받았다.

"미숙이 만났다면서?"

머리를 끄덕이면서도 은애는 마음속이 꺼림칙해 견딜 수 없었다.

"미숙이 엊저녁 나왔어?"

"응, 좀 늦게……"

모든 일은 짐작이 갔다. 그런데 자신은 지금 간밤의 일보다 친구들의 반응에 더 신경을 쓰고 있지 않은가……. 자신의 상처에 대한 아픔보다 세상 소문을 더 두려워하고 있는 것이 아닌가…….

"은애, 이젠 그 양재학원 계속하지?"

지금 이 같은 경우, 명자의 물음은 참말 뚱딴지같은 소리로밖에 들리지 않았다.

"며칠 후면, 새 반이 시작돼."

그러고 보니 명자는 벌써 마지막 클래스로 올라가게 되었다. 그사이 따지고 보면 자기는 아무 것도 한 것이 없이 잃은 것뿐이었다. 명랑하게 웃음 띤 얼굴로 자기를 빤히 쳐다보는 명자의 고마움에 미안한 생각만 들었다.

"나도 하기는 해야겠는데……."

속에 없는 인사치레의 한 마디로 흐려 보냈다.

"눈을 딱 감고해야 해. 이것저것 따지자면 끝이 없어. 일단 시작한 일은 끝맺어야 하지 않겠어?"

끝에 힘을 주는 명자의 말이 가슴을 콕 찌르는 듯 박혀 왔다.

"글쎄……."

"이같이 썩어 빠진 곳에 끝까지 버티려구?"

은애는 할 말이 없었다. 명자의 반문하는 말 그대로 자기는 벌써 썩어 가고 있지 않은가…….

"너 어저께 재미 많이 봤니?"

어느 사이에 들어왔는지 미숙이가 어깨를 툭 치며 눈을 찡긋했다. 너희들의 모든 경과를 속속들이 알고 있다는 듯한 의미 있는 눈웃음이었다. 은애는 어색한 웃음을 지으며 미숙이를 건너다보았다. 무엇이라고 곧장 응답할 말이 없었다. 그때 미숙이를 억지로라도 불러 같이 행동했으면 모든 사태는 미연에 방지되었을지도 몰랐다. 뉘우침과 미안감이 함께 서려 왔다.

"은애, 몸조심해……."

미숙이는 쌩긋 웃고 콧노래를 흥얼거리며 갱의실 쪽으로 갔다.

몸조심, 흥, 몸조심……. 은애는 몇 번이고 똑같은 말을 입속으로 되뇌었다.

그러나 이젠 다 뒤집혀진 물이었다. 머리에 떠올리는 것조차 몸서리쳐졌다.

손님이 흥청거려 몸둘바를 모르게 바쁘면 잡념이 일 사이도 없이 일에 정신이 팔릴 수밖에 없었다. 그러나 좀 뜸해지면 전날 일들이 끊겼다 이었다 두서없이 머릿속에 휩싸여 왔다.

상대를 증오하기보다 속았다는 자기혐오가 더 앞서 자신을 괴롭혔다. 바보같이, 참말 바보같이 속은 것만 같았다. 한데에 팽개쳐 둔 물건이 아닌 바에야, 도둑놈보다 도둑을 당한 쪽이 더 허물이 크게만 해석되었다. 못난 것, 어름어름하다가 그 꼴을……. 은애는 앞에 손님이 앉아 있다는 것조차 잊고 제풀에 혀를 찼다.

이미 흘러간 일, 모든 것을 잊자……. 은애는 입술을 깨물어 스스로에게 체념 어린 다짐을 되풀이했다. 그러나 끊겼던 생각은 몇 번이고 제 굽이를 되돌아왔다. 과거고 현재고 미래고 생각하고 싶지 않았다. 모든 것이 귀찮아졌다. 되는 대로 살자. 어느 결엔가 마음속은 자포자기의 먹구름 속을 헤살져 가고 있었다.

순결도 인내도 노력도, 높이 쌓아가던 탑은 너무도 허술하게 무너져 버린 것만 같았다.

"33번……, 손님이요……."

보이가 부르는 소리였다. 아무리 풀기 없이 메말랐던 시간에도 이 소리는 활기를 부어 주는 생생한 인상 속에 충동적인 의욕을 돋우어 주었다. 은애는 소리 나는 쪽으로 시선을 돌렸다.

"앗……."

순간 은애는 머리를 떨구었다. 한식이 아닌가……. 현기증이 솟구쳤다. 빡빡 할퀴고 물어뜯고 싶은 증오……. 그러나 그것은 금방 맥 빠진 맥주 거품처럼 사그라져 갔다. 꼼짝할 수 없었다. 웬일일까? 자기의 비밀의 열쇠는 오직 그 하나만이 쥐고 있는 것만 같았다. 머리가 화끈 달아올랐다. 총으로 쏴 죽이고라도 싶던 간밤의 적의는 간 데 없고, 위축감과 부끄러움이 겹쳐왔다.

참 알 수 없는 일이었다. 왜 이렇게도 자신의 감정과 행동이 표변해지는 것일까……. 은애는 자기 자신에 의아를 던지고 있었다. 그리고 한 쪽에선 오래 만나지 못했던 옛 사람을 예기치 않은 곳에서 해후하는 것만 같은 미묘한 심정에 얽혀 갔다.

"이봐, 은애……."

은애는 머리를 들 수 없었다. 그렇다고 외면하고 달아날 수도 없었다. 마치 자석 같은 보이지 않는 인력에 붙들려 매어 있는 것만 같은 심정이었다.

"은애, 날 봐."

그 목소리는 일찍이 경험하지 못했던 것처럼 부드럽게 들려왔다.

은애는 따가운 눈시울을 숙인 채 깜빡이고 있었다.

"은애……."

한식이 자기의 턱을 들어 받치며 바라보는 시선에 은애는 맞부딪쳤다.

그의 시선에는 간밤의 짐승 같은 사나움은 찾을 길 없고, 정복자의 쾌감 어린 만족의 미소가 감돌고 있음이 느껴질 뿐이었다. 그러나 자신은 이미 이빨을 빼버린 독사와 같은 신세였다. 그에 대한 적극적인 아무 의사 표시도 행동도 할 수 없이 무기력해짐을 느낄 뿐이었다. 마치 적군에 짓밟힌 포로가 다음 단계의 포고문을 기다리는 것 같은 피동적인 자세밖에 취해지지 않았다.

"은애, 고마웠어……."

한식의 이 한 마디는 진정에서 흘러나오는 사과인지, 너도 별수 없다는 야유인지, 그렇잖으면 승리자로서의 관용인지, 은애에게는 분간이 가지 않았다.

은애는 짐짓 그의 앞을 떠나고 싶으면서, 행동은 웬일인지 자기의 의사를 즉각에서 옮겨 주지 못함을 안타까워 할 뿐이었다. 끝끝내 은애는 한 마디의 말도 하지 않았다. 그만큼 그는 가슴속 깊이 멍들어 울고 있는지도 몰랐다.

한식도 말없이 계속 맥주병만 비우며 담배 연기를 긴 숨 속에 담아 날리고 있었다.

선풍기가 판을 치는 무더움 속에서 전축의 선정 어린 멜로디는 홀 안에 발악 같은 관능의 기름불을 질러가고 있을 뿐이었다.

제5장

이 며칠 동안 은애는 거의 허탈 상태에 빠져 있었다. 자기 몸뚱이에서 소중한 덩어리 하나가 쑥 빠져 버린 것만 같은 허황한 감을 금할 길이 없었다. 아무리 지워 버리려고 애를 써도 그날 밤에 저질러진 일들이 단속적으로 머릿속을 헤살짓고만 있었다. 아니 자신의 육체에는 이미 지울 수 없는 낙인(烙印)이 찍혀 있는 것이 아닌가 하고 스스로 반문하기도 했다.

한식과 자기, 그것은 참말 아무 것도 아닌 평범한 사이였었다. 비어홀에 오는 단골손님 중의 한 사람, 그 밖의 아무 것도 없었다. 그 속에서도 자기에게 가장 친밀하게 대해 주었던 고객, 이 테두리를 벗어나는 특별한 관계란 있을 수 없었다. 공교롭게도 동생의 돌연한 입원으로 본의 아니게 그의 신세를 적잖게 졌다는 것뿐이었다. 그것이 둘 사이를 좀 더 접근시키는 계기가 되었는지도 몰랐다. 그것도 자신의 능동적인 소신보다는 상대의 의사를 거역하지 못하고 그대로 받아들인 데 지나지 않은 일이었다. 결국 자신은 비어홀에 들어온 이후 그렇게까지 버티어 오던 자기의 의지를 죽이고 주위의 조건에 더 이끌려 다닌 것만 같았다.

참말 내가 그렇게 무의지의 행동을 피동적으로 저지를 수 있었던가. 아니 그렇게 순순히 자기의 마지막 아성을 무너뜨릴 수밖에 없었던가. 취할까 말까 한 알코올의 마취나 흥분에만 모든 책임을 돌릴 수는 없는 것만 같았다.

자신의 어느 구석엔가 한식에 대한 애정의 싹이 무의식중에 움터 왔던 것이나 아닐까……. 아무리 생각해도 불가항력으로 판정 지을 수는 없는 일이었다. 그렇게까지 자신이 이미 죽어 버린 송장이라고는 생각되지 않았다. 자기보단 체력이 센 남자와의 대결, 힘만으로는 어찌할 수 없었는지도 몰랐다. 그러나 그 밖의 무슨 수단을 써서라도 자기가 기어코 그 장면을 모면하려면 최후의 위기만은 회피해 낼 수 있는 방법이 있었음에 틀림없었던 것 같았다.

복잡한 집안 식구들에 대한 반발, 자기 자신에 대한 증오나 학대에서의 도피, 이러한 것들이 적잖은 동기가 되었던 것만은 틀림없는 일이었다. 그러나 마음 한 구석에 회의를 품으면서도 한식이 이끄는 대로 졸졸 따라다닌 데 지나지 않은 자신의 행동, 그것은 그만큼 상대에 대한 관심의 소치가 아니었던가……. 생각의 꼬리는 끝없이 이어만 갔다. 시간이 흐름에 따라 상대에 대한 증오는 자기혐오로 바뀌어져 스스로를 채찍질하고, 결국에는 잠재했던 상대에 대한 애정의 발로라는 자기 주체성의 합리화로 이끌려 들고야 마는 서글픈 자조(自嘲)를 금할 길 없었다.

쉴 사이 없이 시간이 경과한다는 것은 다행스럽고도 무서운 일만 같았다. 지나가 버린 일은 흐려지거나 관대해지기 마련인 성싶었다. 그렇게 끔찍스러운 일만 같이 충격이 지속되던 한식과의 관계가 점차 관대한 각도의 해석으로 돌려지는 것은 지난 일에 대한 체념의 탓만은 아닌 것 같았다.

맨 처음 취직되었을 때, 그렇게 쑥스럽게 여기던 비어홀의 생리에 어느덧 평범한 심정으로 휩싸여 들어가게끔 된 것이나, 이 돌발적인 사태의 경우 점차 자기합리화의 관용이 덮쳐져 가는 것이나, 다 자신의 주체성보다는 환경에 적용되려는 자기 이외의 힘이 더 거세게 작용된 결과라고 생각되기도 했다.

착잡한 심경 속에서도 은애는 비어홀에 한식이 나타나기를 기다리고 있는 자신의 염치없는 심정을 지긋이 짓밟아 보았다. 그것은 확실히 피해를 당한 적에 대한 보복의 적의 같은 것은 아니었다. 가증스러우면서도 기다려지는 이 미묘한 심리의 갈등, 그것은 은애 자신으로도 해명해 낼 수 없는, 자기 이외의 다른 것에서 조종되고 있는 신비로운 힘의 소산인 것만 같게 느껴졌다.

은애는 예전보다 훨씬 자주 출입구 도어 쪽에 신경이 가게 되는 자신을 나무랄 염도 못하고 시선을 거듭 던지고 있었다.

은애는 끝내 한식에게 이끌려 나오고 말았다.

자기가 지금껏 남성에게서 느끼던 호기심이란 완전히 거세된 것만 같았다. 그것만이 아니었다. 상대가 자기에게서 느꼈을 미지의 신비성, 그런 것도 이미 사라져 버렸을 것이라는 생각이 곁들기도 했다.

한식은 아무 일도 없었던 듯이 태연하게 자기를 대하고 있으나, 은애 자신은 아무래도 멋쩍은 감정을 완전히 씻어 버릴 수는 없었다. 그러면서도 공범과 같은 연대 의식이 가슴 한 쪽에 도사리고 있음을 느끼지 않을 수 없었다.

"오늘은 내가 시키는 대로 해……."

"또요?"

즉각으로 반사되는 반발은 은애 자신도 놀랄 정도의 토라진 목소리였다. 곧 이어 대담해진 자신이 의식되어 왔다. 이성을 안 처녀의 대담성, 은애는 이런 넋두리 같은 상념을 더듬고 있었다.

그러나 한식은 커다란 눈동자에 싱글거리는 웃음을 머금고 있었다. 한식의 얼굴을 빤히 건너다보며, 은애는 어린이의 티 없는 순진성과 상습범의 교활하고 징글맞은 표정을 동시에 느끼고 있는 것이었다.

자기는 지금껏 한식에게서 그의 일면밖에는 보지 못한 것만 같았다. 그것도 극히 피상적인 외곽밖에는 알지 못하고 온 것이 사실이었다. 그 이상의 관심을 가지고 그를 주시하지 않았다면 애당초 한식은 자기 관심의 테두리 밖의 존재가 아니었을까……. 그렇다면 굳이 합리화시키려고 한 애정의 싹 같은 것은 억지의 자위가 아니었던가……. 은애는 자신을 뒤볶는 스스로의 이율배반되는 상념 속에서 갈피를 잡지 못했다. 차라리 그 최후의 사태가 벌어짐으로써 그제서야 관심의 대상으로 초점이 확대되어 온 것이나 아닐까……. 아무리 틀어 맞추려고 해도 이미 엎질러진 물은 냉랭한 현실로 남아 있을 뿐이었다.

은애는 한식을 따라 양재점에 들어섰다. 현실을 떠난 화려한 꿈이 상상의 날개를 끝없이 펼쳐 가게 하던 지난날의 자신과의 사이에 하나의 경계선이 뚜렷이 그어진 것만 같았다. 지금 자신은 현실에 얽매어 꿈의 날개는 고사하고 자신의 의사도 제대로 나타내지 못한 채 질질 끌려 다니고 있지 않는가.

그렇다고 한 길가에서나 양재점 속에서 옥신각신할 수는 없는 일이었다. 한식의 권에 못 이겨 천을 골라 옷을 맞추었다. 어떤 보상이나 대가를 받는 것 같은 비굴감이 없지 않았으나, 전에도 다급할 때마다 그의 협조를 달게 받던 자신으로선 오히려 부질없는 반발 같게만 느껴지기도 했다.

그간의 경위야 어찌 되었건, 결과로 보아 육체만 정복당한 것이 아니었다. 마음마저도 흡사히 포로가 된 것만 같았다. 무엇인가 딱 잘라 표현할 수 없는 그의 마력에 이끌려 가고 있었다. 그러나 그것만이 아니었다. 점차 스스로의 의사로 그를 따르게 되는 심정으로 옮겨져 가는 과정 또한 부인할 수는 없었다.

저녁을 먹고, 극장 구경을 하고……, 예정했던 코스를 달리듯이 한 바퀴 돌고 나니 헷갈리던 가슴속이 후련하기까지 했다.

이젠 직장을 결근하는 것도 대수롭지 않게 여겨졌다. 심신의 갑작스런 변화에 의아에 찬 눈을 자신에게 돌려 보았다.

한식과 갈라져 집으로 돌아올 때는 오히려 미흡한 것 같은 아쉬움을 느끼게까지 되는 것은 무슨 탓일까……. 그가 어디로 가자고 또 붙잡지나 않나 하는 걱정이 앞서면서도, 순순히 놓아주는 것이 오히려 서운한 감을 자아내기도 했다.

이젠 참말 스스로도 자신의 마음의 변화를 뚜렷이 들여다 볼 수 없는 것만 같은 불투명한 심경이었다.

집에 돌아와서도 은애는 풀길 없는 수수께끼의 도가니 속에 파묻혀, 자신의 몸둘 방향을 헤아리지 못한 채 두서없는 생각에 휘몰리고 있었다.

나의 앞길은 대체 어떻게 될 것인가……. 숱한 의문이 겹쳐져 엄습해 옴을 막을 길 없었다.

거듭 반복되는 것, 그리고 그것이 거의 관습화된다는 것, 그것은 무서운 타성으로 이성을 짓밟고 제멋대로 뒹굴어 가기 일쑤였다. 이제는 한식을 만나면 그의 앞에선 꼼짝할 수가 없었다. 그가 하자는 대로 따르기 마련이었다. 그러는 자신을 조금도 이상하게 느끼지 않을 만큼 은애는 변모해 가고 있었다. 생명보다도 값진 것이라고 생각해 왔던 처녀성에 대한 자기의 기성관념을 한갓 소녀의 감상인 양 비웃을 정도로 대담하게 전환되어 가는 자신을, 은애는 담담한 심정으로 방관하고 있을 따름이었다. 부정도 긍정도 없었다. 오히려 평범한 하나의 지나간 사실에 불과하게 느껴질 뿐이었다.

'처녀는 참말 처음이야……'

순진한 소년처럼 서슴지 않고 내뱉던 한식의 경이에 찬 눈동자의 심각한 인상만은 아직도 망막 속에 아른거리고 있었다.

참말 한식을 안 것은 그 이후의 일이라고 하는 것이 옳을 것만 같았다. 그 이전엔 그의 극히 피상적인 일면밖에 알지 못했다. 서로가 접근되어 가까워진다는 것, 그것은 그만큼 상대의 장점보다 단점이 보여지는 계기가 되었는지도 몰랐다. 성의 접촉은 상대의 신비를 앗아 가는 종점인 동시에, 모든 약점을 적나라하게 폭로하는 시발점이 되는 것만 같았다.

기생, 바걸, 매춘부 등속은 말할 것도 없고, 유부녀, 과부, 온갖 여인을 닥치는 대로 정복해 왔다는 한식. 이 숨김없는 실토를 처음 들었을 때 은애는 현기증을 일으킬 정도로 아연실색했으나, 그것도 이젠 극히 평범한 이야기로 흘려버리게끔 만성이 되었다. 그 솔직한 고백 속에는 가느다란 한 가닥의 진실이 반영되기도 했다. 이성을 접했다는 것, 그것 한가지로 자신의 시야가 넓어지고 깊이가 짙어진 것 같게 느껴지기도 했다. 실지로 자신은 한식의 일면밖에 보지 못한 것이 아닌가…… 그 이후에 자기의 그를 보는 눈동자는 확실히 각도가 달라졌다. 아니 모든 대상을 보는 눈의 초점이 이동되어 가고 있지 않은가.

'천하의 난봉꾼……'

은애는 홀로 중얼거리며 쓴웃음을 날려 보냈다. 한식 자신이 스스로 그것을 자처하고 있지 않았던가.

'순결이 문제가 아니다. 사는 것이 문제다……'

엉뚱한 넋두리가 분명 자신의 입속에서 새어 나오고 있었다. 어쩌면 이같이 쉽사리 자신을 시속에 알맞게 해석할 수 있을까 하고, 은애는 스스로에 증오를 퍼붓곤 했다. 그러나 그것은 잠깐이었다. 자기는 지금 한식을 만나러 가고 있다는 사실이 더 무서운 증언을 보여 주고 있지 않은가.

'돈과 계집……'

은애는 다시 한 번 한식의 그 입버릇 같은 인생철학이란 걸 되뇌어 보았다.

가을도 깊어졌다.

계절의 변화에 비어홀처럼 민감한 곳은 없는 것만 같았다. 손님들의 대부분은 맥주보다 정종을 찾고, 마른안주 대신 오뎅이나 찌개냄비가 더 총애를 받게끔 되었다.

제철엔 초저녁부터 붐비던 손님도 찬바람이 건들거려서부터는 부쩍 줄어들어, 한산한 것이 예사롭게 되었다. 여름의 한창때에 비하면 수입은 반도 될까 말까 했다. 운이 나쁜 날은 합승 차값도 없이 공치고 돌아가야만 했다. 자진해서 그만둔 사람도 있지만 종업원이 반이나 감원되었고, 안뜰도 연장했던 노천 홀도 철수해 버렸다. 정신을 차릴 사이도 없이 바삐 돌아 다녀야만 했던 싱싱한 소녀들의 풀기도 한물 꺾어졌다. 넓은 홀에 띄엄띄엄 자리 잡은 손님들 좌석에 퍼부어지는 전축 소리마저 처량하게만 느껴졌다.

은애는 텅 빈 자기 당번 테이블에 기대서서 멍청히 출입구 쪽을 바라보고 있었다. 가만히 멈춰 있는 시간이란 별로 없이 계속 들락거리기만 하던 문도 가끔 여닫혀질 뿐이었다.

한식이 불쑥 튀어 들어올 것만 같은 착각에 눈꺼풀만 깜박였다. 웬일인지 그는 한 달 가까이 전연 나타나지 않았다. 자기 욕망을 다 채우고 난 대상에 대해 이젠 관심이 없어진 것일까……. 그러나 그런 징조를 예감할 수 없이 갑자기 그의 발길은 끊겨졌다. 무슨 사고라도 생긴 것일까……, 전연 알 길이 없었다. 피동적으로 끌려만 다니던 자신이 오히려 궁금증을 느끼게 되는 것은, 자기의 한식에 대한 관심이 그만큼 더 깊어진 탓일까.

"뭘 그렇게 생각하고 있어?"

명자가 다가와 자기를 지켜보고 있었다. 자신은 옆에 사람이 온 것도 모르고 생각에 골똘했던 모양이었다.

"아니, 아무 것도……."

자기의 피로한 모습에 비하면 명자는 들어오던 때의 인상 그대로 눈동자에 생기가 돌고 있었다.

"난 내일부터 그만두기로 했어……."

"왜……."

은애는 눈을 휘둥그리면서 경악에 찬 반문을 했다.

모두가 새로 유니폼을 갈아입었다. 빨간 스커트에 검정 스웨터로. 그러나 명자만은 전의 하늘빛 원피스를 그대로 입고 있지 않은가……. 벌써 진작 그만둘 각오는 되어 있었던 모양이었다.

"오빠가 막 야단이야. 계집애를 버린다구……."

"제대됐니?"

"응, 그래 양재학원이 끝날 때까지만 하겠다구 버티어 왔지."

은애는 가슴이 뭉클했다. 명자가 자기 계획대로 처음부터 끝까지 일관해 온 경우라면, 자신은 옆길에 쏠려 되는 대로 걸어온 결과로밖에 되지 않는 것만 같았다.

"은애도 그대로 계속했으문, 얼마 안 가서 끝나게 될 건데……."

"글쎄 말이야……."

아픈 상처를 찔러주는 한 마디였다. 자신도 양재학원을 끝내려고 마음을 모질게 다져 먹었지만, 결국 이런 결과로밖엔 되지 않았다. 이제 누구를 원망하거나 나무랄 수는 없는 일이었다. 모두가 자기의 운명이라고 자위하는 수밖에 없었다.

"오빠두 취직이 됐어."

싱글벙글 웃음을 띠고 이야기하는 명자가 부럽기만 했다.

이 몇 달 동안 직장이라고 나와서 자기가 얻은 것이란, 기껏 집안 식구들의 입에 풀칠한 것 밖에는 아무 것도 없었다. 자신에겐 모두가 잃은 것밖엔 없는 것만 같았다.

자기도 출발에 있어선 명자 못지않게 단단한 각오를 가지고 나섰다. 그러나 결과에 와선 전연 다른 각도로 바뀌어지고야 말았다. 그보다도 이 꼴로 간다면 그나마의 생계도 유지될 방법이 있을 것 같지 않았다. 갈수록 앞길은 막연해질 뿐이었다.

초저녁에 손님 한 패를 받은 것밖에 없었다. 끝장 가까워서도 구석진 자기 테이블은 빈 채로 남아 있었다.

미숙이도 오늘은 신명이 나지 않는 모양이었다. 가장 많은 고객을 가지고 있던 그도 이즈음은 수입이 신통치 않았다.

"은애야, 우리 이젠 그만 갈까."

미숙이가 어깨를 툭 치며 입술을 비쭉거렸다. 기다려 봐야 별 수가 없겠다는 시늉이었다.

"글쎄……."

"보나마나 다 틀렸어."

"지금 몇 신데……"

시계는 열 시를 가리키고 있었다. 파하는 시간도 앞으로 삼십 분밖에 남아 있지 않았다.

은애는 옷을 갈아입고 미숙이와 함께 밖으로 나왔다. 바람이 싸늘했다. 빈속에 갑자기 시장기가 밀려 왔다.

"우리 어디 가 저녁 먹자, 할 얘기도 있어."

미숙이가 먼저 제의해 왔다. 이럴 때 상대자의 의사를 기다릴 것도 없이 행동으로 옮기는 것은 그의 특색이었다. 그는 생각만 내키면 머뭇거리는 일이 없었다.

미숙의 얘기란 대체 무엇일까 하고 은애는 속으로 생각하며 뒤를 따랐다 혹시 자기와 한식에 대한 이야기라도 나온다면 하고 은애는 혼자 멋쩍은 심정을 억누르고 있었다. 한식과의 깊은 관계에 떨어진 이후 늘 미숙이가 가시마냥 목에 걸렸다. 꼭 그의 눈을 피해 가로 챈 것만 같은 자책을 금할 길 없었다. 그러나 미숙인 그런 건 아랑곳없다는 듯이 여전히 태연한 자세로 대해 주었다.

"애, 요새 미스터 한이 왜 안 나타나니?"

참말 예기했던 대로 정통으로 걸려 든 것만 같았다.

"몰라."

"모르긴……."

사실대로 이야기해도 미숙인 믿기지 않는 모양이었다.

"정말이야."

"그래, 너만은 알 줄 알았는데……"

"내가 어떻게 알아."

"그만둬……"

핀잔 어린 말투였다.

"애두……"

"참말이야?"

"응……"

"사내란 다 그런 거다……"

미숙의 말끝은 처량한 독백처럼 꺼져 갔다. 은애는 대꾸 없이 묵묵히 걷고만 있었다.

"내가 먼저 당했어……. 너희들 눈치도 다 알고 있었단다."

은애는 그럴 것이라고 짐작은 했으면서, 미숙의 실토를 듣고 나니 더욱 괴롭기만 했다.

"애, 사내구 뭐구, 인생에 기대를 갖지 마……. 닥치고 보면 다 평범한 거야……. 이런 직장에선 누구든 어차피 그런 경로를 밟게 마련이니까……."

미숙이는 긴 한숨으로 말끝을 지워 버렸다. 은애는 가슴이 꽉 막혀 옴을 느끼며, 건침을 꿀꺽 삼켰다.

음식을 다 먹고 난 미숙인 전에 없이 무엇인가 생각하는 심각한 표정을 했다.

"애, 은애야……."

"응."

은애는 자기를 빤히 건너다보는 미숙이의 눈길에 따가움을 느끼며 대답했다. 또 무슨 공격이 나올지도 모른다는 심정이었다.

"난 직장을 옮기기로 했어."

"왜?"

천만 뜻밖의 이야기에 놀라며 은애는 반문했다.

"이대루 가단 굶어 죽기 알맞지 뭐니……."

"그럼?"

"그래, 난 바에 나가기로 했단다."

"바로?"

"응."

"꿩 잡는 게 매지 뭐니. 거기는 수입이 좋대."

"그래……."

"이왕 나선 걸음에 돈이라두 벌어야지……."

은애는 미숙의 그 말이 믿기지 않았다. 지금 직장도 처음 생각했던 것보다 다르지만, 바라면 어쩐지 인생의 막바지에 타락해 가는 것만 같게 느껴졌다.

"조오바 김 씨가 그리루 갔어……. 잘 봐 줄 테니 꼭 오라는 거야."

그리고 보니 이 며칠 카운터에 김 씨가 보이지 않았다. 그도 수입이 좋은 곳으로 옮겨 간 것일까…….

"너두 같이 가면 어때?"

갑작스런 제의에 은애는 멍하니 미숙일 바라다보고 있을 뿐이었다.

"지금, 거기서 겨울을 날 것 싶으니?"

"그렇긴 하지만……."

"목돈이라도 잡히면 빨리 발을 씻어야지……. 안 그래?"

미숙이의 말에 수긍이 가지 않는 바는 아니었다. 그러나 은애는 바라는 것이 어쩐지 끝내 마지막으로 밖에 생각되지 않았다.

"두구 생각해 봐야겠어……."

"응, 잘 생각해서 용단을 내려."

은애 자기는 상대의 심각한 제의에 인사조로 대꾸한 말이지만, 미숙인 반승낙이라도 얻은 것처럼 넘겨잡는 모양이었다.

"같이 가면 좀 덜 어색할 거야……."

숙제로 남긴 채 미숙이와 갈라졌다.

돌아오는 길에 집 앞 언덕길을 올라가면서도 은애는 미숙의 말을 거듭 곱씹고만 있었다. 이왕 나선 바에야 미숙이 말마따나 돈이라도 한몫 걷어 쥐고 빨리 발을 빼는 것이 옳을 것만 같았다.

내일부터는 명자도 안 나온다. 미숙이도 당장 옮겨갈 태세가 아닌가. 비어홀의 다른 친구들도 다 익숙해진 사이지만 털어놓고 속이야기라도 나눌 수 있는 친구가 다 가 버린다. 주위가 허전해 옴을 느꼈다.

찾아오는 손님도 적어지고 가까운 친구도 없는 직장, 갑자기 적막감이 엄습해 왔다. 그렇다고 지금 형편에 그거나마 그만둘 수는 없었다.

바로 옮길 것인가, 그대로 남아 있을 것인가……. 은애는 밤새 같은 생각을 몇 번이고 되풀이하고만 있었다.

이젠 아무 일도 자신이 가져지지 않았다. 닥치는 대로 하는 수밖에 없는 것만 같은 허황한 심경이었다. 덮어놓고 내일을 기다리던 막연한 기대마저도 점점 허물어져 가는 것만 같았다.

2학기부터 은호가 다시 등교하게 된 것만 해도 다행스러운 일이었다. 그것으로 집안의 우울한 분위기는 얼만큼 가셔졌다. 그러나 은호의 다리는 아직도 완전하지 못했다. 은호는 자기 마음대로 움직일 수 없는 육체의 부자유, 거기에 따르는 자기 비하(卑下), 이런 것으로 처음 얼마 동안은 명랑해졌으나, 곧 신경질적인 괴벽성으로 바뀌어지고 말았다. 그가 학교로 나간 사이는 집안이 조용하지만, 돌아오면 다시 부대껴야만 했다. 전 같으면 등록금이 늦어져도 자기편에서 오히려 대수롭지 않게 생각하곤 어머니를 위로해 왔었다. 그러던 것이 이제 와서는 전연 달랐다. 줄곧 짜증을 내며 졸라대기만 했다.

이젠 집안에서의 어머니의 존재란 한낱 송장에 불과했다. 보다 못해 어머니가 역정을 내도 은심이나 은호에게는 아무런 반응도 없었다. 그러면 어머니는 시무룩해서 돌아누웠다. 그런 감정이 격하여 참을 수 없을 때는 그 울화가 번져 한참씩 몸둘바를 모르고 기침을 토해 냈다.

은심은 은심이대로 며칠째 교복을 지어 내라고, 실오리가 너덜너덜하게 드리운 소맷자락을 내대며 졸라댔다.

이 사이에 끼어 은애는 어머니의 구실, 언니의 구실을 힘이 겨웁게 치러야만 했다.

오늘 아침도 은호는 돈을 주지 않으면 학교로 안 가겠다고 버티다가 책가방도 들지 않고 밖으로 나가 버렸다. 또 무슨 일을 저지를까 겁이 났지만, 은애로선 손쓸 도리가 없었다. 은심이만 좀 더 철이 들었으면 하는 생각뿐이었다. 꼭 둘이 보조라도 맞추듯이 은심이는 아침도 안 먹고 눈물을 쥐어짜며 학교로 갔다. 아무리 약을 써도 효험이 없는 어머니의 고질,

이젠 은애 자신도 지쳐서 헤어날 수가 없었다.

집안에만 들어오면 이 들볶는 분위기 속에선 자신의 내적고민 같은 것은 마음을 쓸 여유도 없었다. 사는 것이 아니라 죽어가는 것이라는 생각밖에는 없었다.

이삼일 내로 등록금을 만들어 주겠다고 은호에게 확약을 했지만, 그것도 꼭 가능한 대상이 있어서 그런 것은 아니었다.

죽어 버렸으면 속 시원할 것만 같다. 그러나 그럴 용기도 없다. 어머니가 가여워 견딜 수 없다.

이런 때는 한식에게라도 의지하고 싶은 아쉬움이 간절하다. 그러나 그는 행방조차도 알 길이 없다. 혹 일선 지대에 있다는 그의 사업소에라도 가면 만날지는 모른다.

간밤의 미숙이의 이야기를 돌이켜 본다. 모든 것을 즉흥적으로 생각하기만 하는 그가 오히려 부럽기까지 하다. 자기 본위로만 사는 미숙이……. 그런 점에서 그는 자기보다 행복할지도 모른다.

은애는 옷을 차려 입고 밖으로 나섰다. 어머니의 기침 소리가 목덜미를 후려갈기는 것만 같았다. 절름발이 은호, 눈물을 훌쩍이던 은심이……. 머릿속이 꽉 막혀 무거웠다.

나도 이미 더러워진 몸, 이제 새삼스럽게 순결을 가장할 필요는 없다. 바면 어떻고 카바레면 어떠냐……, 닥치는 대로 가 보는 수밖에 없다. 아직도 한 가닥 남아 있는 자존심의 베일을 완전히 벗어 버리고 알몸뚱이로 버티어 보자…….

마음속은 차라리 홀가분해진 것만 같았다. 은애는 다리에 힘을 돋우며 정류장을 향해 걸어갔다.

바 차이나타운.

비어홀 크라운장의 첫날보다는 차라리 어색하지 않았다. 미숙이가 먼저 와 있기 때문일까, 아니 멤버 김 씨가 구면인 탓인지도 몰랐다. 그보다는 차라리 그사이에 자신이 비어홀에서 훈련되어 익숙해진 결과가 아닐까…….

중국옷 차림의 여인들이 풍겨 주는 이국정서, 휘황한 네온, 선정 어린 전축의 멜로디, 여인들의 조작적인 교태, 손님들의 술 취한 기성, 비어홀보다는 확실히 짙은 관능의 물결에 휩싸이는 것만 같았다.

77번 이미리, 김미숙이란 이름은 찾아볼 길도 없고 아는 사람도 없었다. 은애도 미리가 시키는 대로 김영애로 등록했다. 결번된 번호 속에서 김 씨가 권하는 대로 33번을 택했다. 똑같은 번호를 받고 나니 꼭 비어홀의 연속 같은 느낌이었다.

찬바람과 더불어 거칠어 가던 비어홀의 맥 빠진 분위기에 비하면 이 속은 지나치게 흥청대는 것만 같았다.

아직 좌석에 불리지 않은 여인들과 함께 소파에 걸터앉았다. 비어홀처럼 한밤 내 서 있지 않는 것이 우선 편안해서 좋았다. 무릎 위에 다른 한쪽 다리를 올려놓고 능란한 솜씨로 담배를 피고 있는 여인, 째진 중국옷 옆자락으로 허벅지까지 내놓고도 의젓한 표정으로 지껄여대는 축들, 그것은 고의적인 자기 과장이 아니면 도전적인 발악 같게만 느껴졌다. 껌을 질근질근 씹으며 딱총 소리를 내는 나이 든 여인은 도벽한 것만 같이 화장이 진했다. 새 손님이 들어올 때마다 이들의 교태 어린 시선은 그쪽으로 쏠렸다. 체면도 자존심도 사양도 거의 말살된 군상들. 은애 자신도 이 속에 한 자리 낀 것이었다. 은애는 신기한 눈초리로 이들 하나하나의 모습에 홀리기나 한 것처럼 눈길을 돌리고 있었다.

비어홀에서는 새로 들어오는 소녀에겐 관심을 갖고 동정을 표했었다. 그러나 여기는 새 얼굴에 무관심하지 않으면 질시 어린 눈길을 돌리기 일쑤였다. 그만큼 생존 경쟁이 거칠고 거세어진 것만 같게 은애에게는 느껴졌다.

'알몸뚱이의 대결……'

은애는 입속으로 나직이 뇌까려 보았다. 비어홀에선 학교를 갓 나온 고만고만 또래의 소녀들 만이었다. 아직 세파에 시달리지 않은 청순한 인상이 풍겼었다. 그러나 여기는 나이도 아래위로 끝이 없었다. 그들은 모조리 인생의 격전장에서 한 시련 겪고 난, 가식이 아니면 퇴색한 얼굴들로만 보였다. 악에 받친 음성, 지친 모습, 제각기의 시달린 과거를 지닌 표정들이었다.

"33번……, 33번……."

마이크에서 울려 나오는 소리에, 은애는 어리둥절해 주위를 둘러보았다. 분명 자기의 번호였다. 그러나 어떻게 했으면 좋을지 몰라 망설이기만 했다.

조금 전에 손님 좌석으로 불려 간 미숙이 옆에 왔다. 그는 다짜고짜로 은애의 손목을 끌고 갔다. 무슨 영문인지 알 길이 없었다.

세 사람의 손님.

"응, 색시가 33번이야?"

"네……."

색시라는 어감이 몹시도 징글맞고 불쾌하게 느껴졌다. 울컥 하는 심정을 꾹 누르며 대답을 했다. 미숙이가 자기를 불러 준 것이라고 생각하며 손님이 권하는 박스에 앉았다. 미숙이는 여기서도 선배의 구실을 단단히 했다.

"응, 77번, 하나 더 부르지……."

꼭 물건의 거래 같은 기분이 느껴졌다.

옆에 앉은 손님은 첫잔을 비우자 말자 은애에게 잔을 권했다. 비어홀에선 전연 없었던 일이었다. 아니 절대로 엄금된 조항이었다.

"자, 우리 아씨 한 잔 드실까……."

나이에 어울리지 않게 능글맞았다. 컵을 잡은 손을 꼭 쥐고 따르기에 잔을 치켜 들 수도 없이 가득 찼다.

"한 잔만 들어요."

"전 술을 못해요."

"그러게, 조금만 들라는데……."

젊은이는 잔을 들어 억지로 입언저리까지 가져다 대었다.

"아니, 정말 못해요."

은애는 얼굴을 옆으로 돌렸다.

"글쎄, 조금만 하라는데, 손이 부끄럽지 않아."

은애는 어찌할 바를 몰라 미숙이를 건너다보았다.

"얘, 한 잔만 들렴."

미숙이도 곁들었다. 공연한 부채실인가 싶었지만, 그도 권하는 잔에 입을 대고 있었다.

"응, 저렇게 순해야 정두 들지."

이 이상 버티어 낼 수가 없었다. 은애는 조금만 입에 대려는데 손님이 컵을 치켜들어 반이나 꿀컥 쏟아져 들어가고 말았다.

무엇이든 시키는 대로 하지 않으면 불쾌해 하는 손님들이었다. 이들은 억지로 복종시키는 데 일종의 쾌감을 느끼고 있는 것만 같았다.

건너편 손님이 또 술잔을 권해 왔다.

"아니, 참말 못해요."

"처음 권하는 잔인데, 첫잔부터 면박이야……."

"받아 놓아요."

손님 옆의 여인이 마치 동생이라도 타이르듯이 곁들어 왔다. 하는 수 없이 받아 놓았다. 전연 입에 대지 않을 수 없게 강요를 당했다.

미숙이는 모든 것을 표 나지 않게 척척 처리해 나갔다. 술을 마시라면 마시고, 노래를 부르라면 부르고, 묻는 말은 순순히 대답했다. 조금도 부자연하지 않았다. 그러나 그도 이름을 물었을 땐 이미리에요 하고 태연하게 대답하지 않은가…….

"오늘 처음이에요, 너무 들볶지 말구 살살 달래세요."

은애가 하도 공격을 받으니까 미숙이는 보다 못해 능청맞게 감싸고 나왔다. 자기는 마치 몇 해나 되는 선배인 것처럼……. 그의 기지가 고맙게만 여겨졌다.

비어홀에 나간 첫날부터 직장에 충실하리라 하고 몇 번이고 다짐했었다. 은애는 지금도 그 생각을 되풀이하고 있다. 그러나 억지에도 한계가 있었다. 도저히 견딜 수 없는 조건이 겹쳐 오기만 했다. 육신을 가만히 있게 하지 않았다. 건너편 나이 많은 여인은, 손님이 가슴을 주무르거나 허벅다리에 손이 들어가거나 입을 맞추거나 그저 싱글거리며 시치미를 뚝 따고 있었다. 자기는 도저히 거기에 견디어 낼 수가 없었다.

"싫다는데 왜 이러세요."

약간 짜증 섞인 말투로 쏘았다.

"이건 숫처녀인 모양이야……. 왜 이리 까다로울까."

숫처녀……, 얼굴이 화끈 달아 왔다.

비어홀에선 거기에 반발하여 자기의 순결성에 자긍을 느끼기도 했다. 그러나 지금은 자기에게는 그렇게 떳떳할 수 있는 바탕이 없다. 모든 것은 무너져 버렸다. 은애는 쓰디쓴 웃음을 흘려보내고 있을 뿐이었다. 어쩔 수 없이 미숙이 권하는 대로 직장을 옮긴 것을 후회도 해보았다. 그러나 이것도 시간이 흐르면 익숙해 가겠거니 하는 자위가 겹쳐 오기도 했다.

손님이 몇 차례고 갈리는 대로 33번을 불렀다. 미숙이나 멤버 김 씨의 호의였음이 분명했다.

자리마다 마주 앉는 여급의 멤버는 달랐다.

"33번, 이름이 뭐야?"

"김영애예요……."

거짓도 되풀이되면 능숙해지는가 보았다. 점점 어색하지 않게 미숙이 지어 준 이름으로 대답하게끔 되어 갔다.

"아직, 숫처녀지?"

"숫처녀라면 그대로 믿겠어요?"

남자들이란 왜 그렇게 숫처녀를 입에 올리기 좋아할까……. 슬며시 반발이 치켜 올랐다. 곧 이어 한식의 영상이 선뜻 망막에 스쳐 갔다. 한 방울씩 권에 못 이겨 억지로 목을 축인 술도 이젠 머리를 혼몽하게 했다.

될 대로 되려무나 하는 자포자기 같은 체념이 훨씬 자기를 관대하게 만드는 것만 같았다. 억지로 버티고 앙탈을 부릴 기력도 없이 나른해 왔다. 어떻게 사는 것이 옳은지 분간할 수 없도록 이성의 갈피를 잡을 수도 없었다.

"우리 오늘 저녁에 같이 갈까?"

"네?"

즉각적인 반발이었다. 취기가 확 가셔 왔다.

이래서는 안 되겠다, 정신을 차리자. 은애는 안간힘을 쓰며 자리에서 일어났다. 속이 메스꺼웠다.

"어디를 가는 거야."

남자의 야무진 팔이 붙잡았다.

"화장실에도 못 가요?"

모나게 날카로운 음성이었다.

은애는 입에 두 손가락을 집어넣어 뱃속의 것을 모조리 토해 버렸다. 신맛에 얼려 술냄새가 코를 쿡 찔렀다. 숨이 확 돌아 나왔다. 인제 좀 살 것만 같았다. 거울을 들여다보았다. 햇쑥하게 핏기 잃은 얼굴, 눈물이 핑 돌며 콧등이 아렸다.

육체란 은애 자신이 직접 보고 겪어 온 한, 바에서처럼 천한 것은 없는 것만 같았다. 그러면서 그것처럼 뭇 사나이들에게 눈에 살기를 돋우고 가슴을 이글이글 타게 하는 대상물도 없는 것만 같게 느껴지기도 했다. 언제든지 마음만 내키면 화폐로 바꾸어질 수 있는 몸뚱이들……. 금덩이도 보증수표도 따를 수 없는 환금(換金) 가치……. 눈앞에 보이는 것이란 돈 뿐……. 자나 깨나 돈타령, 모든 가치 척도의 기준은 다만 그것뿐, 그것으로 밤을 살라 먹는 군상들……. 그러나 쓰레기처럼 매양 짓밟혀 버려지기 일쑤인 육신들……. 인간이라기보다 차라리 고깃덩이, 시궁창 속에서 발악하고 있는 비계덩이들……. 그 탁류에 휩쓸려 은애는 몸부림치며 허덕이고 있는 것만 같았다.

일제 말엽 군대 위안부의 정신대(挺身隊)로 중국에까지 끌려갔다가 해방 후 상해에서 귀국선을 타고 돌아왔다는 원로격의 마리아. 자기 말대로 산전수전을 다 겪었다는 그, 어린 시절엔 교회의 찬양대에도 끼었다고 한다. 짙은 화장으로 얼굴을 싸 발랐지만 웃을 때엔 퇴색된 역사의 이랑이 그대로 드러나 보이는 듯한 두툴두툴 주름살이 늘어 처진 눈두덩. 그 모습에 어울리지 않게 아직도 미스 정으로 손님에게 불리우면 비꼬인 웃음을 흘려 넘기다간, 주기가 돌면 곧잘 흘러간 유행가의 구성진 가락을 뽑아 넘긴다. 젊은 축에선 언니로 깍듯이 선배의 대접을 받지만, 단골손님들에겐 늑대로 불리기 일쑤인 그…….

최신 유행의 무늬가 아롱진 주단으로 몸을 감았지만 촌티가 벗겨지지 않은 신설동댁. 주방에서 일보다 수입이 좋은 홀 쪽으로 넘어 붙어, 이름까지도 영자라고 근사하게 붙였건만, 여급들 사이에선 입에 익은 신설동댁 그대로 통하는 뚱뚱보…….

대학 영문과엔가 다니다가 미군 부대에 취직해 장교의 전용 상대자인 '온리'까지 된 과거를 가지고 있다는 안나……. 함께 미국으로 건너가 결혼하자고 천금 같은 약속을 하고도 본국으로 전속된 후 소식이 없어, 세 살짜리 튀기 하나와 더불어 고생하다 못해 흘러 들어왔다는 그는, 찢어지는 듯한 목청을 돋우어 재즈를 부를 때면 눈물이 글썽해진다.

다방 레지로 오래 있다가 나이 많은 사장에게 걸려들어 전셋집 한 채

장만하여 신방차림 한 것까지는 좋았으나, 사장의 발끝이 뜸한 사이에 다시 깡패 놈팡이에게 덮쳐, 깡그리 손을 털고 도로아미타불로 거리에 나섰다는 혜란이…… 그는 늘 자기 자신을 바라보고 스스로를 저주하고 있다.

어느 대학인지는 몰라도 대학을 다니며 아르바이트로 나왔다고 대의명분을 세우며 나서는 난희. 동료의 아무도 그를 학생이라고 믿지는 않지만, 숙맥 같은 손님들은 그것에 매력을 느끼고, 난희 또한 매일 밤 파한 뒤는 손님을 갈아 차고 어디론가 사라진다.

식모살이를 하다가 마나님이 해산으로 입원한 사이에 주인과 관계한 것이 탄로되어 쫓겨났다는 순이. 지미라고 영화배우 이름이 좋아서 따왔다지만, 무슨 글자를 쓰는지도 모르는 그…… 늘 아무 걱정도 없는 태평스런 얼굴에 품위 없는 웃음만을 싱글벙글하고 있다.

주인 대역을 하는 소위 가오 마담. 본래 고급 장교의 부인으로 한때 날렸다는 박 마담은, 남편이 군사 교육차 미국으로 파견된 사이에 춤에 놀아나 제비 같은 젊은 대학생을 물고 다니다가 가정 파탄을 일으키고야 말았다는 그…… 놔두고 온 자식애들이 보고 싶어 안달을 하고 있다.

수십 명의 여급들이 우글거리는 홀 속의 가지각색의 군상들…… 여기에도 어쩌면 다리 부러진 불구자들만 한데 모인 것만 같다는 느낌을 은애는 금할 길 없었다.

이들이 손님 없는 초저녁에 앉아 하는 이야기란 으레 먹는 음식 이야기가 아니면, 유행하는 옷가지, 헤어스타일, 기껏 영화프로나 배우 이야기, 그렇잖으면 사내들의 그 '기마에' 뱃심 좋게 돈을 탁탁 쓰는 그런 이야기들이다. 그것이 지나면 집안 사정을 늘어놓는 푸념들이다. 어머니가 어쨌느니, 동생이 무엇을 조른다느니, 어쩌면 이들은 대부분 친정 식구들의 포로가 되어 있는 것만 같게 느껴지기도 한다.

이 속에서도 주인 한 마담은 색다른 일면을 지니고 있다. 권번 출신으로 동기에서부터 시작해 머리를 얹고 일류 요정에서 이름을 날리던 그…… 큰돈을 잡았다 놓았다, 애틋한 사랑에 잠겼다 떴다, 몇 차례나 가슴에 상처를 받은 고비를 넘겼다. 나중엔 친구끼리 어울려 요릿집을 내었다 집어 치우고, 다시 다방을 경영하다가 결국 이 차이나타운을 손에 넣었다. 그 얼굴 모습이나 몸맵시의 어느 구석에서도 오십을 바라보는 인생의 연륜을 찾아볼 길 없이 그는 젊고 싱싱해 보인다. 남도창, 서도가요, 신민요, 거기에 샹송, 일본 노래까지 못 부르는 것이 없다. 춤에도 고전, 현대의 명수다. 들은 풍월로 귀에 익힌 것이지만, 미군이 들어오면 몇 마디의 영어를 지껄이고, 낯익은 인텔리 손님들에겐 농조로 '메르씨'니 '당케'니 하고 불란서어나 독일어의 꼬드랑이를 건드려 좌석의 분위기를 이끌어 가는 데는 빈틈이 없다. 그는 자기 말대로 술장사를 천하게도 자랑스럽게도 생각하지 않고, 다만 평생 해야 할 천직으로 생각하고 있는 것만 같다.

그 밖의 다른 축들은 대부분 어떻게 하면 이 넌더리나는 시궁창에서 하루 빨리 벗어날 수 있을까 그것만이 화젯거리요, 공통된 염원이기도 하다. 그러기에 돈을 벌기 위해선 동료들끼리 양보도 없고, 손님에게 대한 염치도 없다. 거의 수단 방법을 가리지 않는다.

그러나 이들도 밖에서 만나보면, 밤의 그런 직장이란 연상할 수조차 없을 정도로 깔끔하다. 알뜰한 여염집 부인이 아니면 어엿한 여학생으로 밖에 보이지 않는다.

매일매일 똑같이 반복되는 바의 생활이건만, 은애에겐 그렇게 단조롭게만 느껴지는 것은 아니었다. 비어홀에서의 일이 단지 음식을 날라다 주는 심부름꾼이라면, 빠는 손님과 더불어 시간 가는 줄 모르게 즐길 수 있는 일자리이기도 했다. 거기에 손님의 주먹이 비어홀처럼 쩨쩨하지 않아 좋았다. 정해진 화대 이외에 거스름돈은 으레 떨어지기 마련이고, 대부분의 경우 덤으로 얼마간의 팁을 놓고 가기에 그 맛도 노상 싫지 않았다.

미숙이 시키는 대로 일수계에도 들어 한 달이 차면 얼마만큼의 목돈을 타게끔 되었다. 차츰 희망을 가질 수 있고, 무엇인가 타개해 나갈 방향이 설 것만 같은 서광이 보여지는 것 같기도 했다.

첫날엔 거들떠보지도 않던 한 사람의 과거를 알면 알수록 동정이 가고, 그렇게 악에 받친 것 같던 인간들이 점차 선한 각도로 보여져 감을 느꼈다. 그럴수록 그들의 불행이, 자기마냥 스스로의 소치보다는 주위의 조건이 더 어찌할 수 없게 만든 것만 같아 애절한 동류의식이 짙어져 가기만 했다.

이러한 분위기 속에서 거의 의식할 사이도 없이 세월은 빨리 흘러가는 것만 같았다.

차이나타운의 특색이란 명칭 그대로 중국옷 유니폼을 입는 이국정서에 있다고들 했다. 그것은 은애 자신도 첫날밤에 느낀 색다른 이상의 하나이기도 했다. 그 중국옷을 처음 맞추어 입었을 땐 은애도 쑥스럽기 짝이 없었다. 꼭 남의 옷을 빌려 입은 것만 같은 어색한 감을 금치 못했다. 옷깃이 째진 양쪽 허벅다리로 바람이 새어 들어와 마치 아랫도리를 벗고 앉은 것만 같은 기분이었다. 거기에만 신경이 쏠려, 그는 노상 손을 허벅지께로만 내려뜨리고 있었다. 그나 그뿐인가, 술을 따르느라고 잠깐만 방심하면 그 찰나에 손님의 손은 재빨리 그 사이로 기어 들어오고 있지 않은가……. 비명을 치며 그 불의의 적을 막으려다가 술병을 엎질러 톡톡히 망신당하기도 했다. 그것이 이제는 어지간히 만성이 되었으니, 은애는 스스로의 변모에 놀라지 않을 수 없었다.

조오바 김 씨는 여기선 멤버로 불리고 있었다. 손님들이 지정해 부르는 번호 이외의 여급의 배정은 그의 손에 달렸다. 그러기에 여급들은 팁의 일부를 뜯어 멤버에게 진상하는 데 조금도 인색하지 않았다. 그뿐만 아니라, 모두가 멤버에게 가까이 하려고 노력하는 것이 빤히 들여다보였다.

은애는 첫날 첫자리부터 멤버 김 씨의 덕을 입은 셈이었다. 비어홀에서 같이 있었던 연분의 덕이라고 생각되었다. 그러나 그보다는 멤버 김씨가 미숙이와 가까운 사이였던 만큼 오히려 미숙의 힘이 더 컸던 것이 틀림없는 성싶기도 했다.

여기서도 미숙인 선배들을 앞지르고 가장 많은 수입을 올리고 있었다. 그것은 다른 사람들의 시기와 선망의 대상이 되기도 했지만, 미숙이 아무에게도 미움을 사지 않고 용케 잘 어울려 가고 있었다.

"33번, 이리 와."

이 안에서의 속도는 이름보다 번호가 빨랐다. 어쩌면 미숙인 자기가 지어 준 이름 김영애가 갑자기 머리에 떠오르지 않아 늘 번호를 부르는지도 몰랐다. 은애 자신도 이제야 겨우 김영애로 대답하는 데 익숙해졌지만, 미숙이를 미리로 부르는 것은 아직도 손쉽게 입에 익혀지지 않았다.

은애는 미숙에 이끌려 구석진 테이블로 갔다. 강 사장이 와 있지 않은 가……. 참 오래간만이었다.

"아하, 모두들 여기 와 있었군……."

강 사장은 참말 의외라는 듯이 눈을 휘둥그리고 있었다. 은애는 문득 치미는 부끄러움을 참지 못해 망설이다가 권하는 대로 손님 사이에 끼어 앉았다. 다른 두 손님은 전연 초면이었다.

강 사장도 비어홀에서 만난 후에는 처음이었다. 미숙이가 전화라도 건 것일까, 그렇잖으면 강 사장이 우연히 여기 왔다가 만나진 것일까. 이곳으로 옮길 때 알렸다면 그사이에 벌써 몇 차례고 찾아왔을 것이 아닌가……. 은애는 미숙이와 강 사장의 거리를 더듬으며 미숙이 쪽을 바라보았다.

"술은 무엇으로 하시겠어요?"

미숙인 강 사장을 쳐다보며 연방 즐거운 웃음을 피웠다. 그의 얼굴에선 조금도 어색하거나 미안해하는 표정을 발견할 수 없었다.

"가만 있자, 김 전무는 무엇으로 드실까?"

"아무거나 하죠, 머."

전무라고 불리는 귀밑머리가 희끗희끗한 신사는 겸손어린 태도로 대답했다.

"그러면 안 상무는?"

"사장님, 좋은 대로 하세요."

좀 젊게 보이는 곱슬머리의 상무라는 사람은 훨씬 털털한 말투였다.

"그럼, 좀 차기는 차지만 맥주로 입가심을 해야지. 맥주 가져와."

벌써 어디선가 한 차례 치르고 온 모양이었다.

보이가 사라진 뒤를 이어 늑대 마리아가 박스 옆으로 왔다.

"아니, 사장님 오래간만에 오셨군요."

"응, 재미 좋아?"

"네, 사장님 덕분에……."

"거기 앉지."

"네."

늑대는 김 상무 옆에 앉았다. 강 사장을 흘기는 시늉을 하고 미숙이 쪽을 바라보았다. 미숙이가 강 사장 곁에 바싹 다가앉아 있는 탓인지도 모른다고, 은애는 이들의 대화에서 서로의 관계를 더듬고 있었다.

술을 들기 시작하자 은애는 또 술잔의 공격을 면할 수 없었다. 여기 나온 이후 술 한 잔도 마시지 않고 들어간 날이란 거의 없었다. 처음에 거듭 토하던 것도 날이 감에 따라 익숙해 갔지만, 얼근히 취해 집으로 들어간 것도 한두 번이 아니었다. 이곳을 그만두면 몰라도 자기 힘으로 그 이상 버티어 낼 재간은 없었다. 어머니나 동생들은 자기에게서 풍겨지는 술냄새에서 모든 것을 짐작하고 있는지도 몰랐다. 그러나 은애는 집안 식구에게 자기 직장에 대한 구체적인 내용을 털어놓은 적은 없었다.

그런데 아까 공교롭게도 학교에서 단체로 극장 구경을 갔다 오는 은심이와 바로 이 출입구 앞에서 마주치고 말았다. 문 안으로 돌아서려는 자세를 바꾸어 몇 마디의 어색한 말을 얼버무리다가 다음 골목으로 일부러 돌았지만, 저의 몇몇 친구들과 뒤를 돌아보며 가던 동생의 눈길이 마음에 걸려 견딜 수 없었다. 한참 떠들썩하는 속에서 그것은 잊었지만, 억지로 술을 들이켜지 않을 수 없게 되니 또 그 일이 문득 머리에 떠올랐다.

은애는 컵을 입에 갔다 대고 마시는 척하다가 테이블 밑에 슬그머니 쏟아 버렸다.

"아니, 술을 버리긴, 이 색시가……."

옆에 앉은 안 상무에게 들키고 말았다.

"이 한 잔이 얼마게, 물자를 아끼지 않고……."

순하게 하는 말이지만 미안하기 짝이 없었다.

무엇이라고 변명할 말도 갑자기 떠오르지 않았다.

"마시지 못하면 나를 도로 주면 되지 않아."

더욱 무색해 견딜 수 없었다. 다른 친구들은 얼마든지 버려도 눈치 채이지 않던 것이, 서투른 자신은 첫잔에서 걸렸다는 생각이 들었다. 그러나 그럴수록 주는 잔을 거절하기 힘들어 조금씩 입에 댄 것이 또 가슴속이 울컥해 왔다.

늑대는 말할 것도 없지만, 미숙이도 용케 잔을 받아 넘기며 좌석에 어울려 가고 있었다.

손님들도 어지간히 취해 온 모양이었다.

"대체 언제 이리로 왔어?"

"한참 됐어요."

미숙이는 이럴 때도 태연했다. 강 사장에게 자기편에서 쭉 들이켜고 잔을 권하며 화제를 돌렸다.

"자, 어서 한 잔 드세요. 제가 노래 하나 부를게요."

"아니 벌써 그렇게 발전을 했어?"

미숙이가 노래를 부른 다음은, 술기운이 얼근한 늑대가 제풀에 뒤를 이어 뽑기 시작했다. '목포의 눈물', '연락선은 떠난다' 이러한 옛 곡조에 이들은 신이 나서 손뼉을 치며 연방 앙코르를 불러댔다.

"영감님 오셨어요?"

한 마담이 나타났다.

"아, 한 여사."

주기로 흐려져 가던 강 사장의 눈이 번쩍 뜨였다.

"영감님, 길을 잊으시지 않으셨어요?"

"잊기는 왜⋯⋯."

"하두 오래간만이시기에."

"자, 마담, 이리 앉아 한 잔 들지⋯⋯."

강 사장은 잔을 마담에게 권하며 느긋한 웃음을 던졌다.

기타와 아코디언의 순회 밴드가 이들 테이블 앞으로 왔다.

"그거 한 곡조 켜 봐."

강 사장이 오히려 앞장을 섰다.

술판은 다시 생기를 얻어 시간 가는 줄도 모르게 흥겨워만 갔다. 한 마담도 신이 나서 음악 반주에 맞추어 노래를 불렀다.

은애는 끝까지 몸을 사리면서도 취해 가는 자신을 가누기 힘듦을 느꼈다.

은애는 자리 속에서 눈을 떴다. 갈증이 나 견딜 수 없었다. 방안엔 물한 방울도 없었다. 어둠 속을 아무리 두리번거려야 소용이 없었다. 하는수 없이 일어났다. 전등을 켰다. 아직도 머리가 아찔했다. 그대로 견디어낼 수가 없었다. 부엌으로 나갔다. 물을 떠서 선 자리에서 들이켰다. 이가 시리고 목안이 찼다. 뱃속이 꿀룩했다. 큰 숨이 나왔다. 이제 좀 살 것만 같았다. 방으로 살그미 돌아왔다. 안방에서 어머니의 기침 소리가 들렸다. 어머니는 잠을 깨고 있음에 틀림없었다. 시계는 오전 세 시를 가리키고 있었다. 어머니는 기침 때문에 여태 잠들지 않고 앉아 있는 것일까……. 그렇잖으면 잠결에 깬 것일까……. 아무튼 미안하고 괴로운 심정을 금할 길 없었다.

간밤에 자기를 아랫길까지 데려다 준 것은 미숙이었다. 그가 강 사장과 함께 차로 돌아선 것은 기억이 났다. 자기는 곧장 방으로 들어서자 이 부자리 속으로 들어왔다. 그것뿐이었다. 어머니나 동생이 어떻게 보았는지 그런 것은 생각할 염도 못했었다. 아무리 생각해도 자기 꼴이 돼먹지 않았던 것만 같았다.

불을 껐다. 이번엔 옷을 벗고 누웠다. 다시 잠을 청해 보았다. 흐린 정신이지만 잠은 쉬이 오지 않았다. 마음속도 불안하지만 육신이 괴로워 견딜 수 없었다.

그러나 어제 저녁 억지로 호텔로 끌고 가려는 것을 끝까지 버티고 집으로 돌아온 것만도 다행한 일이라고 생각되었다.

미숙이는 어떻게 되었을까……, 한차에 탔으니 강 사장하고 함께 갔음에 틀림없다. 미숙이 살아가는 방법이 훨씬 편할 것이라고 생각되면서도 자기는 도저히 그대로 따라갈 수는 없다. 그만큼 아직 자기 자신이 깨끗한 탓일까……. 그렇잖으면 마음속에 한 가닥의 줏대가 버티고 있다는 증거일까……. 은애는 아무리 생각해도 이런 식으로 이렇게만 살아가서는 안 될 것만 같은 심정에 몰리기도 했다.

이대로 가다간 그 끝은 대체 어떻게 될 것인가……. 완전히 발을 빼거나 무슨 큰 전환이 없는 한 막바지 닿는 곳은 빤할 것만 같다. 이 빠, 저 빠 밀려다니다가 몸은 완전히 버려지고, 마음은 걷잡을 수 없이 타락하고……. 결국 육체는 한 겹 한 겹 벗겨지고 정신에는 한 겹 한 겹 베일이 씌워져 눈동자의 초점마저 흐려지고……. 그러다간 종국에는 체면도 염치도 없이 알몸뚱이로 거리에 나앉게 될 것이 아닌가……. 꼭 처참하고도 시시하게 인생이 끝나질 것만 같다. 이래서는 안 되겠다고 도사리면서도, 자꾸만 깊은 구렁텅이로 한 발짝씩 미끄러 들어가는 것임에 틀림없는 것만 같았다.

그럼 대체 어떻게 할 것인가……, 앞은 막막하다. 목돈을 쥐고 발을 씻자던 미숙이와의 처음 계획도 정작 닥치고 보니 그리 용이한 일인 것 같지 않다. 다른 생각 말고 오늘부터라도 당장 그만두면 되지 않은가……. 그러나 그 다음이 문제다……. 어떻게 살아간단 말인가……. 그것뿐이 아니다. 이젠 자기에겐 반 이상 더러운 물이 들었다. 이대로 돌아간다 쳐도 본래의 자기로 보아 줄 사람은 없을 것만 같다. 아니 스스로도 그렇게 시치미를 떼고 처신해 낼 재간은 없다. 육신이나 정신이나 깨끗한 예전 모습으로 환원될 수는 도저히 없는 것만 같다.

은애는 늑대 마리아의 모습을 그려 본다. 바에서 굳이 예명을 마리아라고 부르는 것은 현실에 대한 극단의 저주에서 나온 결과인 것만 같다. 이 남자, 저 사내에 짓밟히다가 젊음은 가시고 육신마저 폐물이 되면 그 꼴이 되지 않을 수 없을 것이다. 그 옛 노래의 애조 어린 가락은 그대로 그의 마음속 깊이 사무친 고백을 듣는 것만 같았다. 은애는 늑대의 모습에서 스스로의 자화상을 발견하는 듯 오싹하는 전율을 느끼며 몸을 돌이켜 누웠다. 그러한 몰골은 생각만 해도 견딜 수 없었다.

엎치락뒤치락하다가 풋잠이 다시 들었나 보았다. 말다툼 같은 높은 소리에 눈이 뜨였다. 분명 안방에서 나는 소리였다. 창살은 환히 밝아 왔다. 은애는 이불 속에서 목을 쭉 빼고 귀를 도사렸다.

"빠 걸이나 양갈보나 같지 뭐냐……."

은심의 뾰족한 목소리였다.

"정말 봤어?"

은호가 되받아 물었다.

"응, 봤대두."

"아닐 거야."

"아니긴 뭐가 아니야. 우리들과 마주치니까 문을 들어서려다가 다른 골목으로 빠졌는데두."

"그래?"

"내 친구들두 다 봤어."

"……"

"아이 창피해."

은심의 울음 섞인 목소리는 더욱 커졌다.

"그럼 누나한테 물어 보문 되잖아."

"물으나 마나지 뭐."

어머니의 기침 소리가 한참 계속되었다. 무엇이라고 새에 끼어 말하려다 기침이 터졌는지도 몰랐다.

은애는 자리에서 일어나 창가로 다가가 앉았다. 온 신경을 귀에 몰고 있었다.

"어젯밤에도 술냄새가 물씬하는 걸 몰랐어?"

은호는 대답이 없다. 어머니의 기침 소리가 끊겼다 이어졌다 할 뿐이었다.

"난 학교 안 갈래."

"안 가긴 왜?"

은호의 목소리는 툭 쏘는 기미였다.

"동무들이 다 알지 않어."

"알문 어떻단 말이야."

점점 바뀌어지는 은호의 자세……. 은애는 침을 꿀컥 삼키고 큰 숨을 내쉬었다.

"그깟 더러운 돈으로."

"더럽긴 왜?"

은심에게 막 휩쓸려 들지 않고 냉정해진 은호의 목소리였다.

"그럼, 더럽지 않구……."

"괜찮아, 직업에 무슨 귀천이 있어?"

그렇다면 은호는 벌써 체념하고 있는 것일까……. 그렇잖으면 그저 아무렇지도 않게 생각하는 것일까……. 은애는 툭툭 치는 심장의 고동을 느끼며 숨을 죽이고 있었다.

"너는 사내니까 괜찮아……. 하지만 난, 시집가기도 다 틀렸어."

이 마디엔 은호도 대답이 없었다. 은애는 가슴이 철렁 내려앉는 것 같은 충격을 느꼈다.

"얘들아, 조용히 하려무나. 은애가 들을라."

어머니의 울멍한 목소리였다.

은애는 이불 위에 엎드러졌다. 복받쳐 오르는 눈물을 막을 길 없었다. 끝없는 서러움이 밀려 올랐다. 육친에까지 버림 받은 자신, 의지할 곳도 갈 곳도 없는 것만 같았다. 모든 것이 암담하고 허황할 뿐이었다.

생각해 보면 은심의 견해도 귓등으로 흘려버릴 수만은 없는 것 같았다. 확실히 은심은 자기로 말미암아 피해자가 된 셈이었다. 시집 걱정까지 하는 은심이……. 그만큼 그도 성숙했다. 미안하고도 가여운 생각이 들었다.

그러나 은애 자신은 어떤가……. 혼자 먹고 살기 위해 나선 걸음인가……. 가족 때문에, 저 알량한 피붙이들 때문에 이렇게 더러운 피투성이가 되어 돌아앉고 있지 않는가……. 그 피붙이에게서 지금 불의 세례를 받고 있는 것이다. 누구를 위한 삶이란 말인가……. 자기 전부를 거의 다 희생하다시피 하여 부축해 온 대상에게서 버림을 받은 자신……. 배반당한 것 같은 울분이 솟구쳐 올랐다.

'갈보……, 배신……'

은애는 미칠 듯이 중얼거렸다.

미안감과 배신감이 뒤엉켜 가슴을 찢는 듯한 고뇌 속에서 그는 끊일 줄 모르고 흐느끼고 있었다.

십이월에 접어들면서부터 바 안은 벌써 크리스마스 기분에 젖어 들기 시작했다. 1년 중에서 가장 매상을 올릴 수 있는 것도 이 달이었다. 여급들도 징글벨에 선동되어, 공연히 열띤 기분으로 들뜨기 마련이었다. 김장을 해 넣느니, 무연탄 준비가 어쨌느니 하는 제철 살림의 안팎 이야기 따위는 이미 그들의 화제 속에서 사라져 버렸다.

은애는 몸에 이상을 느끼면서도 계속 출근하고 있었다. 실지에 있어 그 길밖에 아무 신통한 방도도 생각해 낼 수 없기 때문이기도 했다. 이런 은애에게 천만 뜻밖에도 심한 충격을 주는 돌발적인 사태가 발생했다.

그것은 미숙이 간다온다 소리 없이 사라져 버린 일이었다. 육체관계에 대한 비밀스러운 이야기까지도 털어놓던 그가, 이번만은 아무런 예고나 타합도 없이 자취를 감추어 버렸다.

처음 하루 이틀은 미숙이 보이지 않아도 은애는 예사롭게 생각했었다. 그러다가 혹시 앓지나 않나 하고 걱정이 갔다. 그러던 것이 멤버 김 씨하고 함께 종적을 감추어 버렸다는 소문이 입에서 입으로 옮겨져 바 안이 떠들썩하게 퍼졌다. 그러나 은애에겐 그것이 믿기지 않았다.

바로 어저께 일이었다. 은애는 바로 나오는 걸음에 미숙이 하숙을 찾았다. 텅 빈 방에는 아무 흔적도 없었다. 다른 사람을 넣으려고 새로 도배를 하고 있었다. 어디로 갔는지 주인도 모른다는 것이었다.

은애는 맥 빠진 기분으로 돌아섰다. 대체 어디로 갔을까……. 아무리 궁리해도 알 길이 없었다.

바에서는 둘이 함께 부산으로 살림을 차리러 갔느니, 휴전선 지대로 장사하러 떠났느니 하고 갖은 억설들이 떠돌고 있었다. 은애가 알기에도 멤버 김 씨와 미숙인 아주 가까운 사이였다. 그러나 미숙이를 좋아한 것은 김 씨 하나만이 아니었다. 강 사장한테도 시키는 대로 고분고분했고, 그 밖의 단골들도 미숙이와 밤을 같이 지낸 사람들이 적지 않았다. 그러기에 둘이 갑자기 떠나리라고는 꿈에도 생각 못했던 일이었다.

그렇게 낙천적이던 미숙이의 태도에 약간의 변화가 보이지 않는 것은 아니었다. 이렇게 밤낮 밑바닥에서 시달리고 살 바에야 차라리 죽어 버리는 편이 낫지 않겠니……, 나같이 밑창이 빠진 계집을 아내로 데려갈 맹추도 없을 거고……. 이런 건 예전엔 전연 없었던 이야기들이다.

자기 못지않게 미숙이도 사실 외로웠다. 그 활달한 성격 탓에 남 보기엔 늘 명랑하기만 한 것 같았지만, 본인으로선 역시 고민이 있었던 모양이었다. 죽지만 않았으면 좋겠다. 이런 곳에서 발을 씻고 어디 가서든 둘이 잘 살 수만 있다면 얼마나 다행스러울까 하는 생각이 들었다. 잘 됐어, 잘 됐어……. 은애는 누구에게랄 것 없이 혼자 중얼거리며 혀를 찼다. 만일 살아만 있다면 언젠가는 꼭 만나질 것 같은 기대마저도 부풀어 올랐다.

그러나 은애는 호젓하고도 적적했다. 꼭 한쪽 날개가 떨어져 나간 것만 같은 적막감을 금할 길이 없었다. 주위가 갑자기 더 외로워지는 것만 같기도 했다.

"흥, 잘들 생각했지……, 일찌감치 팔자를 고치구……."

옆에 앉은 늑대는 담배를 깊숙이 빨아 내뿜으면서 혼자 흥얼거렸다. 은애에게는 그것이 마치 늑대의 자탄 같게만 들려 왔다.

"33번두 웬만한 상대만 생기면 젊어서 발을 씻어요……. 내 꼴이 되기 전에."

늑대의 눈언저리엔 과거를 더듬는 추억의 엷은 향수 같은 것이 스치고 지나감을 은애는 느끼지 않을 수 없었다.

"이런 데 있는 저 같은 걸 누가 데려가겠어요?"

진심에서가 아니라 상대의 말에 응하는 기분으로 가볍게 대답했다.

"왜, 짝짝이도 짝이 있다는데……."

은애는 맥없이 웃기만 했다.

"젊은이들끼리 둘이 어울리면 어디 간들 못살라구."

"언닌, 자녀들이 없으세요?"

"그거라두 하나 있다면, 늙어가며 이 짓을 하겠수."

"미리는 어디 가 죽지나 않았을지?"

"에이구, 어림도 없는 소리…… 멤버 김 씨가 그렇게 죽을 사람이야? 내가 그만 눈치도 모를까 봐…… 며칠 전에두 일선 지대에 가서 이런 장살 시작하면 될성 싶으냐구 묻기까지 했었는데."

"그래요?"

"언제부터 미리에게 눈독을 들였다구……"

은애 자기와 미리가 비어홀에서부터 같이 있는 것을 늑대는 모르는 성싶은 말투였다.

"아무튼 어디 가서 잘 살구나 있었으면 좋겠어요."

"남의 걱정일랑 말구, 인젠 제 살 궁리나 해요. 여기 드나드는 축에서 큼직한 놈 하나 물고 늘어지란 말이야…… 별 수 있어? 그렇지 않구야 어디 발이 씻겨질 줄 알어."

은애는 그 말투가 하도 우스워서 큰 웃음을 터뜨리고 말았다.

손님을 몇 차례 받으면서도 은애는 미숙에 대한 생각을 완전히 지워 버릴 수가 없었다. 대체 어디로 갔을까, 궁금증이 나서 견딜 수 없었다. 자기에게 전연 알리지 않고 떠나 버린 것이 야속하기도 했다.

미숙이 어떻게 갑자기 멤버 김 씨와 둘이 떠날 엉뚱한 생각을 했을까…… 암만해도 김 씨가 더 서둘러댄 성싶었다. 미숙이가 더 우겼다면 자기에게 단 한 마디의 상의도 없었을 리가 없을 것만 같았다. 어쩌면 강 사장과 미숙의 관계에서 질투를 느끼고 선손을 썼는지도 모를 일이었다.

강 사장은 오늘 밤도 술 마시러 왔다. 여전히 미숙이를 찾았다. 안 나왔다고 하니 그 이상 캐묻지도 않고 은애를 불렀다. 그것뿐이었다. 그 이상의 아무 것도 없었다. 모든 술집 여자는 강 사장에겐 그만큼한 거리밖에 있지 않은 듯싶었다.

그렇다면 미숙이 택한 길은 참말 옳은 것만 같았다. 적어도 자기를 이

끌고 도주라도 할 수 있는 남성……. 은애는 그것이 부럽기까지 했다.

은애는 거울 앞에 섰다. 자리에 들려다가 멈칫한 순간이었다. 아무래도 몸의 증상이 이상하게 느껴졌다. 멘스가 벌써 두 달째나 보이지 않았다. 만일의 경우……, 그런 것도 끝내 부인해 보았다. 절대로 있어서는 안 될 일이었다. 두려움이 앞섰다. 실지 그렇게 된다면 꼭 죽어야할 것만 같은 심정이었다.

슈미즈를 벗었다. 팬츠바람으로 거울 앞에 모로 돌아섰다. 거울 안에 비치는 배의 곡선에선 아무 것도 느껴지는 것이 없었다. 다시 겉 팬츠 하나를 더 벗었다. 삼각팬츠의 고무줄을 아래로 내려 밀고 거울 속의 하복부를 유심히 들여다보았다. 역시 자기 눈으론 아무런 이상도 발견해낼 도리가 없었다. 브래지어를 끄르고 거울 앞에 앉았다. 유방이 더 커진 것 같기도 하고 그만한 것 같기도 하여 도무지 분간이 가지 않았다. 다만 젖꼭지 주변의 색채가 약간 짙어진 것 같은 감을 줄 뿐이었다.

자기 자신의 육체를 벌거벗겨 놓고 이렇게 유심히 들여다보기는 처음이었다. 목욕탕에서도 나오자마자 옷을 갈아입는 데 정신이 팔려 언제 한 번 지긋이 거울 속의 자신을 나체로 들여다 본 적은 없었다. 자기 몸뚱이 전체가 더 성숙해진 것만은 부인할 수 없었다. 튀기면 튈 듯한 탄력……. 동료들의 말대로 맥주 살이 올라서 이렇게 풍만해진 것일까……. 그러나 그것도 믿겨지지 않았다.

자리에 들어서도 생각은 제 바퀴를 맴돌고만 있다. 의외의 결과를 아무리 부정해 보아도 그 부정은 다시 부정되어 긍정으로 돌아오고야 만다.

하는 수 없다. 병원으로 가 보는 도리밖에 없다. 그러나 그 결의는 확정되어지지 않는다. 얼굴이 화끈 달아오른다. 어떻게 병원에 들어설 수 있단 말인가……. 차라리 고스란히 앉아서 죽는 편이 낫지……. 몇 번이고 결심을 다져 먹었다 풀었다 되풀이할 뿐이다. 대체 병원에 들어가선 무어라고 말한단 말인가……. 결국 처음부터 끝까지의 경과를 다 실토해야 정확한 진단이 내려질 것이 아닌가……. 뻔뻔스럽게 그렇게 해 낼 뱃심이 생길 것 같지 않다. 의사 앞에서 벗으라면 속옷까지 벗어야 하고……, 생각만 해도 등골이 간들거려 견딜 수 없다.

헤아릴 수 없는 악몽의 연속으로 거의 밤을 새웠다.

은애는 옷을 차려 입고 병원을 향해 나섰다. 정작 밖에 나서고 나니 어느 병원으로 갈지 방향이 서지 않았다

대학병원으로 갈까, 세브란스로 갈까, 은호가 입원했던 적십자병원으로 갈까, 아무 쪽에도 마음이 결정되어지지 않았다.

거리를 걸으면서 병원이라고 간판이 붙은 것은 모조리 쳐다보았다. 내과, 외과, 소아과, 다 소용이 없었다. 산부인과를 찾아야만 했다. 그러나 산부인과가 금방 나타날까 봐 한쪽에선 겁이 났다. 병원 간판은 왜 이다지도 많은가 하고 새삼스럽게 느껴졌다. 전엔 한 번도 병원 간판 같은 것에 눈을 판 적이 없었다. 거의 한 집 건너 병원인 것만 같았다. 그러나 그 속에서 산부인과는 좀체 눈에 띄지 않았다.

은애는 그런 산부인과를 벌써 몇 개 지나쳐 버렸는지 몰랐다. 간판만 보면 두려웠다. 일부러 못 본 체하고 지나쳐 버렸다.

어디고 들어가기는 가야겠는데 하고 벼르면서도 발길은 다른 쪽으로 외면해졌다.

한나절을 그렇게 거리를 방황하며 발 가는 대로 돌아 다녔다. 이젠 몸이 지쳐서 더 걸어낼 수가 없었다. 정말 닥치는 대로 아무 병원이고 들어가야만 할 것 같았다.

은애는 사람 왕래가 적은 으슥한 골목에 접어들었다. 거기도 실은 조금 전 통과해 간 지점이었다. 그는 머리를 들어 병원 간판을 살펴보았다. 틀림없이 아까 본 산부인과였다.

발끝은 다시 다른 방향으로 쏠리려고 했다. 은애는 입술을 깨물며 병원 문 쪽으로 머리를 숙인 채 걷고 있었다. 꼭 옆에서 누가 자기를 주시하고 있는 것만 같은 쫓기는 심정이었다.

문을 열고 들어섰다.

대기실에 앉은 젊은 여인과 눈이 마주쳤다. 가슴이 뜨끔했다. 다행히 낯선 사람이었다.

"조금만 앉아 기다리세요."

소파를 가리키는 간호원의 음성은 예상 외로 상냥스러웠다.

권하는 자리에 앉았다. 그러나 가슴속은 여전히 울렁거렸다. 옆에 앉아 있는 여인의 얼굴을 슬며시 곁눈질해 보았다. 그 여인은 무엇을 생각하는지 눈을 살그미 감고 있었다.

이 여인도 자기와 같은 용무로 온 것일까……. 다시 자세히 보니 여인의 배는 만삭이 되어 뚱뚱했다.

은애는 슬며시 자기 배 언저리에 손을 가져가 보았다. 진찰실의 환자가 나오자 옆의 여인이 불려 들어갔다.

은애는 눈을 감은 채, 형의 언도라도 대기하는 죄수마냥 자기 차례를 기다리고 있었다. 모든 것은 운명에 맡기기라도 하려는 듯이……. 가슴속은 다소 안정되어 가는 것만 같았다.

드디어 은애는 진찰실로 들어섰다.

제6장

시간은 모든 사태를 외면한 채 흘러만 가고 있었다. 은애는 빅토리 라운드리의 오일스토브 옆 의자에 기대 앉아, 살그머니 눈을 감은 채 석고상마냥 움직이지 않았다. 두 손은 저도 모르는 사이에 아랫배 언저리에 포개져 있었다. 흘러 간 일들이 불연속선을 그으며 머릿속에 물결쳐 왔다.

임신 삼개월……, 새삼 전율이 스쳐 감을 느낀다. 순간 의사의 이죽거리는 얼굴 표정이 겹쳐진다. 긁어 버릴 것인가, 그대로 둘 것인가? 스스로의 의사로 결정짓기엔 너무나 벅찬 것만 같다. 상의할 대상도 없고 찾아갈 만한 사람도 없다. 폐허 속에 홀로 내던져진 것만 같은 공허감…….

죽음……, 그것도 두려워서가 아니다. 산다는 것, 그리고 억지로라도 안간힘을 쓰며 살아간다는 것, 그것은 죽음보다 오히려 굳셀지도 모른다. 아무튼 한식을 만나자, 미스터 한을 만나야만 한다. 모든 것은 그를 만난 다음의 일이다.

하루 종일 눈보라 속에서 버스에 시달려온 몸, 얼었던 육신이 풀리자 전신이 노근해 천길 나락으로 가라앉아 들어가는 것만 같았다. 시계는 일곱 시 사십분, 종차 시간까지는 이십분의 여유밖에 없었다.

한식은 아직도 나타나지 않는다. 어쩌면 오늘 밤 안으로 돌아오지 않는지도 모른다. 그러면 이대로 서울로 되돌아가야만 할 것인가……. 죽음 직전의 절박한 심정으로 찾아온 걸음이다. 그대로 돌아갈 수는 없다. 이번에 허탕을 치고 나면 다시 찾아와질 것 같지도 않다. 밤을 새면서라도 기다리는 수밖에 없다. 모든 행동은 한식을 만난 다음에라야 방향 지워질 것만 같다. 이대로 돌아간대야 신통한 방안이 서 있는 것도 아니다.

시간은 초조히 흘러만 가고 있었다.

문이 덜커덕 열릴 때마다 감았던 눈을 떠 보았다. 그러나 한식은 아니었다. 낯선 이국 병사가 아니면, 짙은 화장의 외군 상대 여인들이었다. 난롯가에 앉아 검둥이와 주접을 떨고 있던 여인도, 서로 합의가 된 모양으로 히히덕거리며 함께 팔을 끼고 창밖으로 사라져 버렸다.

"시간이 다 됐는데요."

힐끔힐끔 곁눈질하며 은애의 동정만을 살피고 있던 소년이 걱정 어린 표정으로 말을 건네왔다.

은애는 다시 시계를 들여다보았다. 인제 앞으로 십분밖에 없었다. 자기가 내린 정류장이 얼마 멀지 않아, 금방 나가면 차는 탈 수 있겠지만 곧장 결단을 내릴 수가 없었다.

"오늘 저녁에 꼭 돌아오실까?"

은애는 소년을 바라보며 구원이라도 청하는 듯한 숨죽은 목소리로 물었다.

"글쎄요, 꼭 오신다고 했으니 늦게라도 돌아오실 거예요. 하지만 차가 끊어지는데……."

소년의 덧붙이는 구절이 은애를 더욱 불안하게 했다. 소년은 이 점방으로 드나드는 미군이나 그들 상대의 여성들에겐 친숙한 모습으로 접하고 있으나, 은애 자기에게만은 퍽 어색하게 대하고 있는 것만 같게 느껴진다. 그것은 다만 초면이라는 낯선 상대임에서 오는 것만은 아닌 것 같다. 이 부근에서 우글거리는 여인들과는 가깝게 지낼지도 모르지만, 검둥이 흰둥이의 모든 군인들이 그의 친면일 수는 없다. 다만 손님을 접하는 데 습성화된 예사로운 몸가짐에 틀림없다. 그러나 난생 처음 보는 자기에게선 무슨 선입감을 느꼈던지 노상 의아에 찬 표정을 지으며 대하고 있음이 분명하다. 미군 서지 군복을 줄여 입고 명찰까지 민(Min)이라고 영어로 수놓은 소년은, 이방 지대의 거센 물결에 씻기고 닳아서 반들반들 윤기가 흐르고 있다. 소년의 흘러온 과거도 자기마냥 순탄치는 않을 것만 같다. 문득 동생 은호가 머리에 떠오른다. 저 소년은 대체 자기를 무엇으로 보고 있을 것인가. 은애는 앳된 얼굴에 상고머리로 반질반질 다져 넘긴 소년을 바라보며 혼자의 생각을 줄달음치고 있었다. 왜 무턱대고 이곳까지 찾아왔던가 하는 후회가 서리기도 했다. 그러나 그것밖에 별도리가 없지 않았던가 하는 반문이 곧 뒤를 따랐다.

밤이 짙어짐에 따라 찾아드는 손님의 수도 줄어져 갔다. 들락날락하던 여인들도 다 제짝을 찾았는지 뜸해졌다. 바깥 거리를 오가는 사람들도 드물어졌고, 이따금 자동차의 헤드라이트의 불빛이 창문에 빗기며 지나칠 뿐이었다. 잦아졌던 눈보라가 다시 거세게 몰아치며 유리창을 울렸다.

이제는 막차마저 끊어진지 오랜 시간이다. 돌아갈래야 갈 수도 없다. 그러나 기다리는 사람은 오지 않는다. 시간이 흘러감에 따라 초조하던 마음은 진정되어 새로운 사태를 태연한 자세로 대기하게끔 안정되어 감을 느낀다. 긴장되었던 전신이 풀려오며 더욱 노근해진다. 소년도 지쳤는지 의자에 앉은 채 졸고 있다. 은애는 비로소 마음 놓고 벽에 둘러 있는 진열장이며 바닥에 놓여 있는 진열대의 유리 속 상품들을 유심히 살필 수 있는 마음의 여유를 가지게 되었다.

노랑고 빨간 짙은 원색 천에 갖가지로 수놓은 잠옷, 자개박이 상자, 명패, 장식품, 그림이나 자수로 된 풍속도의 액자, 참대나 꼴로 된 세공품, 태극선, 고불통 담뱃대, 갓, 탕건, 크고 작은 인형, 골동품 도자기, 거기에 군단 기호나 계급장, 한국 사람의 일상생활에는 거리가 먼 물건들만이 진열되어 있는 것만 같았다. 은애는 지금 자신이 살고 있는 현 시점에서 한 걸음 뒤선 전 시대의 유품들을 바라보고 있는 것만 같은 환각에 사로잡히고 있었다.

소년이 졸다가 머리를 까딱 떨어뜨리며 눈을 떴다. 이쪽으로 고개를 돌리는 순간 은애와 눈길이 마주쳤다. 소년의 얼굴은 몹시 피로해 보였다. 은애는 자신의 몰골은 잊은 양 소년이 측은한 생각이 들었다.

"이렇게 늦게 돌아오는 때도 있어요?"

"네, 군대 차로 가면 새벽에 오는 때도 있어요."

소년은 은애의 물음에 졸던 눈동자를 비비며 대답했다. 은호보다는 한 두 살 더 먹었을까 말까한 나이라고 짐작되었다.

"집이 여기예요?"

"아니요."

"그러면?"

"강원도예요."

"그런데 어떻게 여기로……."

"서울에 좀 있다 왔어요."

"서울에?"

"네."

"서울선 뭘 했어요?"

소년은 히죽이 웃음을 띠우며 그 이상 대답하기를 꺼리고 있는 눈치였다. 그러나 은애는 은호를 대하는 것만 같은 친근감에서 계속 묻고 싶은 호기심에 이끌렸다.

"서울서도 점방에 있었어요?"

"아니요, 합승 차장을 했어요."

"합승 차장을?"

"네."

은애는 은호의 차 사고가 연상되어 왔다. 그것만이 아니라 합승이나 버스가 떠날 때마다 늘 아슬아슬하게 느끼던 위기의식이 직결되어 왔다.

"이 집 아저씨하군 친척이 돼요?"

"아니요."

"그럼 어떻게 이리로 오게 됐어요?"

"누나를 찾으려다가요."

"누나?"

"네."

"누나가 어디 있는데?"

"어디 있는지 몰라요."

은애는 자신의 일을 말끔히 잊은 양 소년의 이야기에만 이끌려 갔다. 그대로 추궁하는 건 안 된 것 같아 다시 말머리를 돌렸다.

"어머니 아버지는 다 계세요?"

"아니요, 어머니만 계세요."

"아버진?"

"돌아가셨어요."

"형제는?"

"누나와 저뿐이에요."

은애는 가슴이 뭉클했다. 어쩐지 자기 집안과 거의 비슷한 경우에 놓여 있을까 하는 심정에서 뿐만은 아니었다. 전연 조건이 다르다 해도 소년의 이야기는 가슴을 저미는 애처로운 형편을 연상시키기 때문이기도 했다.

은애는 저도 모르게 후 한숨을 내쉬었다. 소년의 눈언저리에도 완전히 잠기가 가시고 눈동자가 총총히 빛나고 있었다. 은애는 계속 더 묻고 싶은 충동을 막을 길 없었다. 아픈 상처를 건드리지 않으려고 일부러 먼발치로 말귀를 옮겼다.

"주인 아저씬 잘해 줘요?"

"네, 아저씨가 절 데려왔는걸요."

소년은 누그러졌던 기분을 돋우고 말에 힘을 줘 대답했다.

"어디서?"

"미군 부대에서요."

"미군 부대에도 있었어요?"

"네."

은애는 침을 꿀컥 삼키고 나서 다시 말을 이었다.

"거기선 뭘 했어요?"

"하우스 보이요."

"하우스 보이?"

"네."

"그건 뭘 하는 건데?"

"여자두 불러 주구, 심부름두 하구……"

"그럼 잠은 어디서 자구?"

"그 안에 자는 데가 있어요. 미군이랑 같이 자기도 하고……."

"같이도 자?"

"그러문요."

은애는 의아스러운 어조로 다그쳐 물었다. 한국인을 똥나무라듯 하는 사람들이 어떻게 하우스 보이를 데리고 잘까 하고……

"그렇게 잘해 주는데 왜 거기서 나왔어요?"

"무엇이든지 시키는 대로 다 해야 해요."

"어떤 것을?"

"별 추한 짓을 다 시켜요."

소년은 멋쩍은 웃음을 터뜨렸다. 처음 둘 사이에 서먹하던 기분은 인제 완전히 가셔진 것만 같게 느껴졌다. 그러나 은애는 그 일에 대해선 소년의 표정에서 그 이상 물을 용기가 나지 않았다.

"시키는 대로 안하면 막 치도곤이를 놓거든요."

"그래?"

"네."

소년이 풀려진 것을 보고 은애는 아까 망설였던 이야기를 다시 끄집어 내었다.

"합승 조수를 하다 집어치구 곧 미군 부대로 왔어요?"

"네."

"아는 미군이라도 있었던가 봐?"

"아니요."

"그런데 어떻게?"

"혼자 왔어요."

"그래, 돈벌이 할려구?"

"아니요."

"그럼 뭐?"

은애는 점점 소년의 이야기 속으로 끌려 들어가는 자신을 억제할 수 없었다. 어느 사이엔지 둘은 의자를 가까이 해 난롯가에 얼굴을 마주 대고 있었다.

"그런 일이 있었어요."

"어떤 일?"

"그저 그래요."

소년은 다시 아까처럼 난처한 표정 속에 멋적은 웃음을 띠웠다.

"무슨 말 못할 이야기라도 있어요?"

"아니요."

"그런데 왜?"

소년은 여전히 대답을 회피하며 웃음으로 얼버무렸다.

은애는 궁금하면서도 더 추궁할 용기가 없었다. 그런데 이번에는 소년 쪽에서 불쑥 질문의 화살을 던지고 있는 것이 아닌가…….

"주인 아저씨하구 어떻게 되셔요?"

"……"

둘의 위치는 순시에 바뀌어진 것만 같았다. 은애 쪽에서 불투명한 웃음으로 어물어물하는 수밖에 없었다.

"네, 어떻게 되셔요?"

"아무 것도 안 돼요."

"그런데 왜 이렇게 먼 데루 일부러 찾아오셨어요?"

"볼 일이 있어서……."

"그래도 밤늦게까지 기다리시는데……."

은애는 금방 한두 마디에 몰려 버렸다. 참말 대답할 말이 없었다. 소년의 번쩍이는 눈동자가 꼭 자기 속을 꿰뚫어 보는 것 같아, 지질리는 기분을 감출 길 없었다.

"무슨 돈 관계예요?"

"아니……."

무심결에 부인하면서도 은애는 소년의 넘겨짚는 말에 걸려들었다는 생각이 없지 않았다. 그 인상에서 그저 순진하게만 보아 넘겼던 자신의 오산을 내심 느끼기까지 했다.

"취직하러 오신 건 아니지요?"

소년은 이야기의 초점을 돌리고 있었다. 그러나 그것이 은애와 한식의 관계에 대한 아무런 선입관도 없이 단순하게 생각의 방향이 돌려진 것인지, 그렇잖으면 일부러 한술 더 뜨는 것인지 분간할 수 없었다.

"취직도 할 수 있으면 해야지……."

한참 있다 은애는 혼잣소리처럼 건숭 대답했지만, 때늦은 김빠진 소리로밖에 되지 않음을 느꼈다.

"어떤 데 취직하시려는 거예요?"

참말 은애는 미궁으로 빠져 들어가는 것만 같았다. 솔직한 질문으로 받아 줄 것인가, 비뚤어져 가는 것으로 알아차리고 적당히 맞추어 갈 것인가 하고 망설였다.

"아무 데나 닥치는 대로……."

다시 한 번 적당히 받아 넘겼다.

"미군 부대 근처야, 어디 아주머니 같은 분이 취직할 곳이 있어요."

비꼬는 것인지 자기를 물들지 않은 여인으로 좋게 보고 하는 소린지 종잡을 수 없었다. 그러나 소년에게 조금도 빈정거리는 표정은 보이지 않았다.

"왜 돈만 벌 수 있다면 아무 데면 어떻다구."

"웬걸요, 돈두 벌기 쉬운 줄 아세요? 그저 몸만 버려요."

"왜?"

"양키들, 얼마나 약아빠졌다구 그래요. 어수룩한 시절은 다 지났나 봐요. 잘못 하다간 그 깍쟁이들한테 도루 물려요."

"그래?"

"그러문요, 양담배두 양주두 내놓구 팔 수 없으니까……, 건달로 접어들어요. 어림두 없어요."

은애는 소년의 정색하는 모습을 바라보며 자기가 잠시라도 불순하게 추측하려던 생각이 미안쩍게 느껴졌다.

"그래도, 모두들 한몫 보구 간다는데……."

은애는 다시 한 번 다짐하기 위해 일부러 비틀어 보았다.

"웬걸요, 그건 다 옛말이래요. 짜식들이 껌 한 통이나 양담배 한 갑으루 여자를 낚으려구 드는데……. 나이트 클럽들이 텅텅 비어 가요. 그치들 저희 술들만 들고 와 먹구는 취해서 난장판을 만들어 놔요."

은애는 자기 일신상에 대한 이야기는 하나도 털어놓지 않고 소년의 속만 파 듣는 것이 미안한 생각이 들기만 했다. 그러나 미스터 한을 만나는 것을 보면 모든 일을 한눈으로 알 수 있을 것이 아닌가 하고 스스로의 자책감을 달래었다.

"양키 상대하는 여자들 보문 가여워요. 큰 수나 있는 것같이 보이지만, 모두 털털이에요. 운수가 나쁘면 권총 협박이나 받구……, 자칫하면 목숨까지 뺏긴대두요."

은애에게는 처음 듣는 이야기들이었다. 역시 서울에 풍문으로 듣던 이야기와는 너무도 거리가 먼 살벌한 지대인 것만 같았다. 미리와 멤버 김씨가 만일 돈을 벌려고 일선으로 왔다면 그것도 허탕칠 것이 아닌가 하는 걱정도 덧붙여 왔다.

"우리 누나도 어디 가서 그 꼴이 됐을 거예요."

소년은 분에 못 이기는 듯, 물어도 대답하지 않던 말을 제풀에 털어놓구야 말았다.

"누나가?"

"네, 글쎄 잘은 몰라두요······."

소년은 곧 말꼬리를 흐렸다. 은애는 늦추었던 호기심이 다시 꿈틀거림을 느꼈다.

"누나도 미군 부대에 있었어요?"

"네, 누나가 양키 부대에서 무얼했는지도 잘 몰라요. 그러나 누나가 우리 세 식구를 살려 왔어요. 그러던 누나가 이동되는 양키부대를 따라 휴전선 쪽으로 갔어요. 서울로 옮겼다는 말을 듣고 찾아 떠났지만 만나지 못했어요. 그래 이곳까지 찾아온 거예요."

소년의 눈동자에는 눈물이 글썽했다. 은애는 공연히 화제가 예까지 이끌려졌다는 미안감에 견딜 수 없었다. 가슴속이 쓰려 왔다. 그 이상 아무 것도 물을 용기가 없었다. 그것은 비단 소년에 대한 가여움에서만이 아니었다. 자기가 다시 집으로 돌아가지 않으면 은호가 꼭 저 꼴로, 그것도 다리를 쩔룩거리며 자기를 찾아 나설 것만 같은 환상이 떠올랐기 때문이었다.

내일 아침엔 일찍 집으로 돌아가야지······, 은애는 혼자 입속으로 중얼거리며 몸을 추스렸다. 만일 미스터 한을 만나지 못한다손 치더라도 새날이 밝으면 첫차로 돌아가야만 하겠다고 몇 번이고 자신에게 다짐하고 있었다. 그의 눈앞에는 누워 있는 어머니, 그 시중에 바삐 서두르는 은심이, 그리고 지팡이에 몸을 의지하고 자기 돌아오기를 기다리는 은호의 모습이 몇 겹이고 겹쳐져 어른거리는 것이었다.

은애는 갑자기 허기져 옴을 느꼈다. 사실 아침에 집을 나선 후 하루 종일 입에 넣은 것이라곤 아무 것도 없었다. 착잡한 상념과 긴장 속에서 다른 것을 생각할 여유도 없었지만, 이제는 참말 뱃속이 쓰려서 견딜 수 없었다. 소년의 솔직한 심정에 접하여 그만큼 마음속이 누그러진 때문일까……. 그보다는 차라리 자기 자신이 하루의 시달림에 지치다 못해 모든 것을 체념하고 잠시나마 초조감에서 풀려 안도의 숨을 돌리고 있는 탓일지도 모를 일이었다.

난롯가에서 일어난 소년은 시계를 보며 점방을 닫을 눈치를 보이다가, 은애 쪽을 바라보며 머뭇거렸다.

은애는 이대로 앉아 밤을 샐 심산이었으나 낯선 점방에서 그럴 수만은 없을 것 같았다. 그렇다면 잠자리부터가 문제였다. 그러나 우선 뱃속에 무엇을 채워야만 몸을 가눌 수 있을 것만 같았다.

은애는 난로 위에서 끓는 주전자의 물을 따라 후후 불어가며 마셨다. 가슴속이 후끈해 왔다. 그러나 그것만으로 공복감을 메워 낼 수는 없었다.

"이 가까운 데 혹 음식점이라도 없어요?"

은애는 창가에 서 있는 소년을 바라보며 물었다.

"있기는 있어요. 그렇지만 시간이 늦어서 닫혔을 거예요."

"그래요?"

"아니, 입때 저녁 안 잡수셨어요?"

은애의 맥 빠진 말에 간격을 두지 않고 소년은 금방 반문해 왔다. 은애는 말없이 맥 빠진 웃음을 터뜨렸다.

소년은 무엇을 생각하는지 머리를 기웃거리다가 입을 열었다.

"가만 계세요, 잠깐 나가 보고 올게요."

밖으로 나선 소년은 거리를 냅다 뛰어갔다. 밖은 또다시 눈이 내리고 있었다. 은애는 미안한 생각이 들었다. 억지로라도 참고 견디었으면 하는 뉘우침이 뒤따랐다. 그러나 시장기는 급각도로 더해지는 것만 같았다. 이마에서 식은땀이 흐르며 현기증이 났다. 어디에 가 눕고만 싶었다. 소년이 헐떡이며 뛰어 들어왔다.

"음식점은 다 닫혔어요. 그래 빵을 사 가지고 왔어요."

소년은 들고 온 종이봉지를 테이블 위에 놓고는 어깨의 눈을 털었다.

사뭇 다행이었다는 듯한 즐거운 표정이었다.

은애는 봉지를 풀어, 사양하는 소년을 끌어 같이 빵을 먹기 시작했다. 그러나 너무 시장한 탓인지 목이 메어 잘 넘어가지 않았다. 더운 물을 마셔 가며 그들은 오누이와도 같이 정답게 빵을 먹었다.

문소리에 둘의 시선은 일제히 그쪽으로 쏠렸다.

"아직도 안 돌아왔어?"

안으로 들어서며 소리를 치는 사람을 바라보는 순간, 은애의 눈동자는 못 박힌 듯이 정지되고 말았다.

"네, 안 돌아오셨어요."

소년은 자리에서 일어나 문가로 갔다.

"아!"

은애는 경악에 찬 한 마디가 어떻게 터져 나왔는지 자신도 모를 정도로 몸이 굳어져 갔다. 한식과 함께 비어홀에 나타나던 미스터 장이었다.

"아니, 미스 오가 어떻게?"

한동안 만나지 못했지만, 그는 정확히 자기를 알아보고 있다고 은애에게도 느껴졌다. 미스터 장도 너무나 의외의 사태에 접하여 몹시 놀라는 표정을 지었다. 은애는 한참 동안 아무 말도 못하고 멍하니 섰다가 입을 열었다.

"안녕하셨어요?"

소년은 무슨 영문인지 몰라 빵조각을 한 손에 든 채 둘의 모습을 번갈아 보며 눈만을 휘둥그레졌다.

"대체 웬일이요?"

은애는 그제야 숨을 몰아쉬며 웃음을 지었다. 미스터 한과 사업을 같이 하고 있다는 것쯤은 눈치 차렸지만, 이런 곳에서 이렇게 만날 줄은 참말 생각지 못했던 일이었다.

"아니, 언제 왔어요?"

미스터 장은 난롯가로 가까이 오며 부드러운 말씨로 건넸다.

"아까, 저물녘에 왔어요."

"미스터 한을 만날려구?"

"네."

미스터 장은 모든 것을 알아 차렸다는 듯이 그 이상은 추궁하려 들지 않았다. 은애는 위급한 단계에 구원의 손길이라도 닿은 듯이 안도의 숨을 길게 내쉬었다.

"앉으세요."

미스터 장은 자기도 의자를 끌어다 난롯가에 앉으며 은애에게 앉기를 권했다. 은애는 시키는 대로 다시 자리에 앉았다.

둘은 서로 빤히 쳐다볼 뿐 한참 말이 없었다. 그들은 각기 상대에 대한 제 나름의 상상을 펼쳐 가고 있는지도 몰랐다.

자기와 한식과의 모든 관계를 미스터 장은 속속들이 알고 있을 것이라고 은애는 혼자 생각했다.

"이렇게 추운 날씨에 예까지……."

"……"

"그래도 용케 찾았네."

은애는 무어라 대답할 말이 떠오르지 않았다. 자신을 훑어보는 미스터 장의 시선은 무엇인가 의아에 찬 눈빛으로 보였다. 그가 꼭 자기의 배를 주시하고 있는 것만 같은 자격지심이 들어, 은애는 헤벌어진 오버 앞자락을 감싸며 고쳐 앉았다.

"얼마 전 미스터 한하고 그곳에 들렀더니 벌써 그만둔 지 오래라구 그러더군요."

"네, 한참 됐어요."

"그럼 더 좋은 데로 옮겼나 보지?"

"아니요."

"아주, 그만두었어요?"

"네……."

은애는 그 자리를 모면하려고 내키는 대로 적당히 대답해 버렸다.

"늦게라도 꼭 돌아올 텐데……."

미스터 장은 혼잣말처럼 중얼거렸다.

"언제 나가셨어요?"

"아마 오늘 아침에 나갔나 본데……."

"이렇게 늦어도 올 수 있어요?"

"글쎄, 군용차를 타면 올 수도 있지만……. 모르지, 자구 아침에 일찍 올는지도."

미스터 장은 무엇인가 납득이 안 가는 표정으로 입을 다시면서도 그 이상 파고 들지 않는 것이 은애에게는 다행스러웠다. 통행금지 예비 사이렌 소리가 울려 왔다. 이미 체념하고 있던 일이지만 은애는 가슴이 뜨끔해 왔다. 이제 사이렌이 한 번 더 울리면 밖으로 나갈 수도 없다. 밤을 지낼 일이 걱정이었다. 자리에서 일어선 미스터 장은 두리번거리며 무엇인가 망설이는 동정이었다.

"여긴 일선 지대가 돼서, 밤늦게 나다닌다는 것은 위험한데……."

그는 소년과 은애를 번갈아 보며 걱정 어린 표정을 지었다.

"여기, 어디 여관이 없는지요?"

은애는 앞질러 자기 생각을 나타냈다.

"글쎄, 있기는 하지만……."

"전 여관으로 가겠어요."

은애는 자기가 그렇게 하는 것이 이 두 사람에게 가장 폐되지 않는 방법이라고 생각되어 마음속에 단정을 내리고 의사 표시를 했다.

"가만 있자……."

미스터 장은 잠시 눈을 깜박이며 무엇인가 생각하다가 문득 고개를 끄덕이며 소년 쪽으로 돌아섰다.

"너, 이층 난로를 떼고 있지?"

"네."

"가만히 있어요."

그는 은애에게 한 마디 던지고는 샛문을 열고 뒤쪽으로 사라졌다. 층층대를 올라가는 발소리가 고요한 밤공기에 파문을 던져 왔다.

"이 가까운 데 여관이 있지요?"

"네, 얼마 안 가서 있어요."

소년은 은애의 물음에 대답하면서도 시선은 층계로 통하는 문쪽에 박고 있었다. 2층에서 내려오는 발소리가 들려왔다.

미스터 장은 웃음을 띠우면서 샛문을 열고 들어섰다.

"됐어요……, 이층에 올라가 편안히 쉬세요."

은애는 당황해 어쩔 바를 모르고 있었다. 도무지 어떻게 되는 셈인지 영문을 알 길이 없었다.

"일선 지대의 여관이란 여자 혼자선 안심이 안 돼요."

그제야 은애는 모든 것이 납득이 가지는 것만 같았다. 그러나 마음속의 불안은 완전히 가셔지지는 않았다.

"손님은 이층에 모시고, 너는 아래 숙직실에서 자, 응."

미스터 장은 다시 한 번 소년에게 다짐을 하고 밖으로 나갔다.

은애는 어리둥절해서 인사도 제대로 치르지 못했다.

소년은 소년대로 품었던 의문이 완전히 풀려지지 않는 눈치로 은애 쪽을 기웃거렸다.

소년은 은애를 2층으로 인도하고 아래로 내려갔다. 은애는 낯선 방 한가운데 혼자 팽개쳐지듯이 넋 잃은 양 서 있었다. 형광등 불빛 아래 자신의 숨소리밖에 들리는 것이 없었다. 은애는 방안을 휘둘러보았다. 방 한

쪽 구석엔 침대, 그 옆에는 철제 캐비닛, 맞은편에는 전축, 테이블 위에는 탁상시계, 한 쪽 구석엔 레이션박스, 양주병, 깡통 등속의 군용품들이 너저분하게 흩어져 있었다. 살림살이 방이 아니라 하숙방에 들어온 것만 같은 인상을 주었다. 방안은 훈훈했다. 그러나 오일스토브에서 풍기는 기름 냄새가 코를 매캐하게 찔렀다.

은애는 창가로 가까이 가서 밖을 내다보았다. 아래 거리는 거의 소등되어 무엇이 무엇인지 잘 분간할 수가 없었다. 멀리 군데군데 미군 부대 불빛이 환하게 비치고 있었다. 그 속에 붉고 푸른 신호등이 하늘에 매달린 것처럼 깜박이는 것이 싸늘하게 느껴져 왔다. 은애는 침대에 털썩 걸터앉았다. 스프링이 삐걱 소리를 내며 궁둥이에 진동해 왔다. 한식에 끌려 첫 고비를 겪던 침대의 반응이 등골에 물결쳐 왔다. 온몸이 오싹 조아드는 것만 같았다.

얼마를 그렇게 앉아 있었는지 몰랐다.

어디 먼 이국땅에 홀로 온 것만 같았다. 끝없는 상념들이 꼬리를 물고 나타났다간 지워지고 지워졌다간 다시 번득여 왔다. 밖에선 이따금 자동차 소리가 들리고, 헤드라이트가 벽에 불빛을 그으며 사라져 갔다. 혹시나 하고 귀를 기울이고 있으나 앞에 와 멈추는 기척은 없었다. 왜 예까지 궁상맞게 찾아왔던가 하고 자신에게 반문하나, 신통한 대답은 없이 그것으로 끝날 뿐이었다. 어쩔 수 없이……, 스스로의 힘으로 더할 수 없어……, 다만 그것뿐이었다. 찾아온 것이 후회도 되지 않고, 잘했다는 생각도 들지 않았다. 다만 그럴 수밖에 없었던 것만 같았다.

방안을 아무리 휘둘러보아야 한식의 정체는 알 길이 없었다. 그저 자기 자신이 바보 같게만 느껴졌다. 그러나 그것도 그럴 수밖에 없었던 것이 아니었던가 하고 스스로를 변호해도 보았다.

그렇다면 서울을 계속 드나들면서 한식이 오랫동안 비어홀에 나타나지 않은 것도 무슨 이유였던가……. 그것도 알 길이 없었다. 자기가 겪고 온 일이나 당면하고 있는 현재의 사태나 모두가 하나의 수수께끼만 같았다.

새벽 세 시가 지났다. 생각의 실마리는 끝이 없었다. 몸뚱이는 이제 말할 수 없이 지쳐 왔다. 악을 써도 도저히 그 이상 버티어 낼 도리는 없었다.

눈꺼풀이 무거워서 바로 뜨고 있을 수가 없었다. 깜박 졸다가 머리를 떨어뜨리는 바람에 눈이 떠졌다. 이제는 배겨 내는 재간이 없다. 은애는 오버를 벗고 침대 속으로 들어갔다. 방안의 온도보다 자리 속은 싸늘했다. 정작 자리에 누우니, 눈딱지가 내려 덮이던 졸음이 또 달아나 버린 것만 같았다.

다시 얼마를 돌아누우며 신고했는지 몰랐다. 은애는 악몽에 휘몰리며 겨우 잠 속으로 묻혀져 갔다.

잠시 눈을 감았다 뜬 것만 같았다. 그러나 벌써 창문에 아침 해가 비치고 있었다. 아마도 짧은 시간이나마 깊은 잠에 떨어졌던 모양이었다. 낯선 방안의 인상이 새삼 어색하게 느껴져 왔다. 꼭 꿈자리에서 소스라쳐 깬 것만 같았다.

자리 속에 배어 있는 이성의 체취, 은애는 콧숨을 길게 들이켜며 색다른 각도에서 후각을 자극해 보았다. 그러다가 자조 같은 쓴웃음을 흘려 보내며 자리에서 일어났다. 입은 대로 뒹굴어 옷꼴이 말이 아니었다. 그러나 여기서는 더 방법이 없었다. 얼른 그 위에다 오버를 걸쳐 입었다. 벽에 걸린 거울 앞에 가서 대충 머리를 매만졌다. 자고 있는 사이는 몰랐지만, 누가 올까봐 겁이 났다.

은애는 아랫배 언저리를 손으로 만져 보며 한길로 면한 유리창가로 다가섰다. 지붕이고 산이고 들이고 하얗게 눈에 덮여 있었다. 그 위에 비치는 아침 햇살은 아름답게만 느껴졌다. 모든 더러운 것, 구질구질한 것들을 모조리 가려 버린 새하얀 눈은 가장 관대한 천사인 것만 같았다.

세거리의 갈림길 삼각지에 자리 잡은 이 집은, 집결된 다른 점방들을 바라보기에 가장 알맞은 위치인 것만 같았다. 마치 그 점방의 간판들이 시합이라도 하며 손님들에게 손짓하는 것 같기도 했다. 간판 글자들은 약속이나 한 듯이 한글보다는 영문자가 더 크게 그려져 있었다. 왼쪽 바로 건너편에 보이는 이층이 로만스 다방, 그 아래층이 나이애가라 나이트클럽, 그 왼쪽이 뉴우요오크 과자점, 그 옆이 러키 세탁소……. 대각선으로 마주 쳐다보이는 이층이 비이너스 미장원, 그 아래층이 스타아 사진관, 그 오른쪽이 맘보 양장점, 그 다음이 모던 양복점……. 오른쪽 건너편 이층은 아리랑 클럽, 그 아래층은 홍콩 양행, 그 오른쪽은 서울 가구점…….

한눈에 들어오는 것만 해도 가지각색의 점방들이 옹기종기 모여 앉은 것만 같았다. 그러나 그들은 모두 제가끔 손을 벌리고 날아가는 달러를 움키려고 발악을 쓰는 것만 같이, 간판의 영어는 살아 있는 독사처럼 꿈틀거리고 있었다. 모든 것이 살려고 발버둥치고 있는 것만 같았다. 밑의 거리로는 체인을 단 자동차가 이따금 요란한 소리를 울리며 눈길을 헤쳐 가고 있었다. 엄벙덤벙 하룻밤을 샜지만, 서울을 떠나온 지 아주 오래 된 것만 같게 느껴졌다. 은애는 빨리 돌아가고 싶은 충동에 휘몰리고 있었다. 떨어져 살아본 일이란 단 한 번도 없었던 어머니나 동생들이 새삼 그리워졌다.

그러나 예까지 와서 한식을 만나지 않고 돌아갈 수는 없었다. 밤중이 아니면 아침엔 일찍 돌아올 것이라던 장본인은 아직도 나타나지 않았다. 은애는 창밖으로 지나가는 차들만 내려다보고 있었다. 그러나 멈추는 차는 없었다. 아래층에서 덜거덕거리는 소리가 들리나 소년도 아직 올라오지 않았다. 자기가 먼저 내려가기에는 어딘가 쑥스러운 기분을 금할 길 없었다.

은애는 머리를 들어 건너편 산기슭을 바라보았다. 예배당이 높은 둔덕 위에 십자가의 첨탑을 우뚝 세우고 있었다.

그 종탑에서 지금 종이 울려오는 것이다. 이 주변에서 밤낮으로 수없이 일어나는 죄과에 대한 감시자 같기만 했다. 그 옆 두어줄 철조망으로 둘러 친 넓은 뜰에서는 같은 옷 빛깔의 어린이들이 뛰놀고 있었다. 고아원 같은 인상이었다. 은애는 그 속에 있을지도 모를 검둥이 흰둥이의 혼혈아들을 상상해 보았다.

바로 교회 아래에는 판잣집이 줄지어 붙어 있었다. 붉고 푸른 원색 옷차림, 파자마바람, 속옷차림, 집집마다 가지각색의 여인들이 뜰로 나왔다간 문안으로 사라졌다. 교회와 고아원, 고아원과 판잣집 여인……, 은애는 좀체 어울려질 수 없는 절름발이의 대상들을 한눈으로 바라보는 것만 같아 끝없는 생각을 더듬어 가고 있었다.

자신을 잊고 남을 바라보는 것, 그것은 쉽고도 시름없는 일만 같았다. 그러나 자신의 아랫배에 신경이 쓰이면, 지금까지의 남의 일 구경하듯 가볍던 심정이 갑자기 무거워만 졌다.

대체 자신이 갈 길은 어디인가……. 꼭 자기는 지금 제이의 심판을 눈앞에 둔 죄수가 판관을 기다리고 있는 것만 같게 느껴졌다.

그러나 그것은 그대로 해결의 열쇠나 구원의 손길을 기다리는 자세와도 같은 것이라고 자위도 해 보았다.

노크 소리에 놀라 은애는 창문 쪽에서 몸을 돌이켰다.

"잘 주무셨어요?"

소년은 활짝 웃음을 머금은 얼굴로 고개를 갸웃 인사를 했다.

"네, 잘 잤어요."

은애도 웃음으로 맞아 주었다.

"아래로 내려오세요."

다음 말은 물을 사이도 없이 소년은 총총히 사라졌다.

은애는 거울 앞에서 다시 몸매를 매만진 다음 방을 나와 서서히 층계로 발을 옮겼다.

층층대를 내려온 은애는 도어를 열고 아래층 점방에 들어섰다. 소년은 진열장이며 테이블을 부지런히 걸레로 훔치고 있었다. 은애는 뚜벅뚜벅 걸어 난롯가로 가까이 갔다. 난로 위에 얹어 놓은 주전자의 물 끓는 소리만이 점방 안에 가득 퍼지고 있는 듯한 고요한 아침이었다. 얼굴을 은애 쪽으로 돌린 소년은 상냥한 웃음을 보내며 말을 건넸다.

"아저씨가 돌아오셨어요."

은애 자신이 우선 묻고 싶어 궁금해 하던 이야기를 소년이 먼저 서둘러대었다.

"그래! 언제?"

"지금 막 전화가 왔어요……. 곧 오신대요."

"어디에서?"

은애는 거의 간격을 두지 않고, 소년의 말이 떨어지자 그 뒤를 이어 곧장 다그쳐 물었다. 하룻밤 사이에 그만큼 소년과의 사이가 가까워와진 것만 같은 친근감을 느끼면서도, 한편 망설이는 일 없이 예사롭게 캐고 묻는 자신이 우습기도 했다.

"저, 작업장까지 와 계시대요."

"작업장이라니?"

"저 건너 산 밑, 미군 부대 가까이에 있어요."

소년은 하던 일손을 멈추고, 턱으로 먼 데 쪽을 가리키면서 대답했다.

"거기선 뭘 하는데?"

"미군 부대에서 쓰레기를 실어 내다 그걸 골라서 파는 데예요."

"아니 쓰레기를 팔다니……."

은애는 처음 듣는 이야기여서 도무지 납득이 가지 않았다.

"별의별 것이 많아요. 깡통, 보루 상자, 빈 병, 어떤 때는 라디오, 텔레비전 같은 것도 막 섞여져 나와요."

은애는 대충 짐작이 가면서도 한 가닥의 의아를 느끼지 않을 수 없었다.

"어떻게 쓰레기 속에 그런 것이?"

"저것도 거기서 나온 건데요."

소년은 테이블 위에 놓여 있는 트랜지스터 라디오를 가리키면서 히죽이 웃었다.

"여기 앉으세요."

소년이 난롯가로 갖다 놓으며 권하는 의자에 앉아 은애는 물품이 늘어놓여 있는 진열장 속을 새삼스럽게 들여다보았다. 그러나 그 속에는 쓰레기 칸에서 나왔다는 그런 물건들은 하나도 보이지 않고, 미군 상대의 상품밖에 진열되어 있지 않았다. 그렇다면 그런 물건들은 겉에 내놓지 않고 직접 작업장에서 처분해 버리는 것일까…… 그는 저대로의 생각을 더듬어 가고 있었다.

"어제 저녁 오셨던 미스터 장은 어디서 일해요?"

"장 아저씨 말이에요? 바로 그 작업장에 있어요. 한 사장님과 두 분이 동사하는 거예요."

은애는 이야기의 윤곽이 짐작되어지는 것만 같았다. 지난날 비어홀에서 들으면서도 그 자리에서 흘려 보냈던, 미스터 한이나 미숙이의 일선지대 사업장에 대한 이야기가 되살아 와 겹쳐졌다. 그러나 역시 그 사업이란 것의 정확한 윤곽은 똑바로 잡혀지지 않고 어딘가 아리송하게만 느껴졌다.

"그럼 아저씨의 살림집은 어디 있어요?"

"그럼 식사는?"

"장 아저씨 댁에서 하고 있어요."

소년은 자기의 대답에 대한 은애의 반응을 확인이라도 하려는 듯이 뚫어지게 은애 쪽을 바라다보았다. 은애는 유도 신문처럼 이야기를 예까지 끌고 온 자기 자신이 멋쩍기도 해서, 슬며시 웃음을 터뜨리며 저도 모르게 심각해졌던 굳은 표정을 늦추어 갔다.

소년이 점방 앞에 쌓인 눈을 쓸고 있는 동안, 은애는 난롯가에 혼자 앉아 제 나름의 생각을 몰아갔다.

내가 왜 미스터 한의 사업에 대해 이처럼 깊은 관심을 가지고 있는 것일까. 아니, 그의 사생활의 이면까지를 속속들이 파고들려는 것은 대체 무슨 때문일까……. 그는 자신에게 반문을 던졌다. 한식을, 거처도 정확히 모르면서 이 일선 지대로 막연히 찾아온 것은, 자기 자신이다. 그밖에 아무 것도 없다. 그렇다고 그에게서 꼭 어떤 해결의 열쇠가 잡혀진 것이라는 확신을 가진 것도 아니다. 다만 그 최후의 단계에서 그에게만은 꼭 알리고 상의하지 않을 수 없는, 자신이나 뱃속의 것에 대한 의무감 같은 것에 불과했다. 다만 그것으로 족하다고 생각했다. 그의 대답이 무엇으로 내려지든, 그 다음의 단계는 생각하지도 않았고 예측하지도 않았다.

그런데 지금 한식을 만날 직전에 있는 자신은 그 이상의 관심을 그에 대해 기울이고 있지 않은가……. 결혼이나 결합이나 그런 것은 눈곱만큼도 생각해 본 일이 없었다. 그러할 겨를도 없이 삶에 쫓기어 왔다는 것이 더 옳을 것이다. 만일 임신이라는 위급한 경고만 내리지 않았던들, 자기는 이곳까지 한식을 찾아오는 허황된 짓을 저지르지 않았을 것이 빤하지 않은가…….

그렇다면 자신이 한식에게 가진 관심의 거리는, 가져졌던 애정이 튀어져 나온 결과라기보다는, 이 이상 어찌할 수 없는 체념에서의 아쉬운 몸부림이 아니었을까……. 은애는 왈칵 치미는 자기혐오를 느끼며, 약한 인간의 비굴감 같은 모멸의 조소를 자신에게 퍼붓고 있는 것이었다. 한식을 만날 시간이 다가올수록 은애는 그와 일 대 일로 맞설 수 있는 자신이 흐려가는 것만 같은 공허감에 휩싸여 갔다.

한식이 문을 열고 들어섰다.

"아, 미스 오……."

한식은 만면에 웃음을 띠우며 감격에 찬 첫마디를 소리 높이 외쳤다. 이미 미스터 장에게서 간밤의 이야기를 듣고 난 이후의 담담해진 마음의 여유 탓인지도 몰랐다. 그는 조금도 당황함을 보이지 않고 지극히 자연스럽게 은애를 반겼다. 은애는 한식과 눈길이 마주치는 순간 깜박이며 시선을 떨구고야 말았다.

오랜 지기와 긴 세월 떨어져 있다가 만나는 것만 같은 감회에 젖었다. 자기 쪽에서 꼭 만나야만 하겠다고 다짐하며 찾아온 대상이면서, 정작 이렇게 마주치니 똑바로 쳐다볼 수 없었다. 상상 외로 한식이 진정 어린 듯 느껴지는 감격에 찬 표정에 휘감긴 탓인지도 몰랐다.

이렇게 갑작스럽게 한식을 찾아가면 이 의외의 침입자를 그는 어떻게 대해 줄 것인가. 자신을 성가신 대상으로 대해 줄 것만 같은 상대에게 대체 무엇부터 이야기해야 할 것인가. 버스 속에서 몇 번이고 곱씹어 가며 다져 보던 생각들이었다. 상대야 어떻게 생각하든, 자신은 자기의 속심만을 전하고 오면 그만이 아닌가…… 그것으로 모든 일은 끝난 것이 아닌가…… 그 밖의 신통한 생각은 떠오르지 않았고, 더 앞질러 그 이상 생각하고도 싶지 않았었다. 무슨 요행적인 해결을 얻으리라는 욕구는 애초부터 없었다.

그러나 막상 한식과 마주 대하는 자리에서의 그의 이 같은 폭 넓은 환대는, 은애의 소극적인 주저나 비굴감을 한꺼번에 씻겨 주는 것만 같게 느껴지기도 했다. 은애는 숙였던 머리를 들면서 큰 숨을 내쉬었다. 그러나 단 한 마디의 말도 쉽게 입 밖으로 튀어 나와 주질 않았다. 그는 멍하니 한식을 쳐다보고 있을 뿐이었다. 어느 사이엔지 한식은 벌써 은애의 어깨를 짚으며 입김이 이마에 와 닿을 정도로 다가와 서 있었다.

"자, 올라갑시다."

한식은 앞장서서 은애를 돌아보며, 2층으로 통하는 도어 쪽으로 향해 걸어가고 있었다. 은애는 물끄러미 자기들의 모습을 눈여겨 바라보고 있는 소년의 시선을 등 뒤에 느끼며 다소곳이 뒤를 따랐다. 은애는 한식의 발뒤꿈치가 자기 코끝에 닿을 것만 같은 거리에서 주춤거리며 층계를 올라갔다. 그는 자기 의사로 예까지 찾아왔으면서도, 이끌려 가듯이 시키는 대로 상대의 뒤를 따라가지 않을 수 없는 자신의 몰골이 처량하게 느껴지기만 했다.

"자, 앉아요."

이층에 들어선 한식은 테이블 옆 의자를 돌려 은애에게 권하곤, 자기는 침대에 몸을 던지듯이 덜컥 걸터앉는 것이었다. 은애는 침대에 깔린 두툼한 담요를 바라보며, 지난밤 뜻하지 않은 곳에서 자기 혼자 밤을 새다시피 한 것을 생각하고 있었다.

"대체 어떻게 된 셈이야……, 미스 오가 이 살벌한 일선 지대까지 찾아오구……."

한식은 담배에 불을 당겨 길게 빨아 뱉으며 은애를 뚫어지게 쏘아 보았다. 은애는 한식을 바라보던 눈길을 창문 쪽으로 돌리며 대답할 말을 찾고 있었다. 그러나 목구멍이 꽉 막힌 듯이 첫마디가 쉬이 터져 나오지 않았다. 너무 격한 탓인지도 모른다고 생각되었다.

"설마 나 아닌 다른 사람을 찾아온 것은 아니겠지……."

그제야 기가 차다는 듯한 엷은 웃음이 은애의 입가에 번져 나왔다.

"어저께 왔다면서?"

"네."

"서울을 떠난 것도 어저께고?"

"네."

"그럼 곧장 이리로 온 거군?"

"네."

은애의 입에서는 짧막한 토막 대답밖에 새어 나오지 않았다. 이제는 한식 쪽에서 안타까워 못 견디겠다는 듯이 서둘러대는 기세를 보였다.

"무슨 심각한 마음의 변화라도 생겼던가 보지?"

"아니요."

무심결에 나온 대답이 스스로의 행동을 부정하는 결과로밖에 되지 않았다는 생각이 은애 자신에게도 느껴져 왔다. 그러면서도 은애는 자기의 생리적인 이상을 다만 알리기만은 해야겠다는 당초의 의도를 넘어, 무엇인가 해결의 서광이라도 보일 희망적인 암시를 받고 있는 것만 같은 심정에 젖기도 했다. 그것은 한식에게서 느껴지는 호의에 찬 선입감의 탓이라고 돌릴 수만은 없는 것 같았다. 은애 자신에게도 이미 상대의 적극적인 태도 여하에 따라, 그에 순응할 수 있는 마음의 자세가 스스로 느낄 수 없는 사이에 배태되어지고 있었음에 틀림없었던 것 같기도 했다.

"여기는 어떻게 찾을 수 있었어?"

은애는 여전히 쉬이 대답이 나가지 않았다.

"마치 철새처럼 자리를 옮기고 되는 대로 살아가는 나의 거처를 찾아오게끔 되었다는 것은, 그 동기야 어떻든 여간 성의가 아닌데……."

한식은 벌써 전연 다른 각도로 종국의 문제까지 결부시켜 지레짐작으로 한 수 더 뜨는 것이 아닌가 하고 은애에게는 느껴졌다. 그만큼, 육체에 아무 증상도 없는데 애걸하다시피 짓궂게 결혼 상대를 찾아다니는 것 같은 오해로 해석되는 것 같아, 굴욕에 대한 불쾌감이 슬며시 치밀어 올랐다.

"그렇게만 속단하실 건 아니에요."

"아니, 내 말을 오해하구 있군……. 난 미스 오가 이 난잡한 지대로, 더욱이 여자 혼자서, 다른 사람 아닌 나를 찾아 주었다는 데 감격해서 그러는 거야……. 하하……."

한식은 말끝에 너털웃음을 덧붙였다. 그러나 그것은 허세를 과장하거나, 미묘한 국면을 무마하려는 가식에서 나오는 것은 아닌 것같이 은애에게는 자연스럽게 느껴졌다. 지금의 한식은 언행 하나하나에 있어서, 자칫

하면 비꼬이기 쉬운 은애의 심경에, 비어홀이나 광나루에서 느꼈던 그런 감정보다 더 성실하고 진심에 찬 모습으로 느껴지기도 했다. 그것은 의외로 찾아간 자신이 어떤 강압 조건이라도 내세우고 발악할까봐, 슬며시 자기 입장을 적당히 얼버무려 발뺌을 할지도 모른다는 일면의 예측을 전연 뒤집는 데 대한, 너무도 선의적인 해석인지도 몰랐다.

"그래, 가족들은 모두들 잘 있구?"

한식은 말머리를 돌려 핵심에는 뛰어 들지 않고 변죽만을 울리고 있는지도 모를 일이라고 은애에게는 생각되어지기도 했다.

"네, 다 잘 있어요."

"가만 있자……, 그 입원했던 동생은?"

"인제 다 낫기는 했어요."

"아니, 다리 말이야, 그 다리가 완전해?"

"아니요."

"그럼?"

"약간 절뚝거려요."

"저런……, 사지가 멀쩡한 놈도 살기 힘든 세상에……. 그것 참 안됐군."

한식의 진심에서 걱정해 주는 표정을 바라보며, 은애는 집안 식구들의 모습을 더듬었다. 빨리 돌아가야만 할 것 같은 조바심에 휘몰려 갔다. 잠시 침묵이 흘렀다. 둘은 제각기의 생각을 누벼 가고 있는 것이었다.

한식은 담배 한 모금을 길게 빨고 나서 다시 말을 계속했다.

"사실 나는 얼마 전에 걸려들었댔어."

"뭐가요?"

은애는 한식의 심각한 표정에 이끌려 저도 모르게 반문했다.

"참, 돈 벌기란 쉬운 게 아냐……. 미군 물자를 불법 취급했다고 해서, 이십구 일간 구류를 당하고 나왔어."

그는 숨을 길게 내쉬고 나서 말을 이었다. 이런 때의 한식의 표정은 다른 어느 때보다 은애에게는 진실한 모습으로 느껴졌다.

"후에 안 일이지만 아는 놈이 밀고를 했어…… . 그것을 사겠다고 경쟁하던 놈이야."

그 탓으로 얼마 동안 한식이 비어홀에 나타나지 않았었구나 하는 추측을 하면서, 은애는 잠시라도 그를 턱없이 오해한 자신이 오히려 미안쩍게 느껴졌다.

"이젠 다 해결됐어…… . 이놈의 땅에선 돈이면 그만이야, 안 되는 일이 없다니까."

돈, 돈. 혼자 되뇌이며 은애는 자신의 초라한 모습을 다시 한 번 훑어보다가 아랫배 언저리에 눈이 갔다. 잠시 잊었던 불안이 다시 솟구쳐 옴을 느꼈다.

"그래 풀려 나온 즉시로 미스 오를 찾아갔지. 그런데 비어홀은 벌써 그만두었다고 하지 않아…… , 미리도 같이 없어졌다는 거야."

은애는 제 사정을 이야기할 염도 못하고 호기심에 차 한식의 이야기에만 정신이 팔리고 있었다.

"그런데 얼마 후 우연히도 미리를 만났지 뭐야."

"네? 미숙이를…… ."

잠자코 듣고만 있던 은애는 거의 반사적으로 반문했다.

"응."

"어디서요?"

"천천히 얘기할 게…… , 그것도 사연이 간단찮아…… ."

미숙이에 대한 생각에 은애는 궁금증을 억누를 수 없어, 계속 그 이야기가 풀려 나오기만 기다렸다.

"그래, 그 다음날 당장 서울로 찾아 나갔었지. 그러나 어디 있어야지…… ."

은애는 긴 한숨을 내쉬었다. 한식의 자기에 대한 관심에 머리가 수그러질 정도로 고마움과 함께 미안감을 느꼈다. 마치 피붙이를 대하는 것만 같은 심정이었다.

"그래 어떻게 여기를 찾았어?"

상대의 다소 누그러진 모습을 바라보던 한식은 다시 화제를 돌렸다.

"언젠가 주신 명함을 보구 찾았어요."

은애는 이젠 망설이지 않고 순순히 대답할 수 있을 만큼 마음이 풀렸고, 두 사람 사이의 분위기도 그만큼 부드러워졌다.

"역시 머리가……."

한식의 미소 어린 얼굴엔 약간의 비꼬는 빛이 스치는 양 싶었지만, 은애에게는 그 농이 조금도 고깝게 들리지는 않았다. 은애는 이제 자기 일보다는, 어디로 사라졌는지 행방조차 알 길 없는 미숙이에 대한 상세한 내용을 알고 싶은 궁금증을 참을 길 없었다.

"아니, 미숙이를 어디서 만났어요?"

"글쎄 그렇게 서두를 건 없어, 멀지 않은 곳이야……. 이제 저절로 알게 될 텐데 뭐."

멀지 않은 곳에 있다니, 그럴수록 은애는 더 조바심이 났다.

"그런데 저, 미스 오가 나를 찾아온 용건은 대체 무언데?"

한식은 육감으로 무엇을 느꼈는지, 아까보다는 훨씬 정색을 하고 뚫어지게 은애를 바라보며 묻는 것이 아닌가……. 그 긴장된 모습에 눌려 오히려 은애 쪽이 마음 놓고 속의 것을 털어놓을 수 없을 만큼 질려졌다.

"이런 곳으로, 이 추운 날에 일부러 나를 찾아왔을 젠 무슨 중대한 문제라도 생긴 거 아냐?"

은애는 침을 꿀컥 삼키고 떼었던 입을 또다시 다물고야 말았다. 그것은 긴장의 탓만은 아니었다. 자기 육체에 대한 이상을 비록 사건의 당사자라 할지라도, 털어놓고 이야기하기 거북한 부끄러움에서 오는 망설임이 더 앞을 가로 막기 때문이었다.

"아무 것도 서슴지 말고 어서 말해 봐요."

채찍에 휘몰리는 것만 같은 절박감을 느끼면서도, 은애는 한식에게서 시선을 돌린 채로 묵묵히 앉아 있었다.

"자, 툭 털어놓고 얘기해 봐요, 내 힘으로 도움이 될 수 있는 일이라면 무엇이든지 해 줄 테니까……. 그렇게 인색한 인간은 아니야."

혹 돈 문제로 곡해를 하고 선수를 쓰는 것이나 아닐까 생각하며 은애는 입을 열었다.

"저, 사실은……."

은애는 뒷말을 잇지 못하고 고개를 떨어뜨렸다.

"글쎄, 얘기하래두. 예까지 찾아왔는데 내가 들어서 안 될 것이 있어 ……. 설령 내가 책임을 져야 하는 절박한 사태라도 벌어졌다면 그 책임은 내가 감당해야지."

은애는 흘깃 한식을 훔쳐보았다. 그의 눈길은 자기 아랫배 쪽으로 쏠려지고 있지 않는가……. 수치감과 전율이 한꺼번에 전신에 휩싸여 옴을 느꼈다.

"나도 일선 지대에서 수단 방법을 가리지 않고 이렇게 되는 대로 살아가지만, 내게도 삶에 대한 신념이 있어……. 자기 앞에 오는 책임이나 의무를 파렴치하게 회피하리 만큼 못난 놈은 아니니까……. 자, 어서……."

한식의 힘주어 말하는 어조에는 일찍이 느껴보지 못했던 결의가 담겨 있음을 은애는 느끼지 않을 수 없었다. 은애는 굳게 마음을 다져 먹고 다시 말을 시작했다.

"저, 몸에 이상이……."

그러나 은애는 말끝을 맺지 못하고 흐렸다.

한식은 사이를 두지 않고 그 뒤를 받았다.

"나도 다 알아……. 이렇게 막 굴러먹은 놈이, 그래 고사리 같은 계집을 앞에 놓고 그만큼한 눈치도 채지 못할까 봐……. 하하하……."

한식은 통쾌한 웃음을 터뜨리곤 다시 말을 이었다.

"아무튼 잘 됐어⋯⋯. 은애는 어떻게 생각할지 몰라도, 내게는 이제 올 것이 온 거야."

한식의 이 한마디는 대체 무엇을 의미하는 것인지 은애에게는 정확한 핵심이 터득되어지지 않았다.

"그래, 몇 개월이야?"

한식은 단도직입이었다.

"의사의 이야기가 삼개월이라나 봐요."

"병신 같은 소리⋯⋯, 자기 몸의 것을 자기가 모르고, 남의 이야기로⋯⋯. 하하하⋯⋯."

그는 방안이 날아갈 듯이 큰 웃음을 외치며 침대에서 벌끈 일어났다. 스프링이 튀는 소리가 두 사람을 휘감고 방안에 파문을 일으키며 퍼졌다. 은애는 저도 모르게 흘러내리는 눈물을 닦을 염도 못하고 어린애처럼 훌쩍거렸다.

"바보같이 울기는⋯⋯. 자, 일어나요."

한식이 겨드랑이에 손을 넣어 일으키는 바람에, 은애는 단절되었던 육친의 애정에 포근히 싸여지는 것만 같은 환상 속에서 어깨를 들먹이며 흐느꼈다. 그것은 자기 자신에 대한 뉘우침, 가족에 대한 미안감, 자기의 앞을 스쳐갈 폭풍우와 같은 불안, 그러한 끝없는 사연들이 올올이 뒤엉킨 착잡한 감정에서였다.

구류에서 풀려 나온 후 한식은 서울로 나가는 길로 크라운 장을 찾았다. 그러나 은애는 보이지 않았다. 미리도 없었다. 며칠 전 두 사람 다 한꺼번에 그만두었다는 것이었다. 행방을 물어봐야 아무도 아는 사람은 없었다.

응당 있을 줄만 알고 찾아온 걸음이기에 허전한 감이 없지 않았다. 꼭 어디론가 같이 갔을 거라고 예측되면서도 짐작이 가는 곳은 없었다.

찾아오면 늘 있던 그들이기에 예사롭게 대해 왔지만 막상 만나지 못하고 보니 궁금하기 짝이 없었다. 또한 은애에게 자신이 느꼈던 감정이 이렇게까지 절실한 것이었던가 하고 자기의 저질러 놓은 은애와의 관계를 새삼 돌이켜 보게 되었다.

자기에게 모든 것을 빼앗기고도 단 한 마디의 항의나 반발도 없는 은애이기에 더 마음이 끌렸다.

부근에 있는 다른 비어홀 몇 군데에도 들러 보았으나, 은애나 미리의 모습은 찾아 볼 수 없었다. 그 후 얼마간의 시일이 흘렀다.

한식은 용줏골에 잇닿은 주내 거리에서 차를 타고 지나가다가 미리 같은 인상의 여인을 발견했다. 미리가 이런 지대에 올 리는 만무하다고 찰나적인 생각은 스치면서도 급정거를 시키고 차에서 내렸다. 두 사람의 시선은 마주쳤다. 틀림없는 미리였다.

"어마……."

미리는 튈듯이 기성을 지르고 활짝 뛰며 어쩔 바를 몰라 했다. 한식도 놀란 눈동자를 휘둥그렸다. 그러나 미리 쪽이 더 당황했다. 참말 이런 곳에서 미스터 한을 만날 줄은 몰랐다. 아무도 아는 사람이 없는 일선 지대로 찾아온다는 것이, 결국 맨 먼저 한식에게 걸려들고야 만 것만 같았다.

미리는 어안이 벙벙해 상기된 얼굴로 빤히 한식을 쳐다보고 있을 뿐이었다.

"대체 어떻게 된 거야? 예까지……."

한식이 먼저 말문을 열었다.

"잠깐 다니러 왔어요."

미리는 얼떨떨한 말투로 얼버무렸다.

둘은 그대로 한길에 오래 서 있을 수도 없었다. 한식은 미리를 끌고 건너편 다방으로 들어갔다.

"그래, 무슨 일로 왔어?"

한식은 우선 궁금증부터 풀고 싶었다.

"사실은 아까 다니러 왔다고 했지만, 여기로 이사해 왔어요."

"그래?"

한식은 놀라지 않을 수 없었다. 대체 이런 지대로 미리가 왜 이사를 해 왔단 말인가……. 이 지대란 유엔군 상대의 영업 이외엔 아무 것도 되지 않는 곳이다. 더욱이 여성에겐 그들 상대의 직업밖엔 할 것이 없지 않은가?

"조그만 사업을 하나 시작했어요."

"무슨 사업?"

한식은 다그쳐 물었다.

"나이트 클럽을 개업했어요."

"나이트 클럽?"

맞대꾸를 하면서도 한식의 머리에선 기이하다는 생각이 씻겨지지 않았다.

"아니, 억센 남자를 배후에 두고도 하기 힘든 일을 어떻게 치르려구?"

"글쎄요……."

미리는 한참 입술을 머뭇하다가 다시 말을 이었다.

"주인하구 같이 왔어요."

"주인이라니? 그럼 미리, 그 사이 결혼했어?"

한식은 말끝에 질문의 어세를 높였다.

"네, 남편 얻었어요. 이대로 어느 때까지 막 굴러다닐 수도 없구 해서요."

"생각 잘했어."

찬동하는 어조로 말하면서도, 한식은 자기와의 지난 일을 생각하며 건 듯 스치는 애석감 같은 것을 느끼지 않을 수 없었다. 날아가는 종이 조각도 남이 주우면 아쉽다는 심정이랄까……, 그는 그러한 감정에 잠시 젖었다.

"기왕, 시작한 김에 한몫 잡아야지."

한식은 겉인사 치레가 아니라 참말 그렇게 되었으면 하는 심정이었다.

"그렇게나 됐으면 좋겠는데……."

미리의 팔팔 뛰던 패기가 누그러진 것만 같게 한식에게는 느껴졌다.

"그래, 미스터 한의 사업체는 이 부근에 있어요?"

이번에는 미리 쪽에서 질문을 던졌다.

"바로 저 건너 용줏골."

"그래요, 가까워서 좋아요. 많이 도와주세요."

"내 힘으로 될 수 있는 일이라면……."

"저의 집에도 한 번 들르세요. 바로 저 앞 오리엔탈 클럽이에요."

한식은 미리가 가리키는 창밖을 내다보며 머리를 끄덕였다.

"그런데 은애는 어디로 갔어?"

한식에게는 오히려 이것이 진작 묻고 싶은 말이었는지도 몰랐다.

"크라운 장에서 바로 같이 옮겼어요."

"바로?"

"네, 거긴 못 가는 덴가요?"

"아니, 그런 것도 아니지만……. 발전을 한 셈이군."

"비어홀로 어디 손님이 있어야죠."

"무슨 바로?"

"저, 차이나타운이라고……."

"그럼, 아직도 거기 있나?"

"네, 아마 그대로 댕길 거예요."

"왜, 그 후 서로 소식이 없어?"

"없어요."

미리는 입술을 잘근잘근 씹으며 눈시울에 먼 그림자를 더듬고 있었다.

"차이나타운……."

한식은 혼자 중얼거렸다.

"그런데 제가 이르지 않고 이리로 떠나 왔어요."

"그럼, 미리가 남몰래 사랑의 도피행을 한 셈이로군."

미리도 대답 없이 한식을 따라 웃음을 터뜨렸다.

"가만 있자, 그러면 상대가 누굴까?"

"인제 만나면 다 알아요."

"그럼, 누군데?"

"지금은 싫어요, 만나면 다 알 텐데……."

미리의 이야기 속에서 그간의 사정을 짐작할 수는 있어도, 그것으로 한식의 궁금증이 다 풀려진 것은 아니었다.

한식은 다음날 바 차이나타운을 찾았다. 그러나 은애는 보이지 않았다. 아무 예고도 없이 결근했다는 것이었다. 자기 자신이 은애에게 대해 이렇게까지 관심을 가지고 있었던가 하고 그는 새삼스럽게 스스로 반문해 보았다.

지금껏 다른 여성을 수없이 건드려도, 한 번도 느껴보지 못했던 집념이 이번만은 자신을 끈질기게 붙잡고 늘어짐을 느끼지 않을 수 없었다. 그는 어딘가 가슴 한쪽이 텅 비어 있는 것 같은 공허감을 곱씹으며 거리로 나섰다. 아랫다리가 후들거리게 술에 취해 있으면서도 정신은 맑아 왔다. 그는 눈 덮인 포도를 홀로 걸었다. 다만 끝없이 걷고만 싶은 심정으로…….

은애는 미숙이가 용줏골에 이웃한 주내에 있다는 이야기를 듣고 그 이상 앉아서 견디어 낼 수는 없었다. 한식은 미숙이 있는 곳을 알려 주었을 뿐, 그 밖의 다른 이야기는 덧붙이지 않았다.

은애는 주내 거리 샛길 어름에서 버스를 내렸다. 한식이 그려 준 약도를 따라 오리엔탈 클럽을 찾았다. 미숙이 대체 어떻게 지내고 있을까 하고 더욱 궁금해졌다. 네온이 비치는 밤이 안 되어 그런지, 영문자로 된 커다란 간판은 새로 뺑끼칠을 했건만, 바깥에서 보는 클럽의 첫인상은 쓸

쓸해 보였다. 거리에 사람이 한적한 것도 기후가 갑자기 추워진 탓만은 아닌 것 같게 느껴졌다. 아침나절의 홀 안에서는 아무 소리도 들려 나오지 않았다.

은애는 클럽의 출입문을 밀어 보았다. 안으로 잠겨 있었다. 따로 작은 문이라도 있는가 하고 살펴보았으나 눈에 띄지 않았다. 은애는 문을 노크했다. 아무 반응도 없었다. 혹시 잘못 찾아오지나 않았는가 하여 다시 간판을 쳐다보았다. 틀림없는 오리엔탈 클럽이었다. 그는 두 세 번 더 거세게 문을 두들겼다.

"누구요?"

그제서야 안쪽에서 새어 나오는 남자의 굵직한 목소리가 들려왔다.

"누굴 찾아요?"

"미숙이를요."

"미숙이?"

바로 문 안쪽에서 들리는 그 소리는 꼭 어디서 들은 것만 같은 목소리였기에 은애는 그 주인공을 기억 속에서 더듬고 있었다. 문이 열렸다. 시선이 마주치는 순간, 두 사람은 서로 입을 헤벌린 채 경악에 찬 표정 속에 어쩔 바를 몰라 했다. 은애는 역시 바에 떠돌던 풍문이 허설이 아니었구나 하는 생각을 겹쳐 가고 있었다.

"아니, 미스 오가!"

멤버 김 씨의 감탄 어린 말소리가 먼저 터져 나왔다.

"김 선생, 대체 이게 어떻게 된 일이에요."

둘이 함께 바에서 자취를 감춘 후 이미 짐작이 간 일이지만, 정작 이런 곳에서 의외로 만나고 보니 은애도 놀라지 않을 수 없었다.

"어떻게 여기를 알았어?"

"좁은 땅덩어리 위에서 그걸 모르겠어요."

은애는 일부러 시침을 뗐다.

"응, 집사람이 미스터 한을 우연히 만났다더니 거기서 알았구먼."

그 '집사람'이란 어감을 은애는 몇 번이고 다져 가며 뇌었다.

은애는 김 씨의 뒤를 따라 홀을 거쳐 안 쪽 살림방 쪽으로 들어가면서 주위를 둘러보았다. 유리창은 알록달록한 빛으로 짙게 칠해 있고, 전등은 켜 있지 않아 홀은 우중충한 인상을 주었다. 아직 청소가 되어 있지 않은 바닥에는 오렌지 껍질이며 호콩 깍지가 너저분하게 흩어져 있고, 의자는 팽개친 듯이 되는 대로 놓여져 있었다. 벽마다 큼지막하게 그려 놓은 관능적인 여인의 나체화가 유난히 눈에 자극을 줄 정도로 그로테스크하게 느껴졌다.

"미스 오가 왔어요."

김 씨가 살림방 앞에서 크게 소리를 쳤다.

"응, 미스 오라니……."

은애에게는 참말 오래간만에 듣는 그리운 미숙의 목소리였다.

말소리와 거의 동시에 미닫이가 열리며 파자마 바람의 미숙이가 튀어 나왔다.

"아니, 은애가!"

미숙이는 탄성 어린 고함을 지르며, 맨발 그대로 뛰쳐 내려오면서 은애를 덥석 껴안았다.

"미숙아!"

은애도 격한 소리를 내며 얼싸안았다. 둘은 감격에 차 한참 서로 말이 없이 떨어질 줄 모르고 거의 경련에 가까운 포옹을 지속하고 있었다.

은애의 손목을 잡고 방에 들어선 미숙의 눈에 맺혔던 눈물방울은 뺨을 스쳐 떨어졌다. 은애의 눈언저리도 젖어 있었다. 김 씨는 쑥스러운 듯이 어정거리다가 문을 닫고 홀 쪽으로 나갔다.

"참, 미안해……. 난 너한테 큰 죄를 지었다."

이것은 몇 번이나 미숙이 자신에게 되풀이한 말이었다. 지금 은애 앞에서 뿐만 아니라, 은애 몰래 김 씨와 함께 서울을 탈출한 이후 거듭 혼자 뇌까리던 푸념이기도 했다. 은애는 한때 몰래 달아난 미숙이를 나무라고 얄미운 생각까지 가졌었다. 꼭 가장 믿었던 대상에게서 배신을 당한 것만 같은 공허감을 메울 길이 없었다.

그러나 지금 이렇게 다시 미숙이를 만나 진정에서 참회하는 그 눈물을 보니, 오죽해서 그랬을까 싶어 오히려 측은하고도 미안한 생각이 들었다. 얄미움이나 배신감 같은 서운함은 그와 만나는 즉시 어디로 사라졌는지 모를 만큼 가슴속은 담담하고도 거뜬해졌다.

"너, 날 많이 욕했지?"

눈물을 닦으며 정색을 하고 미숙이는 물었다.

"아니."

"거짓말 말어……. 죽이구 싶도록 미웠을 거야, 난 다 알어."

"좀 서운하구 궁금하기는 했어……, 어디를 갔을까 하구……."

"난 몇 번이나 너한테 쫓기는 꿈을 꾸었단다……. 그러다간 가위에 눌려 잠을 깨구…….그러구 나면 다시 잠을 청하지 못하구 부스럭거리기만 했지."

"혹 어디에서 자살이라도 하지 않았나, 그런 걱정을 했었지."

"애두, 미쳤나…… 죽기는 왜 죽어……. 앞이 창창한 젊은 나인데, 악착같이 살아야지……. 안 그래?"

미숙이의 열기에 끌려 은애는 머리를 끄덕이며 맞장구를 쳤다.

"어떻게 하면 거기서 발 씻고 헤어날 수 있을까, 그것만 생각했었지. 그러나 그런 것은 생각 뿐이구 늘 그 날이 그 날이 아니었어? 나같이 비어홀이구 바구 하여, 이 남자 저 남자에게서 놀아나던 년이 어디 처녀 총각 맞서듯이 버젓하게 초례를 올릴 수는 없지 않어?"

그 말에는 은애 자신도 발등에 불이 떨어진 것 같은 뜨끔한 감정을 느끼지 않을 수 없었다.

"멤버 김 씨가 비어홀에 있을 때부터 가까웠구……, 쓴물 단물 다 마시구 난 걸레 같은 나라도 좋다구 하니, 그 성의에 끌려들었지 뭐니……. 다행히 이만큼 사업체라도 꾸밀 자본이 있다기에 나두 더욱 솔깃해졌지……. 그런 경우에 누구보구 나는 사내를 따라 야밤도주를 합네 하구 얘기할 수 있겠니? 너 같으면 그런 얘기를 털어놓구 할 수 있는 용기가 있어?"

추궁하듯이 기염을 토하며 자기의 솔직한 심경을 털어놓는 미숙의 이야기를 들으면서, 은애는 홀로 머릿속에 한식을 생각하고 있는 것이었다.

"아무튼 너에게만은 알렸어야 했었는데, 참말 두구두구 미안해."

"다 알았어."

"참말 용서해."

"용서구 뭐구 없이 다 이해한대두……."

미숙이의 말에 은애는 진정으로 공감이 갔다.

"너 미스터 한에게서 들었지?"

"응."

"그럴 줄 알았어……. 참 죄 짓구는 못 살겠다는 생각이 들었어……. 이런 곳에서 아는 사람을 만날 줄이야 누가 알았니……. 세상이 넓구두 좁다구 느껴졌어."

그제야 생각난 듯이 미숙이는 아랫목에 깔아 놓은 이부자리를 가려 놓고 옷을 갈아입었다.

"엊저녁에 늦게 자서 조금 전에야 겨우 일어났지 뭐니."

미숙이가 변명하듯이 한 마디를 남기고 커피 준비하러 나간 사이에, 은애는 홀로 앉아 방안을 두리번거렸다.

대포 한 방 소리에 언제 짐을 꾸리고 달아나야 할지 모를 일선 지대라서 그런지, 듬직한 가구란 하나도 장만되어 있지 않았다. 그러나 방 윗목에 놓은 화장대 옆엔 큼지막한 알루미늄 트렁크 몇 개가 가지런히 쌓여져 있었다. 저 속에는 무엇인가 값진 것이 들어 있겠거니 생각하며 은애는 시

선을 옮겼다. 텔레비전, 전축, 라디오, 탁상시계, 유리장 속의 인형, 있을
만한 것은 거의 다 차려져 있는 셈이었다. 그것만이 아니었다. 한 쪽 궤짝
위에 차곡이 가려 놓은 이부자리는 모두 새로 장만한 것들이었다.

"그래, 사업은 잘 돼?"

은애는 미숙이 가져온 진한 커피를 마시며 물었다.

"그저 밥이나 먹지……. 노다지가 나오던 시절은 벌써 다 지나갔나 봐."

은애는 미숙의 시무룩해 하는 말을 들으면서 어젯밤 들은 소년의 이야
기를 회상하고 있었다.

"그래도 제 마음대로 하는 일이니까, 남에게 매이지 않고 자유로워서
좋아."

미숙이의 입에서 오래간만에 뱉어지는 자기 삶에 대한 어느 정도의 만
족한 듯한 고백을 들으며, 은애 자신도 흐뭇해지는 느낌이었다.

"아무튼 잘했어, 결단 내리기를……."

"글쎄 나두 후회는 하지 않아……. 그대로 바에 눌러 있었댔자 마지막에는
미군 부대 앞이나 서성거리지 않으면, 종로 삼가로 떨어지기 고작이지……."

은애는 곧 자기의 위치에 빗대어지는 것만 같은 처량한 감을 느꼈다.
미숙이도 나오는 대로 뱉어 놓고는 미안쩍은 생각이 들었던지, 곧 다음
말을 이어 갔다.

"참, 넌 아직도 차이나타운에 나가구 있니?"

"응……."

은애는 건숭 대답을 했다.

"모두들 잘 있지?"

"응……."

추억이 서린 미숙의 눈매를 바라보며 은애는 인제 자기 이야기를 털어
놓아야 할 참이라고 생각했다.

"그래 오늘 아침에 곧장 서울에서 왔어?"

이제 정말 자기 차례구나 생각하면서 은애는 말없이 히죽이 웃었다. 민감한 미숙이는 벌써 눈치 챈 것만 같은 기색이 엿보였다.

"응, 미스터 한 있는 데로 들려 왔구나……."

"응."

"요 깍쟁이, 그러구두 시치미를 똑 따구 있어……."

얼굴을 할퀴려는 시늉을 하는 미숙의 공격을 받으며, 은애는 솔직한 고백을 토로하자 시작했다.

"나, 몸에 이상이 생겼어……."

"참말?"

미숙의 눈이 순간 휘둥그레졌다.

"응, 산부인과에서 진찰을 받았어……."

"그럼 틀림없구나……, 그것도 안 보이지?"

"응……."

"몇 개월이래?"

"삼개월……."

"틀림없이 스트라이크구나, 호호……."

미숙의 웃음에 따라 은애도 같이 웃고 있으나, 그 심정은 처량했다.

"너 미스터 한한테, 바로 그때 걸렸구나?"

은애의 얼굴은 비굴한 웃음 속에 일그러졌다.

"나두 그이한테 한 번 걸렸었는데 직통이었지……. 하는 수 있어? 눈 딱 감고 긁어 버렸지……. 직장에 못 나가면 그날부터 긁어 죽을 판인데 그 책임도 못 질 씨를 속에 넣구 배가 뚱뚱해서 보기 흉한 꼴을 하구 혼자 고민할 수야 있어?"

은애는 가슴이 뜨끔했다. 꼭 미숙이의 전철을 자기가 바보같이 되풀이하고 있는 것만 같은 심정에서였다.

"그래서 얼굴이 까칠하구나……. 애, 그 속에 금송아지 다칠라, 소중히 해라……"

은애는 쓰디쓴 웃음으로 미숙의 농을 받을 수밖에 없었다.

"응, 네가 날 찾아온 것이 아니라, 일장 담판을 내리려 미스터 한을 찾아온 것이로구나……. 나한테 온 건 지나가는 길에 덤이구……."

"아니야, 꼭 만나구 싶었어……. 한식 씨한테 와서 처음 네 소식을 들었어……."

"그래……, 미안 미안……."

미숙이는 너무 덧나간 자신을 나무라는 듯이 참말 미안스런 표정을 지었다.

"그럼, 어떻게 할래?"

미숙의 얼굴에선 농담 어린 모습은 가시고, 무엇인가 새로운 방안이라도 모색하려는 심각한 빛이 깃들어 갔다.

"수술해 버리려고 생각했지만, 아무래도 꺼림칙한 생각이 들어 한식 씨를 찾아왔었지……."

"그래, 뭐라 하든?"

"명확한 대답은 하지 않았어……. 그저 책임을 지겠다는 거야."

"그런 입에 발린 소리에 속지 말고 따지고 들란 말이야……. 당장 살림을 차려 살겠느냐, 그렇잖으면 이것으로 끝나겠느냐 하구……."

미숙이는 무릎을 세우며 자기 일처럼 흥분했다.

"스스로 죄 지은 것 같아 어떻게 했으면 좋을지 모르겠어."

"바보 같은 소리……, 버젓이 자기 처녀성을 바치고도 그걸 못해."

"난 아무 것도 자신이 없어."

은애의 입에선 푹 꺼져 가는 듯한 한숨이 터져 나왔다.

"참, 넌 미스터 한 이외에 남자를 접한 일이 없지?"

"응……."

"그럼 내 경우와는 달라. 나는 되는 대로 살아 왔지만 넌 순결을 지켜

온 거야……. 만약 미스터 한이 책임을 느끼구 의사 표명을 하면 낙착하는 거야. 인생이란 별 거 있어? 그저 그렇게 살다가 죽는 건데 뭐……."

이번에는 미숙이 쪽에서 긴 한숨이 뱉어져 나왔다.

"사실은 한식 씨를 만나기 전에 너하고 상의하구 싶었어. 그런데 어디 간 곳을 알았어야지……."

"참말 미안했어……, 죽어서도 사죄할 테니까 이젠 내 상처는 그만 건드리고, 네 앞길이나 헤쳐 나갈 생각을 하자꾸나."

은애는 아까 한식을 만났을 때의 그의 모든 언행을 액면 그대로 믿어야 할 것인가, 그 자리만을 면하기 위한 일시적인 방편으로 볼 것인가 하고 되새겨 보았다. 그것만이 아니었다. 한식이 끝까지 동서할 것을 요구할 때, 자기에게는 즉시 그에 응할 마음의 준비나 주변의 태세가 갖추어져 있는 것일까 하고 스스로에 반문하기도 했다. 그러나 상대인 남의 속도 확연히 알 길이 없고, 당사자인 자신의 의사도 어떤 명확한 지표 위에 놓인 것 같지 않아 막연한 심정은 그대로 반복되어질 뿐이었다.

"사실 사람의 일생이 얼마라고……. 상대가 싫다는 것을 억지로 뿌득뿌득 구걸하며 애정이나 결혼을 강요할 필요는 없다고 생각해. 다 연분이야. 나 같은 것도 이렇게 짝을 짓고 아내랍시고 주부 구실을 하는데……."

은애는 묵묵히 듣고만 있었다.

"그러나 자기 앞에 닥쳐온 기회까지 굳이 박찰 필요는 없다고 생각해……. 상대의 의사가 어지간하면 다른 조건이 좀 미비하더라도 결단을 내리는 것도 괜찮을 것 같아. 네 경우는 더구나 상대가 처음 만난 남자가 아냐……, 어때? 은애."

마치 언니의 타이름을 듣는 것같이 은애에게는 느껴졌다.

"알겠어."

"아무튼 잘 생각해……. 설사 훑어 버리는 경우라도 애기가 커져서 모체가 위험하기 전에 처리해야잖어?"

미숙이 음식점에서 시켜 온 점심을 함께 먹으면서도 은애는 입맛이 제대로 나지 않았다. 단순하게 생각하면 어떤 서광이 보이는 것 같으면서, 좀 더 심각하게 파고 들어가면 끝없는 회의가 물밀어 오는 자기의 앞길에 대해, 자기 힘만으로는 도저히 감당하기 어려운 중압감을 느꼈다.

은애는 미숙이의 애원하다시피 하는 만류를 간신히 뿌리치고 오리엔탈 클럽을 나왔다. 앞으론 자주 만날 수 있을 것만 같은 심정에서였지만, 그보다는 아직 완전한 해답을 얻지 못한 자신의 앞길에 대한 조바심이 더 앞질러 왔기 때문이었다.

그는 미숙이의 말에서 무엇인가 새로운 용기를 얻은 것만 같았다. 당장 살림을 차려 살겠느냐, 그렇잖으면 이것으로 끝나겠느냐, 사실 미숙이의 이러한 적극성에 비하면 자기의 사고나 행동은 너무나 소극적이었던 것만 같았다. 새파란 계집애가 무턱대고 이 낯선 곳으로, 아무 약속이나 예고도 없이, 털끝만한 언질 하나 받지 않은 사나이를 대담하고도 당돌하게 찾아왔다는 사실……. 그리곤 그의 앞에서는 자기의 소신 한 마디 떳떳하게 표명하지 못한 못난이……. 그는 자기의 처신이 바보 같게만 느껴졌다.

그러면서도 그는 곧장 자신의 생각을 뒤집어 갔다. 그것은 차라리 사태의 결과만이 문제가 되었던 탓이 아닐까. 원인이나 동기란 지극히 미미한 것임에 틀림없었다. 처음부터 한식을 의식적으로 사랑의 대상이나 결혼 상대자로 단 한 번이라도 생각해 본 적이 있었던가……. 자신에겐 그러한 것을 생각할 마음의 여유조차도 없었다. 스스로 살아온 것이 아니라 그저 휘몰려 온 삶이었다. 그 지나친 꿈의 사치 같은 건 마음속에서 짐짓 거부하고 있었는지도 몰랐다. 거기엔 또 성하의 그림자가 가슴속 깊이 첫 상처를 남기고 간 순정의 상흔에서 오는 반발의 탓이 없지 않기도 했다. 그러나 시간의 경과란 무서운 것이었다. 그것이 시달리고 뒤볶이는 생활일수록 흘러간 일들이란 아련하게 흐려져 가고, 새로운 충격엔 좀처럼 반응이 가지 않는 둔감한 자세. 그러다간 모든 것이 만성이 되어 버리는 것만 같은 무관심 상태…….

솔직히 스스로에 다짐해서 한식을 대한 최초의 감흥이란 아무 것도 없었다. 그것은 낯선 직장, 그것도 인생의 구렁텅이에 내던져진 것만 같은 포기 상태에서 첫손님으로 우연히 등장한 대상……. 경제적인 핍박과 시간의 경과가 모든 것을 전연 예기치 않았던 방향으로 제 마음대로 이끌고 간 것에 불과했다. 그러나 문제는 결과로 나타난 사태 그것이었다. 임신만 되지 않았던들……, 지금 현재 자기가 놓여 있는 위치는 전연 다른 각도였는지도 모를 일이었다. 우선 이곳까지 찾아오지 않았을 것은 뻔한 일이 아니었던가…….

그 결정적인 사태로 말미암아 성하의 영상은 가속도로 흐려져 가고, 그 대신 한식의 새로운 모습이 한 금 한 금 더 짙게 그 자리로 침식해 들어오지 않았던가…….

그러나 그러한 모든 것을 운명으로만 돌릴 수는 없을 것만 같았다. 그리고 시간이나 환경의 탓으로만 책임을 전가할 수도 없는 일이라고 생각되기도 했다. 결국 피해를 입으나 이득을 보거나 그 당사자는 다른 누구도 아닌 자기 자신이고, 그 책임 또한 스스로에 돌아올 수밖에 없는 일이었다.

만약 한식이 보기만 해도 싫었다면……, 은애는 정반대의 각도에서 거슬러 올라가며 따져 보았다. 이러한 결과가 올 수는 없을 것만 같았다. 둘 사이를 접근시킨 매개적인 조건이 무엇이었든 간에, 자신의 마음 밑바닥에 깔려 있는 애정이나 호의의 싹이 지극히 미미하게나마 싹트지 않을 수밖에 없었던 반응의 근거는 자신에게로 돌아올 수밖에 없는 일이 아닌가……. 이것은 은애가 지금껏 몇 번이고 되풀이해 스스로에 반문한 자기 확인의 준엄한 문초 같은 것이었다. 해답은 점점 단순한 실마리로 이끌려지는 것만 같았다.

자신이 뱃속의 것을 일방적으로 긁어 버리지 않고 상대에게 고백하려는 심적 자세, 그리고 그것이 행동으로 옮겨져 이렇게 찾아온 것, 그것만으로 자기의 가야 할 방향의 결정은 이미 끝난 것만 같았다. 자기 앞에 닥쳐 온 기회까지 굳이 박찰 필요는 없다고 생각해……, 미숙의 다지던 말이 머리에 와 부딪쳤다. 곧 이어 한식의 긴장된 얼굴 모습이 떠올랐다.

설령 내가 책임을 져야 하는 절박한 사태라도 벌어졌다면 그 책임은 내가 감당해야지……, 한식은 분명 이렇게 말했다. 그것만이 아니었다. 내게도 삶에 대한 신념이 있어, 자기 앞에 오는 책임이나 의무를 파렴치하게 회피하리 만큼 못난 놈은 아니니까……, 이같이 말할 때 그는 벌써 내 육체의 이상을 직감하고 있었음에 틀림없다. 아뭏든 잘 됐어……, 은애는 어떻게 생각할지 몰라도 내게는 이제 올 것이 온 거야……, 나의 연유를 듣고는 그는 이렇게 잘라 말했었다. 그때의 그의 광채 나는 눈동자는 분명 어떤 결의를 표시하고 있었음이 틀림없었다. 일찍이 보지 못했던 심각하고도 진실한 모습으로…….

이것으로 상대의 의사는 명확하게 표명되어진 것이 아닐까……. 이제 남은 것은 나 자신의 최후 결의뿐이다. 은애는 침을 꿀컥 삼키며 주먹을 불끈 쥐었다.

주내를 떠난 은애는 용줏골 빅토리 상사로 돌아왔다.

"만났어?"

"네."

한식은 싱글벙글 웃으며 사뭇 즐거운 듯이 반겨 주었다. 은애는 무엇인가 한 가지 단안이 내려진 것 같은 거뜬한 기분으로 그를 대했다. 둘은 하길 건너편 이층 다방으로 올라갔다. 입구에 붙어 있는 간판 '로만스'를 쳐다보며, 은애는 모든 것이 이방 부대의 눈을 끌기 위한 외국식 명칭으로만 되어 있는 것에 새삼 멀리 떨어져 있는 것만 같은 이국정서를 느꼈다.

박스에 앉아 있는 손님의 태반은 외국 군인들이었다. 레지는 그들 옆에 기대 앉아 뜨내기 영어로 무엇인가 지껄이고, 이 이방인들은 신기한 듯이 눈을 휘둥굴리며 맞장구를 쳤다.

은애가 앉은 옆 테이블에서 외국 병사 두 사람과 짙은 화장의 여인 하나가 카드놀이를 하고 있었다. 그 중 나이 들어 보이는 고참 군인은 한식과 눈이 마주치자 서로 환성을 올리며 악수를 교환했다. 하사관의 눈길이 흘깃 은애 쪽으로 쏠렸다가 돌아가며 의미 있는 듯한 웃음이 입 가장자리에 번져 갔다.

"저, 미스터 제임스라구, 저쪽 산 밑에 있는 미군 부대 선임하사야……. 우리하구 늘 거래하는 상대길래……."

자리로 돌아온 한식은 묻지도 않는 말을 자기편에서 먼저 늘어놓았다.

"소개할까?"

"아니요."

"인제 저절로 알게 될 건데……."

은애는 한식의 이 한 마디를 그대로 들어 넘기려다 무엇인가 걸리는 것이 있었다. 그렇다면 한식은 그사이 완전히 은애 자기에 대한 어떤 태세를 갖추고 있는 것이나 아닐까…….

"뭐라구 소개할래요?"

은애는 고의를 급소를 찔러 보았다.

"글쎄……."

한식은 멋쩍은 웃음으로 뒤를 얼버무리며 혼잣소리처럼 덧붙였다.

"천천히 하지 뭐……."

은애는 따라 웃지 않을 수 없었다. 다방 안엔 광란적인 재즈 음악이 넘쳐흘러, 서로의 대화도 낮은 소리론 잘 들리지 않을 정도였다.

은애는 그 음악에서 연상되는 크라운장이며, 차이나타운의 토막토막 장면이 머릿속에서 명멸하는 것을 지워 버리려고 애를 썼다. 그러나 그럴수록 그 음곡 속에서 몸부림치며 헐떡이는 동료들의 모습이 더욱 뚜렷해지기만 했다. 자기 자신도 이렇게 결근하고 있을 뿐 아직도 그 탁류에 휩쓸려 가고 있다는 생각이 겹쳐졌다. 흘러간 일이란 아름다운 추억으로 회상되게 마련이라지만, 자기의 경우는 싸늘한 전율이 겹쳐 올 뿐이었다.

"무얼 생각하구 있어?"

가져다 놓은 차를 권하며 한식이 불쑥 묻는 말소리에 은애는 제정신으로 돌아왔다.

"또 집안일을 생각하고 있는 모양이군……."

"……."

은애는 대답 없이 어설프게 웃었다.

"다 걱정 없어, 모든 것은 해결될 테니까……."

그 말도 은애에겐 큰 충격을 주지 않았다. 그만큼 은애 자신도 이미 사태 수습의 종점으로 달리고 있는 탓이었을까……. 아니, 그보다는 자기의 앞길이 그러한 한 가지의 해결로 간단하게 풀려지지 않을 것만 같은 불안한 예감에 사로잡혀 있는 까닭이었는지도 몰랐다.

"은애……."

한식은 들었던 찻잔을 차탁 위에 놓으며 은애를 뚫어질 듯이 쏘아 보았다. 은애의 눈길도 한식을 마주 보고 있었다. 상대의 굳어진 얼굴에 이끌려 은애 자신도 긴장해졌다.

"은애는 어떻게 생각할지 모르지만 내 각오는 되어 있어……. 이건 결코 내가 저지른 일에 대한 책임감만으로 내려진 결단은 아니야……. 뿌린 씨를 거두려는 그런 안이한 윤리나 값싼 센치와는 달라. 나도 이젠 내 생활 태도에 어떤 단계를 지을 때가 왔다고 생각하기 때문이야. 말하자면 그러한 시기에 우연히도 은애가 나타났어……. 하나의 운명 같은 것으로 해석해도 좋아……."

"……."

은애는 말이 없었다. 한식을 찾아와 오래간만에 그를 다시 만났을 때의 직감에서부터 이러한 경로는 어느 정도 예기되었었고, 그때의 이야기에서도 이미 암시 받은 일이지만, 이렇게 구체적인 상대의 제안에 접하고 보니 약간 당황해지지 않을 수 없었다.

"물론 나도 일방적으로 강행하려는 건 아니야……. 그러나 은애가 임신한 몸으로 이곳까지 나를 찾아왔다는 것은 그 속에 어떤 다른 의도가 숨어 있을지는 몰라도, 본의건 아니건 나에게 대한 관심은 있었던 것이라고 생각하고 싶어. 애정이니 사랑이니 하는 속된 말 따위는 이미 내 감관에선 사라져 버린 무감각한 단어들이구, 또 우리 둘은 이미 그 이상의 계선을 넘었으니까 이제부터는 진실밖에는 아무 것도 없다구 생각해……."

한식의 어조에는 약간의 흥분이 서려 있었다. 그는 은애를 쏘아 보던 시선을 창밖으로 돌리며 담배를 길게 빨아 유리창 가득히 연기를 뿜어 퍼지는 것이었다.

은애는 한식의 깊은 생각에 잠긴 듯한 옆얼굴을 바라보며 꽉 막혀 오는 자기의 호흡을 조절하면서 큰 숨을 내쉬었다. 한식은 지금 무엇을 생각하는 것일까. 지난 일에 대한 뉘우침일까. 그러나 그 굳은 표정 속에서 그러한 감상적인 모습은 찾아지지 않았다. 그렇다면 새로운 설계에 대한 꿈을 더듬고 있는 것일까……. 그러기에는 그에게는 현실에 대한 중량이 너무 큰 비중을 차지하고 있는 것만 같게 느껴졌다.

은애는 무엇이든 자신이 의사 표시를 해야 할 시간이라고 스스로에 다짐하며, 한식이 얼굴을 돌리기를 기다렸다. 그러나 무슨 말을 어떻게 했으면 좋을지 도무지 갈피를 잡을 수 없었다. 다만 두근거리는 가슴을 진정시키고 있을 따름이었다.

"어때 은애, 솔직히 마음속을 털어놓아 봐요."

"……"

"아직도 내 마음을 모르겠어?"

"아니요."

"그럼, 알겠어?"

한식은 따지듯이 물어댔다.

"네……."

"그럼 됐어……. 이제부터 새출발이야."

"……"

"이젠 속 시원히 내 과거를 전부 털어놓아야겠어……."

은애는 한식의 고백에 솔깃이 귀를 기울이고 있었다.

제7장

은애와 한식은 서로 상대의 일면밖에는 알지 못하고 있었음에 틀림없었다. 그것은 은애 자신 스스로 수긍하고 있는 일이기도 했다. 오히려 은애가 한식에 대해 알고 있는 부분이란 미지의 다른 일면에 비하면 지극히 작은 부면에 속하는 것인지도 몰랐다. 그렇다고 한식이 허위를 꾸미거나 고의로 자신을 가식한 결과에서 온 것은 아니었다. 그것은 차라리 세속에 짙게 물들지 않은 은애의 순수한 감수성에 돌릴 수밖에 없는 일이었다. 비꼬임이나 곡해나 과장이 없이, 보고 느끼는 그대로 받아들일 수 있다는 때묻지 않은 은애의 마음가짐은, 지금껏 은애를 예기치 않은 불리한 코스로 이끌어 넣는 계기가 되었다손 치더라도, 그것으로 자신을 탓할 수는 없다고 은애는 생각했다.

군중 속의 고독한 피해자…….

한식은 자신의 위치를 이 같은 좌표 위에 놓아 보는 것이었다. 마치 넓은 광장에 우글거리는 군중 속에 떨어진 한 개의 돌덩어리가, 우연히도 다른 사람 아닌 자기 머리 위에 떨어진 경우처럼……. 그렇잖으면 밀려가는 데모대를 향해 날아온 한 방의 총알이 불행하게도 남이 아닌 자신에게 맞는 경우 같은 것, 이러한 것으로 생각해 보았다.

이런 경우 군중 속의 그 누구도 설마 그것이 적중되리라고는 생각하지 않는다. 공교롭게도 그것이 자기에게 떨어진다손 치더라도 일 대 일의 적대 관계에 있는 경우처럼, 특정한 대상에 대한 적개심이나 반발이 즉각에서 튕겨지는 것이 아니라, 막연한 울분이 서서히 솟구치는 경우 같은 것이었다.

그것은 또한 주위의 군중들이 틀림없이 자기편이면서, 정작 위급한 고비에는 제각기 다 이기의 껍질 속으로 기어들어, 아무 데도 의지할 곳 없이 방황하며 혼자 팽개처진 채 괴로움을 곱씹어야만 하는 그러한 외로움 같은 것이었다. 몸을 기댈 우상도 없고 피해의 보상을 요구할 대상도 없는 공허함……. 한식도 꼭 이러한 피해의식이 자신을 감싸고 있는 것을 느끼지 않을 수 없었다. 또한 그 피해의식은 그대로 반발심으로 번지어 삶의 자세에 기형적인 모습으로 나타나는 것도 부인할 수 없었다.

고학으로 고등학교를 마치고 대학에 적을 둘 무렵까지는 실리적인 계산이 전연 없었던 것은 아니지만, 그래도 인생을 올바른 눈으로 바라보고 대하려는 진실한 자세가 아직도 자신의 중추를 이루고 있는 시기였다. 그러나 그 이후의 모든 것은 전연 다른 각도로 전향되고야 말았다.

은애와 접근하게 되고, 은호의 입원에 값싼 동정 아닌 인간으로서의 어떤 연대 의식 같은 것을 느끼며 적극 힘이 되려고 했던 것은, 꺼져 가는 그러한 삶의 순수성이 어쩌다 불꽃을 튕기는 그런 찰나의 행위이기도 했던 것이었다. 그러기에 지금의 한식은 숫제 과거를 돌아보려고 하지 않는다. 시간이 흐름에 따라 지나간 모든 사연들을 그대로 묻어가는 것이었다. 밟아온 일들을 뒤적이는 것은 오히려 괴로움을 새김질하는 것밖에 되지 않아서였다. 그렇다고 앞날에 대한 어떤 이상을 꿈꾸는 것도 아니었다. 오히려 다가오는 앞일을 생각지 않고 닥치는 대로 부딪쳐 가는 것이 마음 편했다. 엉뚱한 기대는 예상외의 실망을 가져왔고, 턱없는 희망은 물거품처럼 아무 보람 없이 꺼져 가기 일쑤였다.

과거에 미련을 품지 않고, 미래에 가공의 꿈을 싣지 않는 것, 그것은 지극히 단조롭고 메마른 삶인지도 몰랐다. 그러나 한식은 그것으로 족했다. 그의 겪어온 과정이 또한 그럴 수밖에 없게 하였다. 그러나 그것은 모든 것에 무기력하고 현실에 외면하려는 도피와는 다른 것이었다. 거기에는 그것대로 현실에 육박하는 야망적인 일면이 있기도 했다.

현실에 대한 도전, 그것이 한식에게는 더 적절한 표현이었는지도 몰랐다. 운명에 대한 거역, 감상적인 회상과의 결별, 허황한 미래의 꿈에 대한 멸시……. 그러기에 그는 현실적인 대결에 대한 여하한 수단 방법도 가리지 않았다. 비굴이나 뉘우침이나 아예 그런 것은 생각할 염도 내지 않았다. 어쩌면 그것은 막연한 대상에 대한 보복의 발로였는지도 몰랐다.

그는 다른 사람에게 자기의 지난 일을 실없게 이야기하는 일이 없었다. 또한 남의 과거를 좀체 캐묻는 일도 없었다. 그저 자기대로, 그것도 현실을 응시하면서 제 나름의 행동을 하고 있을 따름이었다.

대학……, 생각만 해도 가슴이 두근거리는 환상으로 떠올랐다. 삶에 대한 포부의 전부였는지도 몰랐다. 그것은 이 땅의 많은 젊은이들에게 우선은 한 번 선망의 대상이 되고 청운의 꿈을 불태우는 보람찬 전당으로 여겨졌듯이, 한식에게 있어서도 최초의 지표요 최고의 이상이기도 했다. 그러기에 합격 발표를 보는 순간의 감격, 그것은 영원히 잊을 수 없는 환희의 도가니에 휘몰려 드는 격정이었다. 한식은 저도 모르게 아아 하는 환성을 소리 높이 외치고야 말았다. 격한 흥분에 체면이나 이성을 찾을 겨를이 없었다. 주위 사람들이 자기에게로 시선을 쏟는 것을 보고서야 수줍고 멋적은 감정을 짓눌렀었다.

그는 자기의 눈을 의심하며 먹글씨로 굵다랗게 쓰여진 합격자 번호를 다시 한 번 되풀이해 훑어보았다. 틀림없는 자기 번호였다. 현실이 아니라 꼭 꿈만 같았다. 뜻 모를 눈물이 핑 괴었다. 그 자리에서 그대로 죽어도 이젠 한이 없을 것만 같았다. 모든 일은 그것으로 다 이루어진 것만 같은 황홀감에 사로잡히기까지 했다. 그 들끓었던 감정은 흘러간 세월 속에서도 퇴색하지 않고 아직도 기억에 생생하게 떠올랐다.

그러나 그러한 벅찬 감격은 평탄하게 지속되지는 못했다. 첫 등록에서부터 남의 힘을 빌려야만 했다. 우선 시험을 치르고 보자, 모든 것은 합격된 다음의 일이다. 합격하고 나면 어떻게 되겠거니 하는 막연한 기대에서 저질러진 일이기도 했다. 다만 배우겠다는 아주 순진하고도 단순하게 생각한 이러한 욕구가 얼마나 터무니없이 허황하고도 미련한 행동이었던가 하는 것은, 그 후 얼마 되지 않아 부딪친 현실에서 쓰디쓰게 맛본 시련으로 바뀌어졌다.

등록마감 날짜가 가까워 왔다. 자신의 힘으로 이를 악물며 푼푼이 모아 온 돈이란 등록금의 반액에 해당하는 액수밖에 되지 않았다. 무슨 방법이 없을 것인가……, 머리를 쥐어짜며 생각해 보아야 찾아갈 만한 대상은 없었다. 누구 하나 붙잡고 심중을 호소할 사람도 없었다. 거리에 밀려가고 밀려오는 뭇 인간들이 모두 자기와는 아무 관련이 없는 이방인들만 같았다.

자랑스럽게 여겨지던 합격의 즐거움이 증오와 비굴 그리고 차디찬 자기혐오로 덮씌워져 왔다.

한식은 T일보사를 찾아갔다. 무슨 자신 있는 승산이 있어서가 아니고 어떤 구체적인 계획이 서 있는 것도 아니었다. 다만 물에 빠진 녀석이 지푸라기라도 붙잡는 격의 절박하고도 어쩔 수 없는 심정에서였다. 그러한 최후의 탈출구를 발견하려는 발악 같은 몸부림이 어떻게 감행되었던가 하는 것은, 그 후 두고두고 자신이 스스로의 행동을 기이하게 생각해 온 경우이기도 했다.

편집국 도어를 열고 들어서는 순간, 상기되는 얼굴에 면구스러움을 느끼며 곧장 뉘우침이 겹쳐 왔다. 그러나 이제 여기서 후퇴할 수는 없다. 그것은 오히려 더 못난 짓인지도 모른다. 그는 주위를 둘러보며 잠시 머뭇거리다가 그대로 안쪽으로 걸어 들어갔다. 모든 사람들의 시선이 자기에게로만 쏠리는 것 같은 역겨움을 느끼며 편집국장 테이블 앞으로 다가갔다.

국장은 이야기의 허두만 듣고는 곧장 기자를 불러 그쪽에 가 자세한 이야기를 하라는 것이었다.

한식은 자기 자신의 극도에 달한 심각한 결의에 비하여 대수롭지 않게 대해 주는 상대의 처사가 서운하게 느껴지면서도, 시키는 대로 응하는 수밖에 없었다. 그러나 젊은 기자는 색다른 뉴스거리라도 생긴 것처럼 호기심에 찬 눈매로 훑어보며 이야기의 실마리를 샅샅이 캐가는 것이었다.

주소, 성명, 연령, 출신 학교 등 마치 문초라도 하듯이 계속 질문의 화살을 던져왔다.

"가족은?"

"어머니 한 분 모시고 있어요."

"그 밖의 가족은?"

"없어요."

"아버지는?"

"육이오 때 납치되었어요."

"그럼 생계는 누가 맡아 하고?"

지금까지의 질문은 그대로 술술 대답할 수 있었지만, 이 고비에 와서는 자기 집안의 비밀을 내들쳐 놓는 것 같아 망설여지지 않을 수 없었다.

"어떻게 해서 살아가고 있지?"

기자는 다시 한 번 다그쳐 물었다.

"그저 그럭저럭 살아가고 있어요."

"어떻게?"

한식은 빤히 쳐다보는 기자의 눈길을 외면하며 나직이 대답했다.

"지금까진 어머니가 행상을 해서 살아 왔지만, 요샌 병으로 누워 계셔요."

"그럼 학생은?"

도무지 이 기자는 감정의 표출이 거의 없이, 냉랭한 모습으로 기계적인 질문을 계속 퍼붓고 있는 것이 아닌가 하는 생각이 들었다.

"신문배달을 하고 있어요."

"응, 그래……."

기자는 고개를 갸웃거리며 다시 질문을 계속했다.

"그럼, 학비는 자기 손으로 벌었단 말이지?"

"네……."

"고학을 하면서, 그렇게 어려운 대학에 어떻게 합격할 수 있었어?"

기자의 얼굴에 처음으로 심각한 표정이 스쳐 감을 한식은 볼 수 있었다. 그러면서 이러한 질문에는 금방 대답할 말이 떠오르지 않았다.

이 밖의 자질구레한 질문에 접할 때마다 한식은 괜히 찾아왔다는 멋쩍은 기분을 느끼면서도, 있는 그대로의 형편을 솔직히 털어놓지 않을 수 없었다. 카메라의 플래시를 받고 활활 달아오르는 열기를 느끼며 신문사를 나왔다.

온몸에 축축이 땀기가 배어 왔다. 꼭 구미가 당기지 않는 음식을 억지로 먹은 뒤같이 가슴속이 메스껍기만 했다.

신문사로 가지 말았다면 하는 후회가 거듭 매질해 왔다. 그러면서도 그 결과가 기다려지는 궁금증을 또한 막을 길 없었다.

한식은 신문에 발표된 자기의 사진을 바라보는 찰나, 걷잡을 수 없는 흥분과 함께 가슴 복판에서 치밀어 오르는 비굴감을 금할 길 없었다. 꼭 전신 나체가 되어 종로 복판에 내팽개쳐진 것만 같은 환각 속에 파묻혔다. 손을 내밀고 구걸하는 거지의 모습이 자기의 나체 위에 겹쳐져 나타나는 것만 같았다.

리얼리티에의 투망, 그 정신과 방법

조남현

1

전광용(全光鏞)은 1939년 1월 『동아일보』 신춘문예 동화 부문에 「별나라 공주와 토끼」로 당선한 바 있고 10년 후인 1949년 3월에 대학신문에 단편소설의 외양을 지닌 「압록강」을 발표한 적이 있다. 그러나 그의 작가로서의 진정한 출발은 1955년, 다시 말해 단편소설 「흑산도」로 『조선일보』 신춘문예 소설부문에 당선된 바로 그 해에서 잡아야 할 것이다. 그는 15년 만에 부활된 『조선일보』 신춘문예를 통해 소설계에 첫발을 내디딘 이래 중간에 이렇다 할 공백 없이 1968년도에 장편 「젊은 소용돌이」를 『현대문학』에 연재할 때까지 꾸준히 창작활동을 펼쳐 온 것이다. 1955년이면 그의 실제 나이 38세. 우리 소설계의 통념에 비추어 보면 작가로서의 첫 출발이 매우 늦은 편에 속한다. 전광용은 작가로서의 첫출발도 늦었을 뿐만 아니라 작가라는 이름에 값하는 실질적인 창작활동도 일찍 중단해 버린 경우에 속한다. 앞서 말한 바와 같이 그는 1955년 이후 1968년까지 는 뚜렷한 휴지기 없이 계속 작품을 발표해 왔으나 1968년 이후로는 신작을 내 놓은 것이 거의 없다. 그는 1974년 9월에『북한』이라는 잡지에 이북에 두고 온 고향과 어머니를 향한 한(恨) 어린 그리움을 일종의 자전적 소설의 형태로써 짙게 표백한 단편「목단강행 열차(牡丹江行 列車)」를 발표했고 다시 5년 후인 1979년도 6월과 8월에 단편「시계」와「표범과 쥐 이야기」를 써낸 정도다. 특히「표범과 쥐 이야기」는 같은 작가이자 40년 동안의 지우(知友)인 정한숙(鄭漢淑)을 대상으로 하여 실명소설(實名小說)을 써낸 것으로, 엄밀히 말하자면 소설보다는 수필에 가까운 글이라 할 수 있다. 같은 난에서 전광용은 전한숙에 의해「야생마」라는 제목의 실명소설의 대상이 되고 있다.「목단강행 열차」「표범과 쥐 이야기」등 70년대의 발표작들이 소설이냐 수필이냐 하는 질문을 불러일으키고 있음을 염두에 두면, 그의 실질적인 창작활동은 1960년대 말에 일단락 지어졌다는 판단은 억지가 아닌 것으로 드러나게 된다.

따라서, 전광용의 본격적인 작가로서의 활동기간은 약 15년이었다는 계산이 나오게 된다. 그는 이 기간 동안에「꺼삐딴 리」「충매화(蟲媒花)」등 근 30편의 단편소설,「나신(裸身)」(1965)「창과 벽」(1967) 등 4편의 장편소설을 써 내었고「흑산도」(1959)라는 이름의 단편집을 묶어 내었다. 이 창작집에는「흑산도」「진개권(塵芥圈)」「동혈인간(凍血人間)」등 1950년대에『사상계』『현대문학』『문학예술』등과 같은 잡지에 발표된 13편의 단편과 데뷔하기 전에 쓴 단편「압록강」이 수록되어 있다. 그 후 수록 작품 상당수가 겹치고 있긴 하지만「꺼삐딴 리」(1975),「동혈인간」(1977),「목단강행 열차」(1978)와 같은 창작집이 간행되기도 하였다.

15년 동안에 단편 30편, 장편 4편을 남긴 것이라면 결코 과작(寡作)이랄 수는 없다. 전광용은 70세를 일기로 세상을 떠난 작가라는 평면적인 사실에 매달려 보면 그는 과작의 작가라는 과히 유쾌하지 않은 평가를 벗어나기가 어렵다. 그러나 잘 알려진 바와 같이 전광용이 작가로서의 역할기대 못지않게 국문학 교수로서의 입상(立像)에도 충실하려 했고 또 그럴 수밖에 없었던 점을 고려해 넣을 경우, 과작이라는 말을 게으름이나 한계와 같은 뉘앙스를 섞어 가며 함부로 토할 수는 없게 될 것이다. 실제로 전광용은 신춘문예에 당선한 그 해와 이듬해인 1956년에 걸쳐 단편 「진개권」 「동혈인간」 「경동맥」을 발표하는 한편, 『사상계』에 「신소설연구」를 1년 동안 계속해서 연재해 나간 초인적인 정력과 근면성을 과시했던 것이다. 그는 그 후 최근에 이르기까지 「이인직 연구」 「이광수의 문학사적 위치」 「상록수고(考)」 등 한국현대소설에 관한 논문 30여 편을 남겼고, 1984년에는 『한국신소설연구』 『한국현대문학논고』 등 두 권의 저서를 묶어 내었다. 이처럼 전광용은 박영준, 정한숙 등과 마찬가지로 동시대의 다른 작가들이 소설을 준비하고, 쓰는 데 바치는 그 시간을 어쩌면 성격이 완전히 다른 두 가지 작업을 위해 옹색하게 쪼개어 써야만 했던 것이다. 전광용은, 소설을 쓰는 그 시간에 국문학 논문에 대한 걱정을 해야 하는 '교수작가'로서의 불안감과 고충을 잘 내보인 실례라 할 수 있다. 소설을 쓰는 방법과 연구하는 방법을 대학에서 가르치는 가운데 틈나는 대로 소설을 썼다는 점은 한 편의 소설을 만드는 과정에서 긍정적 축면의 변수만으로 작용하는 것은 아니다. 오히려, 소설은 이러이러하게 씌어져야 한다는 고정관념을 갖기 쉬울 뿐만 아니라 또 그 고정관념이 강박관념으로 작용할 수도 있다. 그리하여 전광용의 몇몇 초기작품이 그 좋은 예가 되고 있는 것처럼 현실감이나 구체적인 맛은 약하지만 소설작법의 교범(敎範)을 잘 일러주는 작품이 나오기가 쉽다. 작가로서 첫발을 내디뎠던 그 무렵에 이미 한국근대소설을 연구대상으로 삼은 학자로서의 체질이 굳어지기 시작했다는 점은 「흑산도」 이후의 전광용의 소설들이 어느 한쪽으로 기울 것임을 예고하는 것이 된다. 그의 소설들은 직접체험이나 창조에의 충동보다는 관찰이나 탐구욕을 훨씬 더 마력이 높은 동력으로 삼고 있다. 전자가 흔히 말하는 '작가적인 것'에 가깝다면 후자는 오히려 '학자적인 것'에 근접한다. 문단데뷔작 「흑산도」가 학술답사의 부산물이라는 점, 답사보고서를 쓰듯이 이것저것 '조사해서' 한 편의 소설로 써 놓은 그 결과라는 점 등은 그의 창작 충동이 실은 학자적 탐구욕과 반죽이 되어 버린 것임을 잘 입증해 준다.

나는 한쪽으로는 작품 테두리를 엮어가면서 그에 필요한 지명, 물명(특히 선구(船具), 해산물, 계절도(季節圖), 화초 등) 방언, 민요 등을 채록하고, 특히 이 섬 특유의 방언, 어미(語尾) 채집에 신경을 썼다. 그러나 서울에 돌아 온 후는 강의를 비롯한 잡무에 휘몰려서 머릿속과 노우트에 기록된 작품명상을 정리할 겨를이 없었다.

–『현대한국문학전집』 5 중에서

「흑산도」가 만들어지는 과정의 한 부분을 공개하고 있는 이 기록에서 전광용의 소설작법 혹은 작가적 임무에 얽힌 비의를 읽어낼 수 있음은 물론이다. 그는 작가란 미지의 세계, 낯선 세계를 이 세상에 알려주면서 동시에 친숙한 것으로 만드는 임무를 가진 것으로 생각한 듯하다. 이러한 임무를 충실히 해내기 위해서는 처음에 그 세계에 어떻게 눈을 떴든 관계없이 관찰이나 조사 또는 자료수집의 행위를 필수적으로 거쳐야 한다고 본 듯도 하다. 「흑산도」 이후의 소설들을 통해 제시된 인물과 배경 그리고 사건들은 거의 모두가 전광용의 직접 체험의 내용을 탯줄로 삼고 있지를 않다. 그는 자신의 주변에 바짝 다가서 있는 인물들의 경우를 소설화하는 것도 꺼려했다고 할 수 있을 정도로 자신과 되도록 먼 곳에 떨어져 있는, 그리하여 호기심을 한껏 자극하는 그런 인물들과 삶의 실상을 다루는 쪽으로 기울었다.

그러나 작가 자신에게 기본적으로 아주 낯이 선 소재를 다룰 경우, 작가 자신이 아무리 애를 써도 독자들에게 생각한 만큼의 공감을 주기 어려운 그런 위험이 늘 뒤따르기 마련이다. 작품이 발표된 시기나 주제의식과 인물의 성향을 볼 때 '전후소설(戰後小說)'의 적절한 실례가 되는 50년대의 소설들은 이러한 위험을 무릅쓰고 전후 한국 사회의 리얼리티의 핵심을 찌르려 한 흔적이 분명하다.

2

전광용이 한창 소설을 썼던 1950, 1960년대만 해도 소설은 어디까지나 단편 중심이었다. 그렇다고는 하나 한 작가의 진정한 특질은 장·단편을 가림 없이 논의의 대상으로 삼을 때라야 그 적출(摘出)이 가능해지는 법이다. 그럼에도 이 글에서는 단편소설들만을 검토하기로 하였다. 장편까지 검토할 경우, 자칫 단편 하나하나의 개성과 의미함량이 높은 특질을 왜곡하거나 도외시할 수가 있다. 그리하여 단편만으로 논의의 대상을 삼아 보다 심화된 분석을 꾀하는 방향으로 나가기로 하였다.

한 편의 소설을 만들어 나가는 데 있어서 서두를 어떤 식으로 제시할까 또 결말은 어떻게 처리할까 하는 고민은 작가라면 누구나 하기 마련이다. 전광용은 바로 이러한 고민을 만나면서 자기 나름의 공식을 만들어 놓기에 이른다. 그의 단편들을 통람하면, 소설의 서두를 열어가는 방법이나 결말을 처리하는 방법이 일종의 공식으로 굳어져 가고 있음을 발견하게 된다.

우선, 그의 소설 대부분은 서두를 떼는 자리에서 작중 '현재'를 제시하고 곧바로 '과거'로 소급해 가는 방법을 보여 주고 있다.

예컨대, 「흑산도」는 첫머리에 북술이와 용바우가 용왕제 전날 만나는 장면을 제시해 놓고는 곧바로 용바우가 15세부터 배를 타게 된 내력, 북술조부 박영감의 지나온 생애를 압축해서 설명하는 절차를 밟고 있다. 「진개권」(『문학예술』, 1955. 8)에서는 서두에 빅토리쓰레기칸을 직장으로 알고 일하는 사람들의 모습이 스케치되고 있는데, 작가는 이 부분에 바로 이어 빅토리쓰레기칸이 어떻게 해서 생겨나게 되었는지를 설명해 보이고 있다. 그리고 계속해서 쌍과부 집안의 내력과 빅토리쓰레기칸의 한국인 책임자 장 서방의 과거를 파헤쳐 보여 준다. 이러한 서술과정은 한 발자국 앞으로 나갔다가 두 발자국 세 발자국씩 뒤로 빠져버리는 모양으로 비유될 수 있을 것이다.

「경동맥」(『문학예술』, 1956. 3)에서는 전쟁 통에 남편의 생사를 모르게 된 성희라는 젊은 여인이 선배가 신설한 대학에서 일을 보아 주는 작중 현재(fictive present)가 제시되기가 무섭게 성희의 과거사 즉 학생시절, 부산 국제시장에서의 장사 시절 등이 따라붙고 있다. 「지층」(『사상계』, 1958. 6)의 맨 앞부분에서 현재와 과거가 접속되는 모양은 「경동맥」과 흡사하다. 이 작품은 젊은 광부 칠봉이와 늙은 광부 권 노인이 열심히 작업하는 모습을 간단하게 묘사하고는 칠봉이가 광부로 일하게 된 사연과 이북이 고향인 권 노인이 어떻게 해 이곳 철암(鐵岩)까지 오게 되었는가 그 사정을 앞부분보다는 훨씬 긴 분량으로 들려주었다.

어느 한 샌드위치맨의 암울한 삶의 내용을 따라가고 있는 「벽력(霹靂)」(『현대문학』, 1958. 12)은 6장으로 구성되어 있는데 이 중 제2장과 3장은 샌드위치맨의 과거를 소개하는 것으로 처리되어 있다. 이 작품의 주인공 창식은 샌드위치맨이나 도로공사장 인부가 되기 전에는 10여 년간 대학교에서 수위로 일해 오던 존재였다. 물론 이 작품은 창식이 '이렇다 할 근거도 없이…… 도매금으로 무조건 해고된' 이후 여기저기 전전하며 도생(圖生)하느라 애를 쓰는 모습, 다시 말해 작중 현재 이후의 모습을 그리는 데다가 더 큰 비중을 둔 것이기는 하다.

「퇴색된 훈장」(『자유문학』, 1959. 2)의 서두 부분은 몸이 아픈 아기가 숨넘어가게 울고, 의족을 한 쪽의 옆구리와 골반은 떨어져 나갈 듯이 쑤시고, 아내는 아직 돌아오지 않는 그런 극한 상황을 보여 주고 있다. 그리고는 곧바로 상이군인 형우가 어떻게 해서 지금 아내 은주를 만나게 되었는지 그 과정을 설명해 보인다. 「퇴색된 훈장」에선 바로 위의 극한 상황을 '현재'로 놓고 볼 경우 현재 이후보다는 현재 이전에 대한 서술의 양이 더 많은 것으로 드러난다. 전광용의 대표작의 하나로 꼽혀지고 있는 「사수(射手)」(『현대문학』, 1959. 6)의 머리부분은 '내'가 B를 사형 집행하고는 그 충격으로 병을 얻어 입원해 있는 장면으로 채워져 있다. 이 장면 바로 뒤에 두어 칸의 여백이 따라온 다음, '나'와 B가 학생 때 곰이라는 별명을 가진 뚱보선생을 놀리다가 걸려 서로 마주보고 뺨을 때리는 벌을 받는 장면이 나타난다. 이 작품의 서두를 채우고 있는 인물과 상황은 시간의 전후 관계로 볼 때는 결말부분에 나오는 B의 사형집행 장면 바로 뒤에 갖다 붙여야 한다. 「사수」의 경우, 맨 앞에 나오는 장면이 시간상으로 보아 가장 최종적인 것이 된다. 「사수」의 서술방법은 맨 앞에 결론을 제시해 놓고 왜 그러한 결론에 도달하게 되었는지 그 과정을 차근차근 따라가 보는 일종의 연역적 방법이라 할 수 있다.

젊었을 때 음악가로서의 천재성이 엿보였던 한 음악도가 때를 잘못 만나 속화와 전락의 길을 걸어가는 과정을 그린 단편 「크라운장」(『사상계』, 1959. 9)은 서두에서 비어홀 크라운장의 내부 분위기와 50고개인 악장(樂長) 문호의 외적인 모습을 스케치하고 있다. 비어홀의 밴드악사로 주저앉게 된 문호의 현재는 찬연하기 그지없었던 과거를 더욱 음각시키는 결과를 가져 온다.

미군부대를 따라다니던 때는 그래도 상대가 군대요 외국인이고 보니, 누군지 알 것이 무어냐 하는 식으로 자존심의 최후의 선을 지킬 수 있다는 뱃심과 두툼한 호주머니의 자위로 느닷없이 세월을 주름잡아 갔던 것이다.

삼십대, 그것은 문호에게 있어서, 예술면에서는 물론 인간으로서도 가장 아낌을 받던 행복한 시절이었다.

그의 연주에 있어서의 뛰어난 재질은 악단에서의 커다란 촉망이었지만 특히 그의 동인 그룹이었던 현악사중주단에서의 그의 인간적인 아량과 주동적인 추진력은 늘 동료의 존경과 아낌을 받았다.

해방 전 해 가을, 그는 처음으로 하얼빈에서 교향악단의 처녀지휘를 하였다. 그것은 문호에게 있어서 연래의 숙망이 이루어지는 찰나였다.

─『흑산도』 중에서

위에서 한 행 건너 뛴 그 부분에서 볼 수 있는 것처럼 전광용은 작중인물의 현재와 과거를 독자들이 쉽게 구분할 수 있도록 배려를 아끼지 않는다.

작품의 서두부터 끝부분에 이르기까지 작중인물의 현재와 과거가 비교적 복잡한 양상으로 뒤섞이고 있는 작품으로는 「충매화」(『사상계』, 1960. 9)를 특기할 만하다. 「충매화」는 산부인과 의사 충이 인공수정이라도 해서 자식을 갖고 싶어하는 그 문제의 여인이 올 것을 기다리면서 현미경을 들여다보는 가운데 환희와 자신감에 젖어 있는 것을 서두로 떼 다음 바로 그 뒤에다가 충의 병원으로 그 여인이 어떤 사연을 안고 찾아왔는가 하는 데 대한 설명을 덧붙이고 있다. 충이 현미경을 보며 그 여인이 올 것을 기다린다는 내용의 맨 앞부분은 시간의 전후관계로 볼 때 이 소설의 거의 끝부분에다 배치해도 무방하다.

전광용 하면 얼른 떠오르는 작품. 그것은 「꺼삐딴 리」(『사상계』, 1962. 7)이다. 이 소설의 맨 앞부분은 주인공 이인국 박사가 미국 대사관 직원 브라운과의 약속이 20분밖에 안 남은 것을 확인하는 것으로 꾸며져 있으며 끝부분은 이인국 박사가 브라운을 만나 선물을 주고 나와서는 반도호텔로 가는 것으로 처리되어 있다. 그럼 이 작품의 중간부분은 어떤 내용으로 채워져 있는가. 맨 앞부분과 뒷부분을 제외한 나머지 중간부분에서 독자들은 일제 때부터 해방기를 거쳐 50년대에 이르기까지 이인국 박사가 과잉적응주의, 에고이즘, 출세제일주의의 방식으로 살아온 과정을 들을 수 있게 된다. 이인국 박사가 딸 나미가 미국인과 국제 결혼한다는 사실에 가벼운 분노를 느끼면서도 자신의 경력에 윤기를 더할 셈으로 도미할 계획을 세우는 것을 '현재'라고 본다면, 「꺼삐딴 리」에서의 '현재'는 더럽고도 탐욕스럽게 살아온 '과거'에 붙어 있는 꼬리에 지나지 않는다. '과거'를 보면 이인국 박사의 '현재' 이후의 삶의 방식은 불문가지다. 「꺼삐딴 리」의 경우, '현재'는 '과거'의 확인 행위에 지나지 않으며 동시에 추인하는 것에 불과하다.

이상에서 몇 작품을 분석해 본 바와 같이 작품에 따라 현재와 과거에 각각 주어지는 비중이 다른 것으로 나타나고 있다. 작품 속에서 현재가 과거를 위해 있는 것이냐 아니면 과거가 현재를 위해 있는 것이냐 하는 판단은 사실 그리 쉬운 것은 아니다. 전광용의 단편들 중에서 작중인물의 '과거'보다는 '현재'에 더 큰 의미를 부여하며 또 보다 큰 관심을 갖도록 유도하고 있는 것으로는 「흑산도」「진개권」「경동맥」「퇴색된 훈장」「벽력」 등을 추릴 수 있다. 이와 반대로 「꺼삐딴 리」「사수」「크라운 장」 등의 작품은 작중인물의 현재나 현재 이후보다는 과거가 훨씬 더 관심을 모으는 경우로 볼 수 있다.

전광용이 그의 소설들의 서두를 열어가는 과정에서 작중 인물의 현재를 제시하고 나서는 거의 예외 없이 막바로 과거로 소급해 가는 방법을 취한 것은 어떻게 설명해야 할 것인가?

물리적인 시간의 측면에서 순차적인 진행방법을 쓰는 대신 역차적인 진행방법을 즐겨 택하였다는 것은 그가 소설의 플롯을 남달리 크게 의식하였다는 판단을 낳게 한다. 소설이론가들 중 특히 형식주의자들은 소설에 있어서 스토리와 플롯, 주제와 이야기의 차이점을 밝히는 데 힘을 썼거니와, 전광용의 경우 '구성방법'을 남달리 크게 의식하였다는 점은 소설에 있어서 이야기의 재미보다는 형식미에 보다 치중하는 작가로 몰아간 한 원인이 되었다고 할 수 있다.

작중인물의 현재 못지않게 또 때로는 현재보다도 과거에 더 큰 관심을 가졌다는 것은 그가 한 인물이나 사건 또는 정황을 보다 '정확하게' 파악하고자 하는 의욕을 지닌 것으로 풀이할 수 있다. 왜? 라든가 어째서? 와 같은 질문을 자주 던지는 작가가 자연스럽게 도달한 결과일 수도 있다. 전광용은 「지층」에서 볼 수 있는 것처럼 어떤 연유로 해서 샌드위치맨이 되었으며 「벽력」에서처럼 이 인물은 어째서 시대와 상황을 초월해서 항상 영광되고 풍요로운 삶을 누리게 되었는가 등등과 같은 질문을 끊임없이 던지고 있는 것이다.

그는 식민통치기, 해방, 좌우대립, 전쟁, 민족대이동, 반달리즘 등의 험난한 역사를 겪어오면서 주위의 많은 사람들의 삶이 근본적으로 파괴되거나 하루아침에 뿌리가 드러나 버리는 것을 보고 들었을 것이다. 그리하여 그는 모든 사람들, 그 중에서도 특히 못가진 자, 못 배운 자, 정신적·육체적인 면에서의 불구자 등은 저 나름대로 슬프고 비참한 사연을 지니고 있을 것이라는 생각에 닿게 되었을 것이다. 험난한 역사와 시대 상황 속에서 각 개인의 '현재'는 온전한 자기의지와 결단의 산물일 수는 없다. '현재'는 우연히 굴러 들어온 것일 수 있으며 어떤 보이지 않는 힘에 의해 원하지 않는 것임에도 강요된 것일 수도 있다. 바로 전광용은 이러한 인식을 다지면서, 한 개인에게 있어 더구나 많은 선량한 사람들을 희생자로 몰아가는 역사 속의 한 개인에게 있어 보다 더 뜨거운 애정과 냉철한 투시력을 갖고 보아야 할 것은 현재가 아닌 과거라고 파악하게 된 것이다. 이러한 인식을 거침으로써 전광용은 가까이는 낙오자들과 불구자들에 대한 연민을, 멀리로는 이들 낙오자들과 불구자들을 대량 배출한 역사와 시대 상황에 대한 준엄한 비판을 겨냥한 리얼리스트가 될 수 있었다.

물론, 전광용의 소설 대부분은 근경(近景)을 그려내고 헤아리는 쪽으로 기울기는 하였다. 그러나 「진개권」에서 「충매화」에 이르기까지의 작품들은 한결같이 원경에 전혀 눈길을 안 준 것은 아니었다. 그의 작품들에 나타난 원경은 안개 속에 파묻힌 가운데서도 희끗희끗 모습을 드러내는 산봉우리로 비유될 수 있을 것이다. 마침내 「꺼삐딴 리」에 오면 안개는 활짝 걷히고 원산(遠山), 즉 개개인의 삶에게 엄청난 괴력과 동력의 존재로 나타나는 역사가 제 모습을 뚜렷하게 나타내게 된다.

　직접 체험이 안겨 주는 중압감보다는 학자적인 탐구욕에서 출발하려한 탓인지 흥분이나 원시적 감정보다는 객관적 인식에의 욕구에 더 많이 기운 탓인지 소설에 배어든 전광용의 인간관과 인생관은 종종 시원스러운 타개를 보이지 않고 있다. 그의 소설들의 결말 처리방법을 보면 운명론, 의지론, 비관주의, 낙관주의 그 어느 한 가지 색깔을 마음 놓고 칠할 수 없게 된다. 그만큼 그의 소설들의 결말은 명시적이기보다는 암시적인 색채가 짙다.

　예컨대 「흑산도」는 북술 할아버지가 삶에의 희망을 잃어버린 채 배를 타고 바다 한가운데로 사라져 버리는 것으로 끝을 맺고 있어 일종의 자살행위를 벌이는 것으로 짐작은 되지만, 구체적이며 명료한 인상은 받기 어려운 것이 사실이다. 「진개권」의 끝부분도 모호한 편이다. 행간을 보면 장 서방이 며느리 쌍과부에게 구애를 했고 도 이것을 받아들인 것으로 짐작이 가긴 한다. 「경동맥」의 끝을 보면, 독자들은 여주인공 성희와 같이 눈언저리가 뜨거워 옴을 느낄 수는 있지만 앞으로 성희와 성희의 남편 친구인 현수의 관계는 어떻게 될 것인가 궁금증을 갖게 된다. 5, 60년대의 독자들이라면 이렇듯 독자들의 상상력에 맡기는 결말 처리 방법에 매력도 느끼겠지만, 분명한 것, 확실한 것을 선호하는 독자들에게는 결함으로 비칠 수도 있다. 이에 비한다면, '비행기, 아 저기 양키 비행기가……'하고 유일한 생존자인 준구가 진실을 폭로하고 죽는다는 내용으로 끝맺음을 한 「해도초(海圖抄)」는 훨씬 극적인 맛을 준다. 두 남자 사이의 미묘한 경쟁의식을 파헤치는 데다 초점을 맞춘 「사수」는 끝처리 방법에 관한 한 비어 있다든가 답답하다든가 하는 느낌을 거의 주지 않고 있다.

그러나 전광용은 소설의 결말은 극의 결말과 같이 반전 혹은 급전의 형식을 갖추어야 하는 것이라는 오래된 통념을 모범적으로 실천에 옮기 기도 하였다.

형우는 자리에서 일어섰다. 흩어진 고리짝 옆에 풀어 놓은 밧줄이 눈에 들어 왔다. 걷어쥐고 집을 나와 뒷산으로 올라갔다.

방파제의 등댓불은 전과 다름없이 깜박거리고 외국배는 여전히 밤 을 낮으로 살고 있다. 결혼식 장면이 머리에 떠올랐다. 동부전선에서 숨을 거두어 가던 전우들의 눈알들이 아른거렸다.

— 「퇴색된 훈장」 중에서

몸이 크게 꿈틀거렸다. 의욕이다. 살아야겠다. 앞으로 무엇이 꼭 크 게 이루어질 것만 같았다. 자기의 의지와 예술을 살릴 방향으로 틀림 없이. 그것이 설령 기적 같은 것일지라도. 문호는 큰 숨을 내쉬었다.

대문 앞에서 자동차의 멈추는 소리와 함께 클랙슨 소리가 울려 왔다.

— 「크라운장」 중에서

그는 중대한 결의라도 한 것처럼 입술에 경련을 일으키고 눈에도 살기가 등등했다. (피동이 아니라 능동으로, 이 여인에게 정확한 수태 를 시켜야지) 충은 성난 이리처럼 여인을 끌어안고 절름거리는 다리 에 힘을 주어 침실로 통하는 도어를 박차고 방 속으로 들어섰다.

— 「충매화」 중에서

아기는 폐렴으로 죽고, 아내는 집을 나가버리고, 마땅한 생업을 찾을 길이 없는 말하자면 감당키 어려운 극한상황에 빠진 상이군인 형우는 목을 멜 결심으로 돌아서게 되었다. 「크라운장」에서의 늙은 악사 문호는 뇌일혈로 쓰러지고 나서는 오히려 적극적인 삶의 태도 쪽으로 방향을 틀고 만다. 그리고 「충매화」에서의 의사 충은 신체적 불구와 사생아의 신분으로 말미암은 열등감과 자의식의 늪에서 빠져 나가려는 행동을 보이게 된다. 외적으로 볼 때 형우는 '패배'의 경우로, 문호는 '재기'의 경우로 정리되며 충은 비윤리적이긴 하지만 '적극적인' 행동주의자로 전신(轉身)한 케이스가 된다.

이상에서 전광용의 개성이 유도된 결말 처리방법을 보인 작품을 몇 편 살펴본 것처럼, 구체적으로 어떤 방향으로 나아갔든 그의 끝처리방법은 현실성에다 굳건히 뿌리를 내리고 있는 특징을 드러낸다. 그는 소설의 끝을 맺는 과정에서 좀처럼 감상이나 비약이나 억지를 허용하지 않는다. 그의 소설에서는 억지로 쥐어짜낸 해피엔딩도 찾아볼 수 없고 작중인물에의 지나친 일체감이 낳기 쉬운 감상적 처리도 찾기 어렵다. 「지층」 「해도초」 「영 1234」 「사수」처럼 작중 주요인물을 죽음으로 처리한 경우가 있기는 하나, 이 작품들에서의 죽음이란 모티프는 결코 궁여지책이나 감상성에의 호소에서 나온 것이 아님은 분명하다.

그만큼 전광용은 실제 작품을 써 내려가는 과정에서 개연성이니 현실성이니 하는 개념을 뜨겁게 의식했던 것이다. 그러나 '내가 쓴 작품에는 현지의 답사에서 힌트를 얻거나 취재된 것이 적지 않다(『현대한국문학전집』 5, 신구문화사, 448면)'는 고백처럼 전광용은 기본적으로 자신의 삶의 내용과 방식과는 '거리가 있는' 인물과 사건에 작가적 시선을 꽂기에 급급했던 나머지 고민하고 애쓴 만큼의 현실감과 구체성을 획득하지 못하는 사례를 이따금 빚어내기도 하였다. 그의 소설을 보면, 불필요한 말은 철저하게 제거해 버리려 한 작가의 노력과 결벽성이 충분히 실감된다. 결과적으로 그는 일체의 군더더기를 허용치 않는 '정확한' 서술과 묘사를 위해 구체적으로 녹아 흐르고 현실감이 넘치는 표현을 희생시킨 듯하다. 뼈를 건지려다 뜻하지 않게 살과 피를 놓친 격으로 비유될 수도 있으리라. 그러나 이런 현상은 눈에 띄게 극복되고 있다. 주제 의식의 면에서도 초기 작의 경향에서 환골의 흔적을 분명하게 내 보이고 있는 「충매화」 「꺼삐딴 리」 「남궁박사」 「죽음의 자세」 등은 정확성과 구체성을 함께 살려 놓고 있는 서술방법의 값진 본보기가 되고 있다.

<h2 style="text-align:center">3</h2>

김광용은 자신의 직접체험의 양과 질에 그리 마음을 쓰지 않는 작가가 가질 법한 잇점을 최대한으로 살린 것처럼 보인다. 그는 전형적인 지식인 작가임에도 불구하고 실로 다양한 직업이나 계층의 인물들과 그들의 삶을 탐사하였던 것이다. 그의 소설들은 어부(「흑산도」 「해도초」), 광부(「지층」), 트럭 운전수(「G·M·C」), 조수(「영 1234」), 청소부(「진개권」), 샌드위치맨(「벽력」), 술집여자(「반편들」), 밴드마스타(「크라운장」), 의사(「충매화」 「꺼삐딴 리」), 교수(「남궁박사」), 화가(「주봉氏」), 상이군인(「퇴색된 훈장」), 혼혈아(「세끼미」), 기자(「해도초」) 등등 넓은 범위의 인물분포를 보여 주고 있다. 그의 소설에서는 특정 직업이나 계층의 인물에 대한 애착을 찾을 수가 없다. 여러 계층의 인물이 대체로 일회적으로 등장하고 있을 뿐이다.

이를 보면, 전광용이 최소한 1950년대의 한국인의 삶의 리얼리티 그 외연(外延)을 정확하게 잡아내기 위해 얼마나 부심했는지를 실감할 수 있게 된다. 그런데 그는 이러한 인물들을 내보이면서 이 인물들이 역사의 흐름에 밀려 혹은 때를 잘못 만나 비참하고 척박한 삶의 형편에 빠져든 것임을 은연중에 강조하고 있다. 거창하게 역사니 시대니 하는 것을 들먹

거리면서 '개인무죄론'을 역설하고 있는 그런 식은 아니지만 이들의 불행한 현실이 자기 스스로의 선택이 낳은 것이 아님은 분명히 해 두고 있다. 「진개권」에서 빅토리쓰레기칸에 매어 달려 하루하루 연명해 가는 여러 남녀들, 「경동맥」에서 인텔리 여성임에도 먹고 살기 위해 부산국제시장에서 구제품 보따리 장사를 하는 성희, 「지층」에서 서호진(西湖津)을 떠나 거제도, 여수를 거쳐 삼척 근처의 탄광에 정착하여 일하다가 참사를 당하는 권노인, 「해도초」에서 어처구니없게 미군 비행기로부터 폭격을 당해 떼죽음 당하는 어부들, 「벽력」에서 해방 직후의 신구파 싸움에 휘말려 수위직을 해고당한 후 하루하루 허덕거리며 사는 창식, 「퇴색된 훈장」에서 극한상황에 무릎을 꿇고 마침내 자살을 결심하는 상이용사, 젊은 전쟁미망인으로 먹고 살기 위해 바걸로 다니던 중 교통사고를 당해 주고 마는 「영 1234」의 룸바 아주머니, 해방 이후 악단에도 불어 닥친 정치싸움에 초연했다가 그 어느 쪽으로부터도 소외의 쓴맛을 보게 되면서 타락의 길을 걷게 된 「크라운장」에서의 악사 문호, '이적적(利敵的)인 모반 혐의'로 체포되어 오랜 친구이면서 라이벌인 '나'의 손에 의해 사형집행 당하는 「사수」에서의 B…… 바로 이들은 '시대를 잘못 만나' 비참하고 암담하기 짝이 없는 현재를 만나게 된 공통점을 갖는다. 그러나 전광용은 개인은 아무 잘못이 없고 역사나 시대가 무한책임을 져야 한다는 그런 감정적이고 도식적인 관념에 빠지지는 않았다. 앞장에서 '근경'과 '원경'의 개념을 들어가며 전광용 소설의 한 특징을 도출해 보았거니와, 그의 소설에서는 한 개인이 역사적 상황에 직접 맞서거나 뛰어드는 바로 그 현장은 찾기가 쉽지 않다. 그는 혹 그런 장면을 제시하였다 하더라도 추상적으로 간단하게 서술하는 식으로 넘어가고 말았다.

4·3 사건 당시 이들은 열여섯의 아직 철부지였다. 외삼촌을 따라 산으로 올라갔다. 물불을 가리지 않는 젊음이 죄라고 해녀는 지금껏

가슴 속 맺힌 것이 풀리지 않고 있다. 남편은 마을에 내려온 아들을 하룻밤 집에서 재워 보내면서 고발을 하지 않았다는 죄과로 시비를 가릴 여유도 없이 즉결 처형이 되었다.

마지막 토벌전에서 목숨을 겨우 부지해 온 몇몇이 거의 해골이 되어 귀순해 올 때도 아들의 모습은 보이지 않았다.

―「반편들」 중에서

해방 직후의 악단 분위기란 그의 처신에 있어서 난처하고도 미묘한 입장을 만들어 주었다.

좌우익의 사상적인 대립이 격심할 때에는 이런 문제에 특이한 관심을 가지지 않고, 예술만을 위주로 생각하여 온 그에게 평범한 악사의 한 자리를 겨우 유지하게 했을 따름이다. 투쟁의 선봉에 서서 적극적인 행동으로 깃발을 높이 들지 않는 그에게 악단의 주요한 위치는 물론이거니와, 간혹 그의 연주에 있어서의 재능까지도 묵살 버리려는 결과를 가져 오게 하였다.

―「크라운장」 중에서

그날 밤 충은 다량의 금계랍을 마셨다. 이때부터 그의 자학적인 집착은 점차로 적극적인 행동으로 나타났다. 신음소리에 어머니가 눈을 뜨고, 급히 의사를 불러 미수로 끝났다.

그러나 그후 충은 늘 신면의 위협이 절박하는 경우, 안온한 도피보다 도전적인 자세를 취해 왔다. 말하자면 해방 다음해 S국립대학 창립에 대한 국대안(國大安) 반대 운동이 각 대학에 파급되었을 때 그 선봉에 나섰다든지, 6·25 사변이 발발되었을 때 첫 고비에서 군의관으로 나갔다든지 하는 것은 그러한 자기 학대의 연장이기도 했다.

―「충매화」 중에서

이처럼, 전광용의 소설에서 역사적 사건은 가슴 아픈 추억의 한 토막으로 지나치거나 또는 한 개인의 삶의 결을 결정짓는 하나의 동인(動人)으로 작용하고 있다. 그러나 이때의 동인은 직접적이거나 근본적인 힘을 지니고 있는지는 몰라도 분명 지속성은 없는 것으로 그려지고 있다. 물론, 소설이 역사적 사건을 정면에서 다루어야 할 의무는 없다. 전광용은 앞서 암시한 바와 같이 역사나 시대 그 자체보다는 역사와 시대가 하나의 원인으로 흘러들어온 것일 수도 있는 '개인의 삶' 그것에 더 큰 관심을 둔 경우의 작가라 할 수 있다. 그는 역사나 사회를 통해서 개인과 그 삶을 이야기하는 방법 대신 개인과 그 삶을 통해서 역사나 시대를 가늠해 보기도 하는 방법을 취한 것이다. 한 시대와 사회 속에서 별나지 않게 그러나 열심히 살고 있는 한 개인의 삶을 거짓 없이 그려내는 것은 한 시대나 사회의 초상화를 그리는 지름길이 될 수도 있는 것임을 그는 잘 깨닫고 있었다.

「진개권」「동혈인간」「경동맥」「지층」「벽력」「퇴색된 훈장」「G·M·C」「영1234」「크라운장」 등 그의 50년대 작품들에 등장하는 주요 인물들은 못 가진 자, 굴러 떨어진 자, 뿌리 뽑힌 자 등으로 이름할 수도 있고 또 다른 차원에서 '소극적인 사람들', '운명에 순응하는 사람들'로 묶어 볼 수도 있다. 자기의 운명을 적극적으로 만들어 간다는 점에서, 비윤리적인 색채를 짙게 드러내고 있는 점에서, 또 애자적(愛自的)인 탐욕의 노예가 되고 있는 점에서, 이들 인물들과 뚜렷하게 맞서고 있는 인물로는 「꺼삐딴 리」에서의 이인국 박사가 손꼽힌다. 아이러니컬하게도 전광용은 자신이 마음 속으로 혐오하고 있는 인간상을 하나의 전형적인 인물로 형상화하는 데 성공하고 있다. 작가 스스로 연민의 정을 표시하면서 독자들의 동정심을 유발하려는 뜻에서 만들어 낸 여러 인물들은 전형적인 인물로 잘 떠오르지 못하고 있다. 그가 1950년대에 만들어 낸 인물들은 만약에 구체성과 현실감이 보다 농익은 표현력의 뒷받침을 받은 1960년대에 보여주었더라면 사정은 크게 달라졌을 것이다. 최소한 이들 1950년대 소설 속의 인물들은 전형성에 보다 근접하는 결과가 빚어 졌을 것이다.

그렇다면, 전광용의 소설에 있어서 1950년대의 작중인물들과 1960년대의 작중인물들은 어떤 이유로 차이가 분명한 환기력과 감응력을 보이게 된 것일까. 전광용이 한 편의 소설을 서술하는 능력의 면에서 뚜렷한 발전을 보였음은 이미 지적한 바 있다. 이번에는 주제의식의 면에서 그 이유를 찾아야 할 것이다.

그는 작가로서는 후기에 접어들면서, 작가는 인간관계의 여러 양상들 중 특히 '갈등관계'에 주목해야 한다는 인식을 갖게 되었고, 윤리의식 혹은 도덕적 상상력이 작가의식의 중심부에 자리하여야 한다는 명제를 확인할 수 있게 되었다.

작가적 관심은 갈등관계 쪽으로 모아져야 한다는 인식은 50년대 끝판에 씌어진 「사수」를 통해 알차게 거두어진 것이라 할 수 있다.

그의 50년대 소설들이 윤리의식 혹은 도덕적 상상력을 온통 외면하고 있었던 것은 아니다. 1948년 6월 그러니까 대한민국 정부 수립 전양를 시간적 배경으로 삼고 있는 「해도초」에서는 우리 조상과 관리들의 사대 근성을 향한 비아냥거림을 찾아볼 수 있고, 군사훈련이라는 미명 아래 아무때나 아무 데서나 폭격을 하는 미군에 대한 분노를 읽을 수 있다. 그리고 이미 제목에서 암시되고 있듯이 「동혈인간」에서는 피난길에서 위의 두 아이를 살리기 위해 병든 갓난아기를 버리고 가는 어머니를 비정한 인간으로 몰아가고 있음을 보게 된다. 「벽력」은 가진 자가 사욕에 눈이 어두워 못가진 자에게 억압을 가하는 장면을 보여 준다. 그러나 전광용은 이들 작품에서도 객관적 사실주의자로서의 기본자세, '보여주기'의 서술방법을 고수하는 작가로서의 신념을 조금도 풀어 버리려 하지 않았다. 가치관, 선악관의 차원에서의 판단력을 행사하지 않았다는 뜻도 될 수 있다.

그러던 그는 1960년대에 들어서서 특히 「충매화」「꺼삐딴 리」「죽음의 자세」(『현대문학』, 1963. 7), 「제3자」(『문학춘추』, 1964. 7) 등의 작품에서 도덕적 상상력으로써 개인의 삶을 그리고, 풀이하고, 평가하는 일대 변화를 보이게 된다.

「제3자」는 아주 사소한 일에 쉽게 뜨거워졌다 차가워졌다 하는 말하자면 경솔하고 인내심이 없는 젊은 부부를 등장시켜 1960년대의 젊은 사람들의 잘못된 풍조의 한 단면을 제시하고자 하였다. 「죽음의 자세」에선 헤어진 지 10년 후에 간첩으로 남파된 처남을 두고 법이냐 인정이냐의 틈바구니에서 고민하다 인정 쪽으로 기운 한 사내가 결국 처벌을 받게 된다는 이야기를 들려주고 있다.

장안에 소문난 기생이 낳은 사생아이며 소아마비에 걸린 적이 있는 산부인과 의사 충의 열등감과 자폐증 그리고 이따금 고개를 내미는 공격성향을 그려낸 「충매화」는, 바로 이 산부인과 의사의 시선을 빌려 전쟁 직후의 우리 사회에서 성도덕이 근본적으로 파괴되기 시작하고 동시에 성의 상품화 현상이 뚜렷해져 간다고 파악하였다. 의사 충은 불륜이 낳은 존재라는 점에 깊은 열등감을 가진 데다 산부인과 의사인 만큼 이 작품에서는 성모랄의 현주소를 날카롭게 체크하는 계기(計器)로서의 역할을 맡고 있는 것이라 하겠다. 그는 전쟁 통에 졸부가 된 늙은 홀아비에게 시집간 여인이 돈과 자신의 위치를 계속 확보하기 위해 인공수정이라도 하여 아기를 갖고 싶다고 집요하게 달라붙는 것을 결코 긍정적인 눈길로 보지 않는다. 충은 인공수정의 방법은 자기와 같은 사생아를 만들어 내는 것이라고 보았다.

저만이 살겠다는 것, 제 좋은 각도로 해석하는 것, 저만의 목적을 위하여서는 제멋대로의 수단 방법을 가리지 않는 것, 극도의 메커니즘에서는 모든 인간은 사생아임에 틀림없다고 느껴졌다.

전광용은 윤리의식이 가장 민감하게 반응을 보이는 대상인 성의 문제를 다루면서 1950, 1960년대의 우리 사회에서 '정신적 사생아'가 점차 늘어나고 있다고 암시하는 데까지 나아갔다. 또 전광용은 주인공 충의 자기 위안에 찬 시선을 빌려 당시 우리 사회는 '병신투성이'라고 진단하고 있다. 작중인물 충이 환자를 진찰하고 수술하는 가운데 자의식을 매개로 하여 당시의 사회풍조의 일각을 건드리려고 한 그 사이에 작가 전광용은 도덕적 상상력을 바탕으로 하여 동시대의 병리현상을 날카롭게 쏘아보고 있었다. 그렇게 해서 건져낸 것이 '범병신론'과 '범사생아론'이었다.

「꺼삐딴 리」는 일제 때는 철저한 친일분자요, 해방 직후에는 소련군에게 붙었고 1·4 후퇴 때 월남에서는 미국인의 환심을 사기에 여념이 없는, 한 마디로 초시대적인 전천후 출세주의자인 의사의 경우를 들려주면서 과잉적응주의자, 소아주의자(小我主義者), 반민족주의자 등의 행태에 대한 비판의식과 고발정신을 은연중에 부추긴 것이다. 어떤 시대에서든지 이인국 박사와 같이 '꺼삐딴'이 되려고 하는 사람들의 귀에는 '보통으로 삽시다. 그저 표 나지 않게 사는 것이 이런 세상에서 가장 편안할 것 같아요'라는 부탁과 호소가 제대로 들릴 리라 만무다. 「꺼삐딴 리」는 전광용의 이제 막 익어가기 시작한 도덕적 상상력과 포괄적이면서 의미함량이 높은 소재가 잘 어우러진 끝에 나온 값진 산물이라 할 수 있다.

「꺼삐딴 리」 이후 제2, 제3의 「꺼삐딴 리」가 나오지 않는 것이 아쉬움으로 남는다.

작가 연보

1918년		음 9월 5일(호적부 1919년 3월 1일로 출생 신고) 咸南 北靑郡 居山面 下立石里 城川村 1011번지에서 부친 全周協 (본관 慶州)과 모친 李泳春(본관 靑海)의 2남 4녀 중 장남으로 출생.
1925년	**4월**	향리 소재 사립 又新學校 입학.
1929년	**3월**	又新學校 4학년 졸업.
	4월	北靑郡 陽化공립보통학교 제 5학년 편입.
1931년	**3월**	陽化공립보통학교 졸업.
1934년	**4월**	北靑공립농업학교 입학.
1937년	**3월**	北靑공립농업학교 졸업.
1939년	**1월**	동아일보 신춘문예에 「별나라 공주와 토끼」 입선. 동화 「별나라 공주와 토끼」(東亞日報, 1939.1)
1943년	**10월**	專檢 합격.
1944년	**11월**	韓貞子(본관 淸州)와 결혼.
1945년	**9월**	京城經濟專門學校(서울대학교 상과대학) 경제학과 입학.
1947년	**7월**	서울대학교 상과대학 2년 수료.
	9월	서울대학교 문리과대학 국어국문학과 입학. 高明중학교 야간부 교사 취임(사임 1949.10). 희곡 「물레방아」(公演, 1947.1)
1948년	**11월**	鄭漢淑, 鄭漢模, 南相圭, 金鳳赫 諸友와 『酒幕』 동인 창립.

1949년	10월	漢城日報 기자 취임(사임 1950.12).
		단편 「鴨綠江」(大學新聞, 1949.3)
1951년	9월	서울대학교 문리과대학 졸업.
		서울대학교 대학원 국어국문학과 입학.
1952년	4월	숙명여자고등학교 교사 취임(사임 1953.3).
	11월	부산 피난지에서 國語國文學會 창립에 참여.
1953년	4월	휘문고등학교 교사 취임(사임 1954.6).
		서울대학교 문리과대학 강사 피촉.
	9월	서울대학교 대학원 수료.
1954년	4월	덕성여자대학 강사 피촉(사임 1960.3).
	6월	서울대학교 사범대학 부속고등학교 교사 취임(사임 1955.3).
		논문 「昭陽亭攷」(국어국문학 10, 1954)
1955년	1월	조선일보 신춘문예에 단편소설 「黑山島」 당선.
	4월	수도여자사범대학 교수 취임(사임 1957.3).
	11월	서울대학교 문리과대학 조교수 취임.
		논문 「黑山島民謠研究」(思想界, 1955.1)
		「雪中梅」(思想界, 1955.10)
		「雉岳山」(思想界, 1955.11)
		단편 「黑山島」(朝鮮日報, 1955.1)
		「鹿芥圈」(文學藝術, 1955.8)
1956년	4월	학술논문 「雪中梅」 사상계 논문상 수상.
		서울대학교 음악대학 및 서울문리사범대학 강사 피촉 (사임 1961.9).
		논문 「遺産繼承과 創作의 方向」(自由文學, 1956.12)
		「鬼의 聲」(思想界, 1956.1)
		「銀世界」(思想界, 1956.2)
		「血의 淚」(思想界, 1956.3)
		「牧丹峰」(思想界, 1956.4)
		「花의 血」(思想界, 1956.6)
		「春外春」(思想界, 1956.7)
		「自由鍾」(思想界, 1956.8)

「秋月色」(思想界, 1956.9)

단편 「凍血人間」(朝鮮日報, 1956.1)

「硬動脈」(文學藝術, 1956.3)

1957년 3월 서울대학교에서 「李人稙研究」로 문학석사 학위 받음.

4월 동덕여자대학(사임 1972.8), 외국어대학(사임 1959.3) 및 수도여자사범대학(사임 1958.3) 강사 피촉.

논문 「李人稙研究」(서울大學校 論文集 6 人文社會科學, 1957)

1958년 논문 「祖國과 文學」(知性, 1958. 가을)

「素月과 小說」(知性, 1958. 겨울)

「玄鎭健論」(새벽, 1958)

단편 「地層」(思想界, 1958.6)

「海圖抄」(思潮, 1958.11)

「霹靂」(現代文學, 1958.12)

1959년 단편집 『黑山島』(乙酉文化社, 1959) 출간.

단편 「주봉氏」(自由公論, 1959.1)

「G.M.C.」(思想界, 1959.2)

「褪色된 勳章」(自由文學, 1959.2)

「영 1 2 3 4」(新太陽, 1959.3)

「射手」(現代文學, 1959.6)

「크라운莊」(思想界, 1959.9)

1960년 단편 「蟲媒花」(思想界, 1960.9)

「招魂曲」(現代文學, 1960.12)

1961년 4월 성균관대학교 강사 피촉(사임 1962.2).

1962년 10월 단편소설 「꺼삐딴 리」로 제7회 東仁文學賞 수상.

논문 「雁의 聲' 攷」(국어국문학 25, 1962)

단편 「반편들」(思想, 1962.1, 「바닷가에서」 개제)

「免許狀」(미사일, 1962.1)

「꺼삐딴 리」(思想界, 1962.7)

「郭書房」(週刊 새나라, 1962.7)

「南宮博士」(「擬古堂實記」 改題)(大學新聞, 1962.9)

1963년 11월 국제 P.E.N.클럽 한국본부 사무국장 취임(사임 1964.12).

논문 「解放後 文學 二十年」(解放二十年, 1963)

장편 「太白山脈」(新世界 連載, 1963.2 - 1964.3)

　　　「裸身」(女苑 連載, 1963.5-1964.9)

단편 「죽음의 姿勢」(現代文學, 1963.7)

1964년　　논문 「古典文學에 나타난 庶民像」(韓國大觀, 1964)

단편 「모르모트의 反應」(思想界, 1964.5)

　　　「第三者」(文學春秋, 1964.7)

1965년　　장편 『裸身』(徽文出版社, 1965) 출간.

단편 「세끼미」(思想, 1965.4)

1966년 3월　서울대학교 미술대학(사임 1970.2) 및 서강대학(사임 1967.2) 강사 피촉.

논문 「常綠樹考」(東亞文化 5, 1966)

단편 「머루와 老人」(思想界, 1966.11)

장편 「젊은 소용돌이」(現代文學, 1966.6 - 1968.2)

1967년　　논문 「韓國小說發達史(新小說)」(韓國文化史大系 5, 1967)

장편 『窓과 壁』(乙酉文化社, 1967)

1968년 3월　서울대학교 문리대 의 · 치의예과부장 피촉(사임 1970.3).

　　9월　고려대학교 교육대학원(사임 1972.8) 및 단국대학교 대학원(사임 1969.2) 강사 피촉.

논문 「小說 六十年의 問題點」(新東亞, 1968.7)

1969년 3월　서울대학교 약학대학 강사 피촉(사임 1970.2).

　　6월　國語國文學科 대표이사 피선(사임 1971.5).

논문 「3 · 1運動의 文學創作面에 끼친 影響」(3 · 1運動 五十周年 紀念論文集, 1969)

1970년 3월　성심여자대학 강사 피촉(사임 1978.2).

제37차 국제 P.E.N. 대회(世界作家大會, 1970년 6월 27일 서울에서 개최) 준비사무국장 피촉.

논문 「韓國作家의 社會的 地位」(文化批評, 1970.1)

1971년 3월　숙명여자대학교 대학원 강사 피촉(사임 1977.8).

　　8월　아일랜드 더블린에서 개최된 제38차 국제 P.E.N. 대회에 한국 대표로 참석.

논문 「韓國語 文章의 時代的 變貌」(月刊文學, 1971.1)

1972년　3월　서울대학교 문리과대학 문학부장(사임 1974.3).

　　　　6월　서울대학교 문리과대학 학장 직무대리(사임 1972.8).

1973년　2월　서울대학교에서 「新小說研究」로 문학박사 학위 받음.

　　　　3월　이화여자대학교 대학원 강사 피촉(사임 1974.2).

　　　　　　논문 「新小說研究」(서울대학교박사학위논문, 1973)

　　　　　　　　「白翎島地方 民謠調査報告」(文理大學報 28, 1973)

1974년　1월　문교부 파견으로 중화민국 교육·문화계 시찰.

　　　11월　국제 P.E.N.클럽 한국본부 부회장 피선.

　　　12월　이스라엘 예루살렘에서 개최된 제39차 국제 P.E.N.대
　　　　　　회에 한국 대표로 참석.

　　　　　　논문 「民族文學의 意義와 그 方向」(月刊文學, 1974.6)

　　　　　　　　「李光洙研究序說」(東洋學 4, 1974.10)

　　　　　　단편 「牡丹江行列車」(北韓, 1974.9)

1975년　4월　서울대학교 교수협의회 회장 피선(사임 1977.5).

　　　　9월　명지대학 대학원 강사 피촉(사임 1976.2).

　　　　　　단편집 『꺼삐딴 리』(1975) 출간.

　　　　　　논문 「近代 初期 小說에 나타난 性倫理의 限界性」(藝術論文
　　　　　　　　集 14, 1975)

1976년　1월　韓國比較文學會 부회장 피선.

　　　　4월　중화민국 臺北에서 개최된 국제 P.E.N.아세아작가대회
　　　　　　에 한국 대표로 참석.

　　　　8월　영국 런던에서 개최된 제41차 국제 P.E.N.대회에 한국
　　　　　　대표로 참석.

　　　　　　편저 『新小說選集』(同和出判公社, 1976) 출간.

　　　　　　논문 「枯木花에 대하여」(국어국문학 71, 1976)

　　　　　　　　「祖國統一과 文學」(統一政策, 1976)

1977년　　　단편집 『凍血人間』(三中堂, 1977)

　　　　　　논문 「韓國現代小說의 向方」(冠岳語文研究 2, 1977)

　　　　　　　　「兒童文學과 歷史意識」(兒童文學評論, 1977)

　　　　　　　　「國語와 現代文學」(文協심포지움, 1977)

1978년　3월　　인하대학교 교육대학원 강사 피촉(사임 1979.2).

　　　　5월　　스웨덴 스톡홀름에서 개최된 제43차 국제 P.E.N.대회에 한국 대표로 참석.

　　　　12월　　韓國現代文學硏究會 회장 피선.

　　　　　　　단편집 『牡丹江行列車』(泰昌出版社, 1978)

　　　　　　　장편 『太白山脈』(韓國現代文學全集)(三省出版社, 1978)

1979년　3월　　서울대학교 含春苑에서 『白史全光鏞博士華甲紀念論叢』 봉정식 가짐(10일).

　　　　7월　　중화민국 臺北에서 개최된 韓·中 學者會議에 한국 대표로 참석.

　　　　12월　　소설 「郭書房」으로 대한민국문학상(흙의 문학상 부문) 수상.

　　　　　　　단편 「時計」(서울대학교 동창회보, 1979.6)

　　　　　　　　　「표범과 쥐 이야기」(韓國文學, 1979.8)

1980년　4월　　韓國比較文學會 회장 피선.

　　　　5월　　한미 친선 관계로 미국 방문.

　　　　　　　논문 「독립신문에 나타난 近代的意識」(국어국문학 84, 1980)

　　　　　　　　　「百年來 韓中文學交流考」(比較文學 5, 1980)

1981년　3월　　한국정신문화연구원의 한국학대학원 강사 피촉(사임 1981.8).

　　　　8월　　미국 피닉스에서 개최된 제15차 世界現代語文學大會에 한국 대표로 참석.

　　　　10월　　중화민국 臺北에서 개최된 제1차 韓·中作家會議에 한국 대표로 참석.

　　　　　　　논문 「李光洙의 文學史的 位置」(崔南善과 李光洙의 文學, 새문사, 1981)

　　　　　　　　　「李人稙의 生涯와 文學」(新文學과 時代意識, 새문사, 1981)

　　　　　　　　　「戰後 韓國文學의 特色」(比較文學 6, 1981)

1982년　8월　　미국 뉴욕에서 개최된 제10차 世界比較文學大會에 한국 대표로 참석.

　　　　9월　　연세대학교 대학원 강사 피촉.

1983년	1월	서울시 교육회 주관 해외교육연수단 참가, 남태평양지역 교육 문화계 시찰.
	2월	北靑 民俗藝術保存會 이사장 피선.
	3월	문교부의 교류교수 계획에 의하여 청주사범대학에 1년간 근무차 부임(사임 1984.2).
	8월	중화민국 臺北에서 개최된 比較文學大會에 한국 대표로 참석.

편저 『韓國近代小說의 理解』(民音社, 1983)

논문 「金東仁의 創作觀」(金東仁研究, 새문사, 1982)

　　　「韓國小說에 있어서의 漢字表記問題」(比較文學 8, 1983)

1984년	1월	서울시 교육회 주관 해외교육연수단 참가, 유럽 교육 문화계 시찰.
	8월	서울대학교 교수 정년퇴임. 국민훈장 동백장 수훈.
	9월	세종대학 초빙교수 취임.

北靑 民俗藝術保存會 등 5개 단체로 구성된 대한민국 民俗藝術公演團을 인솔, 일본 방문.

서울대학교 정년퇴임기념논문집 『韓國現代小說史研究』(民音社, 1984)를 편저 형식으로 발간.

1986년		저서 『韓國現代文學論攷』(民音社, 1986)

　　　『新小說研究』(새문사, 1986)

1988년		6월 21일 별세.